郑玉巧育儿经

胎儿卷

郑玉巧 著

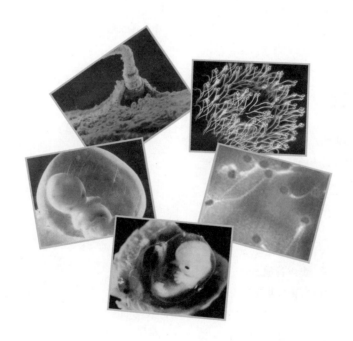

二十一世纪出版社
21st Century Publishing House

图书在版编目（CIP）数据

郑玉巧育儿经·胎儿卷／郑玉巧著.
—南昌：二十一世纪出版社，2008.10（2009.4重印）
ISBN 978-7-5391-4364-4

I.郑… II.郑… III.胎儿－保健－基本知识 IV.TS976.31 R714.51

中国版本图书馆CIP数据核字（2008）第134971号

郑玉巧育儿经·胎儿卷 郑玉巧 著

责任编辑	林 云 杨 华
特约编辑	孙淑慧
版式设计	杨晓君
美术编辑	胡小梅
出版发行	二十一世纪出版社（江西省南昌市子安路75号 330009）
	www.21cccc.com cc21@163.net
出 版 人	张秋林
经 销	全国各地书店
印 刷	江西华奥印务有限责任公司
版 次	2008年11月第1版 2009年4月第3次印刷
开 本	720mm×960mm 1/16
印 张	29
字 数	650千
书 号	ISBN 978-7-5391-4364-4
定 价	49.80元

如发现印装质量问题，请寄本社图书发行公司调换，服务热线：0791-6524997

终于完成了我的梦

郑玉巧

1

1982年毕业后，我被分配到秦皇岛市妇幼医院妇产科做临床医生。那时，医院刚筹建，1986年才正式建成开业。在医院开业前的那段时间，我被派到秦皇岛市第一人民医院妇产科学习。我很幸运，因为我的启蒙老师是深受众多患者爱戴的刘玉兰老师。她是知名妇产科专家林巧稚的学生，当时第一人民医院妇产科的主任，即将出任妇幼医院院长。刘老师曾郑重地对我说：你现在是一位临床医生了，一定要踏踏实实地去做，做一辈子好医生。老师的话伴我在临床工作中一步一个脚印地走到现在，二十几年过去了，我没发生过一次医疗差错事故，没接到过一个医疗投诉，没收过一个患者的红包，受到了患者的喜爱和赞赏。刘玉兰老师做到的，我也做到了。

我要做一个好医生！梦想从妇产科的工作开始了。20世纪80年代初，医院少，医生少，患者多，医疗资源匮乏，这样的工作环境让我们这些年轻医生从工作之初就开始了高强度的工作，但同时也得到了巨大的锻炼。3年下来，我几乎参与过所有临床中能做的手术，诊治过所有能见到的病例，临床经验的积累与日俱增，可以说一天顶十天，一年顶十年。我不羡慕清闲，因为我知道没有积累经验的机会，理论知识也难以巩固。

2

我的视力不好，给做手术带来很大困难。在一次开腹手术中，厚厚的眼镜因为出

汗直往下滑，我下意识地用手背推了一下，主刀医生用严厉的眼光看了我一眼，我立即明白了，马上下手术台。不论是我再上还是换医生都需要20分钟重新洗手，而接受开腹手术的病人一分钟也不能等。刘老师曾经亲自陪我看眼科，当时的结论比较悲观，认为我一眼先天弱视，到35岁有失明的可能。当时也没有超薄、隐形等方便的矫正眼镜，不得已我选择转成儿科医生。刘老师很为我惋惜，但仍然亲自把我领到著名的儿科院长张春瑞老师的办公室，而且说了一句至今回响在我耳边的话："她是个好苗子。"我当了3年半妇产科医生，那是从医学生走向医生的起点，是梦想开始的地方。我后来在学科上有点"转战南北"，涉猎杂了一点，这在医学上是大忌。可是只有我心里明白，我后来所做的一切，都一直围绕着一块固定的"根据地"，通俗地说就是从来没有离开过妈妈和孩子。我是妇幼医院培养出来的，水大不漫桥，我再"全科"，也不过是知识涉猎相对比其他同事多一点而已。现在回想我走过的路，才发现开始的那份内心的追求从来没有消失过。我撰写《郑玉巧育儿经·胎儿卷》，就是想对曾经投入过、奋斗过的妇产科作一个交代，对我的启蒙恩师刘玉兰老师的期盼作一个交代。

我曾经很矛盾。我现在不是妇产科医生了，还有没有资格，有没有能力写？斯波克、松田道雄都是儿科医生，丸山英一、格丽期曼都是产科医生，他们都只在自己的专业领域内著书立说，我非常敬重他们，深知我能写好"婴儿卷"和"幼儿卷"就非常不错了。但是，也许是我天生在专业上有点不

受拘束；也许是我的工作环境从来没有离开过"大肚子"；也许是找我咨询看病的孕妇从来没有在乎过我的专业而对我毫无保留地信任（同样她们也不考虑我并不是男科医生、遗传科医生、皮肤科医生、牙科医生……）；也许是面对一双双乞求帮助的眼睛我宁愿去查书、去请教同事也不忍回绝，能多说一句对他们有用的话，我就多踏实一分；也许是我刚刚成为一名医生时，产妇和婴儿的命运就深深地牵动了我的心，从此我做不到置身其外……写全"胎儿卷""婴儿卷""幼儿卷"是我的夙愿和使命，我走过了一条不平常的道路。

妈流着泪，非常绝望："为孩子治病跑遍了北京、上海、广州，我不能陪他一辈子，还不如当时没救过来！"这让我深深震惊。当时没有新生儿科，没有蓝光，没有脑复苏，生存质量和救命相比，前者根本顾不上。

我的性格多愁善感，这些情景一直在我的脑海里萦绕，我不能袖手旁观，心里不能释然。我总在想，我当时要怎么做就会更好，以后我要多学习什么，我总是想我还能不能多往前进一步。我一辈子都不能接受病人的红包，一方面这是医生的纪律和操守，另一方面更是因为我一直都觉得自己做得不够，不配也不应该接受病人的感激。

3

那时孕妇难产问题很突出，生孩子是件很惨烈的事。当时乡镇都有基层接生员，而转到市人民医院的，必定是非常麻烦的难产。可以说医生真是一手托两条命。有一个孕妇，双胎合并妊高征，高度浮肿，体重超过正常孕妇40公斤。如果在今天，就有麻醉科、内科、新生儿科医生一起抢救。但当时做不到，全是妇产科医生。剖出来孩子，孕妇一下回心血量不够，血压降到零。赶紧加沙袋压在腹部，还不行，两个医生也压上去。终于抢救过来了，我还记得40天她一直坐着，不能躺下。产科医生想尽了所有办法急救，没办法，当时的内科医生也不熟悉产科，没有衔接者。

孩子的情况呢？只要生下窒息的孩子，产科医生就必须全力以赴地抢救，救命是绝对命令。有一次成功抢救过来一个重度核黄疸的孩子，我们都松了一口气。事后也忘了这件事。有一天，我去同学家，碰到同学的邻居，抱着那个抢救过来的孩子。她认出了我，我一看孩子，严重智力低下。孩子妈

4

转儿科医生以前，我觉得自己学历低，一度想考研究生。刘玉兰老师说，读书是一条路，做临床医生也是一条路。做一个好医生，通过临床和读书是一样的，医院就是大学。你要做大众信得过的医生，就认认真真对待每一个病人；你希望搞基础搞研究，就去上学。刘老师的话，尤其是刘老师的身体力行，让我决定不再上学。刘老师出生在大资本家家庭，是从上海"下放"到秦皇岛的老知识分子，她认认真真地接诊每一个病人，淡薄名利。我们往北京大医院转病人，北京同行会问："秦皇岛的？有刘玉兰往我们这里转干吗？"她是我们的骄傲，我的榜样。

1986年，妇幼医院建成后，我当了一名儿科医生。儿科本来就是全科，并且患儿的病情变化迅疾，所以儿科治疗和用药更加苛刻，而且，儿科是哑科，对医生的判断力要求更高。在我们医院，就诊的新生儿、婴幼儿要比大孩子多得多。我全力以赴地学习，大量接触孩子的父母，积累病例与解决方案。好多问题在医院是不同科室的病，但在

生活中却是不可分割的，是相互关联和影响的。所以我并没有与妇产科作彻底的告别，因为有妇产科医生的经验，我看病往往能结合妈妈孕期的情况，特殊的孕产史、遗传病、先天感染性疾病等等蛛丝马迹都会被我关注，而且因为了解妈妈的情况，我的建议妈妈特别接受，医嘱执行得非常好。

5

在国际上，新生儿科是一门独立的学科，产妇和新生儿死亡率是WHO评定一个国家卫生发达水平的指标，降低死亡率也是妇幼医院义不容辞的责任。国内新生儿科的成立和探索搅动了我的心，作为儿科业务骨干，我愿意承担筹建新生儿科的重任。1992年，我又暂时脱离儿科，进驻产科。我几乎常驻产房，和产科医生朝夕相处，和产妇密切接触。产妇分娩时，我就守候在产妇身边。我从儿科又回到产科，感慨万分。和我当妇产科医生的时候不同，产妇和新生儿了更多的保护。虽然我们达不到独立建科的规模，但我们在全国都是很先进的。现在，秦皇岛妇幼医院新生儿科也很强，就是底子打得早。而且我很骄傲，这个底子是我打的。

就这样和产科朝夕相处一年多，新生儿工作正式和产科剥离（我非常喜欢这个词，就像胎儿和妈妈剥离一样），我带着新的知识和技术返回儿科。医院虽然没有组建新生儿科，但开始把儿科分为两个组：新生儿科组和儿科组。两组轮流接诊。

6

我把所有心思都用在看病上，其他方面就比较"傻"。我一直在做一个大众喜爱的临床医生，也得到了绝大部分同事的喜爱。但是有极个别人不喜欢我，我没有阿谀奉承的本事，我太强的业务能力也让极个别人感到不舒服。许多儿科疑难重症被转到别的医院，我们都只看一些常规病人，业务得不到提高，我很难受。我们是妇幼专科医院，除了妇产科和儿科，没有其他科室。当时妇科和产科病人合并了内科疾病，要频繁请外院内科专家来会诊，而且大部分内科专家对妇产科并不熟悉，危急情况常常发生。恰好在这时，1996年，医院有了派人学习和承担妇产科合并内科疾病的想法，他们觉得我既懂妇产科又懂新生儿，多年的儿科基础容易转到内科，认为我是合适人选。我是一个有工作干就高兴的人，我不怕学更多的东西。我开始被派出参加高血压病、心血管病、糖尿病、内分泌疾病等内科基地学习进修，然后被派到上海专门学习妇产科合并内科疾病。全国设有妇产科合并内科疾病门诊的医院很少，我的出现让来自全国各地的学员都大为感慨：想不到小城市的医院也这么先进！每次我的新选择都让我大开眼界，让我在业务上发生质的提升，能力大大提高。反过来看我走过的路，我不后悔这样的选择，我失去的和我得到的相比，得到的更多。回来后，我又成天和妇产科医生在一起会诊，我仍然没有离开妇产科。

大概是1998年，由于不健康的新生儿出生率居高不下，国家开始实行婚检制度，具体婚检由各地妇幼医院承担，要求配备专职的婚检医师。因为我的专业基础比较广，所以又被抽出去开始填鸭式进修，并通过严格考核成为婚检主检医师。婚检要求的知识非常全面，遗传学、内科、妇产科、外科、五官科、传染病、劳动保障、毒理学、婚姻法等都要求掌握，婚检病例和大量的高危妊娠疾病治疗，把对妈妈和孩子的医学保护提前到了孕前，从源头抓起，所以我又学到了大量遗传学、生殖健康方面的专业知识。

7

回想我刚刚参加工作，面对被疾病困扰的妈妈和孩子时，那种想提高自己能力的渴望，到现在我已成了一个有点杂有点乱的"多面手"，我相信这就是我的宿命。在"婴儿卷"前言中我写过，我尊重那些在基础医学领域有重大建树，或者在临床医学领域掌握高精尖技术的同行。命运没有给我这样的机会，我就把我的普通、细致、丰富、实用的育儿和家庭保健知识，贡献给更多的中国父母。我感谢命运，命运给了我与别人不一样的机会，让我写作60多万字"胎儿卷"，让我把胎儿、婴儿、幼儿作为一个不可分割的整体来关注，让我写作崭新的"新生儿"、"孕前准备"和"妊娠合并常见疾病"这样的前沿领域，我只能说，为了给中国的父母贡献一部更优秀的育儿科普著作，我做了最大的努力，因为，这是我的一个梦。

"胎儿卷"将近400多页，60多万字，400多幅图片。这么多的内容是否会增加准爸爸妈妈的阅读负担呢？我这样问过自己。我希望给中国的准父母提供更加实用、周到和有效的帮助，为此我做了这些特别的努力：

1.让准父母留住孕育新生命的喜悦，丢掉担忧。在太多的健康咨询中，吃"后悔药"的准父母实在不少，我用十几万字写了孕前准备，尤其是怎么避免生活中药物、环境的伤害。这些，结婚后就应该看，越早看越好。就像"婴儿卷"新生儿部分，应该在分娩前看。有备才无患，才会少掉许多烦恼和后悔。

2.怀孕是准爸爸妈妈最快乐的一件事，不是病理现象，所以准爸爸妈妈出现的问题，除了极少数需要医疗介入的情况，对于更多的不适现象、困惑、担忧；对于早孕反应、孕吐、胎教、营养素补充、检查、分娩等等，我尝试从疾病以外的角度，给准父母讲清道理，让他们有准备地迎接，理性地面对，快乐地经历孕育宝宝的过程。

3.腹中的胎儿过着怎样的生活？长什么样儿？胎宝宝健康吗？准父母一旦有所担忧，他们毫无例外都是问"对我的宝宝有影响吗"，而不是"对我有影响吗"。这本书第一次从胎儿的角度而不是单单从孕妇的角度，全面描述胎儿真实准确的发育成长过程，因为准父母知道得越多，担忧就越少。人类胚胎学——这是非常前沿的学科，不但艰深难懂，而且许多原因和机理医学至今无法解答。我花了大量时间查阅原文著作，并且把这些神奇深奥的内容用通俗易懂的语言告诉准爸爸妈妈。这些内容从图片到文字，都是医学科学最尖端的成果，绝不是道听途说的拼凑。

4.我的书稿来源于现实，来源于临床病例，尽量多讲例子，多解决实际问题，而不是仅仅讲大道理。因为我曾被很多媒体聘为咨询专家，回答过几万条来自读者的咨询，所以读者最集中的问题就是这本书的写作提纲，能帮助读者解决问题就是这本书的目的。

做到这一切，说起来容易做起来难。写作的过程非常辛苦，为了专心写作我把自己关在房间内，每天以几千字的速度笔耕。在这个浮躁的社会上，需要有人沉下心来，踏踏实实做事。我不在乎有人说我"傻"，有人说你是儿科专家，写育儿科普书那是搞保健，大材小用。我不这么看，医学就是要为老百姓服务才有价值，医生能给大众解决实际问题才是大材。我曾经为大众做了一点，他们已经给了我太多的尊重和信任。为了回报他们，我愿意做得更多，做得更好。"胎儿卷"就是又一份答卷，请中国的准爸爸妈妈们给我一个评分。

2007年9月于北京

目 录

第二章　孕1月(0～4周)

第五章　孕4月(13-16周)

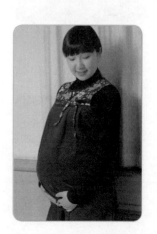

第十二章 分娩

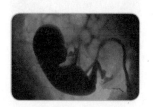

第十三章 产后

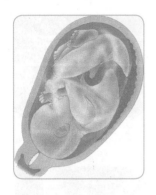

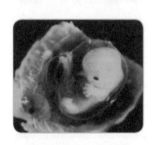

第十四章　检查

第1节　孕期检查项目

第十五章　疾病

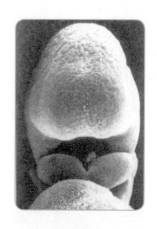

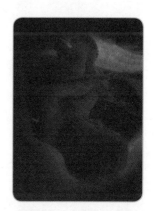

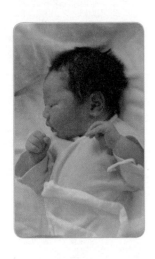

第十八章 生活

宝宝／王震坤

第一章

孕前准备

计划生育、补叶酸、孕前
检查、遗传咨询、孕前疾病

　　我可不希望我被称为　"节日
儿"、"蜜月儿"、"非意愿妊娠儿"、
"药物环境伤害儿"、"酒后儿"。　我
要给我最亲爱的爸爸妈妈快乐美满
的新生活，延续爸爸妈妈的生命和
梦想。——胎宝宝

本章要点

- 尽量避免非意愿妊娠和堕胎
- 准爸爸和准妈妈应该在孕前治愈的疾病
- 了解特征遗传和常见遗传病
- 别忘了补充叶酸

宝宝/郑果

果果和爸爸在一起，现在看来爸爸的眼睛和脸型都和果果相去甚远，这是因为爸爸在青春期以后慢慢就成了国字脸。

第1节 未来胎宝宝写给爸爸妈妈的一封信——我喜欢在什么条件下诞生

亲爱的爸爸妈妈：

当我会说话的时候，爸爸妈妈总是指着婚纱照考我："宝宝上哪里去了？"我的回答都很幽默："我上班去了。""我到幼儿园去了"。"我在外面玩呢！"我绝顶聪明，知道我不是"虚无"，我已经"存在"，只不过在来这个世界的路上。我已经存在于爸爸妈妈健康的生殖细胞中；存在于爸爸妈妈绿色均衡的食物中；存在于爸爸妈妈快乐的情绪中。无论爸爸妈妈是否做好了准备，我就是你们的孩子，一切只是时间问题。我真的希望成为一个健康、聪明、人见人爱的宝宝，这也是爸爸妈妈的愿望。我的健康聪明要依靠你们的力量帮我实现。这些你们都做了吗？

1. 可别忘了去做孕前健康检查，爸爸也要去喽

我特别请求爸爸，您一定不要因为工作忙推脱孕前检查。据医生考证，尽管夫妇双方都应该做孕前检查，但事实上，有更多的爸爸不情愿接受。他们认为生孩子是妈妈的事，孩子在妈妈肚子里长大，和爸爸没有多大的关系。如果您也这么想可就坏了，我在妈妈的肚子中长大不假，但如果爸爸有健康问题，我也不会健康的。爸爸，我的一半是你赋予的呀！

许多东西对成人都有害，更不用说对我这个"小不点"了。我只是生活在爸爸妈妈体内的小小生殖细胞，我的抵抗力太微弱了，在这个危机四伏的世界，我是很容易受伤害的。

可能让我"很受伤"的都有哪些呢？

- 毒品和药品
- 香烟和烈酒
- 大环境污染和小环境污染
- 食品加工中的防腐剂和其他化学添加剂
- 某些美容化妆品、美发用品和洗涤化学品
- 病毒、细菌等致病微生物
- 蔬菜、水果上的农药残留
- 肉食品中细菌、寄生虫及类激素污染
- 乳制品中可能携带的细菌超标
- 来自被污染的江河湖泊的鱼虾等水产品
- 电离、电磁及热辐射，声光干扰
- ……

曾有一家三口过着幸福美满的生活，可父子俩先后被诊断为白血病，只因为孕前新房装修时用了放射性元素超标的大理石铺地板和卫生间墙壁。

我不希望爸爸妈妈再听到类似悲惨的故事，更不希望类似的灾难直接降临到我们身上。

2. 孩儿相信，你们不是粗心大意的爸爸妈妈

听医生讲，很多爸爸妈妈得知怀孕的消息后，常常不是高兴而是喜忧参半。因为获知怀孕的喜讯后，他们才开始回忆：

在不知道怀孕的情况下服用了什么药物

爸爸妈妈你们知道吗？药物对我的伤害是很大的，医学还不能把所有的药物都在人体上做试验，有很大一部分药物对生殖细胞和胚胎的毒副作用并不

新婚夫妇/王忠泽 张云佳
伴随这海涛的情声碎语,是何等的亲密相爱。
——意大利写西莫多

清楚,即使是比较安全的药物,也是不吃为好。是药三分毒,不要听信"没有副作用"的说法。你们是不是认为中药副作用小,对我没有什么伤害呢?其实不是的,有些中草药的成分并不十分清楚,尤其是对生殖细胞、受精卵及胎儿是否有副作用也不是很肯定,所以说,中药对我并不像你们想象的那么安全,当然也就不能随意吃了。

在不知怀孕的情况下接受了胸部X线透视或照像

X线对生殖的危害是众所周知的,可偏偏时常发生这样或那样的情形:单位统一做健康体检,爸爸或妈妈就随大流地跟着去了,没有人知道我就要来到这个世界,甚至没有人知道我已经来到了这个世界,就很自然地接受了包括X线在内的检查项目。

到医院去做孕前检查,计划三个月后怀孕,在孕前检查时,做了胸部透视,原本是为了排除肺部疾病,尤其肺部结核,可遗憾的是,还没能到三个月,甚至就在检查当月妈妈就怀上了我了。

爸爸妈妈可不要觉得我说的有些离谱,其实,这样的事情确实发生过,我希望我的爸爸妈妈没有这样的遗憾,也希望所有小朋友的爸爸妈妈都没有这样的遗憾。

为了我还请爸爸妈妈作出一点牺牲吧

人人都知道烟酒不但对胎儿有害,对生殖细胞

也有害,可爸爸妈妈通常不能罢手,明知故犯,尤其是对烟酒情有独钟的爸爸,总是喜欢用各种理由给自己找台阶下:陪客人了;不好推辞了;不得已而为之了等等。本来已经计划好了要孩子,可还心存侥幸地喝上几口,难道爸爸的面子比我一生的健康更重要吗?我可是爸爸生命的延续呀。如果爸爸没有计划要我,那就更是无所顾忌。别忘了,烟酒首先在伤害爸爸妈妈的身体,同时殃及无辜而稚弱的我。

爱美之心人皆有之,我也希望我的妈妈漂亮迷人,我不希望妈妈为了我就不修边幅,邋邋遢遢。妈妈可以美容美发,但要注意美容化妆品的质量、品种,尽管大部分是安全的,但有些对我是有伤害的。妈妈千万要远离品质低劣的化工制品。除了皮肤和发型的基础护理外,妈妈尽量避免长期浓重彩妆,最好也别染发、烫发了。都说青春无敌,准备怀孕的妈妈应该展现清水芙蓉的美,自然健康的美,其实,妈妈别忘了,孕育本身就是美的,尤其在爸爸眼里,怀孕的妻子是最美丽的,您就大胆地素面朝天吧!

3. 爸爸妈妈是否有更安全的工作防护呢

如果爸爸妈妈从事的是有毒作业,如在油漆厂、铅厂、汽油加工厂、汽车加油站等,仅仅做一般的孕前检查和孕前准备是不够的,必须找到医生,做一些特殊检查和准备。

如果爸爸妈妈从事的是需要长期使用电脑、复印机等设备的工作,做好防护工作是必要的。

如果爸爸妈妈从事的工作有电离辐射,如放射科医生、介入检查治疗室、肿瘤放射医生,不但要做

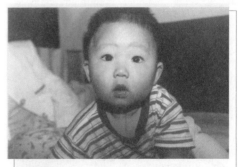

宝宝/郑果
　　常有人说,孩子一阵像妈妈,一阵像爸爸。因为在遗传上,孩子既有父亲的基因也有母亲基因。果果半岁的时候眼睛、鼻子、眉毛、脸型都和爸爸郑成武小时候如出一辙。

好防护，还要保证防护是有效的。

如果爸爸妈妈从事与某些有害化学品相关的工作，一些日用化学品对生殖细胞和胚胎是有害的，要注意避开，如烫发、染发品。

在加油站工作的爸爸妈妈也要注意铅污染，准备要宝宝时，要做必要的检查，比如可以做血铅测定，是否有血铅超标，甚至铅中毒。

总之，不管爸爸妈妈做什么工作，不管你们是否计划要我，都应做好迎接我的准备。因为，生育并不都能按照爸爸妈妈的计划实现。可能在你们没有计划时，我已悄悄来到了你们身边。不管怎么说，养成爱护身体的好习惯对你们对我都有好处。我可不希望我被称为"节日儿"、"蜜月儿"、"非意愿妊娠儿"、"药物环境伤害儿"、"酒后儿"、"先天病残儿"，带有"新生儿出生缺陷"，更不希望我的爸爸妈妈用眼泪和后悔陪伴我一生。我要给我最亲爱的爸爸妈妈快乐美满的新生活，延续爸爸妈妈的生命和梦想。

亲爱的爸爸妈妈，我的信可能带给你们一丝不安，或许让你们心有余悸，感受到了孕育的沉重和不易。我知道在来到这个世界前，来到爸爸妈妈身边前，写给你们的第一封信，应该是令你们欢欣鼓舞的。正是基于让我们拥有永久的幸福，我才在给爸爸妈妈的第一封信中写了些令我担忧的事情，希望我能健健康康地走进你们的生活。不但如此，我还请了有着丰富临床经验的育儿专家郑玉巧，专门为你们写了这本书，希望你们能够认真地读一读，如果准

新婚夫妇/石元福 王晴雪

锦带吴钩搂手处，小屏山上燕支暮。

——[清]邵瑞彭

备好了，我随时听从爸爸妈妈的召唤，像天使一样飞到你们身边。

 你们的胎宝宝写于路上

第2节 非意愿妊娠的医学解读

4.非意愿妊娠并非全部不能接受

何谓非意愿妊娠

非意愿妊娠主要指的是意外怀孕，也就是说没有计划的怀孕。意外怀孕的情形有很多，有的虽然是意外怀孕，但并不会因此使胎儿的健康受到威胁，孕妇不要担心，要轻松愉快地度过孕期。即使没有做相应的孕前准备，或发生了一点点不利于胎儿的情形，孕妇也不要过于担心，胎儿并不像爸爸妈妈想象的那么脆弱。良好的心理状态对孕妇来说是至关重要的。

来自意外怀孕的焦急咨询

● 有的夫妇因为结婚不久，或觉得年纪还轻，或工作需要，或经济问题等等，暂时不要孩子，采取了有效的避孕措施。但所有的避孕措施

宝宝/Francois Walter

小家伙是个中法混血儿。

都不是百分之百的，都可能会意外地怀孕。有一部分夫妇欣然地接受了这个事实，开始了精心孕育胎儿的生活。

这是最到位的准爸爸妈妈，我们应该为有这样心态的夫妇喝彩。

● 少了孕前例行的健康检查，为此有些遗憾和担忧。

大可不必，早一些做孕期检查，如果一切都OK，准妈妈就要把心放下来，投入到孕育宝宝的生活中。

● 意外地怀孕了，可刚刚烫发了，喝酒了，吃药了等等。

不必焦虑，去向有经验的医生咨询，不要胡思乱想，更不要道听途说。在以后的章节中，将有比较详细的讲述，帮助你分析到底该怎么办。

新婚夫妇周威 李菲

爱啊，你手中捧着的花朵，比海面上的薄雾更洁白。[英]艾略特

5. 对胎儿和孕妇有害的非意愿妊娠几种情形

● 有的夫妇没有计划生育，意外怀孕后惊恐不安，尤其是妻子，可能会很生气，怨恨丈夫，一定要把孩子做掉，但丈夫或婆家、娘家老人极力反对，坚持要把孩子留住。孕妇左右为难，一会儿决定流掉这个孩子，一会儿又改变主意。想来想去，到了不能做掉的时候，只好就此罢休。

这种情形对胎儿和孕妇都不利。遇到这种情形，准爸爸的作用是很重要的，准爸爸需要冷静地对待，和妻子认真地讨论，你们是否愿意接受你们的宝宝，如果达成一致意见，愿意接受，就给妻子以鼓励，坚信宝宝会健康成长起来。如果不愿意接受，要权衡利弊，不要轻易决定流产，等上几天，耐心和妻子沟通，倘若妻子执意不接受，再带妻子去医院，医院的医生也会再次向你们征求意见。老人的意见要尊重，但更要尊重你们自己的选择，尤其是准妈妈，从心里接受孩子，对胎儿的成长是很重要的。

● 有的夫妇没有计划要孩子，但却意外地怀孕了，在这种情况下，大多数夫妇得知此消息后，都会很高兴地迎接宝宝的到来。有的则不然，或准妈妈决定留下这个孩子，可丈夫很不情愿，有的准爸爸希望留下这个孩子，可妻子不同意。这就会造成孕妇很大的情绪波动。

通常情况下，用不了多长时间，准爸爸也开始萌发做父亲的愿望。这是皆大欢喜的。倘若丈夫不能释然，也并不能就此认为准爸爸不接受他的孩子。在后面的章节中，有这方面的讨论，"妻子怀孕会带来丈夫的焦虑，甚至有类似女性妊娠反应的表现"。因此，这时的准妈妈就要给丈夫以安慰，让他顺利度过"妊娠反应期"。不要忘了，有时男人也脆弱！

● 有的虽然是夫妇计划好了要生育，但不懂得科学的孕前准备，怀孕后才得知曾有过不利于胎儿的事情发生，如单位组织的健康体检，接受了X线胸透。这个孩子要还是不要？这个问题一直在折磨着刚刚怀孕的准爸爸妈妈。

这种情形并不少见，我在网上做健康咨询专家时，曾回复过无数次类似的问题。关于这个问题，在以后的章节中有比较详细的讲述。我想告诉准父母的是：无论发生什么事，保持良好的心态，不要焦虑、着急。无非就是两种情形，或好，或不好。但你们要相

新婚夫妇何东学 武蕾

情。 ——《德海涅》

大海有它的珍珠，天空有它的星星；但我的心，我的心，我的心里有爱

中，尤其是有了胎动的时候，母性的力量战胜了一切，无论如何要把孩子生下来。

如果没有医学上的禁忌，你们夫妻有共同的愿望，愿意把宝宝留下来，你完全可以放心地继续妊娠。不要心有余悸，在你精心的孕育下，宝宝会健康地成长起来。

在多次接受人流术的情形中，有一种最不应该：有的女性对男方曲意逢迎，想以性留住对方的心，一旦怀孕就把流产作为补救手段，以此来确认"事实夫妻"关系。我遇到过这样的女性，既往流产多达9次。最后在生育或者可能失去子宫之间，她不得已选择了继续妊娠。

● 有的女性，非常迷恋男友，自知婚姻无望，依然不愿意面对必然分手的事实，碰巧怀孕想以怀孕来永远地留住爱情，自己生下私生子。

文艺作品中对这种情形不乏歌颂的成分。对爱情意义的评价已经超出了医学的范畴，但作为医生，我仍然想劝告这样的孕妇：艺术和生活是不同的，一时冲动的决定容易，一生的付出和承受非常艰难。用孩子和自己的一生来奠祭死去的爱情，代价太大了，孩子是无辜的。夫妻双方共同孕育、抚养孩子长大是最符合自然和科学的。

● 还有一种情况，用孩子来争夺对方的财产，败坏对方的社会声誉，主要出现在与某些大亨、高官、名人有染的女性身上，无辜的孩子成了成人满足无耻利欲的工具。

我本不想写这些，但我从医20多年，近年来明显感受到性、生育的观念已经多元化，妊娠掺杂了许多生理以外的因素。作为医生，我的忠告是：怀孕既是自然的、科学的，也是美好的、道德的。

6. 非意愿妊娠与堕胎的危害

从古至今，女性为非意愿妊娠付出了身体和心灵上的巨大代价。在过去的年月里，女性堕胎并不为人所接受，甚至会招来周围人

信：胎儿对外界不良刺激是有一定抵御能力的。另外，如果受精卵或胚胎遭受了不能抵御的打击和伤害，会自然地被淘汰出局。所以如果医生检查没有发现异常，你就放心地孕育吧。

● 有的夫妇没有计划怀孕，意外怀孕后，在要求流产时，被告之不宜或不能做人流，如阴道横隔、双子宫（这种情况较少见），以及其他不宜流产的疾病。

这是医学上的问题，需要医生来解决，准爸爸妈妈就不要烦恼了，听医生的就是了。

● 有的是没有合法的夫妻关系，流产是他们唯一的选择。有的准妈妈，可能会在痛苦的选择或者等待中突然激发出母性保护胎儿的本能，坚决地决定自己孕育这个孩子。这种情形，甚至可能发生在遭受强奸的女性身上。

这是最令我不安和心痛的情形，面对这样的情形，我只想说：压抑你的母性吧，把孩子做掉！剩下的问题交给心理医生，治愈你的创伤。这样比把孩子生下来对你的伤害更小。

● 有的曾接受过多次人流术，距上一次人流术时间太短，或错过了早期流产的时间，不得已必须等到能够引产的孕龄。但有些女性在等待

的猜忌和唾弃。大多数堕胎是不公开的，甚至要隐瞒自己的父母和丈夫。为终止非意愿妊娠，女性甘冒生命危险，接受在医学上还远未成熟的堕胎手术。这些女性不但要承受身体上的伤害，还会招受来自社会的道德审判，背负上沉重的包袱。

现在，人们对堕胎的女性已经给予充分的谅解，即使对于非婚堕胎女性也不再歧视，终止妊娠的方法也越来越安全。但这并不能就此忽视，甚至否认堕胎带给女性身体和心理上的伤害。

在全世界，每年约有3000万人次堕胎，有10-20万女性死于堕胎。堕胎和新生儿出生的比例约为1：3。

尽管现在医疗水平有了普遍提高，流产已经变得比较安全了。但无论是意愿妊娠，还是非意愿妊娠，无论是自愿流产，还是不得已流产，对于女性来说，终止妊娠都不是件好事，都会或多或少地带给女性身体和心理上的伤害，而且可能有继发不孕的风险。所以即使是非意愿妊娠，只要有把孩子生下来的条件，绝大多数女性都不愿意接受流产。但从另一方面考虑，继续妊娠避免了流产带给女性的伤害，但却增加了不健康胎儿的出生率。非意愿妊娠肯定没有孕前准备，而孕前准备对孕育健康的胎儿是很重要的。

非婚怀孕与堕胎

现在是开放年代了，已不再提倡忠贞烈女。但是，无论任何时候，女性都应该对自己的行为负责，爱惜自己的身体，在意自己的内心感受。我并不是禁欲主义者，更不赞成把两性关系只建立在繁衍后代上。然而，作为女性，只要你具备生育能力，性生活就有可能给你带来怀孕的结局。如果你认为他不可能接受你怀上他的孩子的事实，你就应该积极有效地避孕，或者坚决避免这样的性生活。女性不但要学会有意识地选择生育后

代，还要有意识地主宰自己的性生活，不能把堕胎的不幸留给自己。

尽管人类不能自然地控制生育，但在繁衍后代上，人类却比任何生物更具有控制生育的能力。

戴环怀孕

和所有的避孕方法一样，戴环也不能百分之百地保证不会怀孕。

尽管宫内节育器有上述不足，但对于已经生育过的女性来说，放置宫内节育器仍是较好的选择。

避孕药避孕效果

避孕药是目前女性选择比较广泛的一种避孕方法。其优点是方便、保险系数大，对于未生育过的女性来说，是首选的避孕方法。但如果认为长期服用避孕药对女性的身体没有任何伤害是不科学的。

避孕药可能会给女性带来如下问题

● 维生素B缺乏。
● 新陈代谢方面的异常变化。
● 出现发胖、易激动、头痛、脸部粉刺等症状。所有种类的合成孕激素避孕药都有可能出现这种情况。

最新医疗观察认为避孕药与女性癌症发生有密切关系。

服用避孕药需要注意的问题
看医生

新婚夫妇/周威 李菲
我记着你的甜爱，这就是珍宝，教我不屑把处境跟帝王对调。
——[英]莎士比亚

新婚夫妇/郑成武 田甜

尽管现在已经开发出不少种类的新型避孕药，而且剂量越来越低量化，副作用越来越小，但在服用避孕药前，仍应该去看医生，经过医生的检查，听取医生的建议，选择适合你的避孕药。

定期检查

如果你需要长期服用避孕药，应该每半年到医院检查一次，并向医生咨询有关问题。

按规定的剂量和时间服用

服用避孕药最值得注意的是服药时间和服用的剂量。如果你没有按照规定的时间服药，会影响避孕效果，可能还会引起子宫出血或月经问题。如果服用的剂量有误，也会带来不小的麻烦。

防止漏服

女性不愿意把避孕药放在餐桌或客厅

新婚夫妇/王利忠 成拮英

青年男子谁个不善钟情？妙龄女人谁个不善怀春？
——[德]歌德

的茶几等显著的位置，漏服的情形非常多。如果你的生活比较有规律，可选择一个固定并有保证的时间服药，并做好记录，把药和记录单（如微型台历）放在一个固定的地方，最好放在卧室的床头柜上。

服用避孕药前需要做的事情

●看医生，可以到妇科门诊，也可以到计划生育门诊或妇女保健门诊。医生会为你做必要的检查。

●服用避孕药前确定你没有怀孕。

●服用避孕药前，应该为自己选择好一个固定的服药时间，把药随身携带并不能保证你按时服用，最好把服药时间安排在你能空闲下来的时候。

●服用避孕药期间要把你每月月经来潮的时间同时记在日历上。

●在月经周期之初开始服用避孕药，而不是随便哪一天。

●服用避孕药期间出现问题，如月经血过多、时间过长、停经等要及时看医生。

●出现漏服或多服避孕药时，要及时与医生取得联系，寻求帮助。

避孕药与妊娠

●服用第一片避孕药后就开始有避孕效果了。

●合成口服避孕药的避孕效果是相当可靠的，只要你认真按照要求去做，服药期间怀孕的可能性非常微小。

与避孕药有关的妊娠问题

●停用避孕药后短时间内怀孕了。

●服用紧急避孕药后，没能阻止受孕。

●漏服或服用剂量出错。

●关于避孕药是否会导致胎儿畸形和染色体畸变，目前尚存在争议。为了规避避孕药对胎儿的潜在危害，通常情况下，要求服用避孕药的女性，在停止服药3～6个月内不要怀孕。

第3节　孕前健康检查的含义

7.孕前检查提示

孕前检查和婚前检查、产前检查有何

不同

● 婚前检查目的：通过婚前检查，发现不宜结婚或需要推迟结婚的疾病，并给出治疗意见；发现不宜生育或需要推迟生育的疾病，并指导如何避孕，给出解决或治疗方法，预测可以生育的大概时间。

● 孕前检查目的：通过孕前检查，发现将会影响孕妇身体健康和未来胎儿健康的疾病。发现不宜使妻子受孕的男性疾病。

● 产前检查目的：通过对孕妇进行孕期定期检查，监护孕妇和胎儿的健康状况，及时发现妊娠合并症和并发症。及时发现胎儿发育异常，保证母子健康。

到什么样的医院做？

妇产医院、妇幼医院、产科专科医院、大中规模的综合医院都可做孕前检查。

挂哪个科的号？

有的医院有专门孕前检查门诊，有的医院把孕前检查设在内科，有的医院设在妇产科或计划生育科。你可到分诊台、服务台问询，也可以直接到挂号处询问。

去前准备什么？

不要吃早饭，也不要喝水，因为有些检查项目需要空腹。把晨起的第一泡尿留一点，放在干净的小瓶子里，等待化验，如果到医院后再排尿，一是你可能等不及；二是如果需要做子宫B超，你就需憋尿，把尿排出去了，你还要等很长时间才能使膀胱充盈；三是晨起第一泡尿化验结果更可靠些。带上早餐，抽血后再吃。带一瓶纯净水，以便需要憋尿时喝水。有的女士，怕检查时下身有味，就在去医院前清洗下身，这是不对的，去前不但不能洗，前一天晚上也不要洗，这样对检查有利。

B超检查

做B超检查要在膀胱充盈的情况下，所以要憋尿，憋尿时要注意以下几点：

● 不要早晨起来就不排尿，这样憋尿的效果不好。因为晨起尿比较浓，有时虽然尿很少，但尿意已经很明显了，感觉憋不住了，可膀胱并没有很多的尿。膀胱充盈不足，B超时就不易观察到子宫全貌。

● 正确的方法是早晨起床后把尿排净，带上早餐，待需要空腹检查的项目完成后，开始吃早餐，除了主食外，最好喝些豆浆或牛奶，再喝500毫升温白开水。

● B超检查前1-2小时喝水，因为时间长憋不住尿，时间太短膀胱不能充盈。

● 如果你憋尿困难，也可以做阴道B超，价格相对贵些。

● 做B超前最好排空大便。

8.孕前检查项目及意义

孕前检查包括一般检查、专科检查和特殊检查。其中一般检查项目包括6项，是适宜怀孕的身体健康指标；专科检查包括5项，是适宜怀孕的生殖健康指标；特殊检查包括5项，是为了排查不宜妊娠或需要推迟妊娠的疾病。

一般检查项目

● 物理检查。包括血压、体重、心肺听诊、腹部触诊、甲状腺触诊等。其目的是发现被检查者有无异常体征。

新婚夫妇 王利忠 成桂英

高林织枝筛下的微明中，安宁无声，愿这幽深的静寂浸透我们的爱情。——法·魏尔伦

● 血常规检查。目的是了解准孕妇是否有贫血、感染。

血型检查包括在血常规检查项目中。目的是预测是否会发生母婴不合溶血症，如ABO血型不合、Rh血型不合。为可能需要输血做准备。

● 尿常规检查。目的是了解是否有泌尿系统感染；其他肾脏疾患的初步筛查；间接了解糖代谢、胆红素代谢。

● 肝功检查（包括乙肝表面抗原）。目的是及时发现乙肝病毒携带者和病毒性肝炎患者，给予治疗。

● 心电图检查。目的是大概了解心脏情况。

● 胸透检查。目的是发现是否有肺结核。

注意：

在计划怀孕前的3个月，可以做胸透检查。不能保证这个时段间隔，就不要做这项检查，或者推后怀孕。

专科检查项目

写在妇科检查前的话

妇科检查意味着暴露隐私，也意味着需要回答一些令人尴尬的问题，但是女性们更应看到的是，妇科检查是女性健康的保护神。

妇科检查的作用是对一些妇科疾病做早期预防和早期治疗。许多妇科病是没有早期症状的，而很多女性去医院看病时，往往都是已经感觉很不舒服了，结果常常因此失去了最佳的治疗时机。据介绍，在国外，女性很重视做妇科检查，不论是否觉得不舒服，都会自觉、定时去做妇科检查。而在国内，多数女性根本没有这种自我保护意识。

其实妇科检查很简单，首先医生要看外阴有无肿瘤、炎症之类；其次是阴道检查，看看有无畸形、炎症、白带异常；再次是宫颈检查，要看一看有没有宫颈炎、宫颈糜烂等；为了防治肿瘤，还要做宫颈刮片检查，也就是防癌涂片检查，如果有问题，通过这种方法

几乎90%都能查出。此外，妇科检查还包括触摸检查子宫的大小、形态以及子宫的位置是否正常；有些情况医生则会建议做B超来查一查宫腔。这一系列的检查都是常规检查，没有什么痛苦，也不会对女性身体造成伤害。

● 生殖器检查。包括生殖器B超检查，阴道分泌物检查和医生物理检查。目的是排除生殖道感染等疾病。

● 优生四项检查。目的是为了检查准妈妈身体内是否有病原菌感染的可能。包括弓形虫、巨细胞病毒、单纯疱疹病毒、风疹病毒四项。

● 病毒六项检查。病毒六项也可称为优生六项检查。除了上面所说的四项外，还包括人乳头瘤病毒、解脲支原体。

● 性病筛查。有的医院已经把艾滋病、淋病、梅毒等性病作为孕前和孕期的常规检查项目。其目的是及时发现无症状性病患者，给予及时治疗，以防对胎儿的伤害。

常规男性科检查

● 精液常规检查。目的是了解男性的精子质量。

● 其他检查。生殖器检查，目的是排除生殖器官疾病和生殖道感染；性病检查，及时发现无症状性病患者，给予及时治疗，以防对胎儿的伤害。

特殊检查项目

● 乙肝标志物检查。常规肝功和乙肝表面抗原检查有问题时，需要做进一步检查，其中就包

新婚夫妇郑成武 田甜
她是一切美与爱的汇融：是玫瑰，百合，鸽儿，与太阳。
——德海涅

括乙肝标志物检查。及时发现肝炎病毒携带者，对易感准孕妇实行必要的保护措施，如接种乙肝疫苗。对乙肝病毒携带者，根据携带情况给予相应的处理，降低母婴传播率，进行孕期监测。

● 血糖、血脂检查。其目的是发现糖、脂代谢异常。

● 肾功能检查。目的是了解准孕妇的肾脏功能，及时发现不宜妊娠的肾脏疾患。

● 心脏超声检查。目的是排除先天性心脏病和风湿性心脏病。

● 遗传病检查。如果家族中有遗传病史，或女方有不明原因的自然流产、胎停育、分娩异常儿等历史，做遗传病方面的咨询和检查就是非常必要的，如染色体检查。

（详细内容请见第十四章《检查》。）

9.孕前检查后的积极干预措施

● 一旦在孕前检查时发现暂时不宜怀孕的疾病，夫妇双方都应积极做好避孕，接受医生的治疗。

● 通过孕前检查确定是易感人群，如风疹抗病毒抗体、乙肝表面抗体为阴性的女性，可进行预防接种风疹疫苗、乙肝疫苗等。

● 如果家族中有血友病史，要进行胎儿性别筛选，当然就大部分医院目前的医疗条件来说，做到这一点并不容易。

● 如果夫妇一方患有性病，或感染了可引起母婴传播疾病的病毒，夫妇双方要接受治疗，待彻底治愈后再怀孕。

● 如果夫妇一方有生殖、泌尿道感染，都应治愈后再怀孕。

● 冬春季是病毒性传染病流行好发季节，准备怀孕的夫妇应积极预防，风疹易发于儿童，如果周围有患风疹、水痘、腮腺炎等传染病的孩子，应进行隔离，在未孕前，如果曾经接触过这样的孩子，应暂时避孕，待隔离期过后再考虑怀孕。

● 目前，乙肝、艾滋病等一些传染病，其传播之广，影响之大已经引起全球重视，准备怀孕的夫妇要注意预防，到公共场所用餐、洗浴、娱乐、运动时，要注意卫生。尽量减少这类活动。

10.没做孕前检查的悲情故事

宝宝/温滕飞，英文名 Jsmine
宝宝是中国丹麦混血儿。

有些夫妻认为，自己年纪轻轻，身体健康，没有任何病史，做孕前健康检查是多余的。尤其是想当爸爸的丈夫，对去医院做孕前检查有很强的抵触情绪，即使到了医院，也不大情愿检查。这是很危险的。

有位妈妈，在胎儿3个月大时做了病毒筛查，结果使她陷入了深深的痛苦之中，全家人都被阴云笼罩着，他们担心胎儿的健康，更不忍心打掉胎儿。让我们看一看她连续发给我的数封邮件，就晓得她是怎样的无助和难过了。

邮件1：我怀孕4个月，遇到了很大的难题：在我孕3个月产检时（2月19日），在某市一家区级妇幼保健院查出风疹病毒一项为弱阳性；2月23日在该院复查时为阳性。2月27日，又到另一家区级综合医院检查风疹病毒为阴性。3月2日又到一家市级综合医院再查该项，结果为阴性（IgM:阴性;IgG:阴性）。随后，我拿这些检验报告单给最初就诊的妇幼保健院，该院又在3月9日重新给我检查此项，结果还是阳性。我知道孕妇在怀孕3个月中一旦感染了风疹病毒，将是一件很严重的事。但是，我现在拿着三家医院的检验报告，不知该信谁，不知该怎么办？

只有一家医院的检查标明了是风疹病毒抗体IgM和IgG均为阴性，其他两家都没有标明是IgM，还是IgG为阴性，我只能建议她再

11

新婚夫妇/鲍勃 李诗
隔座送钩春酒暖, 分曹射覆蜡烛红。——[唐]李商隐

向医院询问。

如果IgM为阳性, 表明有新近风疹病毒感染, 或有活动性风疹病毒感染, 这样的话, 对胎儿是有一定威胁的, 有发生胎儿宫内风疹病毒感染的可能。应该做产前胎儿检查。

如果IgG为阳性, 表明既往曾经感染过风疹病毒, 但母亲没有活动性感染, 对胎儿没有显著的威胁。如果IgG从弱阳性转为阳性, 不能排除近期风疹病毒感染的可能, 也应对胎儿进行产前检查, 排除宫内感染的可能。

鉴于结果各异, 我建议她到比较有权威的大医院做检查, 得到可靠的结论。

邮件2: 我本想再去市妇儿医院检查, 但电话咨询该院检验科医师时, 他回答我因IgM的表现期大概为2个星期到1个月, 后将转化为IgG, 现正在转化形成中, 不好查, 他的建议是在胎儿5个月时, 查脐带血。在这里我想咨询你下面问题: 1.从我的第一次检查到最后一次检查相隔20天, 到现在1个月了, 若真的感染了, 还能查出来吗?风疹病毒IgM在医学上的存在时间是多久呢?IgG是否能一定查出感染情况呢?我是否需要再去查呢? 2.若我现在不用再查IgM, 那我过1个星期左右去查IgG还有用吗?到时我多到几家好一些的医院去查IgG, 是否可以确诊呢?另外, 区妇幼保健院和区人民医院目前还未开展此项的IgG检查, 所以前面在这两家检查都只查IgM, 在市第二人民医院和市妇儿医院开设了此项的IgM和IgG检查。

我详细为她解答了风疹病毒IgM抗体阳性的临床意义, 且此特异性抗体在体内维持

时间较短暂, 2、3周左右可能即转为阴性。(这些最基本的意义我在第十五章《疾病》中有通俗介绍。)

按照IgG、IgM抗体的转变分析其变化, 是不好解释这样的现象。如果单看妇幼保健院的检查, 可以肯定有新近风疹病毒原发感染。这样就不能等到胎儿5个月, 而是应该积极地进行干预治疗, 尽快做宫内感染检查, 有怀疑应终止妊娠。因为, 妊娠第1个月感染风疹病毒, 先天性风疹综合征的发生率为50%; 第2个月为30%; 你是在孕3个月时才做的检查, 何时感染了风疹病毒难以确定, 不能排除孕1月或孕2月感染了风疹病毒的可能, 所以尚处于高危险期。

5次检查不是在一家医院进行的。我认为应该确定到底是化验的误差还是抗体的转变。如果母体根本就没有风疹病毒感染, 检查胎儿就没有必要了。

邮件3: 我咨询了市妇儿医院, 认为没有必要再复查了。风疹的潜伏期有多长?

风疹的潜伏期约16-18天。如果保健院的结果可靠, 就证明你有新近原发风疹病毒感染。如果综合医院的结果可靠, 就证明你没有新近风疹病毒感染, 而且从其中一家综合医院的检查结果中可以说明, 你过去也未曾感染过风疹病毒。

基于以上分析, 如果妇儿医院认为没有必要再复查, 那就应该按妇幼医院的检查结果。以后接受胎儿宫内检查, 排除是否有宫内感染。

邮件4: 我现在真是进退两难, 很想查清楚, 但关键是妇儿医院的医生告诉我, 现在不好查清楚了, 我想知道的是, 我现在已不能再查IgM, 那我查IgG有用吗?有没有其他比较可靠的查验方法呢?能告诉我有关查胎儿脐带血和彩超检查这方面的事吗?

查IgG还是有参考价值的。如果现在是IgG阳性, 结合一个半月前查出过IgM阳性, 就可初步断定是怀孕后感染的病毒, 就有必

要确定是否有胎儿宫内感染。如果IgG是阴性，参考其他医院的检查，你怀孕期感染风疹病毒的可能性不大，就没有必要查是否有胎儿宫内感染。做病毒分离方法更复杂，如果没有病毒血症，也难以分离到病毒。做双份血清学检查意义也不大了。因为你最初3次做的都是IgG和IgM检查。考虑到有检验误差，再到权威性医院检查一下，是很有意义的。妇儿医院执意不让你做，可能对结果没有大的把握。那你只好不做或换另一家。现在不能确定是否有病毒感染，我认为暂时不做脐带血、羊水穿刺及胎儿镜等损伤性检查。

邮件5：问题是现在不知道怎么才能查清楚我是否感染了，这边的医生告诉我已查不清大人了，你说我该怎么办呢？

你的问题，仍然是前面我已经解答的问题，但你似乎不理解我所说的。看起来，已经不是疾病本身的问题了，你已经背上了很重的包袱，已是心力交瘁。我觉得你必须从这一阴影走出来，否则的话，病毒没有损害到胎儿，你的心情可能会影响胎儿了。你应该放下包袱，对医院和医生的信任是很重要的。我非常希望能帮助你。但我们相距很远，只是通过你所提供的资料和你交流。你、医院、医生、我是几方的交流，难免会使你陷入困境。所以，你只有到一家你信任的医院，选一位你信赖的医生，帮助你解决问题。这里

宝宝/温滕飞
单看这张照片，你会以为是外国爸爸抱着外国宝宝，实际上这个宝宝和妈妈在一起的时候，你又会觉得这是一个中国宝宝。

也有医生的问题，面对有困惑的孕妇，医生有责任帮助她们从困惑中解脱出来，至少能减轻孕妇的心理压力，以免对胎儿造成双重的打击。

我之所以用了很多篇幅写了这个咨询，不是因为我解决了她的问题，而是因为我理解她的烦恼和无助状态还在持续，我很难受。在我的身边，我帮助过很多有各种各样问题的孕妇。我不希望更多的妈妈重复这样的烦恼，所以我希望通过我的书，提前给很多妈妈提供更好的帮助。

11.东西方文化对妊娠准备的态度

医学的进步给女性控制妊娠和生育以极大的帮助，顺其自然的夫妇越来越少，越来越多的夫妇是在有计划地实施生育。计划怀孕、计划生育已经普遍被人们接受，孕前准备也就做得越来越充分，"你们什么时候准备要孩子？"已经是比较普遍的问话了。人们广泛接受了计划怀孕、计划生育理念。但东西方在对待妊娠准备方面存在着显著的差异。从表面上看，中国人非常重视孕前准备；西方人显得更顺其自然。然而透过表面现象分析，中国人的"重视"还是很表面的，许多重视不到"根"上。这些现象表现在：

- 心理准备很弱。
- 自我关怀很欠缺。
- 对自己身体缺乏认识。
- 把生殖泌尿或看得神秘，或看得肮脏，导致对生殖泌尿健康的忽视和讳疾忌医，甚至难于启齿。
- 缺乏积极的生育态度，生育是一种从众行为，甚至是为了传宗接代。
- 对生命没有足够的敬畏，轻易选择无保护的性行为和堕胎等。

西方人已经把很多意识都融到日常生活习惯中，有很多自觉行为。他们对生育、生命、人权的尊重，来源于几个世纪思想家的

启蒙与引领，来源于生命科学领域的巨大进步和发现：

● 很重视心理健康，不允许自己有心理上的问题，有不舒服的感觉马上看心理医生。

● 有很强的自我关怀意识。

● 对自己身体有更多的了解、接受、尊重、欣赏自己的身体。

● 西方女性大多有自己信任的医生，面对医生很少有羞于启齿的隐私，她们不会为了"面子"而忍受病痛，或自己购买药物，或把道听途说来的方法用在自己身上。

● 她们常常是在自己最渴望生育、渴望做母亲的时候怀孕生子，而不是为了传宗接代，或其他的目的。

● 积极的避孕措施和自我保护意识，高度重视避孕，避孕知识普及、避孕方法、药具丰富发达。对堕胎有监护人和心理机构参与帮助。

当然，这些并不能囊括东西方在妊娠准备方面所有的差异，也不是说所有的中国人都这样，所有的西方人都那样。但它确实有一定的普遍性。

新郎/何东学

新娘/李菲

第4节　遗传咨询

12.遗传咨询提示

找谁进行遗传咨询?

遗传学专业人员、遗传门诊医师、婚前检查医师、掌握遗传学知识的妇产科医师，可以挂遗传科、产前或妇科门诊。

通过遗传咨询达到什么目的?

了解家族中的遗传病、先天畸形及病因，预测本次妊娠的风险率，听取医生的建议和医学指导。

必须做遗传咨询的夫妇

以下情形之一者需做遗传咨询：

①已生育过一个有遗传病或先天畸形患儿的夫妇。

②夫妇双方或一方，或亲属是遗传病患者或有遗传病家族史。

③夫妇双方或一方可能是遗传病基因携带者。

④夫妇双方或一方可能有染色体结构或

功能异常，或平衡易位携带者。

⑤夫妇或家族中有不明原因的不育史、不孕史、习惯流产史、原发性闭经、早产史、死胎史。

⑥夫妇或家族中有性腺或性器官发育异常、不明原因的智力低下患者、行为发育异常患者。

⑦近亲结婚的夫妇。

⑧高龄夫妇。35岁以上高龄女性及45岁以上高龄男性。

⑨一方或双方接触有害毒物作业的夫妇，包括生物、物理、化学、药物、农药等。

什么是染色体平衡易位？

是指发生在易位后，并未因易位而使染色体遗传物质出现增加（重复）或减少（缺失）。就是说染色体上的基因总数不变或很少改变，因此对个体发育一般无影响，这样的个体表现大多正常，就称为染色体平衡易位携带者。平衡易位携带者与正常人结婚所生育的孩子就可能从亲代携带者接受一条易位的衍生染色体，从而造成某个易位节段的缺失或重复，产生不平衡易位的后代，破坏

新婚夫妇孔建 王媛
赵恩泰等弹未了，洞房一夜鸟啼晓。 清邵瑞彭

新娘·武蓓

基因之间的平衡，引起胎儿畸形。

13.对遗传风险率的误解

对遗传咨询不正确的理解

就目前情况来看，主动进行遗传咨询的夫妇并不多，因为他们及其亲属没有被诊断为遗传病的人。其实遗传咨询和遗传检查的意义绝不只是针对夫妇一方或家族中有遗传病史的人，具有前述9项情形之一者，都应该进行遗传咨询，根据医生建议做必要的遗传检查。

对再发风险率和遗传度的误解

有的夫妇曾经生过患有遗传病的孩子，在遗传咨询时，误解了再发风险率的意义。比如说，一种遗传病，其发生率为50%的可能。有的夫妇就认为他们已经生了一个这样的孩子，再生孩子时，其比例就小多了。其实，这对夫妇每生的一个孩子都有50%患有此种遗传病的可能性。并不因为已经生了一个，甚至两个这样的孩子，再发风险率就降低了。

遗传度（率）：在多基因遗传病中，易感

15

新娘成拮英

性的高低受遗传因素和环境因素的双重影响，其中遗传基础所起作用的大小称为遗传度或遗传率，通常用百分数（%）表示。例如，如果一对夫妇生育了一个患有多基因遗传病的孩子，此遗传病的遗传度是75%，其意思是说：此遗传病的遗传基础所起的作用占75%，环境因素所起的作用为25%。

一位老护士，生了二男一女，两个儿子都是血友病，30多岁的长子已经因为脑出血成了残疾人，二子因关节腔频繁出血导致关节畸形，无法像正常人一样参加工作。如果这位护士知道家族中有血友病，孕前做染色体检查就会避免这场悲剧。

如果一对夫妇生育了一个有病的孩子，计划生育政策规定允许再生育二胎。但如果头胎患有遗传病，再次生育是有风险的。所以，如果生育过一个有病的孩子，夫妇必须做遗传学检查，评估一下再发风险率，这是非常重要的。

我曾遇到一对这样的夫妇：他们连续生了三个儿子，都患有进行性肌营养不良。爸爸是一米九多的篮球教练，妈妈也是一米七几的运动员，两人身体都非常好，可第一个孩子在2岁的时候开始出现进行性的

肌肉萎缩无力，最后丧失了行走能力，被诊断为进行性肌营养不良。这对夫妇没有做遗传学检查，申请了第二胎指标。第二个孩子也是儿子，2岁半左右，也出现了和哥哥一样的症状，而且比哥哥进展还快，症状还严重。这对父母不相信自己是这样的命运，两个人身体都非常好，家族中也没有发现这样的疾病，工作上也不和有毒有害物接触，也没有什么特殊的生活习惯。再生一个，他们就这样盲目地决定了。在第二个孩子4岁的时候，第三个孩子出生了，又是儿子。第三个孩子的降生让这对夫妇彻底绝望了—— 还是进行性肌营养不良。

这三个孩子所患的进行性肌营养不良，为X连锁隐性遗传，主要是妈妈携带致病基因，儿子发病。人群发病率非常低，仅为十几到二十几万分之一。这对夫妇如果进行遗传学检查，或向医生咨询再发风险率，医生会帮助这对夫妇，至少可以选择胎儿性别，避免病儿的出生。如果女儿是致病基因携带者，等女儿到了生育期时，妈妈要告诉女儿，以便女儿做好孕前准备。避免生出患病的孩子。很多遗传病并没有家族史。所以，家里没有遗传病人，并不能就此肯定一定不会生出患有遗传病的孩子。

无独有偶，一对夫妇遭受了与此相同的灾难。12年前，夫妇欢天喜地的迎来了他们盼望已久的第一个孩子——招人疼爱的胖小子，健康活泼、聪明伶俐。可天有不测风云，宝宝2岁后逐渐出现行动、语言、智能等多方面障碍，4岁时几乎成了残疾儿，瘫卧在床。5年后第2个孩子降生了，又是个儿子，和哥哥遭受了同样的命运。夫妇陷入了极度悲伤中，创办的公司倒闭了，两人奔波于就医途中。几年过去，才诊断清楚了，可此病至今无法医治。妈妈不愿意相信这是事实，仍然奔波着，希望在世界范围内找到治疗她孩子疾病的方法。

遇到这种情况，要冷静对待，把损失降到最小，就是不要冒险生育。

在新生儿中，染色体异常的发生率为6%，最高可达8%。导致胎儿发育异常的因素

有很多，有来自胎儿自身的因素，也有来自父母的因素以及外界因素。

着床前期（受精和胚层形成期：停经10~28天）。胎儿在这个时期很少发生畸形，其原因并不是因为这个时期胎儿不易受到威胁，而是"有"和"无"的关系，如果此期受到威胁，或全部受到损害，胚胎死亡；或少数细胞受损，胚胎通过自身补偿使受损细胞恢复正常。

胚胎期（停经28~74天）。这个时期的胚胎对致畸因子最为敏感。这个时期的胚胎，其细胞已失去多向性，不能再通过自身细胞的补偿使受损细胞恢复到正常，所以，此期极易受致畸因子干扰。

胎儿期（停经75天后）。这个时期胎儿的器官已基本形成并定型，胎儿对致畸因子的敏感性大大降低。但此期脑和泌尿生殖系统中的器官仍在分化发育，它们对致畸因子还相当敏感。

15.遗传咨询实例解答

旁系第四代血亲夫妇，可以生出健康的孩子吗?

新娘·田甜

我与男友为旁系第四代血亲的关系，感情非常好。如果我俩坚持生活在一起的话，是不是真的不可以要小孩？如果有小孩的话在遗传方面会有哪些比较严重的后果？据了解，我们双方的家庭没有什么特别严重的遗传性疾病。因为他是独子，如果我们的结合不能生出健康的孩子，是否可以通过试管婴儿来生个健康的孩子？这样做现实吗？

我国婚姻法规定禁止直系血亲或三代以内旁系血亲结婚。近亲结婚会增加遗传性疾病的发生率，即使是第四代血亲，也有1/32的基因是相同的，因此，近亲结婚增加了隐性遗传性疾病的发生率。即使你们双方都没有什么特别严重的遗传病，也不能排除有隐性遗传性疾病基因。在可能的情况下，还是让理智战胜感情，冷静地面对婚姻大事。你所说的试管婴儿费用是比较昂贵的。况且，他没有血亲的孩子，婚后能否战胜自己还是未知数。你们已经意识到将来可能的麻烦，那就长痛不如短痛。从优生学的角度考虑，你们有极大可能生育一个健康的孩子，有极小可能生育一个有残障的孩子。一切都是未知数，很难确定。如果爱情战胜一切，需要的就是放下包袱，不要有太多的顾虑，相信你们能有个健康的后代。

公婆是表兄妹，对我们生育有影响吗?

我和爱人准备要一个小孩，但他的父母是表兄妹近亲结婚，请问是否对第三代有影响？

询问他父母双方家族中是否有遗传病史，画出家系图谱，分析第三代可能受到的影响，指导生育，如果没有遗传病家族史，可做染色体检查，是否有隐性遗传基因。

夫妇一方为并趾畸形，会遗传给未来宝宝吗?

我有并趾畸形，会遗传给未来的宝宝吗？

并趾畸形是先天性疾病，多数是常染色体（性染色体之外的其他染色体）显性遗传，患病者子女的再发风险50%；少数是隐性遗传，若父母均为隐性致病基因携带者，子女再

出镜/崔琳夫妇

发风险为25%。

丈夫色盲，会遗传给我们的孩子吗？

我丈夫是色盲，但我们家族中没有色盲的。我们打算要一个孩子，不知会不会遗传？应怎样避免？

丈夫是红绿色盲，妻子不是红绿色盲基因携带者，所生子女不会是红绿色盲，但如果孩子是女孩，可以是红绿色盲遗传基因携带者，她长大后如果生育的是男婴，可能是红绿色盲，也可能是健康者；如果是女婴，可能是红绿色盲基因携带者，也可能是健康者。

一方家族中有抽风病史，会遗传给下代吗？

我母亲家族的成员，有抽风的遗传现象，我小时

新郎/王利忠

候也有过，我很怕这会遗传给我的下一代，是否有什么办法可以避免？怀孕之前是否需要进行一些必要的检查？

你说的家族抽风病史，是孩提时的高热惊厥，还是癫痫病呢？原发性癫痫有遗传倾向，子代癫痫发生率为4%，高于一般人群发生率。高热惊厥有家族倾向，父母一方幼时有高热惊厥史，其子女幼时高热发生惊厥的几率明显高于没有惊厥史的。但高热惊厥是可以控制的，当孩子发热时，要注意控制体温，不要使孩子体温过高，服用具有镇静止惊作用的退热药物。

目前，基因治疗还没有在临床中开展，还没有办法阻断遗传。夫妇双方都应该做孕前检查，同时做家族病史遗传咨询。

丈夫的哥哥患有癫痫病，会遗传给我们的孩子吗？

关于爸爸家族癫痫史问题：原发性癫痫病有遗传因素。继发性、症状性癫痫是由于脑功能障碍引起的，与遗传无关。遗传因素是原发性癫痫病的可能原因之一，但不是唯一的原因，你丈夫的哥哥癫痫病是原发性，还是继发性？大伯遗传给孩子的机会还是比较小的。如果是原发性，提示你的家族中有癫痫病遗传倾向，你的子女有发生癫痫病的风险！但癫痫病不是单一的遗传性疾病，其遗传率和风险度都不能预测。但不是你本人有癫痫病，他的哥哥对你孩子的影响就小多了。

我生育过腭裂的孩子，如果再生育，再发风险有多大？

我剖宫产下一女婴，外观正常，为二度软腭裂，不知何故？双方家族均无此病史，双方染色体检查也无异常，孕期未生过病。我若再次怀孕，孩子会不会还是畸形？可能性有多大？除检查染色体外什么检查才能排除遗传致畸呢？孕中能通过什么手段检查发现胎儿异常吗？

腭裂群体患病率为0.45/1000新生儿；腭裂可能是染色体畸变所致，也可能由其他因

素引起，为多基因遗传。生育腭裂的夫妇并不一定家族中有腭裂病人，也不一定能查出染色体异常。

腭裂遗传度为76%，如果父母其一为腭裂患者，而且又生育了一个患有腭裂的孩子，再次生育时，其再发风险为15%；如果父母中的一个为腭裂者，子女再发风险为7%；如果父母均不是腭裂患者，但已经有一个患有腭裂的孩子，再次生育时，其再发风险为2%。

染色体检查是检查遗传性疾病的主要手段，如果父母没有染色体异常，胎儿自身染色体或其他方面有问题，就必须在孕后检查胎儿，如做脐带血、羊水、胎儿镜等检查。这些都需要在技术水平比较高的医院进行。有些先天畸形在产前是难以发现的。

16.遗传病干预和风险防范

遗传病的种类很多，涉及人体各系统和各个器官，尽管就某一种遗传病来说，有些遗传病是罕见的，但把可发生在人体各器官系统的遗传病都加在一起，其数目之多是惊人的。

目前已经发现有4000多种单基因遗传病，600多种染色体遗传病，还有很多多基因遗传病；目前已经发现5000余种人类遗传病，最常见的有100多种。随着医学对遗传疾病的认识、诊断技术的不断提高，尤其是对

出镜/崔琳夫妇

人类基因研究的不断深入，还会发现一些新的病种。

现在，越来越多的化学制剂充斥到人们的日常生活中，包括洗涤、饮料、食品、家居装潢、穿戴佩饰、美容化妆、药品补品、环境污染、环境激素等等对人类构成巨大威胁。一方面是医学不断进步，使得一些遗传病患者存活下来，并能生育后代；一方面导致基因染色体异常的外界因素增多，使得遗传病的发病率增加；还有一方面就是一些感染性及其他疾病虽然得到很好的医治，但疾病和药物本身都有导致受精卵和胚胎发生基因突变的危险，使得残疾儿出生率增加。所以，过去被认为发病率很低的遗传病突显出来，遗传病总的发病率已经达到10%。

武汉儿童医院调查显示：在住院患儿中，遗传病占8.5%。加拿大蒙特利尔儿科医院遗传病患儿占11%。我国人口众多，粗略估计我国每年有30-50万的新生儿患有各种各样的遗传病，对有出生遗传病儿风险的夫妇进行早期干预和风险防范，有着深刻的社会意义，年轻的夫妇要坚持绿色、健康的生活方式，预防遗传病。婚前检查和孕前检查是预防遗传病儿出生的重要举措。

环境激素对人类的影响

在环境中存在着一些像激素一样，能够影响人体内分泌功能的化学物质，被称为"环境激素"。环境激素一旦进入人体，就可能发挥雌激素作用，干扰体内激素，使生殖功能失常，免疫功能下降。不仅如此，环境激素还可进入动物体内，影响动物生殖功能和免疫功能，人类还可通过食入来自动物的食品，受到某种危害。目前发现的环境激素就约有1万种，而且，每年还以1000种的速度增加。

对环境激素伤害的自我防护方法

● 少吃或不吃近海鱼虾贝蟹。

● 不用泡沫塑料为容器冲泡食物，这种容器

与开水接触后会释放出具有环境激素作用的苯乙烯。

● 在微波炉中加热或烘烤食品时，不要使用聚氯乙烯制作的容器，因为微波高热会使含有这种化学剂的容器释放出环境激素。

● 用聚碳酸酯制作的容器，倒入开水后，会释放出双酚A，也具有环境激素的作用。最好不用不知道是什么原料制作、是否含有某些有毒化学剂的塑料制品为食品容器。

● 糙米、小米、荞麦、白菜、萝卜、菠菜具有清除体内残留的环境激素之功效，适当吃这些食品有助于将环境激素排出体外。

17.常见遗传病举例

先天性多囊肾

先天性多囊肾是遗传性疾病，在肾的髓质和皮质出现无数囊肿。多囊肾被认为是遗传病中发病率最高、代价最昂贵的疾病。

遗传规律：男女发病机会相等；父母有一方患病，子女就有50%获得遗传基因而发病的可能；如果父母均患病，子女发病率增至75%；如果子女没有患病，不会携带致病基因，即本病不会隔代遗传。

如果孕妇没有高血压或肾功能障碍，多数能顺利度过妊娠期，有少数孕妇出现妊娠期高血压；如果妊娠前已经有高血压或肾功能障碍，则妊娠过程会很危险，应尽早终止妊娠。

李女士是内科医生，其父患有职业肺病——矽肺，在检查中发现双肾有巨大囊肿及数个小囊肿，诊断为多囊肾，肾功能受损。李医生知道多囊肾属遗传性疾病，故她本人及兄弟姐妹4人均做了双肾B超检查，其弟和姐均未发现多囊肾，其妹发现多囊肾，李医生本人则于左肾发现9×9厘米巨大囊肿及数个小囊肿。近7、8年来，李医生即因高血压，经常头痛，下肢浮肿，并有失眠症。发现多囊肾后一年，出现肾功能障碍，腰痛，下肢浮肿，做了肾囊肿切除术（微创手术腹腔镜）。回忆病史，李医生在孕期即有妊高征，分娩后4年确诊高血压。

血友病

血友病分A、B、C三种，最常见的是血友病A。血友病A、B为X连锁隐性遗传，主要发生在男孩，妈妈携带致病基因，儿子患病。所以，如果妈妈是血友病致病基因携带者，应该生女孩。若父亲是血友病患者，则女儿可能是致病基因携带者，生育男孩比较理想。血友病C为常染色体隐性遗传，发病与胎儿性别关系不大。

血友病A、B再发风险：

● 妈妈为携带者，爸爸健康，子代中儿子再发风险为50%，女儿50%为携带者。

● 女性为致病基因携带者，男性为患者，则儿子再发风险为50%，女儿50%为携带者，50%为患者。

● 女性为健康者，男性为患者，则儿子不发病，女儿50%为携带者。

多指（趾）畸形

为常染色体先天性遗传病，也可为多基因遗传。

父母一方为患者，其子女再发风险为50%，男女孩机会相等。

并指（趾）

为常染色体显性遗传，个别为隐性遗传。

再发风险：

● 父母一方是患者，其子女的再发风险为50%。

● 如果父母双方都是并指（趾）隐性基因携带者，子女再发风险为25%。男女机会相等。

马凡综合证（蜘蛛指）

病变累及肌肉骨骼和心血管系统。为常染色体显性遗传。

主要表现为身体细而高，肢体细长，头长形，高腭弓、面窄长，漏斗胸或扁平胸，脊柱侧弯，后突，四肢显著增长，手指、脚趾细长如"蜘蛛足"。肌肉松弛，视力差，可并有心脏畸形。

再发风险：父母一方为患者，子女再发风险为50%。

先天性髋脱位

多为基因遗传或病因不明。胎儿在子宫内的体位，或胎儿在出生过程中以及出生后传统的"蜡烛包"等，都可能是发病的重要原因。

本病的遗传率为70%。治疗越早，效果越好，6个月以内的婴儿采取双下肢保持高度外展位，逐渐可复位。

侏儒

最多见的为软骨发育不全。常染色体显性遗传，部分为基因突变。

主要表现为特殊体态，身材矮小，成年男性常低于130厘米，女性低于120厘米，躯干大致正常，但下肢特别短，头大，前额突。有些胎儿可于子宫内或出生后夭折，部分可存活。无特殊治疗方法。

再发风险：

父母一方是患者，子女再发风险为50%。男女机会相当。

支气管哮喘

多基因遗传，可因呼吸道感染而诱发。儿童支气管哮喘的预后较好，但长期反复发作者可有桶状胸，常伴生长发育落后和营养障碍。目前尚无有效预防方法。一旦发病应积极治疗。

崔琳

王震坤的妈妈小时候。

宝宝/王震坤

6个月照。

先天性肥大性幽门狭窄

本病是婴儿时期常见的腹部外科疾病。为多基因遗传。男女发病比为4：1-8：1，足月儿多见。遗传度为75%，患者的同胞发病率比一般人群高12倍。本病预后良好。

先天性巨结肠

为多基因遗传。遗传度为80%，患儿的一、二级亲属有患本病者，其同胞的再发风险高。

先天性心脏病

90%为多基因遗传，1%-2%与环境因素有关，5%为染色体病，3%为单基因突变。遗传度为35%。孕早期防止风疹病毒感染和禁止服用有害药物，是预防本病的措施之一。

房间隔缺损和室间隔缺损

病因：遗传因素；孕早期宫内病毒感染；羊膜病变；早期先兆流产；接触放射线、药物；孕妇高龄。

再发风险：遗传度为57%，患儿的同胞再发风险为2.5%，患者子女再发风险为2.5%。

动脉导管未闭

病因：本病为常染色体显性遗传或隐性遗传；部分为染色体畸变所致；部分为多基因遗传。

再发风险：如果动脉导管未闭为常染色体显性遗传所致，父母一方为患者，则其子女

出镜/李静夫妇

的再发风险为50%；如果为常染色体隐性遗传，父母均为致病基因携带者，则其子女的再发风险为25%；如果为多基因遗传，则遗传度为66%，患儿同胞再发风险为3%，子女再发风险为4%。

智力低下

为常染色体病、单基因、多基因遗传或环境因素（包括生物医学因素和社会心理文化原因）。智力低下的治疗要根据引起智力低下的原因给予相应的干预措施。如呆小病、苯丙酮尿症等，应早诊断，早干预。社会文化原因造成的，要改变环境条件，加强智能训练。

再发风险：

● 如父母一方为异常染色体携带者，再发风险高，若为畸变所致，再发风险同群体发病率，为1/1000左右。

● 常染色体显性遗传，如果父母一方为患者，其同胞或子女再发风险为50%。

● 常染色体隐性遗传，父母均为致病基因携带者，其同胞和子女的再发风险为25%。

脑积水

脑积水有先天性和后天性两种。先天性遗传方式为X连锁隐性遗传，常有先天性畸形，如大脑导水管畸形。后天性常为中枢神经系统感染、颅内出血或颅内肿瘤阻塞脑脊液循环引起。

典型的脑积水表现为头颅进行性增大、落日眼、智力落后。

再发风险：如为先天性X连锁隐性遗传，其子女再发风险率为50%。

癫痫

原发性癫痫，可为多基因遗传，也可为单基因隐性或显性遗传，或染色体异常。

再发风险：

多基因遗传，患者的子女再发风险为4%-5%。

常染色体显性遗传，父母一方为患者，其子女再发风险为50%，男女机会相等。

常染色体隐性遗传，父母均为致病基因携带者，其子女再发风险为25%，男女机会均等。

尿道下裂

是泌尿生殖系最多见的畸形之一。为常染色体隐性遗传。父母均为致病基因携带者，其子女的再发风险为25%。

唐氏综合证

唐氏综合证又称先天愚型或21-三体综合征。先天愚型由染色体畸变引起的占95%，与遗传因素有关的占4%-5%。

产前诊断措施：绒毛或羊水细胞培养，染色体检查。

再发风险：

染色体畸变，再发风险同群体发病率，但随着母亲生育年龄增加，再发风险增大。

父母一方为染色体平衡易位携带者，则新生儿患本病的概率为1/3。

唇裂

唇裂又称兔唇。唇裂有的有家族史，有的没有家族史，可能是在胚胎发育过程中，受到某种因素影响产生的畸形。遗传方式多为多基因遗传，也可为单基因遗传，也可是染色体畸形。

再发风险：

多基因遗传，遗传度为76%。

出镜/田甜夫妇

- 父母一方为患者的，子女再发风险为3%。
- 父母正常，已有一个患儿，再发风险为3%。
- 父母之一为患者，而且已有一个患病子女，再发风险高达10%。

第5节 孕前最关心的遗传问题

生命是通过基因的遗传而不断延续传承的，不但人类的繁衍与遗传密不可分，而且人的性状（如相貌、身高、肤色）、性格、本性、素质（包括生理的和心理的等）无不与遗传有关。科学家们在不断探索遗传的奥秘，人们也很关注与自身有关的遗传问题，不但关心可能带给后代的遗传病，也关心其他方方面面的遗传问题，如身高、智力、相貌、肤色，甚至很特别的地方，如有特殊才艺的人们希望能把自己或对方拥有的特质遗传给后代。基因怎样控制遗传？这是个复杂多样的问题，在这一领域有很多未解之迷，所以，生命科学充满着神奇和魅力。

18.对人类相貌遗传的解读

人类的各种生物学性状，包括皮肤色泽、身体高矮、胖瘦、相貌等，都是由体内的遗传物质——DNA控制的。例如某些子女的脸庞像妈妈，眼睛像爸爸，这是子女接受了来自爸爸妈妈遗传特征的表现。人类遗传并非像孟德尔研究的豌豆那么简单。一个人的相貌不是单由父亲或母亲基因决定的，所以孩子和爸爸在一起的时候，周围的人，尤其是不很熟悉的人，往往会觉得孩子很像爸爸。而当孩子和妈妈在一起时，人们又觉得这个孩子像妈妈。但最终的结果是孩子就是孩子自己，在孩子的相貌中有孩子特有的东西。

胎儿的相貌不是由一个"相貌基因"决定的，而是由很多"相貌基因"决定的，同时，还有非遗传因素的影响，非遗传因素的影响在某些特定的情形下，还可能占据很重要的地位。有一种现象，也说明了这一点，被领养孩子的相貌，会有些像他的养母养父，可见，决定人相貌的因素不仅仅是结构上的，表情、眼神等等会带有历史的印记。一个人的内心也会在相貌上有所反映，就如同人们说某人的"面相善"，某人的"面相恶"一样。一个人的经历、成长的环境等，都可能构成这个人相貌的非遗传因素。

具体到相貌按什么规律遗传给子代，对遗传学家来说仍是未解之谜。美国心理学家克里斯坦菲认为，在相貌上，爸爸比妈妈对胎儿的影响大。这可能是由于爸爸给予子女遗传上的特征性比较多，尤其是婴儿的脸，怎么看上去都更像爸爸。有人发现，女孩像爸爸的多，男孩像妈妈的多。

新生儿刚出生时像父亲的生物学解释

相貌的遗传属于性状遗传范畴，决定人类性状的遗传并非是单一基因的效果，而是有若干个，甚至是许多基因的参与，内外环境条件也起到一定的作用。有人发现，更多的新生儿，在他们刚出生的时候，其相貌像爸爸，以后则可能像妈妈。有人尝试从生物学角度认识这一现象:胎儿是在母体里被孕育

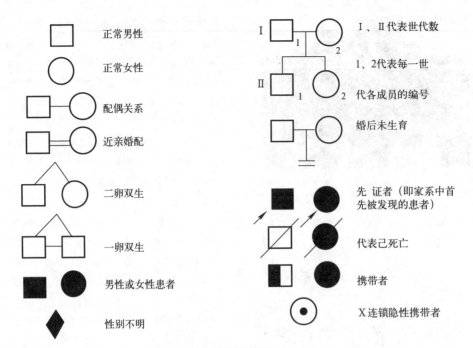

正常男性	Ⅰ、Ⅱ代表世代数	
正常女性	1、2代表每一世	
配偶关系	代各成员的编号	
近亲婚配	婚后未生育	
二卵双生	先 证者（即家系中首先被发现的患者）	
一卵双生	代表己死亡	
男性或女性患者	携带者	
性别不明	X连锁隐性携带者	

系谱中常用的符号

引自《中国遗传咨询》。

的，他（她）是妈妈的孩子，这一点无须证明，而对于爸爸来说，要证明他（她）是爸爸的孩子，相貌是最直截了当的。在远古的年代，得到父亲抚育的孩子具有更多的成活机会，经过漫长进化的过程，就形成了新生宝宝相貌像爸爸的现象。

<u>混血胎儿的肤色能预知吗</u>

皮肤色泽有着稳定的遗传物质基础。影响皮肤色泽的因素，医学认为有3种：血流密度和血流量；皮肤本身的厚度、质地和折光性能；皮肤内的色素物质。

第3个因素是影响和形成肤色的最重要因素。色素分布的数量和密度影响着人肤色的变化。统计结果显示，在每平方毫米内，白种人的色素细胞为1000个以下，黄种人为1300个左右，黑种人为1400个以上。种族的肤色是带有遗传性的，所以，纯黄种人夫妇

所生的孩子肤色不会是黑种或白种人的肤色。不同种族肤色的夫妇所生混血儿的肤色是像妈妈的，还是像爸爸的，难以在孩子出生前做出明确的预测，但绝大多数情况下，或完全像爸爸的肤色，或完全像妈妈的肤色，介于两者之间的极少，黑种人和黄种人结婚所生的孩子，可能会比黑种人肤色略显黄色，或比黄种人肤色黑。但我没有找到这样的资料，无法预知混血儿的肤色。

19.身高的遗传回归

一般情况下，爸爸妈妈高，其宝宝大多高；爸爸妈妈矮，其宝宝大多矮。根据父母身高预测未来宝宝身高的公式有几个，最常使用的是：

男孩未来可能的身高=（父高+母高）× 1.08/2

女孩未来可能的身高=（父高×0.923+母高）/2

妈妈的身高更重要

奥地利遗传学家孟德尔认为，妈妈在宝宝身长的遗传中起着重要作用。妈妈高，爸爸矮，宝宝多数是高个子，至少不是矮身材；爸爸高，妈妈矮，宝宝多数是中等身材，甚至是矮个子；爸爸中等身材，妈妈矮个子，宝宝几乎全是矮个子。我国民间流传这样一句话"爸矮矮一个，妈矮矮一窝。"

身高的回归

爸爸妈妈高，是不是宝宝就更高；爸爸妈妈矮，宝宝就更矮呢？英国生物学家葛尔顿发现：爸爸妈妈特别高的，他们的宝宝也高，但并不是特别高；爸爸妈妈特别矮的，他们的宝宝也矮，但并不是特别矮；特别高的宝宝，爸爸妈妈身材往往是中等偏高的，特别矮的宝宝，爸爸妈妈身材往往是中等偏矮的。

上述现象就叫身高的遗传回归现象。也就是说，爸妈特别高时，宝宝就向矮的方向回归；爸妈特别矮时，宝宝就向高的方向回归。这使得人类的后代不至于朝两个极端的方向发展。当然，人类平均身高居中者占绝大多数，这些人婚配所生的后代构成庞大的人口，在一定程度上限制了人类身高向极端发展的可能。

选择婚配对象时，高个子的男子或女子，找一个矮个子对象，仍会生育出个子比较高的后代。

当然，遗传对身高的影响不是百分之百的，也不能忽视后天的因素，如营养状况、运动、环境条件、睡眠、生活水平等。还有基因的突变因素。所以，不能完全根据遗传来预测宝宝的身高。

20.近视如此遗传啊

近视眼的患病率很高，尤其是父母在电

磁辐射环境中工作，宝宝从胎儿期就面临着对眼发育不利的种种潜在伤害。出生后，还会面对着更大的隐性伤害，电视、电脑、游戏机、手机，各种多媒体光电设备，闪光灯，各类时尚照明设备等等都对孩子构成了不小的威胁。

孩子很小就戴眼镜是否遗传所致？

我们都是近视眼，400度至600度之间，中学时视力开始下降，戴眼镜。听说近视眼遗传，我看到好多小孩年龄很小就戴眼镜，是不是跟遗传有关，我们近视会遗传给孩子吗？是不是有办法避免？

近视是由遗传因素（约占65%）和环境因素（约占35%）引起的。

中、高度近视（也称变质性近视）近视程度大多在300~600度，成进行性加深。高度近视达600度以上，中度近视一般在600度以下停止发展。为常染色体隐性遗传，群体患病率近1%，近视基因携带者占20%。其遗传规律是：爸爸妈妈都是高度近视，所生宝宝100%是近视；爸爸妈妈一方是高度近视，另一方是近视基因携带者，所生宝宝有50%可能是近视；爸爸妈妈都不是近视，但都是近视基因携带者，所生宝宝有25%可能是近视；爸爸妈妈一方是高度近视，另一方既不是近视，也不是近视基因携带者，所生宝宝不会是高度近视，但可能是近视基因携带者。

低度近视（也称单纯近视）多在300度以

出镜/崔琳夫妇

新婚夫妇/龙伟 李烨
炉烟销尽始孤明，恰称天涯今夜此时情。——清陈洵

种叫D4DR的遗传基因，对人的性格有不可忽视的影响。

那些富有冒险精神和容易兴奋的人，其大脑中的D4DR基因，比那些较为冷漠和沉默的人来讲，结构更长。D4DR较长的人在追求新奇上要比D4DR基因较短的人高出一个等级。研究者认为：人体中的D4DR含有遗传指令，能够在大脑中构成许多受体。这些受体分布在人的神经元表面，接受一种叫多巴胺的化学物质。这种物质会持续地激起人们敢于冒险、寻求新奇的欲望。

但遗传对人的性格的影响是有限的，自身经历和周围环境因素显然起着重要作用，"近朱者赤，近墨者黑"，良好的教育和环境熏陶同时在塑造着孩子的性格。遗憾的是我们仍然不知道遗传与环境因素各占多大份额，而且分别是怎么起作用的。

妈妈智力在遗传中占有重要位置

妈妈智力在遗传中占有重要位置的说法或许只是一种理论上的推测。胎儿的智力是否与遗传有关，不但是父母关心的问题，科学家们也非常感兴趣，并进行了一系列研究。科学家指出，人类与智力有关的基因主要集中在X染色体上，女性有2个X染色体，男性只有1个，所以妈妈的智力在遗传中占有更为重要的位置。在择偶过程中，人们除了重视美貌，更重视未来妈妈的文化素质，是有一定依据的。

评价一个人的智力水平并不容易

说一个人智力高，有智慧，依据是什么呢？是通过智商测定？还是有一个确切的定义？迄今为止，可能没有一个被人们普遍接受的定义，也没有一个能够诠释智慧的客观依据。

能够反映智力水平的都包含什么呢？思维能力？思考速度？推理能力？速算能力？记忆力？学习知识的能力？似乎哪一个也不能完全代表智力，相反，一个被普遍认为聪

下，属多基因遗传，遗传度为61%，爸爸妈妈都是单纯近视者，宝宝患病率高。

有一点是值得爸爸妈妈注意的，环境始终是影响视力的潜在因素。妈妈孕期营养素缺乏、早产、双胎等，也是造成近视的因素。

孕妇的饮食与孩子的视力发展有密切的关系。怀孕第7—9个月到出生前后的胎儿如果缺乏DHA，会出现视神经炎、视力模糊，甚至失明。怀孕时多吃油质鱼类，还应多吃含胡萝卜素的食品以及绿叶蔬菜。防止维生素A、B、E缺乏。缺钙的孕妇所生的孩子在少年时患近视眼高于不缺钙的3倍。因此，怀孕期间补充足够的钙非常必要。

有学者认为B超对组织的"热效应"和"高频震动"，对胎儿眼的发育也有不同程度的伤害。

21.性格与智力遗传

遗传对性格影响是有限的

"种瓜得瓜，种豆得豆"，"江山易改，秉性难移"，道出了性格与遗传的关系。美国科学家研究发现，人的第11号染色体上有一

智力与遗传相关性列表

相比较的两种人	智力之间的相关性%
同一个人接受两次智商测验	87
在一起长大的同卵双生子	86
从小被分离开的同卵双生子	76
在一起长大的异卵双生子	55
同胞兄弟姐妹	47
父母与子女生活在一起	40
父母与子女没有在一起生活过	31
亲生父母不同却被同一个家庭收养的孩子	0
没有血缘关系不住在一起的人	0

明的人，可能在某一方面显现出令人吃惊的"笨"。一位智力超群的数学家，在生活和社会交往中可能会显得比较"弱智"，那么，在某方面非常聪明的人，是否在另一方面一定会比较愚呢？这可能是一种误解，在某一方面显现出与众不同的天才的人，多是那些专注于某一件他极其感兴趣的事情上，根本就不想做他不感兴趣的事情。在他不感兴趣的事情上似乎显得比较弱智，给人一种错觉。所以，评价一个人的智力水平并不容易。

一项让我们相信智力遗传的研究

智力与遗传是怎样的关系？从1979年开始，一位学者在世界各地寻找被分离的孪生子，测试他们的个性与智商；比较被收养人与他们的养父母、亲生父母，以及被分离的同胞之间的智力差异。把成千上万的智商测验结果集中起来。得到了上表的结论。

从表中可以看出，在一起长大的同卵双生子和同一个人接受两次智商测验的相关性非常接近，没有血缘关系的两种人，无论是生活在一个家庭的，还是不生活在一个家庭的，智力完全无关。这项研究让我们相信智力与遗传的关系是相当密切的。

子宫环境与智力

还有一项研究，孪生子在智力方面的相似性，有20%可以归结到子宫的环境上，而对于两个非孪生的兄弟姐妹来说，子宫的环境对智力的影响只占5%。由此说明，子宫内环境对孩子的智力影响是不可忽视的。

基因对智力影响有多大

影响智力的先天因素——基因，对后代的智力到底有多大影响？占有多大的比例？实在是一道难题。一位学者认为：孩子的智商大约有一半是由父母遗传决定的，有将近20%是由宝宝生活的家庭决定的，30%左右与子宫内环境、学校的生活和教育，以及其他外部影响有关。

让我们设想一下：如果所有的孩子都站在一个起跑线上，在同样一个好的环境中成长，接受同等水平的教育，生活在公平的社会环境下。那么，遗传因素对智力的影响可能就显得举足轻重了。而一个有潜在高智力的孩子，如果他的潜在能力不能通过后天因素发挥出来，或者说没有能让他发展智慧的空间，那么，后天因素对智力的影响可能就相对大了。

父母应更相信后天因素对孩子智力的影响

先天遗传、后天子宫、成长环境等诸多影响智力的因素，很难用百分比来确定其影响的力度。所以我认为，作为父母，不如索性相信后天因素对孩子的智力影响力更大，而用心为孩子营造良好的生活空间和学习环境，对孩子施以良好的教育。父母要相信榜样的力量，以身作则，给孩子自信，相信自己的孩子是最棒的，相信自己的孩子获得了最好的遗传基因，是个聪明可爱的可塑之才。那么，你的孩子就有了幸福和快乐，而一个生活在幸福快乐环境中的孩子，会有更好的成长过程。

第6节 孕前女性生殖健康

22.女性生殖健康标准

妈妈年龄与胎儿染色体异常

胎儿染色体异常与妈妈怀孕的年龄有关，尤其与第一次生育的年龄关系密切。从妈妈还是7月胎儿时，卵泡就已经存在于体内，并缓慢地进行着分裂，逐步走向成熟。如果妈妈35岁怀孕，和精子结合的那颗卵子，已经生活了35年了。卵子在长期的发育过程中，可受到各种内外因素的影响，当受孕的卵子在减数分裂过程中，出现染色体不分离现象，就会产生染色体数目或结构异常，导致先天缺陷儿的出生。所以，高龄孕妇生育先天畸形儿的几率相对较高。因此，保护卵子健康从妈妈还是女孩子的时候就应该开始了。

保护卵子应从女婴开始

女性胎儿第8周时生殖腺就转化为卵巢。在这一时期的卵巢中就已经含有600万－700万个卵母细胞，到了6月胎儿时，就剩200万了，出生时就只剩40万个。尽管生殖器的形成早在胎儿期就已经完成，卵巢中也已经有了卵细胞，但女孩从中只有400-500个能够最终发育成熟。

尽管有大阴唇、小阴唇的保护，但并不能保证女孩生殖器官不受外伤和病原菌的侵袭。每天妈妈都应该为宝宝轻轻清洗外阴和阴唇的皱褶处。清洁肛门时，要从前向后，以防把来自肠道的病菌带到阴道口和尿道口。女孩裤子过紧、内裤有尿液、清洗内裤不标准、内裤没有经过阳光照射、内裤放置时间过长、使用的卫生纸不合格、用碱性比较强的肥皂给宝宝清洗外阴、肠道蛲虫感染等都会影响女性生殖泌尿系健康，进而殃及卵子健康。

婚前就应做生殖道感染检查，一旦发现有生殖道感染，应积极治疗，治愈后再结婚是最好的。

孕前更应做生殖器感染检查，夫妇双方，有一方感染，双方都应积极治疗，要等到治愈后再怀孕。如果能够避免孕期用药是最好的，应该先治病，病治好了，停了药再怀孕，就不会为药物对胎儿可能造成的不良影响而担心了。

孕前生殖健康应达到如下标准：

● 没有任何不适症状，如外阴瘙痒、干涩、疼痛、烧灼感，以及令人不愉快的味道。

● 妇科医生在常规妇科物理检查中，没有发

新婚夫妇徐晓刚、贺燕霞

沉浸于盛夏的金光，和风信子的芳香里。

——(希腊)埃利蒂斯

现任何异常体征。

- 白带清洁度在2度以下，无线索细胞。
- 白带分泌物实验室检查没有发现病原菌，如滴虫、霉菌、解脲脲原体、沙眼衣原体、淋球菌等。
- 血HIV(艾滋病病毒)、PRP(梅毒血清学检查)、HSV(单纯疱疹病毒)阴性。
- 优生优育筛检项目无异常结果。
- 乳腺无疾病。
- 子宫附件盆腔B超未发现异常，如卵巢囊肿、畸胎瘤等。
- 宫颈防癌涂片无异常。
- 不厌倦性生活。

23.准妈妈应该在孕前治愈的疾病

泌尿系感染

在怀孕期，无论是早期，还是晚期，怀孕合并泌尿系感染，对于医生来说都是比较棘手的事情，因为治疗泌尿系感染的药物，都或多或少对胎儿有不良影响。但是，能否因规避药物的不良影响而选择不治疗呢？显然是不可以的，其原因：①引起泌尿系感染的病原菌不能被杀灭，有引起肾盂肾炎的危险，对孕妇的健康不利；②泌尿系感染对胎儿健康的不良影响可能要比药物影响更大。由此可见，孕期预防泌尿系感染是很重要的。养成多饮水的习惯，每天至少饮800毫升

出镜/崔琳

的白开水。

为什么孕妇容易合并肾盂肾炎呢？这是因为，随着子宫的增大，输尿管受挤压，导致肾盂积水，使细菌通过尿道口感染到尿道、膀胱、输尿管后，很容易导致肾盂肾炎的发生。

为了减少子宫对肾盂的压迫，到了孕中期，尽量不采取仰卧位，左侧卧、右侧卧位交替，以左侧卧为主。在清洁肛门时，不要从后向前擦洗，而是从前向后，或从肛门向两侧擦洗，大便后最好用清水冲洗肛门，以免肛门周围的大肠杆菌污染尿道和阴道口，引起泌尿系和生殖道感染。

下面是几个咨询实例，如果你也有类似的问题，请看一看我在问题后面的解答，如果不能解除你的疑虑，请你再次咨询，或到医院找医生。

计划怀孕期患了泌尿系感染？

我和我老公计划下月怀孕，可是我前几天发生尿路感染，静脉注射了3天"先锋"，而且口服"头孢氨苄胶囊"。不知道会不会对胎儿有影响？

泌尿系感染本身对胎儿可能会有一定影响，一些治疗泌尿系感染的药物，对胎儿也有不同程度的影响，因此，你一定要彻底治愈泌尿系感染后，再考虑怀孕。如果在孕期合并泌尿系感染（妊娠本身也可增加患泌尿系感染的机会，甚至发展至肾盂肾炎），就会给你带来麻烦，对胎儿也不利，你如果是首次发病，要服用半个月的药物；如果是反复发病，就要服用1个月的药物，彻底消灭菌尿（尿常规正常不能视为治愈，应做尿沉渣埃迪式记数或尿细菌培养及菌落记数）。防止复发，停药后就可考虑怀孕。

爱饮水，注意个人卫生，为什么还得尿路感染？

我在近期内准备怀孕，可没想到突然得了尿路感染。本想熬过去，在服用了"金钱草冲剂"两袋和正大青春宝的"尿路感染冲剂"一袋后无效后去就

出镜/李静

医。经检查，尿路感染（白细胞++++），同时检查出霉菌性阴道炎。我服了"西力欣"片剂（250毫克/片）5片，"达克宁栓"一个疗程7支（每天一支）。现在我很是担心这些药对胎儿有无影响。如果怀孕我真的不想流掉。另我2年内已得4次尿路感染，有两次又伴有霉恩菌性阴道炎，平时我略爱饮水，又注意休息和个人卫生，真不知为什么。

需要说明的是：如果没有怀孕，你的担心也就没有必要。就可不考虑胎儿问题，采取积极治疗措施，彻底治疗泌尿系感染和霉菌性阴道炎；如果怀孕了，你又决定保留这个孩子，就要权衡利弊选择合适的治疗方案。既能有效治疗尿路感染和阴道炎，又要避免对胎儿的伤害。

饮水少，劳累，外阴不洁净，卫生巾质量不合格，内裤被霉菌污染（如放置时间过久的内裤，从来不在阳光下暴晒内裤，或在卫生间阴干内裤等）是患泌尿系感染和霉菌阴道炎的常见原因。但这不是全部的原因。你多次罹患的原因可能是每次患病都治疗不彻底。

阴道炎

用什么药治疗霉菌性阴道炎不影响胎儿？

我和爱人年龄已很大，想要一个孩子，但前10天得了霉菌性阴道炎，医生给开了中药和洗液，我们没敢用，主要是怕用药后影响要孩子，我爱人用什么药

可以不影响怀孕？我听说用苏打水清洗可以治疗，不知怎么能买到它。如果自己配，应该买大苏打还是小苏打，配水的比例是多少？

外阴烧灼痛、白带增多、阴道排出豆渣样分泌物，症状像霉菌性阴道炎，可检查阴道分泌物明确诊断。使用苏打水冲洗外阴和阴道是治疗霉菌性阴道炎的方法之一，但还应该同时使用抗霉菌的药物。没有报道认为苏打水对怀孕有不良影响。应该把霉菌性阴道炎治愈后再怀孕。4%苏打水（小苏打）清洗外阴和阴道后，再用抗霉菌的栓剂塞入阴道。单独使用苏打水效果不佳。2周一疗程。完成一个疗程后，复查阴道分泌物是否还有霉菌，如果化验结果霉菌阳性，应继续治疗。每个月经周期后按上述方法使用1周。连续使用3个周期，治愈停药后即可怀孕。

除了治疗外，还要注意日常生活中避免霉菌的再感染，比如，内裤不要放在阴暗、潮湿、不通风的地方，要在日光下晒干。要按疗程使用抗霉菌药，夫妇双方同时治疗效果更好。

治疗期间不宜怀孕。有阴道炎可影响受孕。如果阴道炎治愈，停药后无复发，就可以怀孕。但如果是特殊病原菌感染的阴道炎就要根据具体情况来决定了，如淋菌性阴道炎，解脲支原体感染等。

个人卫生良好为什么还得阴道炎呢？

我今年27岁，结婚2年，前几天不知为什么阴道口有三个特别小的小疙瘩（大约有米粒的1/3，摸起来特别痒），检查说是轻微的阴道炎，开了洗液和消炎栓，我已经用了4天。我不明白的是，我特别注意卫生，天天洗澡，内裤都是暴晒，怎么会得病呢？这次用药我要持续多长时间，到什么症状就可以不用了？这期间可以有性生活（我们是用避孕套吗）？以后我要注意什么以预防此病的发生？我的病是避孕套摩擦引起的吗？

阴道炎与卫生有关，但卫生问题并不是引起阴道炎的唯一原因，局部的抵抗力，还有其他因素，阴道与肛门、尿道紧密相邻，造成

污染的机会很多，丈夫的卫生问题也是其中的原因之一。一般治疗普通阴道炎的疗程是1~2周，特殊阴道炎时间就长了，到底要多长时间，还要根据病情决定。有些阴道炎需要夫妇双方同时用药，要询问医生是否需要与丈夫同时治疗，你还应该排除尖锐湿疣的可能。避孕套不合格可成为引起疾病的诱因。

宫颈糜烂

宫颈糜烂影响怀孕吗？

我检查宫颈糜烂2度是什么意思？是否影响我怀孕？

宫颈糜烂分轻、中、重三度，也可用1、2、3度表示，患有宫颈糜烂时不宜怀孕，最好治愈后再怀孕。制订治疗方案，要根据糜烂程度、是否查到致病微生物、有无其他并发症酌情而定，但不可选择对宫颈弹性和顺应性有影响的治疗方法，如激光、LEEP刀等。可选择微波、波姆光、药物冲洗等综合措施。

盆腔炎

患有盆腔炎怀孕对胎儿有哪些影响？

我今年29周岁，在3年前做过一次人工流产，之后右侧下腹和腰骶处总是感觉异样，去几家医院检查有的说是附件炎，有的说是盆腔炎，还有说是子宫内膜炎，去年下半年吃中药吃了半年不见好转，后又服甲硝唑和罗红霉素1个星期，感觉略有好转，但停药后病情又反复，尤其是在受凉和来月经前期，而且每次同房后感觉更明显，同时还伴有后腰下侧疼痛感。这期间我一直想要孩子，在有炎症的同时怀孕对胎儿会有哪些不利？如果我现在要孩子应该注意些什么？

附件炎、子宫内膜炎、子宫颈炎等都可统称盆腔炎。治疗的方法大同小异。引起盆腔炎的病原菌应该进一步明确，有的病原菌感染可对胎儿有显著的危害，需要彻底治愈后方能考虑怀孕。而且患有盆腔炎本身也会影响受孕。所以，在未治愈盆腔炎，尤其是附件炎前，最好暂时不要怀孕。盆腔炎并不是难以治疗的疾病，只要明确病原菌，进行正规治疗，是完全可以治愈的。

出镜·魏菊

附件囊肿，附件炎一定要治好后再怀孕吗？

我和丈夫准备要孩子，但我的B超报告单如下：

子宫58mm×45mm×41mm，宫颈24mm，宫壁欠光滑，肌层久均匀。内膜居中，不厚。宫体右侧可见一47mm×41mm大小的无回声包块，边界清，壁薄，光滑。左侧附件增宽，回声偏低。超声提示：右侧附件囊肿、宫体附件炎。请问我应如何治疗？是不是一定要治好了才可怀孕？是否会导致不孕？

附件囊肿和附件炎都需要治疗，应先进行抗炎治疗，附件囊肿是否需要手术，要由妇科医生来决定。应该治疗后再怀孕为好，否则也会给怀孕带来麻烦。如果是子宫内膜异位症，会引起继发不孕，所以，目前对你来说明确诊断是很重要的。

乳腺疾病

服用百消丹期间能怀孕吗？

因乳腺小叶增生一直服用百消丹。不知服用百消丹期间能否要孩子？

计划怀孕应该停服百消丹，夫妇双方都需要做孕前准备，如戒烟戒酒，不乱用药物，不接触有毒有害物质和气体，不接触电离辐射，注意营养，保持旺盛的精力，使身心处于最佳状态。另外，还有到医院接受孕前检查的必要。

痛经

停用治疗痛经的药物后就可怀孕吗？

因为痛经我现在还在服用艾附暖宫丸、千紫红女金胶囊、维生素E胶囊。我现在处于月经期。如果这次月经不出现痛经，我打算停止服用这些药。请问我是否可以考虑怀孕？

如果停止使用治疗痛经的药物，下个月就可以怀孕了。

痛经能怀孕吗？

我自小就痛经，现在已到了生育年龄，我很苦恼。我想知道我是否能怀孕？

痛经与不孕症没有必然的联系。而且，生育后痛经大多能够减轻。子宫后位容易出现痛经，也不易受孕，你尽量少仰面睡觉，同房时可在臀部放一个枕头，有利受孕。

其他必须在妊娠前治愈或控制的疾病

妈妈在患病期间应避免受孕。患病期间受孕，不仅不利于胎儿，而且对妈妈本身安全也有一定影响。尽管怀孕是正常的生理过程，但会使妈妈身体内各系统的功能，激素水平等都发生很大的变化，会使患病妈妈的机体受到进一步损害，与此同时，疾病本身又对胎儿的生长发育产生威胁，还会引发妊娠并发症。还有，患病期间，要使用药物等治疗措施，接受一些辅助检查，而一些药物和检查手段往往对胎儿发育有害，即使没有明确伤害的药物和一些检查手段，也存在着潜在的危险。一定要把疾病治疗好再考虑生育。

这些常见病应在孕前积极治愈：感冒、气管炎、咽炎、扁桃体炎、鼻炎、齿龈炎、急性胃肠炎、便秘、痔疮、霉菌、滴虫、细菌性阴道炎、宫颈炎、尿路感染、肾盂肾炎、贫血等。(详见第十五章《疾病》。)

第7节 孕前男性生殖健康

24.男性生殖健康的标准

在不育症的夫妇中，男性生殖能力异常的占50%以上。男性不育和女性不育一样，有很多原因，如全身性疾病、腮腺炎病史、肾功能障碍、性病史、前列腺炎、外科手术史。还有生殖系统本身疾病、毒品接触史、遗传病、生殖内分泌异常、输精管道梗阻、精子的自身免疫反应、性生活障碍、精索静脉曲张、生殖道感染等。

并非总是健康的精子与卵子结合

精子质量对胎儿健康的影响越来越受到重视，夫妇双方共同接受孕前健康检查的人数不断增加。在早期流产病例中，因来源于父亲的精子异常而导致胚胎早期夭折所占的比例大约在半数左右，可见，爸爸保护好自己的精子是保证后代健康的重要环节之一。人们常常这样认为，在几亿个精子中，能与卵子结合形成受精卵的精子，一定是最健康的精子。然而，并非总是健康的精子与卵子结合，带"病"的精子也有闯过关卡的时候。

精子的健康受到前所未有的威胁

地球上的所有生物都生活在地球表层——生物圈，生物圈的范围包括11公里深的地壳、海洋及15公里内的地表大气层。人类是生物圈的一部分，生活在特定的环境中，在人类的生活环境中，有自然的原生环境和人类活动所影响的次生环境。原生环境是有利于人类生存的，但随着人类科技进步，原生环境被破坏，增加了次生环境的份额。使得环境因素与出生缺陷的关系变得越发密切起来。

那么，环境中有生殖毒性作用的因素包

括哪几种呢？概括起来主要有以下几种：

药物

某些药物对胎儿的致畸作用已经被肯定，但没有被肯定有生殖毒性作用的药物，并不都是安全的，即使动物试验证明安全，也不能就此认为对人类生殖健康没有危害，有些药物在说明书上没有标注对生殖健康是否有不良影响，也不能因此而认为此药对生殖健康是安全的。准备怀孕的夫妇不要轻易使用药物。

工业化学物质

人们熟悉的有毒化学物质有铅、汞、砷、苯、乙醇等，在现实生活中，有些有毒物质是可以避开的，如房屋装修选择的材料是可以控制的，装修后，可以找环境质量监测部门对室内环境进行监测。但有些是个人不能控制的，如汽车尾气的污染、被动吸烟、有放射毒性的垃圾等等。不过，我们也无需恐惧，大自然有净化能力。自然界的自洁能力，为人类健康和生存立下了汗马功劳。人类应该感谢自然，敬畏自然，保护自然，把对环境的破坏视为对人类的犯罪。增强环境保护意识，是造福千秋万代的功德。为了保护自己，保护自己的后代，我们也该爱护环境。

农药

工业化进步在带动农业进步的同时，也带来了负面影响，那就是农药对健康的影响。把农药对健康的影响都归为农药的使用，是有失公允的，如果广大的种植农民规范使用农药，就不会造成如此多的蔬菜、水果、粮食农药超标问题。被动的办法是把购买来的蔬菜、水果用清水充分浸泡，让农药析出。

电离辐射和电磁污染

以X射线为代表的电离辐射对生殖健康的影响虽早已为人们所熟悉，但仍有为数不少计划怀孕的夫妇，稀里糊涂地接受了医学

出镜/崔琳

X光检查，等到获知怀孕的消息后，才如梦初醒，后悔不迭。

日常生活中，我们既不能因为害怕辐射危害而草木皆兵，又不能放任自流，而应给予积极的防护，规避可能规避的环境污染对健康的危害，如经常检查你使用的微波炉是否有微波泄漏：把一张薄纸夹在微波炉门缝，轻轻牵拉，如果能够移动纸张，说明微波炉的门已松，可能有泄漏现象，要及时维修或更换。微波炉在使用中，要距离它2米以外，停止工作后等待3、5分钟，让微波自然衰减，再打开微波炉。

（更多内容请查看第十七章《环境》。）

25.准爸爸生殖健康与胎儿遗传性疾病

准爸爸年龄与胎儿遗传性疾病

爸爸的精子，虽然只生活了64天，也并不都是年轻的。胎儿的健康与妈妈怀孕的年龄有关，因为妈妈的卵子和妈妈的年龄一样大，经历了漫长的成熟过程，难免会受到不良因素的影响。爸爸的精子都是新产生的，年龄大多不超过64天，但是否因此就说明，爸爸的精子质量与爸爸的年龄没有任何关系呢？这一结论显然是不成立的。有研究表明，年龄在45岁以上的爸爸，随着年龄的增加，生育缺陷儿的发生率也随之增加。

出镜/崔琳夫妇

与女性一样，男性生殖能力随年龄增长而下降。一组调查显示，40岁以上的男性婚后在6个月之内的自然受孕率仅是25岁以下男性的1/3。

美国的彭罗斯博士在研究软骨发育不全时，证实了男子年龄对基因突变是有影响的。默德奇博士和一些学者在对106例软骨发育不全的儿童进行分析时发现，爸爸年龄越大，精子细胞产生显性突变的机会越多。丹麦的遗传学家在对出生的224例唐氏综合征患儿的研究后认为，爸爸年龄过大与唐氏综合征的发生有关。并指出，男子的最佳生育年龄是25-30岁，超过45岁时，要做遗传咨询。

准爸爸接触有害物质与新生儿出生缺陷

新生儿出生缺陷，遗传因素占25%，其中来自物理、化学、生物因素的为10%。先天病残儿的父亲有21%在工作环境中接触射线、微波、高温、重金属、化学物质、农药等，而母亲占17%。先天病残儿父亲患感冒、发热、风疹、弓形虫感染、巨细胞病毒感染、疱疹、过敏症、腮腺炎、肝炎等疾患的占5%，母亲患上述疾病的占24%。先天病残儿父亲有烟酒嗜好的占56%，母亲占2%。

烟草中含有尼古丁、氢氰酸、一氧化碳等有毒物质，对生殖细胞和胎儿的不良影响早

已被证实。男性吸烟可影响精子质量，女性吸烟也会殃及卵子的健康。即使夫妇都不吸烟，也要尽量避免被动吸烟，因为，被动吸烟同样会危及精子、卵子和胎儿。

酒精对精子、卵子和胎儿同样有害，酒后受孕可导致胎儿发育迟缓、智力低下。大量饮酒后，酒精被血液吸收，对全身各系统都有一定的危害，对精子和卵子具有强烈毒性。曾有报道认为，男性大量饮酒，可使精液中71%的精子发育不全，活动度差，发育不全的精子一旦与卵子结合可造成胎儿畸形、智力障碍等。另外，大量饮酒还可以影响睾丸血流量和温度调节，使睾丸供血不足，供氧量下降，影响精子质量。长期大量饮酒，还可形成慢性酒精中毒，使睾丸失去生精能力，导致不孕。

咨询实例解答

是否适合怀孕？

我们正计划怀孕。只是8月5日我们出去吃海鲜，喝了一些白酒。还有在8月19日由于肚子不舒服，又吃了一些药（止泻片、吗丁啉、黄连素）。请问是否在这个月适合怀孕？

最好等到第3个月经周期后怀孕为佳。

葡萄酒会影响受精卵质量吗？

我家有个习惯，喜欢煮菜时加一些红酒，煮汤时加更多，而且我的丈夫这一个月出席酒宴较多，喝几杯啤酒或葡萄酒，这些会影响受精卵的质量吗？

红酒和啤酒酒精度低得多，因此对生殖细胞和胚胎及胎儿的影响要小得多。但影响小并不代表没有影响，建议在受孕期尽量少加烹调用酒，尽量不喝酒。为了下一代健康，这点牺牲不算什么。

丈夫喝了白酒可以要孩子吗？

我本打算在5月份要孩子，可在我排卵的前13天（经期）丈夫因朋友来了而喝了3两白酒（他已戒酒有2个月了），这个月我们能要孩子吗？该不该过几个月以后再考虑？

计划怀孕的夫妇应该在计划怀孕前3个月戒酒，白酒要完全杜绝。不管是公务、私人

出镜/崔琳夫妇

应酬还是一时冲动，都应该完全拒绝。"我们正打算要孩子"是最好的理由，不需要别人同意，必须靠自己坚持。如果实在坚持不住，那就必须再推迟3个月计划受孕。

和丈夫吵架，喝酒后一个月可以要孩子吗？

我今年26岁，现准备要个孩子，我们夫妻关系一直不错，但在3月初因要不要考研大吵过几次，我也喝醉过几次酒，现在问题已经解决，关系又好了。请问，过了这个月经周期从下次排卵时开始怀孕行吗，就是说这次喝酒对受孕的影响有多长时间？

女性和男性一样，在计划怀孕前就应该戒烟戒酒，怀孕后更不要饮白酒。孕期酗酒是导致胎儿异常的直接原因。孕妇的情绪与胎儿的健康密切相关，最好的胎教就是孕期快乐的心情。在计划怀孕期和怀孕期，希望

出镜/崔琳夫妇

你学会梳理情绪。

26.准爸爸应该在孕前治愈的疾病

前列腺炎

提起前列腺炎，大多数年轻男士会认为这是老年男性病，与自己没有多大关系。其实，年轻男士也同样会患此病。

一位28岁的建筑工程师，在没有避孕的情况下，2年妻子都没有怀上孩子。妻子做了许多有关不孕的检查，都没有查出问题，也做了一些治疗。向我咨询后，问到男方都做了什么检查，结果令人吃惊，什么也没做过。夫妇双方都需要检查。这位男士不屑一顾地说了一句：我可什么问题都没有，再说了生孩子是女人的事，查我有什么用？

他不一定不懂得生育是两个人的事，只是很多的男性不愿意接受这样的检查，更不愿意承认是男方的原因导致不孕不育的事实。通过检查，确定这位建筑工程师患有前列腺炎，精液中不但有大量白细胞，还有红细胞，精子质量差。发病的原因是这位工程师常常住在工地，寒冷潮湿使得他受凉，因而常感到腰酸腹胀，排尿也不舒服。经过半年多的治疗，妻子顺利怀孕了。现在儿子已经3岁多了。

性传播疾病

男性患有性病初期可能没有什么明显症状，但可传播给妻子。所以，孕前夫妇双方做生殖泌尿系疾病检查是非常必要的。

曾遇到一位夫妇，妻子发热、腹痛、白带成脓性，走路时连腰都不敢直，双手抱着小腹，一副痛苦面容。确诊为急性淋菌性盆腔炎。询问丈夫有无淋病史，他说前几天排尿有些不适，好像有几滴脓液，小便感到有烧灼感。一周前曾有野游史。他承认是自己传给妻子的。但他奇怪为什么自己只有轻微的症状，而妻子的症状这么严重呢？

确实如此，有的丈夫一点症状没有，而妻子却有典型的性病症状，因此，还引起过夫妻间的争吵，丈夫认为妻子有婚外性生活，染上了性病。所以，即使男方什么症状也没有，也应该做孕前生殖泌尿的健康检查。

精子质量异常

正常男性每次射精量为2-6毫升，小于

1毫升或大于6毫升，对生育能力均有一定影响，含有精子(50-100)×106/毫升，如果每毫升精液中的精子数量少于20×106/毫升，可造成男性不育。如果小头、双头、双尾、胞浆不脱落等异常精子超过20%，或精子活动能力减弱等也可引起男性不育。精子生成后至排出的时间间隔越长，其活动力越低。在排卵期隔天同房可增加受孕机会，精子的质量最好。

宝宝/马澳琪
宝宝和爸爸。宝宝继承了爸爸白皙的肤色，天庭饱满，周正的脸型，还有那双有神的眼睛。

前妻多次流产，与现在妻子生育要做什么检查？

我前妻怀孕多次都流产了，医生说是因她子宫壁太薄，我曾做过色体检查，未发现异常，但未做精液检查。我和现在的妻子想在8、9月份怀孕，我需要再做什么样的检查呢？

夫妇双方都应在孕前做常规健康检查，包括一般检查、生殖健康检查、病毒筛查、优生筛查等，精液的质量也直接影响受精卵的质量，精液检查是生殖健康检查中的一项。

丈夫精子不好，经治疗使妻子怀孕，却又流产了？

我结婚已有3年，可一直没有怀孕，后来发现是我老公的精子不好，经过治疗，今年5月份我怀孕了，可是我在未出血，未肚子痛的情况下，却流产了，请问这是什么原因？我不知道还能否再怀孕。

精子质量不好或数量不足，受精卵异常的几率就大，流产的确切原因难以查清，但孕早期自然流产，大多数是受精卵胚胎本身不健康，建议你丈夫接受男性科治疗。精子不健康，胚胎是难以存活的。如果强行保胎，可能会把不健康的胎儿保留下来。所以，如果怀孕了，也不要千方百计保胎，顺其自然是最好的。流产后半年再怀孕就可以了。

间断血精能够生育吗？

我和爱人计划今年4月份要孩子，但我有间断血精，没有任何异常感觉。今年3月初去医院检查，B超结果正常，前列腺支原体培养为阴性，精液常规：RBC满视野，暗红色，2.6毫升，pH7.5，液化时间30分钟，精子数26×106/毫升，活动力：0级25%，1级30%，2级35%，3级10%。医院大夫开了止血药：安络血和维生素K，现在已经服用8天。

血性精液，正在服用药物，暂时不宜怀孕，应该把疾病治疗好，尤其是精液的问题，直接关系到受精卵的质量。应该积极治疗，最起码不要在血性精液的情况下怀孕。要取得治疗效果，首先要知道血精的原因是什么，建议你看男性科，明确诊断，积极治疗。

精子活动力：精子活动一般用5级划分法。0级表示无活动精子，加温后仍不活动；1级表示精子活动不良，不做向前运动；2级表示精子活动较好，缓慢的波形运动；3级表示精子有快速运动，但波形运动较多；4级精子快速的直线运动。正常精子活动力一般大于3级。0级和1级的精子在40%以上为男性不育的原因。

正常精液只有少量红细胞，白细胞少于5个/高倍视野，精液中红细胞和白细胞升高多见于炎症。

精子质量差是导致妻子流产的原因吗？

我今年30岁，妻子31岁。妻子身体一直很健康。我相对体弱，工作压力大，且经常在电脑前工作。去年6月起准备怀孕，连续几次都没有怀上。去年11月我做了一次精子质量检查，结果是精子活率和活力均偏低，精子密度也偏低。偏偏在12月就怀上了。不过到胎儿90天以后检查时，并未发现胎儿心跳。于是只好流产。我想咨询是否必须治疗后才能受精,还是仍可以自然受精?我不想治疗的主要原因是现在的医院很多医生一见面就开一大堆很贵的药。说只要吃药就好了。我有点怀疑。

从你的检验单上可以看出,你的精子质量不理想,建议你还是应该通过几个月的治疗后再怀孕。你可以选择好的医院和医生,而不是拒绝治疗。但从化验单上也能够看到可喜的一面,只是精子活率低,活力差,而精液的量、酸碱度、色泽等是正常的,没有炎性细胞,没有畸形精子。除了服用药物外,还要从生活上注意以下几点:

①要保证充足的睡眠,尤其不要熬夜。

②保证营养,膳食结构合理,要有良好的进餐习惯,不要饥一顿饱一顿,多吃新鲜蔬菜,不要经常吃饭店或快餐店的食物。

③戒烟戒酒。

④健康的生活方式,加强体育锻炼。

⑤保持旺盛的精力,不要有疲劳感才休息,要始终保持不疲劳状态,累了就休息,最好是睡觉,或喝杯热鲜奶。

⑥保持心情愉快,尽量丢掉烦恼的事情。

要记住,三分治病,七分调养。你只是工作比较累,身体比较差,并没有器质性疾病。可能是处于亚健康状态,通过努力完全可以恢复健康,也会得到一个健康的宝宝。

精子活率:正常者排精30~60分钟内,活动率应在70%以上,至少应大于60%,精子活动率低是导致不育的重要因素。

每周3、4次同房会影响精子质量吗?

我们想要孩子,可是连续2个月也没怀上,心里很急,为什么在排卵期前后1周时间天天同房也没怀上?是否要到医院检查?我怀疑我是否正常,因为妻子做了B超,显示正常。因为我们急着要孩子,所以在妻子排卵期的附近时间,同房频率较高,1周3~4次,不知道这样会不会影响精子质量?

在排卵期每隔一天一次同房可增加受孕机会,不会影响精子的质量。计划怀孕刚刚2

宝宝/黄景弘
这张照片是编辑部的人都说妈妈和宝宝像,所以挑出来了。

个月没有怀孕,是很正常的,不需要看医生,另外,计算排卵期也不是百分之百的准确。如果怀疑或感到身体不适及异常,应看医生。

治疗阳痿的药会导致胎儿畸形吗?

我们夫妇非常想在3月份要孩子。已计算好3月8号到10号左右是排卵期。但从3月7号起几次同房,都因我的原因而失败(有两次是勃起后未进入阴道就软了,一次是勃起后进行正常同房,后来却未射精而逐渐软了。我们结婚3年,以前未出现过这种情况)。前些天一次非常重要的考试失败了,情绪不太好。为了不错过3月份的排卵期,昨天在药店买了一种叫"勐龙胶囊"的药,昨晚吃了两粒。今天早晨同房成功。我很担心,如果受孕,会不会因药物的影响而产生畸形胎?(该胶囊主要成分有纯天然药物白花丹、绿包藤等)。

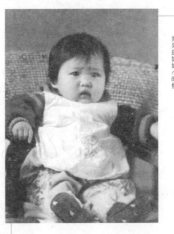

田甜
郑果的妈妈小时候。

宝宝/郑果

治疗男性性功能障碍的中成药是否影响精子的质量，缺乏可靠资料。未见对胎儿有伤害的报道。情绪低落，心情烦躁，会影响性功能。在这种情况下，不要急于要孩子，应该让自己的心情平静下来，待心情好起来，自然会好的。你没有什么器质性疾病，不需要吃药。如果此次妻子受孕了，你们应该高兴，不必担心药物对胎儿的影响；如果没受孕，请不要再吃药了，待心情平复了，你就好了。

男方淋菌性尿道炎治愈停药半月，会导致胎儿畸形吗?

我得了淋菌性尿道炎，一直在吃"克拉霉素"，有3个多月，现已基本痊愈，停药也有半个月了，最近我们想要孩子，若妻子此时受孕，是否会导致胎儿畸形?

如果你确实已经彻底治愈了淋病，可以考虑要孩子。但是，你妻子也应该检查一下阴道分泌物。因为淋病属性病，夫妇间可相互传染，双方生殖器感染对胎儿都有影响，母方影响更大。建议双方都做全面的生殖健康检查，一切正常，再安心怀孕，胎儿的健康才有保证。

生活中避免腹腔疾病的要点

最新的研究成果来自瑞典对10597个单胎新生儿母亲生育后几天内进行的一项问卷调查，研究人员得出结论：腹腔疾病无论发生在父母哪一方，即使是经过治疗，都会对妊娠产生不良影响，导致新生儿体重偏低，

并可能缩短妊娠时间。

准爸爸最常患的腹腔疾病有：脂肪肝、慢性肝脏疾病（主要是乙型肝炎或乙肝病毒携带者）、酒精肝、胃炎、胃十二指肠溃疡、结肠炎等。

当你要做准爸爸的时候，如果检查出有腹腔疾病，就要进行治疗，等到治愈了，再考虑生育。

● 不要酗酒，即使是小量饮酒，也要先吃几口饭和几块肉，不能空腹饮酒，只喝酒不吃饭，对胃的伤害是很大的，容易患胃溃疡和胃炎，对肝脏也同样不利。

● 吸烟是导致胃溃疡、胃炎的原因之一，只在计划怀孕前3个月临时戒烟是不够的。

● 不要饥一顿，饱一顿，这对胃肠健康危害是最大的。少睡会儿懒觉，争取吃早餐。

● 现代的男士们，工作压力大，精神紧张，普遍睡眠不足，健康透支很大，有一些人已经处于亚健康状态，离疾病只有一步之遥。紧张的情绪是导致胃肠疾病的因素之一。

● 饮食结构不合理，肥胖男士越来越多，肥胖易导致脂肪肝的发生。要合理饮食，远离饭店，回到家里，多吃清淡的食物，偶尔在医生指导下禁食。减少在外吃饭次数，偶尔应酬，必须吃主食、素菜。

● 运动越来越少，以车代步，看电视，玩电脑，占去了活动时间。像西方一样进行"自行车运动"，弃电梯走楼梯，郊外旅游，户外运动等，可有效防止胃下垂、胃溃疡、将军肚、疲劳综合征等。每天坚持户外散步15分钟。

第8节 孕前夫妇双方生殖健康

27.不孕症与不育症

一对夫妇未采取任何避孕措施2年以上不能怀孕生子即被诊断为不孕症，如果从未怀孕称为原发不孕，否则为继发不孕。如果一位女性能够怀孕，但不能把妊娠进行到

底，被称为不育症，如习惯性流产，胎停育等。

在自然受孕过程中，并不像有的夫妇想象的那样，想哪个月要孩子，孩子就会来到。对于育龄女性来说，即使夫妇双方都没有任何不孕的因素，女性每月排卵受孕的机会也仅有25%，有的女性会很幸运地在当月怀孕，有的女性会等到1年才能自然受孕。自然受孕机会随着年龄的增加而减少。20～24岁女性在3、4个月时间内可自然受孕，35～40岁女性要在1年左右才能自然受孕。

在自然受孕的情况下，有50%左右的夫妇在半年内成功怀孕，经过1年的努力，会有80%的夫妇如愿地怀孕，有10%的夫妇要用1年多的时间才能自然受孕，还有10%的夫妇可能要在医生帮助下受孕。真的患有不孕不育症的，只占4%。

影响受孕的三大因素

影响受孕能力的原因有很多，疾病导致的需要医生诊断和治疗，在这里不做过多的讨论，这里只讨论一些非疾病因素与受孕的关系。

年龄

与男性相比较而言，女性受孕机会与年龄的关系极其密切。25岁左右是女性受孕能力最强的时期。以后随着年龄的增加缓慢减低，到了35岁能力下降加速。到了35岁，卵子也已经是35年多的老卵子了，质量已大打折扣。加上生殖器疾病、流产等因素，使得孕和育都面临着挑战。我所见到的最高怀孕年龄是49岁，最高世界记录为57岁。

男性生育年龄相当长久，甚至可持续到终生，但男性的生育能力并不一直保持不变。45岁以后的男子生育能力开始呈递减趋势。

性交频率

频率低受孕机会小，反之则高，但如果过于频繁，会因为精子活力差而使受孕机会

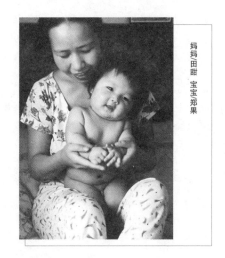

妈妈·田甜 宝宝·郑果

降低。每周3、4次比较合适。

精神因素

如果连续几个月没有如愿，就着急紧张起来，大大怀疑自己的怀孕能力，精神异常紧张，会导致受孕机会减少。一旦放松精神，抱着顺其自然的态度，反而会轻而易举地怀上了。

不孕不育男方原因占一半

过去人们普遍把不孕不育归咎于女性。现在医学研究表明，在不孕不育的夫妇当中，病因在男方和在女方的情形一样常见，大约各占40%。还有大约20%是夫妇双方都有导致不孕、不育的一个或几个原因。男性不孕症的常见因素是精子质量差。女性不孕症的常见原因是排卵因素、输卵管疾病、盆腔因素。所以说，不孕不育，需要夫妇共同接受检查和治疗。

不孕症的正规检查

如果确诊不孕，就应该进行正规检查，而不要东一下，西一下，到头来，花了很多钱，受了很多罪，还是没有结果。要查就按部就班，全面地、有次序地逐项查。应先排除最常见的不孕原因。

● **精液分析：男方在正常情况下可直接到医院进行精子检查。**

●基础体温测定：基础体温测定要注意体温测量的准确性和准确的记录，到医院要一张基础体温表，医生会详细告诉你如何测量及正确填表方法。

●输卵管通畅试验：输卵管有炎症可增加宫外孕的发生率，但不会因此影响受孕，只有输卵管堵塞或狭窄时才会造成不孕。所以，输卵管炎不是导致不孕的直接因素。

一般在月经干净3天后做输卵管造影或通水检查，检查前要到X线科，医生会告诉你需要做什么准备。疑有输卵管阻塞可做输卵管通水术。输卵管不通没有明显的自觉症状，所以，不通过检查难以发现。

●内分泌激素测定：做女性激素检查要记住抽血时间，因为所测结果与所处月经周期的时期有关。最好在化验单上标明是在月经周期什么时刻抽的血。

●子宫内膜活检：子宫内膜异位症也是造成不孕的原因。

治疗中的温馨提示

●最好找一位经验丰富的妇科内分泌医生，或专门诊治不孕症的医生，固定找这位医生看，不要今天找这位，明天找那位医生，那样很容易

出镜 申远夫妇

看乱。要看正规医院的不孕门诊。

●不要听信别人的传言："某某吃了什么，怎么做的"等成功例子。因为你的问题和别人的问题不一样，对别人有效的，对你不一定有效，可能还会对你有害。

●在治疗不孕的时候，不要盲目吃一些药物，尤其是对生殖细胞和胎儿有损害的药物。怀孕了，却由于吃了孕期禁忌用药而不得不舍弃，这是很令人痛心的事。所以，在你接受任何治疗和检查时都要确定是否怀孕了。

●在治疗过程中应该先避孕，停用避孕药3个月至半年以后才能够安全怀孕。

28.夫妻双方常见病预防

以健康身体怀孕

从优生角度考虑，夫妇双方都应在孕前3个月内身体健康，精神饱满，心情愉快，营养充足，避免任何已知的对生殖细胞、受精卵、胚胎有影响的因素。

卵母细胞早在胎儿期就生成了，青春期后，存在丁卵巢中的卵母细胞，每月释放出一个成熟的卵子，所以，保护卵子的健康是女人整个生育期的任务。精子成熟大约需要3个月，因此，计划怀孕后，父方应从计划怀孕的前3个月做准备，如戒烟、戒酒、避免接触有害物质和射线等，有些药物对精子的影响也不可忽视。准备要孩子的夫妇应该让自己的身体更健康，避开一切影响身体健康的不良因素，预防疾病发生，减少药物摄入。

呼吸道感染预防要点

平时注意锻炼身体，提高机体抵抗力，注意冷热适中。

早孕期身体抵抗力一般都比较弱，容易患感冒，如果平时身体抵抗力就弱，难免在孕前患感冒。最好在夏季和秋初季节怀孕，这时患感冒的机会比较小。

生活规律，注意休息，保证充足的睡眠，多饮温开水。

不要到人多的场所逗留。不要接触感冒

采取有效的避孕措施是孕前准备的重要部分。避孕药是新婚夫妇首选的避孕方法，绝大部分避孕失败常见的原因有漏服、服用时间错误、剂量不准确。使用方法不正确等等。像这样的情况应该尽量避免。

病人。

- 倘若感冒症状不是很严重，不必吃感冒药，注意休息，多饮水，增加睡眠。
- 流感疫苗是预防流感的，对普通感冒没有预防作用。注射流感疫苗当月不要怀孕。

口腔疾病预防要点

- 三餐后半小时用清水漱口。
- 每天晨起、睡前刷牙，要有效刷牙，刷足3分钟，刷遍三面牙，把牙膏充分漱干净。
- 吃容易粘在牙齿上的小食品，如奶糖、果脯、黏糕等，食后要把粘在牙齿上的东西清理干净。
- 不要常用牙签剔牙，如果有东西塞入，应该用专业牙镊子夹出来。
- 如果口腔有异味，或患齿龈炎，可坚持早晨、睡觉前用专业漱口液漱口，也可用苏打水或盐水漱口。

消化道疾病预防要点

- 生吃蔬菜水果时，一定要洗净上面残留的农药、寄生虫和病原菌。洗去果蔬上的泥土后，最好用清水浸泡半小时，然后用流动水逐个冲

当必须使用药物治疗某种疾病时，一定要在医生指导下，即使是OTC用药，说明书上没有明确表明对生殖健康的影响，也要谨慎使用，最好还是请教医生。只要你结婚了就有怀孕的可能，有备无患是最明智的。

洗。

- 食用用手抓握的食品前，一定要进行有效洗手：2分钟，两遍洗手液或香皂，手指、掌心、手背、手腕、甲沟、甲缝依次洗净，最后用流动水冲洗。不要留长指甲。
- 如果有便秘，争取在孕前采取措施缓解便秘，至少要降低便秘程度。严重的便秘需要医学干预，一般便秘可通过饮食、运动、建立排便习惯等来改善。仰卧起坐、按摩腹部（每天按摩腹部10分钟，从左下往上，往右到右下）、散步、体操等运动可刺激胃肠蠕动。多吃粗粮和含纤维高的蔬菜，如芹菜、萝卜、白菜、黄瓜、西红柿等，可改善容积性便秘。
- 有痔疮最好在孕前治疗，因为怀孕后，即使没有痔疮，也有可能患痔疮，如果在孕前就患有痔疮，怀孕后可能会加重，而在孕期，是难以接受痔疮手术治疗的。长期坐着可加重痔疮。

泌尿生殖系感染的预防要点

- 每天睡前夫妇双方都要清洗生殖器，所用的盆和毛巾应在阳光下暴晒。如果有条件，最好用流动水冲洗，需注意的是男士常常不能认真清洗包皮处藏匿的污垢。
- 多饮水，可起到冲刷尿道的作用。
- 洗净的内裤不能放置在卫生间晾晒，而应拿到有阳光的地方，不要准备过多的内裤，2、3条换洗就可以了，这样可避免穿放置过久的内裤。
- 平时最好不使用卫生护垫，每天换洗内裤是最好的。
- 最好不到外面洗浴。一次性洗浴用具的卫生状况并不总是可靠的。
- 夫妻之外的性伙伴是导致泌尿生殖系感染的元凶。

贫血的预防要点

- 孕期发生缺铁性贫血的几率比较高，孕前体内储存充足的铁是很必要的。
- 多摄入含铁丰富的食物（见第十九章《营养》）。
- 不要喝浓茶，尤其是饭前、饭后喝茶水会影响食物中铁的吸收和利用。
- 合理配餐，比如菠菜、芹菜、紫菜含铁比较丰富，但如果和豆腐一起烹制会影响人体对铁的吸收。

孕前准备期间也不能随便服用药物，有些药物对人类生殖细胞是有毒性的。绝大部分药物对人类生殖健康的影响缺乏确切的研究资料，通过饮食、运动、健康的生活方式和良好的生活习惯提高自身抵御疾病的能力是最佳的选择。

● 不要偏食。

第9节 受孕过程中的烦恼

29.自然流产

导致自然流产的可能原因

● 由于染色体的数目或结构异常所致的胚胎发育不良，是流产最常见的原因，在自然流产中，遗传因素可占60%~70%，流产儿染色体异常占50%~60%，夫妇一方或双方有染色体异常的约占10%。由此可见，遗传因素是自然流产的最主要的元凶，尤其是怀孕头3个月内的流产。

● 大量吸烟（包括被动吸烟）、饮酒、接触化学性毒物、严重的噪音和震动、情绪异常激动、高温环境等一切可导致胎盘和胎儿损伤的因素都可造成流产。

● 母体患任何不利于胎儿生长发育的疾病都可造成流产。大约有15%的男性精液中含有一定数量的细菌，可影响孕妇使胚胎流产。

● 多次做人工流产可增加自然流产的几率，流产后子宫恢复不好或短时间内再次受孕，也增加流产的几率。

发生自然流产后该怎么办

● 发生自然流产，夫妇双方应做全面的体格检查，特别是遗传学检查。

● 发生流产后半年以内要避孕，待半年以后再次怀孕，可减少流产的发生。

● 要做遗传学检查，夫妇双方同时接受染色体的检查。

● 做血型鉴定包括Rh血型系统。

● 有子宫内口松弛的可做内口缝扎术。

● 使用治疗黄体功能不全的药物时，要超过上次流产的妊娠期限（如上次是在孕3个月流产，则治疗时间不能短于妊娠3个月）。

● 有甲状腺功能低下，要保持甲状腺功能正常后再怀孕，孕期也要服用抗甲低的药物。

● 注意休息，在上次流产的妊娠期内避免房事，情绪稳定，生活规律。

● 男方要做生殖系统的检查。有菌精症的要治疗彻底后再使妻子受孕。

● 避免接触有毒物质和放射性物质的照射。

● 如果反复发生自然流产，一定要寻找引起自然流产的原因，接受治疗，做好孕期保胎。

同房可导致流产吗?

妻子发生不完全流产，是孕后同房所致吗?

有习惯性流产史的孕妇，在孕后应禁止同房。但是，如果孕卵是正常的，又没有习惯性流产史，因为同房而引起流产的可能性是很小的。

先兆流产

阴道出血最常见的原因是流产，包括先兆流产、难免流产、不全流产、完全流产、过期流产、习惯性流产。另外，还可见于葡萄胎和宫外

宝宝/Jasmine Davries
中英混血儿，中文名叫茉莉。

孕。因此,孕后有阴道出血提示有异常,应及时到医院就诊,不应在家中盲目等待。

正常月经和流产是有一定区别的。先兆流产时,阴道有小量不规则流血伴轻微腹痛;难免流产出血量多,腹痛明显;不全流产多在妊娠10周以后,流血多;完全流产虽然完全流出,但也有腹痛。

一组咨询实例

计划怀孕后,停经长达25天以上,突然发生少量阴道出血,是月经紊乱还是先兆流产?如何辨别?需要做什么检查?是否影响胎儿健康?

如果月经周期准确(一般是25-30天),还没到月经来潮时间,不应该判断已经怀孕。停经时间太短,还没有超过月经周期,现在阴道少量出血也不能排除是月经来潮的先兆,再耐心等一等,但要注意少活动。

一直都计划着怀孕却未成功,分别于9月7日、10月3日、10月28日如期月经来潮。11月25日月经推迟到11月29日才来,但量极少,今天12月3日了,每天早上仍均有少量的血,基础体温没降下来。到医院作尿检呈阴性。不知到底怀孕没有?

● 计划怀孕后,往往由于怀孕心切,会出现月经紊乱失调等情况。一定要稳定情绪,冷静下来,注意休息,等待几天。

●如果超过月经周期仍未来月经,可做尿HCG检查确定是否早孕。

●早孕试纸一般在停经37天后阳性率较高,在37天前阳性率比较低,在月经周期以前,即使怀孕,尿HCG的阳性可能性也较小。

●必要时可做B超。阴道超声能够提前发现妊娠囊,也能尽早诊断宫外孕。

<u>阴道出血──是先兆流产的信号吗?</u>

月经未结束或月经紊乱

首先要确定是因月经没有结束,同房刺激引起经血增多,还是因疾病所致。如果是月经周期未结束,同房后经血增多,如果不合并感染,对以后生育不会有影响的。如果出血较快停止,白带也正常,没有腹痛等不适,就不必看医生。

合并感染

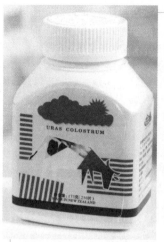

叶酸是孕前2个月就要补充的维生素,世界卫生组织相对缺乏户外活动,接受日光不足,适当补充维生素AD和钙是可以的。具有补血功效的食疗品也倍受欢迎,都市白领相对缺乏户外活动、接受日光不足、适当补充生素AD和钙是可以的,也未尝不可。但要注意,如果有缺铁性贫血时这些补血的食疗品就不管用,必须补充医生开具的补血药物了。妈在孕前2个月开始每日补充叶酸0.4-0.8毫克。

有宫颈炎可引起接触性出血。如果合并了感染,可能会引起输卵管炎。输卵管炎治疗不彻底、不及时,可能因输卵管狭窄或堵塞而引起受孕困难。感染子宫内膜炎也对怀孕有影响。如果因有其他疾病导致阴道出血,应及时看医生。如果还有很多出血,已经超过平时的行经期,伴有身体不适和异常症状,也要看医生。

30.流产问题实例解答

人流术后多长时间开始使用避孕药?

由于避孕措施不当,我刚做完人流术不到1个月。为避免再次怀孕,我们想采用药物避孕法,听说"妈富隆"短期避孕药副作用较小,如果要采用药物避孕,什么时候开始为宜?

选择什么样的避孕方法,要根据你需要避孕多长时间、你是否准备再生育而定。若你只是短期避孕,计划1年内生育,最好不要选择药物避孕,即使是短期副作用小也不适宜。建议选择避孕套或外用避孕药膜。若打算长期避孕,但有生育的打算,则可选择避孕药避孕。若是永久避孕,放置节育环或皮下埋植避孕药较好。人流后第一个月经周期开始就应该服用避孕药。

服用避孕药期间怀孕能保留孩子吗？

我们夫妇以前是两地分居，一般相聚都用事后避孕药。上个月我服用了左炔诺孕酮炔雌醚片长期避孕药，出现一些症状，不知是否正常？下面是我的服药时间及出现症状：12月9号我正常来月经（我的经期时间比较稳定）；5天后也就是13号午饭后我服第一片药（按说明书用法）；12月19号就出现不正常来月经，但说明书上说会有这种症状；后来，因为种种原因，我没按说明书服第二片药。1月19号阴道出现几点很淡很淡的血，后来就没有了。一直到现在，1月25号了，我的月经还迟迟没来，但白带好像比以前多，乳房也比较涨。最让我担心的是，这期间，我们夫妻是按12月19号来算安全期的，我还服过几颗头孢拉定消炎药。我想知道为什么会出现这种现象？如果有小孩的话，这个小孩我们应该要不要？想要小孩的话，下次最好在什么时间怀孕？

没有按照药物说明书服用，可能会出现异常，你说的上述现象是药物所致。避孕药的副作用主要就是导致月经周期紊乱、内分泌紊乱。你和丈夫长期两地分居，使用短效避孕药就可以，没有必要使用长效避孕药。化验尿HCG，确定是否怀孕，如果怀孕，最好不要。等到6个月以后再考虑怀孕生育，期间不要再服用避孕药，可使用避孕套。

倘若流产，是采取药流，还是人流呢？

我和女友同居1年了，最近她告诉我她的例假已经推迟了10天还是没来（以前是在每月1号左右），并且还有过一次早晨起来想吐的现象，我很担心她是不是怀孕了。于是我们商量如果15号以后还不来就去医院检查，但是对于这个问题我们都是第一次遇到，有点慌张，我们还没有结婚生子的条件，所以一定要选择流产，请问应该选择药流还是人流？哪个对生活的影响更大一点？流产后需要多长时间可以恢复正常工作？

药物流产和人工流产各有其优缺点。人工流产比较痛（但也有无痛人工流产），药物流产后发生阴道淋漓不断出血的可能性大于人工流产。到底采取什么方式流产，除了自己的意愿外，还要根据本人情况，经过医生的分析，确定是适合药物流产，还是适合人工

流产。

我的建议是选择人工流产，人工流产比较快，几分钟就结束，出血少，如果技术过关，残留的可能性极小。如果对疼痛敏感，可选择无痛人流。药物流产发生子宫内残留的可能性比人流大些。

无论是采取什么形式的流产，都要休息，法定假期是4周，如果工作忙，至少也要休息1周，还要注意不要受凉、不要劳累、不要做剧烈活动、注意卫生、避免发生盆腔感染，以免造成输卵管炎，导致日后不孕的可能。

阴道出血伴发热是否需要检查？

我妻子自3月8日月经后我们计划要孩子，没有避孕。4月3日至4月4日有些出血，4月5日就没有了，并伴发烧，在37.3度左右，这是为什么？是否需要检查？

排卵后体温逐渐升高达37℃以上，怀孕后体温也可升高，多不超过37.5℃。要排除是否有盆腔感染，盆腔感染多伴有小腹、腰骶痛及白带异常。如果没有盆腔感染的症状，阴道也不再出血，可暂时不用到医院检查，继续观察1周，如果没有月经来潮，可做尿HCG检查，确定是否怀孕。

阴道出血不知是月经提前还是流产？

我和丈夫都非常想要个孩子。我的最后一次月经是12月17日，1月2日有过同房，今天1月13日，我竟然有点下身出血，颜色像月经来潮初的颜色，我非常害怕，不知是月经提前还是已经怀孕而受到同房的影响？

如果超过月经周期后确诊并未怀孕，要到妇科做详细检查，确定月经异常的原因，排除各种疾病因素。

我是不是怀孕了？

打算要孩子，可连续2个月没有成功，我8月30是末次月经，周期是27天左右，在9月23日发现有很少一点出血，不超过1毫升，24、25日见少量暗红色分泌物。我是不是怀孕了，早孕试纸现在能查出来吗？

排卵时间约在9月12日。如果你没有怀孕，月经来潮时间大约在9月26日。如果你怀

孕了就不会来月经了。现在的情况是你在9月23日发现有少量阴道出血，比预计的月经提前了3天。所以，就目前情况不能确定你是否怀孕。即使怀孕了，现在查早孕试纸也很难有阳性结果。

月经推迟2、3天是自然流产吗？

自然流产的表现症状怎样？平时比较正常，上次月经推迟了2-3天，可能是自然流产吗？月经干净后8天偶感下面（可能是阴道内）有轻微短暂痉挛的感觉，这是什么原因引起的，应做哪些检查？

自然流产的早期症状是阴道少量不规则出血，伴有或不伴有下腹隐痛。你只是月经推迟了2、3天，还不能确定你是否怀孕了。又怎么能认为是自然流产呢？阴道有短暂痉挛的感觉，可能与炎症或同房时导致阴道壁轻微损伤有关。可再观察一下，如果频频出现，可到妇科看医生。

月经还是先兆流产？

8月份，我妻应该来月经，但是没有来，第一个想到的就是已怀孕了，可到第7天的时候，晚上回来突然发现有月经了，但几天下来发现并不多，请问医生这是为什么？由于何种原因引起的？

新娘 李菲

宝宝/温滕飞
宝宝真像个"小老外"。

应该验一下尿HCG，确定是否怀孕，如果是，再做腹部B超，确定是否有宫外孕或先兆流产的可能。

月经推迟？

我上个月是6月26日来月经，这次到8月6号才来月经，期间有过房事，请问这属于正常吗？

只要这次月经的量和天数都和往常一样，就属于正常情况，月经周期受情绪、精神、体力、营养状况等许多因素影响，都可使月经周期延长，但如果延长时间过长或有其他不适及时看医生。

自然流产诊刮1年来一直感到左下腹痛。是生殖器有问题吗？

我于去年11月自然流产，产后做诊刮。之后，我感到左下腹时常有刺痛的感觉。到医院检查，医生按压时，我又不感到疼痛，医生也未做其他进一步检查，到现在已经1年多了，是不是我的生殖器官出了问题？

流产后可能会引起盆腔炎，但盆腔炎是可以通过妇科内诊检查出来的，你已经做过检查了，没有异常，就没有什么可怀疑的。你所说的刺痛，是一过性？还是持续性？如果是一过性，或只是一下刺痛，多是神经性痛。神经痛也与精神因素有关。如果生殖器官有问题，医生会检查出来的。

流产后可因为并发盆腔炎，造成输卵管狭窄、粘连、堵塞导致不孕。若怀疑此症需做输卵管造影检查。

药流后12天仍出血是什么原因？如何解决？

我在本月13日开始做药流，到17日胚胎流出，但是到现在3月29日了，每晚都有少量的黑血流出，请问是什么原因？有什么办法解决？

阴道少量流血是药流常见的副作用，应首先排除是否是不全流产；其次排除继发感染。若是不全流产应做清宫，若是有感染应给予消炎治疗。

流产后长时间出血是否正常？怎么办？

我8月21日做的药物流产，很顺利，医生开了益母草，奥复星。之后一直有出血，延续到现在也不见好转，今天已经是9月6日了。这期间频繁有血块出现，最近经常是黏稠的血丝，请问这么长时间的出血是否正常？应该怎么办？

药物流产有时会出现淋漓不断的阴道少量出血，应该寻找原因，最常见的原因是有子宫内残留物，其次是感染，这两种原因都应该治疗。因此，你应该看医生，及时明确出血原因，给予积极治疗。

月经前少量渗血？

我和太太准备8月份要小孩，有几个问题想请教你。我太太每次月经时，大量月经的前几天都有少量血渗出，如7月份，8号就开始少量渗血，11号开始大量月经并持续2天，以后量就很少，到15号才完全干净；8月份，2号就开始有少量血，但6号才开始大量月经。她很担心这种情况是否正常，并且，我们十分困惑的是，这种情况下，来月经的准确时间应当算

是哪天呢？如果按大量来月经作为月经起始日，她前几次分别是6月15日、7月11日、8月6日。请问8月和9月的排卵日和受孕期应当是什么时候？

应该从大量出血的那天开始算月经来潮了。所以，你妻子7月份的月经是11日到15日。你妻子月经周期大约是25天，如果按25天为一个月经周期计算。那么，你妻子8月份的排卵日大约是8月17日左右。9月份的排卵日大约是9月11日左右。排卵日前后3天就是易受孕期。

31.无言的结局——胎停育和宫外孕

宝宝停歇了——胎停育
胎停育清宫后能马上怀孕吗？

去年第一次怀孕，药流后40多天才干净，未做清宫及妇检；今年3月第二次怀孕，期间不断出现腰酸，小腹微疼现象，40多天后出现极少量出血，注射了3天黄体酮，50多天后证实胚胎停止发育，进行清宫。现在能怀孕吗？

有胎停育史的，再度怀孕时应注意。刚刚做过清宫术，不宜马上怀孕，最好半年后再怀孕。

我今年34岁，做过两次人流（因为当时不想要），月经正常但周期较长，一般35天左右。今年计划要小孩，并于8月份怀孕（8月4日末次月经），但后来发现胎停育了，只好于10月21日做了药物流产（同时做了清宫）。并按医生的要求休息了15天后上班了，未觉不适。但至今（11月28日）未来月经，前几天有白带现象（3-4天），颜色等均正常。请问我这种情况应该如何处理？会不会有什么问题？

流产后月经可能会出现不正常现象，你原来月经周期就长达35天，流产后可能会建立新的月经周期。所以，现在还不能认为有什么异常，再观察几天。暂时不需要什么处理。

宝宝选错了房间——不幸的宫外孕
有宫外孕史，再孕发生宫外孕的风险有多大？

我近段时间想要一个孩子，但我曾经有过宫外孕史（宫角外孕，吸宫两次将绒毛组织吸出），后来一切

出镜/崔琳夫妇

正常,但我担心再次发生宫外孕,于6月份做过一次输卵管通水手术,现在就是每次来月经时,两侧输卵管位置和下腹部胀痛,请问这会对怀孕有影响吗?还会再次发生宫外孕吗?

异位妊娠的发生率远远低于正常妊娠,异位妊娠与正常妊娠比是1:50至1:303。因此,你正常妊娠的机会当然要比异位妊娠的机会大得多,医生之所以告诉你有再次发生宫角妊娠的可能,是因为你上次发生宫角妊娠后未做手术切除。同时也提醒你要早发现异位妊娠,因为异位妊娠属于产科急症,对孕妇可造成很大的危害。

临床中曾经遇到过在2个月内2次发生宫角妊娠的病例。因此,你一旦停经,要密切观察,如果有阴道出血、腹部不适、疼痛,要及时上医院,疼痛明显时,要呼叫120。不要自己单独在家,要随时有人陪伴,并告诉周围的人,你曾经有过宫外孕史,发生问题,及时把你送往医院。

人流,宫外孕,真的要担忧再次发生不幸?

今年8月28日我因宫外孕在医院做了剖腹手术,

出镜/申远

宝宝/余晨
一般人喜欢从五官上来辨别是否相像,仔细看,这个宝宝和妈妈的头型很像。

宫外孕发生在左侧输卵管上。手术时发现我的右侧输卵管又细又长,因今年3月底我做过一次人流,右侧一直疼痛。请问我什么时候可以怀孕?我已近27岁,我爱人也有30岁,我们很想拥有一个健康的小孩,但我又怕是宫外孕,你能告诉我怎么办吗?

应该在宫外孕术后半年再怀孕为宜。

是否会因为右侧输卵管细长而再次发生宫外孕,是难以断定的,发生输卵管妊娠的因素有很多,如:输卵管炎症、输卵管发育异常、输卵管手术后、输卵管周围肿瘤、输卵管内息肉样生长、输卵管内膜异位症等。另外,促使输卵管黏膜具有接受孕卵种植的因素也是造成输卵管妊娠的因素。

预防输卵管妊娠:预防输卵管的损伤和感染,尽量减少盆腔感染,及时彻底地治疗盆腔感染。在怀孕前要做全面检查,在医生允许的情况下怀孕。

32.再孕的风险——面对异常生育史

人工流产后的困惑

人工流产术后有导致继发不孕的可能,但几率是很小的,主要指的是多次流产有导致继发不孕、孕后自然流产、早产、盆腔感染、宫颈炎、宫颈糜烂的可能。因此,如果不想要孩子，一定要采取有效的避孕措施，不能依靠人工流产作为补救手段。

高龄人工流产后能再怀孕吗

我是一个40岁的高龄妇女，想生孩子，在去年我做过一次人流，因当时先做药流不成功，再做刮宫很伤身体，前几个月，我的月经量很少，像我这种情况能不能怀孕？

做药物流产失败后再做刮宫术，并不会因此而对你的身体造成很大的伤害，如果药流不完全，有淋漓不断的阴道出血，可增加盆腔感染机会，还可造成贫血。对你的身体反而有害，及时做了刮宫可使子宫内膜尽快恢复。

人流后半年可考虑怀孕生育。高龄初产妇，要做好孕前准备和孕前医学健康检查。到妇幼保健院或妇产医院去就可以，怀孕后在高危产前门诊做孕期保健。不要一听高危产前门诊就紧张，这并不意味着有什么危险。只是由于属于高龄，在高危门诊可以引起产科医生的关注，且高危产前门诊多由经验比较丰富的医生坐诊，能够及时发现异常，对你的保护更好。

剖腹产后多长时间可再孕？

我于3年前剖宫产下一女婴，因故夭亡。多长时间才能再次怀孕，再次生育时是否只能剖宫产？

宝宝/姜清璐
宝宝和爸爸的眼型特别像，眼裂比较长。

2年后再怀孕生育比较安全，如果距离上一次剖腹产时间较短，一般还是选择剖腹产比较安全。如果间隔时间足够长，也可考虑经阴道分娩，但最终采取何种分娩方式，要视当时的具体情况而定。无论是剖腹产还是经阴道分娩都有相应的临床指征，产科医生会根据产妇的具体情况选择安全的分娩方式。

脐带扭曲胎死宫内，对以后怀孕有影响吗？

去年我怀孕6个多月时胎儿因脐带扭曲死亡。请问导致脐带扭曲的原因是什么？对以后的怀孕会不会有影响？

脐带扭转的主要原因是胎儿在宫内活动的结果，胎儿在宫内过度活动可使脐带顺其纵轴扭转，如果过分扭转，可使胎盘供血中断，胎儿由于缺血缺氧而死亡。这是很难预防的，但其发生率并不高，你不必紧张，如果胎儿活动过度，要及时看医生。

先做静脉曲张手术，还是先要孩子？

我3年前因生儿子留下了下肢静脉曲张，现想生二胎，请问是先做下肢静脉曲张手术治疗还是等生完孩子再做治疗？

要根据你现在的病情决定是否需要马上手术，如果不需要马上手术，就没有必要急着赶在孕前手术。

33.女性内分泌激素测定

女性内分泌激素测定包括：雌激素、雄激素、促黄体生成素、促卵泡成熟激素、绒毛膜促性腺激素、催乳素、黄体酮七项。

雌激素

雌激素可唤起女性原始本能。怀孕后的女性开始更多地问自己：怎样才能更好地照顾和爱护孩子？有孩子的女性总是把孩子放在第一位，当孩子处于生命危机的时刻挺身而出，把自己的生命置之度外。雌二醇（E2）由卵巢产生，主要功能是刺激女性附件器官发育与生长及女性特征出现。雌三醇（E3）在妊娠后期血浆中含量变化能反映胎儿、胎

出镜/李淼夫妇

盘功能。

雄激素

雄激素睾酮（T）的生理功能主要是刺激男性性征出现。睾酮增多可引起女性男性化、女性多毛症、多囊卵巢综合征、先天性肾上腺皮质增多症等疾病。

催乳素

催乳素可消除准妈妈一些负面情绪，让妈妈变得快乐起来。血清催乳素（PRL）主要作用是促进乳腺发育生长，促进和维持泌乳功能。胎盘催乳素（PL）降低见于妊娠高血压综合征、流产、妊娠8周后。

人绒毛膜促性腺激素（HCG）

是怀孕激素，它在尿中的出现预示着"你怀孕了"，是由孕卵着床后分泌的一种糖蛋白激素。用于早孕及绒毛膜上皮癌、葡萄胎、宫外孕，以及流产的诊断和鉴别。

促黄体生成素（LH）

主要作用是促进性腺成熟。

血清促卵泡成熟激素（FSH）

主要作用是促进性腺成熟，可用于预测排卵时间、诊断不孕症。

黄体酮

黄体酮对孕妇起到神经镇静和情绪稳定的作用，等分娩即将到来时，这种作用更

加明显。通过测定血浆黄体酮含量，可了解黄体功能，对于某些黄体功能不全而致习惯性流产，测定黄体酮具有诊断意义。可了解卵巢有无排卵。卵泡期黄体酮含量低，排卵后增加，如排卵后持续增加则可能妊娠。

34.排卵期测定

月经周期计算法：月经来潮前14天左右，排卵前5天——排卵后5天称为"排卵期"。

月经周期与精神状态有关。劳累、身体虚弱、精神紧张，情绪波动等都会引起功能性月经失调。放松紧张的神经，用一种平静的心情迎接新生命的诞生。

如果月经不规律，就无法按月经周期计算排卵期。可以用其他方法，如基础体温测定法、黏液法、医院检测方法等。

基础体温测定法：要到医院购买一张基础体温表，按照上面的要求认真填写，计算排卵期。

黏液法：排卵期黏液分泌增加，黏液性质稀薄，透明，好似鸡蛋清，拉成长丝不断。观察黏液的性质可在每天的任何时候，性生活并不影响黏液性质。

月经特别长，怎么计算排卵期？

月经周期不准确，可采取月经结束1周后开始性生活，每隔2、3天同房一次，增加受孕机会。

行经时间很长，容易发生感染，也不易受孕。待弄清阴道出血原因后给予治疗。排除疾病状态，如子宫内膜炎，宫颈炎，内分泌问题等。

阴道分泌物与排卵有何关系？

我今年27岁，打算怀孕，但我发现10月和11月好像并没有排卵，因为这两个月从上次月经结束到下次月经来临，我并没有湿润黏滑的分泌物出现，内裤也一直很干燥，请问这种情况是否正常？需不需要去看医生？如何改善？

观察白带性质和量是判断是否有排卵

的客观指标之一，但单凭这一项是不能断定是否有排卵的。分泌物缺乏典型的排卵期变化，不能说明就没有正常的排卵。

停经时间与子宫大小

我已经停经60多天了。医生从阴道做子宫检查，认为子宫没增大变软，没有怀孕。我自己也没有怀孕的感觉。医生让我观察一段时间再说。我现在好烦，既想早点有孩子，又担心会有别的问题。

除了医生做内诊，你还应该做尿HCG检查、腹部或阴道B超检查，来确定是否怀孕。如果是继发闭经，原因比较多，要结合病史、体格检查、辅助检查等来综合分析。随着年龄的增大，过度疲劳、精神紧张、情绪波动等是非器质性疾病造成月经紊乱的常见原因，内分泌疾病也是造成月经周期紊乱的比较常见原因。你暂时还没有必要做这些特殊检查，观察一段时间，如确实没有怀孕，再做检查。

月经中期出血影响怀孕吗？

我今年28岁，准备要孩子。我的月经正常，有规律，不过有时两次月经中间会有出血情况，有时只是白带中夹有红色血丝，有时却是量较多的褐色分泌物，持续2、3天，这是病吗？会影响怀孕吗？

月经中期是排卵期，排卵期少量阴道出血或血性白带，与体内激素变化有关，不是疾病，无需治疗。但如果有新鲜出血，像月经一样就要看医生了，因为，如果正值阴道出血处于排卵期，会因影响同房而减少受孕机会。像你目前这种情况不会有影响的。

出镜/田甜

35.排卵期测试

排卵期的预测

（1）无卵月经的情况是有的。

（2）排卵期分泌物的变化并不是所有人都有典型的改变，黏液的不明显改变不会直接影响受孕。

（3）排卵期计算法、排卵试纸都是比较可靠的，但按照排卵期计算法和测试试纸的方法来确定受孕时机，并不是十分可靠。

（4）基础体温一般要连续测试3个月，1个月内的每一天都要测量，把体温标记在基础体温表上，在体温表上可以很直观地观察体温的变化和走向，观察是否有双峰改变。判断是否有排卵以及推测排卵的大概时间。

（5）即使是在你确定的排卵期同房也并不意味着百分之百的受孕率，受孕是个复杂的过程，需要许多的条件，精子的问题、卵子的问题、受精卵是否能顺利着床、子宫环境问题等等。因此，即使双方都没有问题，计划怀孕的夫妇在半年内能够如愿以偿的可能性也只不过占50%，因此计划怀孕的夫妇不要着急，要放松精神，精神紧张也不易怀孕。

（6）如果计划怀孕超过半年仍没有受孕，夫妇双方应看医生。

（7）确定有排卵障碍或不排卵时，才需要服用促排卵药，服用此类药一定要在妇产科医生指导下，切不可擅自服用。

（8）卵子在排出后可存活24小时，精子可存活72小时，因此受孕期在排卵日的前2天和排卵日的后1天左右。

（9）已经补充叶酸达6个月以上的，可暂时停服。确定怀孕后，再开始补充。

排卵试纸测排卵效果如何？

我是一名教师，准备要一个孩子，但我的月经周期很没有规律性，有时为32-34天，有时却为40-45天，听说有试纸可以测出，请问有效吗？哪种品名的效果更好？我前年因为不小心流产，且我的身体不是

出镜/郑成武

很好。我怀孕后是不是应该暂停工作在家休息呢?

排卵试纸可以预测排卵期,但不能有百分之百的把握。受孕是个复杂的过程,不只是有排卵就一定能怀孕。而且试纸本身也不是百分之百的准确。

(1)先按32-34天为月经周期计算出可能的排卵日期。

(2)再按40-45天为月经周期计算出可能的排卵日期。

(3)再结合白带量和性状。

(4)结合排卵试纸所确定的排卵期。

根据以上四个方法,计算出易受孕期。成功的几率一定会大大增加。

基础体温测量与排卵期

我今年29岁,今年3月怀孕后,4月流产,B超结果为胚胎停止发育。当时测量体温为排卵前36.0℃,排卵后36.5℃(此之前的3个月均为排卵前36.5℃,排卵后36.9℃)。请问我流产是否和我那个月体温低有关,体温低表示我有什么问题?这个月,因为准备再怀孕,我又开始测量体温,可也许精神太紧张,每天清晨5、6点钟总要醒一次,有时测量为36.8℃,可接着两天又测出为36.5℃,我想测量为36.8℃可能是每天清晨5、6点钟起夜影响体温偏高,我的实际体温就是36.5℃。我想知道,如果我的体温在排卵后没有达到36.7-37.0℃之间,是否我暂时就不能怀孕,否则就会再次流产?因为每天测的体温不好,我的情绪也很不好,盼望能尽快得到你的答复。

胎停育导致的流产和再孕是否流产没有必然联系。基础体温测定并没有你所想象的那样神秘,有那么大的临床意义,仅凭借基础体温测定的几个数值,不可能分析出是否正常怀孕,是否怀孕失败。你的担心是不必要的,你想要孩子,就轻轻松松地做好孕前准备,不要想得太多,这样只会给你带来烦恼。

你曾经有过胎停育史,造成胎停育多是受精卵、胚胎或胎儿本身发育有问题。最常见的是基因染色体结构异常所致,还有外界因素的影响等。如果你比较担心下一胎的问题,你们夫妇可做遗传学检查。另外,孕期产科特异性感染也是导致胎停育的原因之一,可在孕前做优生学检查(如病毒六项等)、双方生殖器感染等检查项目。

排卵期同房为什么没怀孕?

我已经快30岁了,近两个月因为准备怀孕,每天都较规范地量体温,8月体温呈明显而整齐的双相型,9月的前段低温期呈一天高一天低的波动,例:35.8℃、36.2℃这样的体温交替出现,甚至有一天最低的两次是35.7℃和35.1℃,高温期基本维持在36.6℃-36.8℃之间,波动的体温是否有问题?我的月经基本30天一周期,这两个月我在排卵期左右同房过,为什么没有怀孕?是否需到医院检查原因?

你计划怀孕刚刚两个月,还不能说你计划怀孕失败了,更不能说你是不孕。你目前最需要的是心情和精神要放松,保持旺盛的精力和最佳心情以及最佳生理状态,加强营养,在排卵期前后1周,可隔日同房一次,在排卵期的前后3天,可每天同房一次,以增加受孕的机会,但是什么方法也不是百分之百地可靠。

用什么样的温度计最好?

我今年准备要小孩,打算用测体温的方法确定是否排卵,但是我有个疑惑,是否药店里卖的体温计都是一样的?因为我听说有测试更为准确的体温计,是否属实?

温度计有水银温度计和酒精温度计之分。酒精温度计准确度不如水银温度计,药

新婚夫妇/鲍勃 李诗

世界上只要有人群的地方，爱情的歌就会反复地咏唱。[苏联]叶赛宁

店卖的体温计一般都是水银温度计，目前还没有报道比水银温度计更准确的温度计。电子温度计质量参差不齐，最好选用普遍应用的标准医用水银温度计。

B超监测排卵对卵子质量是否有影响？

尚未见B超对卵细胞有损害的报道。

服促排卵药期间怀孕可以吗？

我正在服克罗米芬促排卵，可以一直服用克罗米芬，直到怀孕吗？会有什么副作用吗？

克罗米芬是促排卵药，治疗由于无排卵或排卵不规律、不正常而引起的不孕。按照月经周期服用，同时还要按期服用黄体酮。连续3个周期，注意是否怀孕，如果怀孕，就停止服用。克罗米芬的副作用有：腹胀、乳房不适，恶心呕吐、视力异常等，服用此类药物一定要在医生指导下用药，不能擅自使用。

服促排卵药期间怀孕对胎儿有影响吗？

我已孕31周，虽然宝宝每天在我肚子里动来动去，我却高兴不起来：因为半年未孕，我去医院，医生从基础体温表认为我可能排卵不好，开了克罗米芬。头一个月用药后月经只来了1天，用试纸未测出怀孕，第二个月就又服用一次，30天后用试纸测出怀孕了。后来才想起也许上一个月的月经就不是真月经，可能已经受孕，只是太早，还测不出来。听说如果已经受孕用克罗米芬会导致婴儿性别畸形，此后我

一直忧心忡忡。孕后几次检查都因为我以前月经周期长短不准，让医生判断不出宝宝实际是在哪个阶段受孕的。前天在医院做B超时，又提出这个问题，也许医生是见我太担心了，先是说"我看发育情况还好。""怎么个还好？"见我急了，医生后来又说"是女孩，没有关系！"我想医生会不会是安慰我，真的女孩就没关系么？万一B超有误，是男孩怎么办？

我非常理解你此时此刻的心情，每位准妈妈都想生育健康的宝宝。但我认为你的担心是没必要的，其一：你并没有一直服用克罗米芬；其二：B超鉴别31周的胎儿性别是比较可靠的；其三：在治疗不孕症中这种情况是比较常见的，并非像你想象的那样可怕，只要知道怀孕停药就可以，你是在知道怀孕后立即停止使用药物的，不会对胎儿造成影响。当然，怀孕的过程是复杂的，胎儿的健康受各种因素影响，没有哪位医生敢打保票给你肯定的答复。即使没有服用任何药物，也不能保证胎儿就百分之百的健康。在这个时候，你的烦恼对胎儿的健康是不利的，也是于事无补的。要放下包袱，愉快地等待孩子的降生。

服促排卵药生双胞胎可行吗？

一位朋友想生双胞胎，瞒着家人私自服用克罗米芬。在月经第5天开始，一天一粒，连吃5天。停药后没有出现特殊症状，我曾看过有关报道，认为服用此药有副作用。告知后，我的朋友陷入极大的恐惧之中。请问该怎么办呢？万一有了，这孩子能要吗？会对胎儿有什么影响？

为了生双胞胎而自行服用克罗米芬，是一种错误选择。按妊娠期药物分类，克罗米芬属X类药，对胎儿是有较大危害的。尽管在应用克罗米芬治疗不孕症后怀孕的孕妇，其胎儿异常的发生率并没有报道增多，也不应该采取这样的手段增加双胎几率。多胎妊娠本身就属于高危妊娠，对母婴双方都有一定的风险。建议你的朋友至少要等到3个月以后再考虑怀孕。现应暂时采取安全套避孕。

美国食品和药物管理局(FDA)根据药物对动物和人类所具有不同程度的致畸危险，

田甜
果果的妈妈小时候。

将药物分为5类,并称之为药物的妊娠分类,简称FDA分类。(内容请见第十六章《用药》中的《药物对孕妇的安全等级》。)

药物控制排卵期好不好?

我推算下次排卵日应在9月21日左右,而此时的生理曲线不是很好。书上说通过药物,可以提前或拖后月经,我准备9月11-16日受孕,请问我该服用何种药物(最好是食物或没有副作用的药物)及服用的准确剂量。

做月经人工周期对受孕没有什么益处,不但不利于优生,还会造成排卵异常。因此,我不赞成你做人工周期,从你的计划来看,也没有什么必要做人工周期。

37.担心精子和卵子质量问题

每天大约喝4、5小杯浓咖啡,对精子质量或胎儿是否有影响?

喝少量咖啡没有影响,但不宜喝浓咖啡。

去疤药对精子质量有无影响?

我们准备要孩子。不知用于去疤的硅胶膜对精子是否有影响?

硅胶膜对精子是否有不良影响,尚缺乏这方面的医学资料,难以确定。计划怀孕期间,如果不清楚此药是否对生殖细胞有不良影响,最好不要使用。

高原生活与精子质量有无关系?

我丈夫是一名西藏军人,听说长期生活在高原,若回内地在半年内要小孩,孩子一般会是畸形儿,是这样吗?他今年有一半的时间生活在海拔2000多米的地方,自己感觉身体正常;有一半的时间生活在海拔4600米的地方,感觉心跳要快10多下。是否让他去2000多米的地方,回来再要。

在高原生活的人,会由于长期缺氧导致高原性心脏病、高原性肺病等高原病。但生活在高原的男性回内地半年内要孩子会生出畸形儿,这种说法未见科学依据,医学上也没有这方面的报道和病例。

最佳受孕季节是6-8月份吗?

没有绝对的最佳受孕季节,不管什么时候受孕都要避免对怀孕生育不利的因素。若6月份受孕,到孕后2-3个月时正是炎热的夏季,而8月受孕,从受孕开始到孕后1个月内都处于比较热的时候,夏季因气候炎热而烦躁,影响休息和睡眠,也可使食欲下降。

怀孕后可以继续使用采乐(抗霉菌药液)吗?

由于头皮屑很多,我经常使用采乐(2%酮康唑洗液)洗头,请问以后怀孕了是否可以继续使用?

宝宝/高桥明芳
中日混血儿,中文名叫朱美江。

出镜/崔琳夫妇

酮康唑属于抗霉菌药,孕期不宜使用。怀孕后不要再使用采乐洗头了。

怀孕后可以使用什么药治疗脚气?

我现在正准备要孩子,但是脚气又犯了。以前都是用达克宁,几天就好。这次就不敢用了,结果有加重的迹象。不知什么药可以用?

达克宁与其他治疗脚癣的药物比较,对胎儿来说是比较安全的,临时使用几天不会对胎儿造成影响。缓解了就立即停用,不要长期持续使用。脚癣除了药物治疗外,还要注意日常护理,不要穿透气性能不好的袜子和鞋子,尤其不能穿尼龙袜、劣质的丝袜和旅游鞋、胶皮鞋、人造革鞋,最好穿布鞋。避免脚湿,洗脚后一定要擦干趾缝,在家里最好不穿袜子,穿木制或布拖鞋。洗脚时在水中放置些食盐、醋浸泡15分钟。如果注意日常对脚的护理,就可减轻脚癣症状,减少用药。

患有慢性荨麻疹几年,可以怀孕吗?

我患有慢性荨麻疹已有几年,想询问一下,我能否怀孕,怀孕后是否会影响胎儿发育。若怀孕后,服用哪种药物对胎儿影响较小。曾服用过息斯敏和扑尔敏,症状是一般在月经前期出现"风团块",四肢常见,很痒。

慢性荨麻疹疾病本身对胎儿没有多大影响,治疗荨麻疹的药物有的在孕期不宜服用,建议你如果在孕期患了荨麻疹,尽量不用内服药,可用炉甘石洗剂涂擦瘙痒处。如果严重,可用苯海拉明针剂或扑尔敏片,配用钙剂和维生素C。

风疹、荨麻疹,对胎儿有影响吗?

我打算怀孕。但是,在刮风或干燥的天气里,在我的腿部时常会出现一些成片的、类似痱子一样的小红疙瘩。稍有些刺痒症状,一两天之内即消失。是风疹吗?怀孕后是否对胎儿有影响?如何防治?

皮肤病确诊应该靠视诊。根据你所叙述的情况,很可能是荨麻疹。荨麻疹与过敏因素有关,对胎儿不会造成不良影响。引起荨麻疹的过敏因素有很多,如进食海鲜、辛辣食品、出汗后受冷风侵袭、对紫外线过敏等。寻找到可能的原因,就容易防护了。因为你现在计划怀孕,不宜服用药物。

孕期不喝牛奶对胎儿有影响吗?

最近我得了荨麻疹,在医生的建议下服药好了一些。但医生建议不要喝牛奶及吃虾。因我准备年底前要孩子,所以有顾虑。孕期不喝牛奶是否会对胎儿有影响?有人讲荨麻疹就是风疹块。是否正确?

新郎/徐晓刚

出镜/魏菊夫妇

荨麻疹是皮肤过敏性疾病，过敏源可以是食物、药物、病毒、细菌、尘螨、冷风等，食物中最易引起过敏的是海产品、异体蛋白等。医生建议你不要喝牛奶和吃虾，也只是在发病期间暂时的，并不是永久不能吃这些食品了。当你的过敏状态过去后，仍然可以吃这些食品。建议你服用抗过敏药物，改变你目前的过敏状态，就可以考虑怀孕了。风疹团可以是荨麻疹的一种皮肤表现。有人也把荨麻疹叫"风包"，荨麻疹是由于过敏引起的，风疹是风疹病毒感染所致，风疹与荨麻疹不是一回事。

患有银屑病可以怀孕吗？

我患有银屑病，现已29岁，非常想要一个宝宝，现在可以怀孕吗？

你是否正在用药物治疗银屑病？若没有使用药物，则可以怀孕。

血压低影响胎儿吗？

我打算最近要一个孩子，但我的血压偏低，75/55 mmHg，不知是否会对怀孕有影响？

你的体质如何？是那种比较瘦弱型的吗？如果是，你应该加强营养，等到体质比较好的时候再怀孕。如果只是血压低，了解一下你的家族是否有低血压家族史，尤其是你的父母，如果他们也血压偏低，但身体很健康，就不要紧，可以放心地怀孕。你也可服用1~2周的生脉饮，观察血压是否上升。孕期注意血压监测，如果过低，要避免骑车或驾驶机动车辆。由蹲位、卧位、坐位变换站立位时动作要缓慢，以免造成脑供血不足，孕期监测胎儿供血情况，及时纠正供血不足。就目前的孕期保健水平，你会顺利度过孕期的。

胖影响怀孕吗？

我于去年6月19日做了药物流产，现在已经准备好了要做妈妈，不知道是不是由于去年药物流产受了影响，我现在一直无法正常受孕，做过药物流产多长时间才能再次怀孕？由于我和先生都属于身材较胖型的，是不是身体胖也影响怀孕？

从计划怀孕到真正受孕时间不超过1年是正常的，若1年后仍不怀孕的话再到医院检查。建议精神放松，计算好排卵期，提高受孕几率。肥胖可影响受孕能力，如果只是有些胖则不会影响。

担心考试紧张对胎儿有影响？

我今年33岁了，因为工作忙接着又读研究生，两个月后要参加全国英语统考（为学位最后一搏）。孕前准备基本做了，很想现在要宝宝。可是，一旦真的怀孕了又怕统考时半天紧张的答题会影响初期胚胎的发育。另一方面，又怕妊娠反应会影响到考试。是不是考完再说，还是尽早要？

健康的受精卵不会如此脆弱，胎儿也有自身的保护能力，考试对胎儿不会造成什么危害，早孕反应可能会影响你的考试水平，但并不是一定有妊娠反应。拿医生护士的工作来说，上夜班整夜不能合眼，怀孕后要到第7个月才开始不倒夜班，白班也是非常紧

出镜/田甜

张，却没有因为工作紧张造成不良妊娠的。参加一次考试不会影响胚胎发育，最好顺其自然。

仪器和药物治疗近视眼期间可以要孩子吗？

我打算在最近一两个月内要小孩，现在正在使用一种仪器治疗近视，这种方法叫华意近视七合一疗法，用微电脉冲进行针灸、震动按摩（用9伏的电压驱动，戴在头上），同时在眼部周围外用药膏，药膏主要成分是：延胡索、三磷酸腺苷、枸杞子。不知这会不会有什么影响？

在你接受上述治疗时不宜怀孕，因为微电脉冲、针灸刺激、震动按摩，在孕前对胎儿不利，也可造成流产。无论是外用药，还是内用药，在孕前都尽量不用，许多中药对胎儿的影响尚不是很清楚。建议你用完一个疗程后再考虑怀孕。

新婚夫妇徐晓刚夫妇

胎儿大事记

孕期	月	周	天数	事件
孕早期	1月	1周	1天	末次月经第一天。
		2周	7天	末次月经结束，排卵前期。
		3周	14天	排卵，卵子与精子结合，受精卵形成(月经中期)。
		4周	21天	胚泡植入子宫内膜，胚胎形成。
	2月	5周	28天	大脑开始形成。
		6周	35天	眼睛、唇开始发生，心脏开始构建。
		7周	42天	手脚构建。
		8周	49天	长耳朵，外生殖器可能辨认，牙齿开始发育。
	3月	9周	56天	称为胎儿，胎心管搏动(B超)。
		10周	63天	胸腹腔分开，眼肌形成，手指和脚趾都发育了，可以看到胎儿在动。
		11周	70天	90%器官建立。
		12周	77天	胎儿增长速度加快，对外界刺激的反应增强。
孕中期	4月	13周	84天	上腭开始生成，胎儿各器官基本构建好了。
		14周	91天	出现乳牙牙体，声带形成，手指纹和脚趾纹形成。
		15周	98天	宝宝胎心率最快的时期，性别完全可以区分开了。
		16周	105天	骨化过程加速。
	5月	17周	112天	胃内开始产生胃液，肾脏开始产生尿液。
		18周	119天	心脏发育几乎完成，开始出现肘关节，听觉开始发育。
		19周	126天	出现呼吸运动，产生最原始意识。
		20周	133天	消化器官开始有功能。
	6月	21周	140天	感到胎动。
		22周	147天	胎儿发育进入最后完成阶段，鼻子、眼睛、眉毛、嘴形状完成，可经腹壁用胎儿听诊器听到胎心音。
		23周	154天	进入胎动期，肢体活动增加。
		24周	161天	丈夫把耳朵紧贴妻子腹壁就可以听到胎心搏动。
	7月	25周	168天	皮肤出现皱褶，皮下附有较多的胎脂，肺血管开始发育。
		26周	175天	大脑沟回明显增多，对外界刺激敏感了，骨关节开始发育。
		27周	182天	孕妈妈根据胎动判断胎儿在宫内的活动情况。
		28周	189天	几乎和成人一样的脑沟和脑回，耳朵神经网已经形成。
孕晚期	8月	29周	196天	胎宝宝会做梦了，眼睛可以自由闭合睁开了。
		30周	203天	呼吸系统发育基本成熟，宝宝有光感了，胎宝宝会转头寻光。
		31周	210天	如果宝宝是男胎，睾丸已经降入阴囊。
		32周	217天	胎宝宝会跟着光线移动他的头或者伸手去摸光。
	9月	33周	224天	胎位确定，胎动频率和强度减少。
		34周	231天	不断增大的胎儿。
		35周	238天	胎宝宝的头部准备进入妈妈的骨盆。
		36周	245天	胎宝宝的头可能已与孕妈妈的骨盆衔接了。
	10月	37周	252天	孕妈妈感到胃部舒服了，食量可能有所增加。
		38周	259天	为出生做准备。
		39周	266天	准备离开母体。
		40周	273天	胎宝宝进入预产期。
			280天	临产。

预产期速查表

1	10	2	11	3	12	4	1	5	2	6	3	7	4	8	5	9	6	10	7	11	8	12	9
				↑Y1	↑Y2																		
1	8	1	8	1	6	1	6	1	5	1	8	1	7	1	8	1	8	1	8	1	8	1	7
2	9	2	9	2	7	2	7	2	6	2	9	2	8	2	9	2	9	2	9	2	9	2	8
3	10	3	10	3	8	3	8	3	7	3	10	3	9	3	10	3	10	3	10	3	10	3	9
4	11	4	11	4	9	4	9	4	8	4	11	4	10	4	11	4	11	4	11	4	11	4	10
5	12	5	12	5	10	5	10	5	9	5	12	5	11	5	12	5	12	5	12	5	12	5	11
6	13	6	13	6	11	6	11	6	10	6	13	6	12	6	13	6	13	6	13	6	13	6	12
7	14	7	14	7	12	7	12	7	11	7	14	7	13	7	14	7	14	7	14	7	14	7	13
8	15	8	15	8	13	8	13	8	12	8	15	8	14	8	15	8	15	8	15	8	15	8	14
9	16	9	16	9	14	9	14	9	13	9	16	9	15	9	16	9	16	9	16	9	16	9	15
10 (X1)	17	10	17	10 (O1)	15 (O2)	10	15	10	14	10	17	10	16	10	17	10	17	10	17	10	17	10	16
11 (X2)	18	11	18	11	16	11	16	11	15	11	18	11	17	11	18	11	18	11	18	11	18	11	17
12	19	12	19	12	17	12	17	12	16	12	19	12	18	12	19	12	19	12	19	12	19	12	18
13	20	13	20	13	18	13	18	13	17	13	20	13	19	13	20	13	20	13	20	13	20	13	19
14	21	14	21	14	19	14	19	14	18	14	21	14	20	14	21	14	21	14	21	14	21	14	20
15	22	15	22	15	20	15	20	15	19	15	22	15	21	15	22	15	22	15	22	15	22	15	21
16	23	16	23	16	21	16	21	16	20	16	23	16	22	16	23	16	23	16	23	16	23	16	22
17	24	17	24	17	22	17	22	17	21	17	24	17	23	17	24	17	24	17	24	17	24	17	23
18	25	18	25	18	23	18	23	18	22	18	25	18	24	18	25	18	25	18	25	18	25	18	24
19	26	19	26	19	24	19	24	19	23	19	26	19	25	19	26	(19)	(26)	19	26	19	26	19	25
20	27	20	27	20	25	20	25	20	24	20	27	20	26	20	27	20	27	20	27	20	27	20	26
21	28	21	28	21	26	21	26	21	25	21	28	21	27	21	28	21	28	21	28	21	28	21	27
22	29	22	29	22	27	22	27	22	26	22	29	22	28	22	29	22	29	22	29	22	29	22	28
23	30	23	30	23	28	23	28	23	27	23	30	23	29	23	30	23	30	23	30	23	30	23	29
24	31	24	1	24	29	24	29	24	28	24	31	24	30	24	31	24	1	24	31	24	31	24	30
25	1	25	2	25	30	25	30	25	1	25	1	25	1	25	1	25	2	25	1	25	1	25	1
26	2	26	3	26	31	26	31	26	2	26	2	26	2	26	2	26	3	26	2	26	2	26	2
27	3	27	4	27	1	27	1	27	3	27	3	27	3	27	3	27	4	27	3	27	3	27	3
28	4	28	5	28	2	28	2	28	4	28	4	28	4	28	4	28	5	28	4	28	4	28	4
29	5			29	3	29	3	29	5	29	5	29	5	29	5	29	6	29	5	29	5	29	5
30	6			30	4	30	4	30	6	30	6	30	6	30	6	30	7	30	6	30	6	30	6
31	7			31	5			31	7			31	7	31	7			31	7			31	7
1	11	2	12	3	1	4	2	5	3	6	4	7	5	8	6	9	7	10	8	11	9	12	10

注：1.无底色的为末次月经来潮第一天日期。

2.有底色的为预产期时间，第一行和最后一行为月份。

3.一列中，一个月的日期排满后，如10月29、30、31，从1开始就是11月份的日期了。

举例：末次月经对应的点O1点(X1与Y1的交叉点)为3月10日、预产期对应的点O2点(X2与Y2的交叉点)为12月15日。

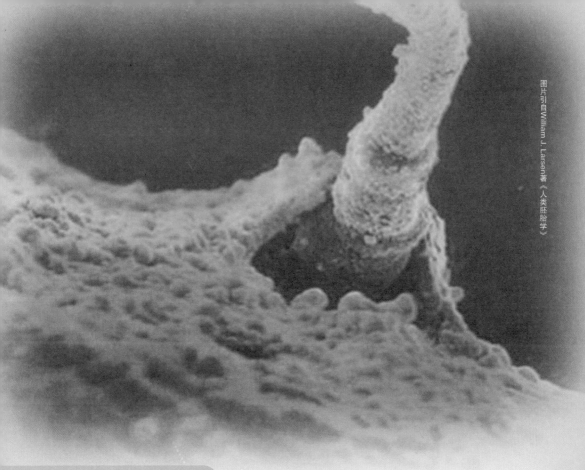

第二章

孕1月 （0-4周）

卵子成熟、受精、着床、药物和环境

我是你们爱情的神奇礼物，像圣诞礼物一样，在睡梦中悄悄出现在你们枕头底下。在你们还不知道怀孕的时候，我已走过了最激动人心的第一个月的神秘旅程。——胎宝宝

本章要点

- ●你真的怀孕了吗?
- ●关于排卵的问题和判断
- ●了解丈夫的精子和你的卵子
- ●早孕不适和生活中的小麻烦

第1节 1月胎儿自述
——送给爸爸妈妈的神奇礼物

爸爸妈妈,当你们得知怀孕的消息时,一定激动不已,因为我不仅是你们生命的延续,也是你们梦想的延续。我是你们爱情的神奇礼物,我的到来充满了悬念和惊喜,像圣诞礼物一样,在睡梦中悄悄出现在你们枕头底下。在你们还不知道怀孕的时候(到下个月你们才会接到我的信),我已走过了最激动人心的第一个月的神秘旅程。你们一定非常想听一听我是怎么来到这个世界上的吧。

38.爸爸妈妈对我的到来全然不知

我是真正雌雄合体的高等生命宝贝,我的前身分别是精子和卵子。前半个月,我还没有合体,精子和卵子都在成熟和释放的过程中,疾病、药物、X线、毒品、环境污染都是精子卵子的主要杀手。更要命的是,爸爸妈妈全然不知,不能帮助我抵御强敌。这种情况将一直延续到下个月,妈妈才能得到确定的妊娠结论。

准妈妈/田甜

惊喜的代价危机四伏

没想到惊喜的代价是危机四伏,请爸爸妈妈尽量小心保护我,别让这个代价太大,让喜剧一上演就变为悲剧。请你们总是提醒自己:我随时都有降临的可能,无论是否在你们的计划之中,你们都应随时阻击一切可能的杀手。没有健康的精子卵子,怎么有健康的我?花开两朵,各表一枝。请看个中缘由。

先看精子。精子产生于爸爸的睾丸中,变成带着超长尾巴的蝌蚪模样时,已经历了64天。人们都说精子像蝌蚪,可能是蝌蚪比较漂亮可爱的缘故吧,精子头部比较像蝌蚪,但精子尾巴太长了,像一列火车,用动物来比喻,我认为精子更像一条长蛇。我确实认为精子选择长相像蛇这种古老、神秘、富于攻击性、外形让人震惊的动物是比较有创意的。

在这64天中,疾病、药物、X线、烟酒等是何等危险,这就是为什么在孕前准备一章中,医生总是劝告接触这些的准爸爸需3个月以后再考虑受孕。

39.爸爸在激烈的体育竞赛场上赢得了我的诞生

多达两三亿的水蛇样的精子,将作为同批选手参加马拉松游泳大赛,多么壮观。冠军将与卵子结合。如果选手不足一千万名,或者选手中的残疾生、体育差等生占到1/5,这场比赛将意味着失败,或者有可能产生畸形的胚胎。身体健康的爸爸,总是在不断地产生、培训并一批批地输送大赛选手,并且频繁地举办游泳大赛。当然只有在妈妈排卵期举办的大赛才有开奖的机会。

大赛是这样开始的。在睾丸中蛰伏已久的选手(精子),被同时送到一条陌生却温暖的跑道——狭长弯曲,没有一丝光线的阴道。对于精子来说,这是奔向生命的旅途。他们没有一个示弱,都争先恐后地游向最终的目标——卵子。

说起来真让人难以置信,这两三亿只精子,从外观上看没有什么差别,但他们都各自带有不同的基因,每一只精子与卵子结合后的生命都将产生不同的特征——尽管只有两种性别。

这两亿只精子中的大多数能游过这段漫长的跑道,游到第一关——狭小的通道——子宫颈口,而多数选手都败下阵来。少数幸运的精子游过狭小的子宫颈口,可谓是柳暗花明又一村——到达了宽敞的倒鸭梨形的子宫腔内。进入这个赛程的精子已经消耗了很

大体力，有一些精子慢慢落后了，甚至停止游动。

只有少数的精子继续勇往直前，游过子宫腔，到达鸭梨最宽处两边的洞口——输卵管。精子胜利在望，可是就在胜利在望之际，还面临着一场哈姆雷特式的抉择：两个输卵管口，左还是右？无论选择哪一个，成功的概率都是50%。他们带着成败各半的风险游向最后一段赛程，就要到达终点。准备冲向终点线的精子，在进入输卵管的一刹那，突然遇到一股与行进方向相反的巨大推力，怎么办？决不能退缩，迎着强大的阻力逆流而上是唯一的选择！逆流而游，消耗的体力非常之大，他们游动的速度开始减慢。但最优秀的游泳健将最终冲破层层险阻，到达终点——输卵管全程2/3处的壶腹部，去找寻他们的目标——卵子。这时入围决赛的选手只剩下300-500名，几亿名选手都被淘汰出局，冠军将在这些优胜者中产生。

40.妈妈在缓慢优雅的舞池中缔造着我的生命

再来看卵子。卵子产生于妈妈的卵巢。精子和卵子是那样的不同，如同男人和女人，差异鲜明，就像中国崇尚智慧相辅相成。

精子每批数目巨大，卵子每月却只有一个。

精子体积小，卵子直径约为0.1毫米，肉眼几乎可见，是精子的无数倍。

精子快速灵敏，卵子缓慢稳重。

精子成熟期64天，卵子则非常老，在妈妈还是胎儿时就在她的体内了，和妈妈的年龄一般高寿。

精子构造简单，基因被紧紧包裹在头部，卵子构造极度复杂，相当于一座大型生化工厂，足以制造胚胎。

显然，精子是走低成本、高数量、薄利多销、占领市场的大众产品路线；卵子则是走高投资、高回报、生产极品的高端产品路线。所以一旦受精，妈妈会花更大的精力来保护她的昂贵投资。这正是人类的生殖策略：精子通过竞争保证下一代的质量，卵子增加子代成活的机会。

卵子到青春期分批发育，随着月经周期，每隔28天（通常情况下）成熟一个并且释放。排卵发生在两次月经的中间，也就是上次月经来潮后的第14天，距下次月经来潮也是14天。卵巢在输卵管伞下方，向上排出卵，每月可能是两侧卵巢中交替释放出来的，也可以是一侧卵巢连续释放出来的。哪一侧卵巢释放卵子，决定了输卵管口两批精子生存还是灭亡的命运。与释放卵子的卵巢同侧的输卵管伞（形如海葵）会像手一样抓拾起卵子，并送入同侧输卵管中1/3处的壶腹部，那里就是精子大赛决赛现场。

接下来发生的事件是戏剧性的，也是最惊心动魄的。冠军的产生和新生命的诞生，同样在妈妈爸爸毫不知晓的情景下上演。

精子和卵子的结合机会只有一天的时间。如果历尽险阻，到达输卵管壶腹部参加决赛的精子，一天也没有等待到卵子；或者到达壶腹部的卵子，在这里等了整整一天，最终没有遇到一个进入决赛的精子，精子和卵子只好分别退场，含泪默默告别，退化凋亡。

大赛的规则是这样的：精子和卵子在规定时间内（24小时）同时到达决赛现场，本场比赛就宣布开始了。

如果精子到达壶腹部时，卵子已经等待在那里或者即将到达，决赛就开始了。极少数游到卵子前的精子遇到了更大的困难，谁能穿透穿在卵子外面的那件水晶般晶莹剔透、绸缎般柔软密实的衣服——透明带——进入卵子体内，谁就是冠军。几乎所有的卵子都只允许一个精子进入。精子不断拼命地摇摆着长长的尾巴，头部释放出化学物质，破坏透明带结构，被挤压得扁扁的精子终于进入卵子。

与此同时，卵子立即启动快速防御屏障，阻止其他精子进入。卵子的一半基因和来自精子的另一半基因融合成为受精卵，一个新的生命诞生，那就是我。如果说我是爸爸妈妈造就的最伟大的事业、最

准妈妈/田甜

田甜和朋友到北京周口店游玩，在有些很陡峭的山上都是自己爬上去的，等到后来田甜知道自己怀孕的时候，还真有点后怕。

胞，然后，逐渐地发展出一个轴（神经管）……我实在不能用通俗易懂的语言讲清楚，爸爸妈妈最关心的可能不是我是怎么构建的，而是我长得像你们中的哪一个，我是否健康地成长着。

论起我的长相，俗话说"种瓜得瓜，种豆得豆"，我既像爸爸，又像妈妈，因为您们把各自一半的基因遗传给了我。但我又不是您们简单的翻版，在遗传的同时我也做了选择，所以人们又常说"一母生九子，九子各不同"，我就是我。

辉煌的工程，恐怕爸爸妈妈受用不起这样的赞赏，因为，连自然母亲都不敢承认这是她成就的事业，我们真的无法用人类创造来比喻人类的诞生和繁衍。那是最令人赞叹，最让人惊奇的，一个用肉眼难以看到的小球球（受精卵），没有任何现成的哪怕是极其微小的模型，却能在那样短的时间里，分化、生长、发育、创造出无与伦比的自然界中结构最复杂、头脑最聪明、相貌最漂亮的生物——人！

41.我更像爸爸，还是更像妈妈？

对建造人类的解释，最终落在了基因上，一切都围绕着基因开始，不用说对基因的研究，就是简单地认识一下，对于普通人来说也不是件容易的事。

从受精卵发育成胚胎，首先是一团没有分化的细

42.我开始了建造婴儿的伟大工程

诞生后的我立即通过细胞分裂的方式夜以继日地高效率工作，以便完成自然界最精细、最复杂、最完美的伟大工程——婴儿。从一个受精卵到拥有数亿细胞的婴儿，仅仅用266天左右的时间（按照妈妈的孕期计算是280天），就重演了人类进化的整个过程，令爸爸妈妈惊奇的我来到了这个奇妙的世界。

诞生后（受精后）第3天（按妈妈的孕期计算是2周多），我长得像桑葚一样，所以，生物学家和医生常叫我桑葚胚。这时，我已经从一个受精卵分裂成12-16个细胞，我的生长速度快得惊人吧。

爸爸妈妈知道吗，我也像爸爸的精子一样勇敢，在狭长黑暗的输卵管中，走向茫茫的人生旅途，一边分裂一边向子宫移动。也许是爸爸的精子游泳时顺便帮我打探过，知道子宫是最适合居住的"世外桃源"。在我诞生后的第3天，我变成了桑葚宝宝，并驻扎在妈妈的子宫腔（这时妈妈月经刚刚过去2周多，

十月怀胎日程表

孕龄（月）	孕龄（周）	孕龄（天）	重点说明
1	0—4	0—28	可能在本月中受孕；没有任何来自妊娠的自觉症状；胎儿器官开始形成；避免接受X线。
2	5—8	29—56	月经推迟提醒你可能怀孕了；部分准妈妈出现早孕反应；妊娠试验阳性确定怀孕。
3	9—12	57—84	多普勒听诊可听到胎心。B超可见胎心管搏动或胎芽。
4	13—16	85—112	敏感的，或腹壁皮肤比较薄的准妈妈能觉察到胎动但有的准妈妈到了20孕周才感觉到胎动。
5	17—20	113—140	从外观上看，可以看出来是个准妈妈了；但个子比较高，或比较瘦的孕妇，还看不出来是孕妇。
6	21—24	141—168	几乎所有的准妈妈到了这个月都能清楚地感觉到胎动，还不能通过记数胎动监护宝宝的情况。
7	25—28	169—196	应该排查妊娠高血压和妊娠糖尿病了；有的产院早在孕5个月就进行妊娠糖尿病筛查，准妈妈可不要拒绝这项检查，是很有必要的。
8	29—32	197—224	几乎所有的人都知道您是准妈妈了。这时您的心态很好，也很舒服，要注意饮食结构合理，以免宝宝成为巨大儿。
9	33—36	225—252	到了孕晚期，您又开始觉得不适了，腰背有些酸痛，肋骨或骨盆大腿等都可能出现酸痛，不要紧张，很快就会过去的，如果您实在不舒服请及时看医生。
10	37—40	253—280	您已经到了预产期的倒计时了，这时最重要的是要保持良好的心态，千万不要担心分娩痛，现在有很多方法都能让您顺利度过生产期。

准妈妈/田甜

田甜从刚获知怀孕就开始看有关怀孕的书籍，但是，她看了以后才知道已经晚了，很多知识应该在怀孕前就看。

还不知道我已来到这个世界呢）。

刚刚搬到妈妈子宫中的我非常脆弱，周围可能危机四伏，来自妈妈的保护可能并不像我所期望的那样周全。我一方面在拼命地生长，一方面要抵挡来自四面八方的干扰，这时的妈妈可不要过多干扰我，如果您要进行胎教的话，可别胡子眉毛一起抓，谁说的您都信，一股脑地用在我身上，我可招架不住，我肩负着巨大的人体构建任务。

受精后第5天（妈妈末次月经后20天左右）我已经分裂出100个细胞，细胞中间出现一个充满液体的大腔，这时的我叫胚泡。另一方面我要在子宫里找到一个合适的地方安家——这里土地肥沃，视野开阔，居室宽敞，有足够的未来发展空间，我终于选定楼盘，把家安在子宫前壁或后壁的中上部。如果我选错了地方，在输卵管或别的地方安家，就会发生宫外孕，结果是致命的。如果我选的地方不好，比如选择了宫颈口附近，就会造成前置胎盘，让产科医生头疼。

作为胚泡宝宝，我在子宫壁上，挖一个小洞，把自己深深地埋进去。做完这件事情我大概得用6天时间，这就叫着床。

遗憾的是爸爸妈妈并不知道我已降临，特别是已经安家落户的消息。我赶快和妈妈的子宫内膜互相黏附容纳，分泌出大量的激素——人绒毛膜促性腺激素（HCG），阻止妈妈的月经（别把我冲掉），让妈妈意识到我来了。同时让妈妈整个身体都处于怀孕状态——轻微的早孕反应，可惜妈妈比较粗心，有时候竟然当作感冒或身体不舒服而吃药！没办法，我只好加班加点赶制更多的HCG，甚至让妈妈孕吐，让妈妈明白我降临了。

妈妈能理解我的信迟到的原因吗？这个月我刚

刚住下，实在没有时间写信。我急忙跑到邮局发特快专递，邮局说最早也要1个星期后，能否送到还不好说。妈妈只能在我诞生后的3周左右（孕37天）才能收到，请耐心等待吧。我也很遗憾，如果哪一天邮局技术改造，精子和卵子刚刚相遇妈妈就能得到消息，妈妈因不知道我的降临而伤害我的事件就不会发生了。

 你们的胎宝宝写于孕1月

第2节 医生的感悟

43.没有人知道胎儿诞生的时间

在你和你的丈夫全然不知的时候，来自你丈夫的精子和你的卵子悄悄地、神秘地结合在一起。等确定你怀孕了的时候，已经是1个月以后，小家伙已经深深地植入到子宫内膜，并开始了器官的分化和生成，无论是你们夫妇共同计划好的，还是突如其来的，新生命已经在你的身体内完成由胚前期到胚胎的第一次质变了。

从医学上讲，从新生命到诞生分为：胚前期（孕0-4周）、胚胎期（孕5-10周）、胎儿期（孕11-40周）。加上孕前准备（孕前3个月），到围产期结束（产后4周），这个时间坐标构成了这本书的全部内容。

几乎所有的准妈妈都是在停经37天以后（胚胎期）确知怀孕的消息，这也是医生最早知道的时间。其中胚前期和胚胎期至关重要，是创造新生命的质变时期，胎儿期以后则主要是量变。通俗地说，宝宝在妈妈肚子里的40周不是平均地一天长一点，像有些妈妈想象的那样，临出生前才长出脚指头。宝宝是在孕4周长成一个囊泡中的微型二层汉堡包（直径0.1-0.4毫米），在孕10周汉堡包长成一个5厘米长2.27克重的微雕婴儿，90%以上的器官已形成。以后用漫长的30周，除完成修修补补的工作外，只是长大而已。

孕龄的计算和表示方法

连医生也不能确切地说出胚胎诞生的准确时间，以及在妈妈的子宫中生活的时间，这就给怀孕的时间计算带来麻烦。那么，孕龄是怎么计算出来的呢？

中国古话说"十月怀胎一朝分娩"，那时用的是太阴历（月亮历），就是中国农历。按现在的公元历（太阳历）计算，月指的是阳历月。按照阳历月计算的话，胎儿在妈妈子宫内生活的时间可没有10个月那么长，而是9个多月。

如果怀孕的时间按照太阴月计算，一个太阴月为28天（4个星期），从你末次月经来潮的第一天开始算起，整个孕期要经历10个太阴月（40个星期——280天）。你看，到了生育、月经这些和自然生命相关的事情时，我们又回归古老的传统，月亮、女性、大地、阴阳、乾坤，人类的生殖本来就是生生不息的大自然的一部分。

现在都是按公历计算孕龄，公历每月天数不同，有30天、31天、28天，用公式计算预产期：末次月经时间加9（或减3）为月，加15为日。举例：末次月经是2006年1月20日，预产期为月：1+9=10，日：20+15=35，预产期为11月4日。（10月为31天，35天-31天=4天）

那么，孕龄和胎宝宝生长的时间一样吗？

孕龄和胎宝宝实际生长的时间并不一致。因为不能确定你是在哪一天怀孕的，唯一能够确知的时间是，孕前最后一次月经来潮。所以，临床上所说的孕龄，是从孕妇末次月经来潮的第一天算起，排卵期和预产期都是以此为估算依据的。

这样计算带来了两个问题：第一，月经周期可能不准确，就会导致胎儿大小估算、排卵期和预产期的不准确，一般有前后2周的误差；第二，实际上胎儿真正诞生是在末次月经来潮后的2周左右，比孕龄小2周。一

些医学专业著作，特别是胚胎学常常使用胎儿实际月龄来描述。

为了方便准父母阅读，避免换算中的错乱，也为了与孕妇在医院做产前检查时，与医生所说的孕龄一致，除非特别指出，本书所说的时间，无论是针对孕妇，还是针对胎儿的，均以孕妇末次月经第一天为起始时间，并且都正规描述为：孕×月、孕×周、孕×天。

44.防患未然，还是吃后悔药

准妈妈终于知道，为什么孕1月非常重要了吧？所有人都没有意识到。但最重要的往往是最易被忽视的，当孕妇挺着大肚子的时候，自己知道小心，别人知道让座，可是孕1月，有无数粗枝大叶的准妈妈们，照X线片、吃药打针、装修旅游、染发减肥。

准妈妈们当然不是故意的，是她们得知怀孕的消息后，才想起那曾经发生过的事情，但可能已经殃及了腹中的胎宝宝，所以，她们通过邮件或电话，万分焦虑地向我咨询，想从我这里买到"后悔药"。因为这时微小的"汉堡宝宝"看不见摸不着，医学书上全是一句也看不懂的专业名词，专业上对生命的奥秘尚不能完全解释，所以大部分怀孕的科普书对这个月的叙述非常简陋，导致许多孕妇对孕1月的忽视。

我在因特网上做母婴健康咨询专家的6年时间里，接到过无数这样的咨询。有时真的把我难倒了，告诉她可怕的结局吧，我实在不忍心让刚刚获得喜讯的准妈妈陷入痛苦之中。面对太多的追悔和不幸，我要郑重告诉更多的准妈妈：同样的伤害，对成形的胎儿可能是轻微的，对弱小的"汉堡宝宝"可能就是致命的，比如造成流产或畸形，而此时医学上的补救和检查手段是很缺乏的。所以，把"后悔药"提前卖给正在计划怀孕的年轻夫妇，是唯一管用的方法。因此，我真的希望你们结婚后，甚至结婚前就开始读这本书，而不是怀孕后。

你同意这个说法吗？

没有两个孕妇的妊娠经历是一样的,你同意这种说法吗?当你和你的丈夫阅读有关怀孕的科普书时,千万不要为你与书上所说的不同而烦恼,几乎没有两个孕妇的妊娠经历是完全一样的,没有两个孕妇对怀孕的感受是一模一样的。

第3节 精子卵子的成熟与释放

45.一个细胞何以构建出拥有数亿细胞的婴孩

是啊,来自妈妈的卵子和来自爸爸的精子如期相遇,形成了一个"大细胞"——受精卵,何以竟构建出拥有数亿细胞的婴孩!这不能不令我们人类惊叹不已。

在受精卵发育为胚胎的过程中,它首先是一团没有分化的细胞,不断发育出两个不对称——一个头、一个尾的轴和一个前、一个后的轴。这些不对称是受精卵内部化学反应的产物。这团细胞中的每个细胞,几乎都能"辨析"出自己内部物质的"信息",然后把这一信息输入到一台"功能强大的微型电脑"中,显示屏上弹出这样一条短信:你位于某一特定的部位。这个细胞就按照"指令"找到它所应该去的某一特定的地方去发育。然而,仅仅知道在什么地方还不行,到了该去的地方,还要知道该干什么。

也就是说,一个细胞在确定了它的位置后,或自己寻找,或在导游小姐的引领下来到它的目的地。到了目的地以后,或主动发出,或被动接受一个指令:"长成小手"或者"变成一个神经细胞"。这些都是受精卵内

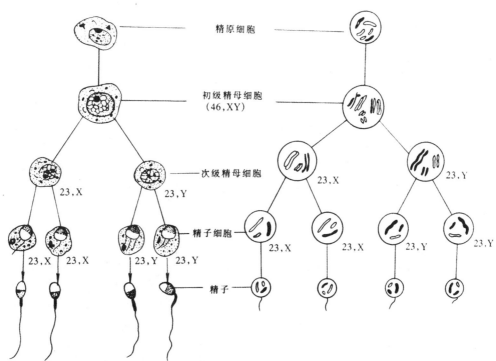

精原细胞

初级精母细胞
(46,XY)

次级精母细胞
23,X   23,Y

精子细胞
23,X 23,X   23,Y 23,Y   23,X   23,X   23,Y   23,Y

精子
23,X 23,X   23,Y 23,Y

分裂出来的极小的极体到目前为止还不知道它的作用。卵细胞经过无数次分裂后仍然保持一个,而不是无数个。引自吴刚主编《中国优生科学》。

的基因完成的,一个基因激活另一个基因,每一个细胞都带有一份完整的基因组拷贝。没有细胞需要来自最具权威性的中央指令,每个细胞都可以凭借自己拥有的信息和他的邻居送来的信息而行动。基因彼此激活或抑制,给了胚胎一个头和一个尾,然后,其他基因按顺序从头至尾开始表达,给了身体每一个区间一个特有的身份。其他基因又诠释这些信息,以制造更加复杂的器官。这是一个很基本的,循序渐进的化学-机械过程。从简单的不对称开始,发展出精巧的结构,这就是人类的再造。

来自父亲的精子和来自母亲的卵子结合——受精,是形成新的生命个体的条件。通过受精卵的细胞分裂、分化,由单一的细胞形成多细胞团,逐步发育成人体不同系统、器官和组织。生殖细胞受生物遗传、个体发育环境、性行为、社会行为等诸多因素的影响;胚胎在不同阶段,其不同形态和功能的表达,受细胞内基因调控;一旦表达不精确或有误,胎儿将不能诞生或形成先天异常。所以,年轻的准妈妈要加倍爱护这来之不易的小生命。

46.数目庞大、身体渺小而意志顽强的游泳健将——精子

精子的发生过程

精子发生于睾丸的曲细精管,经过在附睾中一系列的发育过程,形成精子。简略过程如下:精原细胞→初级精母细胞→次级精母细胞→精细胞→精子。

精原细胞是最幼稚的生精细胞,在垂体促性腺激素的激发下,进行活跃的细胞分裂、繁殖增生。经过多次分裂和复杂的形态结构的变化过程,最后形成蝌蚪状的精子。精子发生受促性腺激素、睾丸内分泌活动、丘脑促性腺激素的调节。任何一个环节受到干扰都会影响生精过程。所以,男性所致的不育并不少见。

精子形成需要多长时间呢?从精原细胞繁殖增生到精子的形成大约需要2个月的时间。在这期间,精子受到药物、有害射线、疾病、烟酒、有害化学品等等伤害时,受精卵都可能是不健康的。这就是我建议准爸爸计划要孩子3个月前就要做孕前准备的原因。

精子的成熟过程

从精原细胞繁殖增生开始,经过2个月的时间形成的精子只是结构上的成熟,不具备使卵子受精的潜能,还需要在附睾中进一步发育达到功能上的成熟。任何影响附睾内环境稳定和雄激素水平的因素,都会影响精子的成熟发育,导致男性功能性不育。

成熟的精子能使卵子受孕吗?

功能成熟的精子,已经具备了使卵子受精的潜在能力。但在附睾液中存在着一些抑制因子,能够抑制精子的受精能力,使精子处于潜能状态。精子只有到了女性生殖管道中之后,才具备使卵子受精的能力。这种真正意义上的成熟精子才能游向卵子,并穿透卵子周围的放射冠和透明带,实现受精过程。

准妈妈/田甜

田甜在怀孕早期经常到北京郊外的山山水水游玩，使她孕期体质比以前还好了。

精子获能需要什么条件呢

女性生殖道的正常内环境、正常的激素水平是精子获能的必要条件。倘若女性生殖道内环境发生异常改变，或女性激素水平发生异常改变，都可能导致不孕的发生。

精子存活的时间

精子在女性生殖道中可存活24~72小时。但射入女性生殖道的精子其受精能力仅能维持20个小时左右。月经周期、同房时间、精子和卵子具有受精能力的时间，这些重要数据提供了我们预测排卵和受孕时间的依据。

47.珍贵、高寿而巨大的卵子

卵子的发生过程

卵子发生于卵巢，成熟于输卵管。卵子发生的简略过程是：卵原细胞→初级卵母细胞→两次成熟分裂→卵子+细胞极体。

初级卵母细胞的第一次成熟分裂过程是在排卵期进行的，第二次成熟分裂是排卵后进行的，且必须在精子穿入的刺激下完成。

卵子排出时间

每一个月经周期只有一个卵泡达到成熟程度，随着卵泡的发育成熟，卵泡逐渐向卵巢表面移行并向外突出，排出卵子。排卵大多发生在两次月经中间，一般在下次月经来潮前的14天左右，卵子可由两侧卵巢轮流排出，也可由一侧卵巢连续排出。卵子排出后，输卵管伞抓拾，送入同侧输卵管中的壶腹部。

高龄孕妇，尤其高龄初产的女性，无论本人还是周围的亲朋好友，都对其妊娠结局心存担忧，最大的担忧是胎儿，因为他们了解很多这方面的知识，担心先天愚型的发生，其次是对孕妇的担心，害怕分娩时可能会发生的难产。高龄孕妇存在着一些潜在的高危因素，但并不意味着所有高龄孕妇的胎儿和分娩都将会发生这些问题。相反，由于高龄孕妇受到更多的关注和更好的围产期保健，她们常常能够顺利地分娩一个健康的宝宝。

如果你是高龄孕妇，希望你能做到以下几点：

● 拥有豁达乐观的心态，高龄孕妇之所以被列为高危妊娠范畴，并不全是因为你的年龄。如果你身体健康，精力充沛，营养合理，喜欢运动，全身器官和功能年轻，没有高血压、糖尿病等影响妊娠的疾病，你会生一个健康聪明的宝宝。

● 认真做好孕期保健，每次产检都要认真对待，比如测量血压、体重，化验尿液、血液、B超或其他检查，不要因为工作或其他事情而耽误去看产科医生。

● 医生可能会建议你做有关遗传学的检查，如果有高风险预报，应该听从医生的意见，做其他有必要的项目检查。要积极配合，但不要有心理压力。

● 高龄孕妇可能更容易合并妊高症或糖尿病，应该做好孕期妊高症和糖尿病的监测。

● 大多高龄孕妇承担着比较重要的工作，不要过劳。如果你感觉很劳累，就暂时放下手头的工作，不要太勉强自己，你的上司或下属会理解你的。拼命地工作不是你现在的选择。

● 年龄不是问题，如果你的心理非常健康，保持着乐观的心情，那你与低龄孕妇相比没有什么两样，或许你的睿智和成熟给你和宝宝带来的全都是好的一面。

现代女性和过去相比，生理年龄要比实际年龄年轻得多，国际上已经把青年和中年的分界定为45岁,现代人越来越年轻。所以,如果你已经过了35岁,很想生孩子,不要因为年龄而放弃。医生会给你做必要的检查,为你制定孕前计划、妊娠期保健措施和分娩计划。

本节要点总结

孕1周时:实际上这一周你还没有怀孕呢。这一周正是你末次月经进行的时候,说明你的卵巢上个月排出的卵子没有受精,自行衰退了,引起子宫内膜的脱落流血。随着子宫内膜脱落,在激素作用下,你的卵巢又开始准备释放另一个卵子。

孕2周时:你可能在这一周末排出成熟的卵子,一旦和精子相遇,你就成为准妈妈了。你的月经结束了,第二个月经周期已经开始。子宫内膜开始增厚,犹如肥沃的土地,为养育你的胎宝宝做好充分的准备。新的卵子在成熟中,即将在本周结束时排出。当然,健康的精子也在准爸爸体内不断成熟,等待着与卵子相遇。

48.受精卵形成——新生命诞生

精子和卵子结合后的第一周称为受精卵或受孕卵;实际意义上的胎龄为1周,临床意义上的胎龄为孕3周(孕妇停经3周)。

精子和卵子如期而遇是受精的前提条件。进入女性生殖道的精子,要游过将近其体长2000倍的路程,相当于一个成人游3公里的长度,才有可能遇到早已等待在那里的卵子,如果精子到达目的地后,卵子没有等待在那里,精子就原地不动,等待卵子的到来。但有一点是原则性的,精子和卵子都没有足够的耐心无限期地等待对方,双方都有时间的限定,通常情况下,卵子可等待2、3天,精子可等待1、2天。但随着等待时间的延长,受精的几率逐渐下降,通常情况下,女性排卵后24小时内,精子进入女性生殖道20小时内相遇,受精卵形成的机会大。一旦相遇的精

子和卵子结合形成受精卵,就宣告了新生命的开始。

精子与卵子结合形成受精卵的部位,发生在输卵管壶腹部。受精时精子和卵子相互激活,遗传物质相互融合,两个单倍体(各含23条染色体)结合为双倍体(含46条染色体)。受精卵具有强大的生命力,快速地进行细胞分裂、组织分化,成为一个新的个体。

受精的模式有两种,很像恋爱的模式:卵子等精子或精子等卵子。

第一种是:卵巢释放出成熟的卵子,输卵管伞抓住了卵子并送入输卵管壶腹部,它在那里有24-48小时的时间,等待着精子的到来,当300-500个精子游动到此时,其中的一个精子最快钻入卵子使其受精——你怀孕了。

第二种是:当精子游到输卵管时,卵子还没有被卵巢释放,这些精子有24-72小时的时间,等待卵子的到来,其中的一个精子,第一个发现卵子出来了,并以最快的速度与卵子结合——受精卵形成,胎宝宝诞生。

由于输卵管平滑肌的节律性收缩,管壁上皮纤毛的摆动和管内液体的流动,受精卵逐渐向子宫方向移动,在移动过程中同时进行细胞分裂,72小时左右出现12-16个卵裂球,群集在透明带中,形状如同桑葚,故名

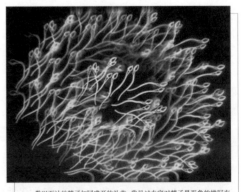

数以万计的精子如同盛开的礼花。我见过专家对精子最形象的描写有精子像一条蛇,还有精子像一列油罐车。图片引自国际在线网。

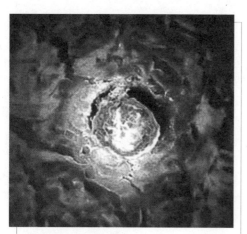

胚胎种植在子宫内膜的电镜图
引自William J. Larsen著《人类胚胎学》。

桑葚胚。桑葚胚到达子宫腔的时间是受精后第3天（大约孕2周）。受精后第5天（大约孕3周），桑葚胚继续分裂增殖为胚泡，胚泡侵入子宫内膜，这个过程叫植入，也叫着床。植入始于受精后第5天末或第6天初（大约孕3周），完成于第11天左右（大约孕4周）。

49.女性排卵时的蛛丝马迹

人类不同于动物，不能本能地控制受孕，因为女性对于卵子释放过程几乎没有任何自我感觉，就是说，当卵子释放，到输卵管等待精子的到来时，女性并不知道。但排卵期前后，女性可以通过一些客观现象来推测自己是否处于排卵期。

根据月经周期推测

通常情况下在月经来潮前的2周是排卵的时间，也就是说，排卵后约14天月经来潮。如果你的月经周期比较准，就可以根据月经来潮时间推测排卵时间。

根据阴道分泌物

排卵期阴道分泌物通常比较多，且稀薄、透明、拉丝状，这样的白带有利于精子的游动。

基础体温测定

排卵前1、2天和排卵当天，基础体温是一个月经周期中最低的，排卵后，体温开始回升并维持相对稳定的高温相，直到月经来潮，体温开始下降，并维持相对稳定的低温相，直到排卵。如果受孕了，月经停止，继续维持高温相。

排卵期阴道出血

这种情况比较少见，但有的女性会在排卵期出现阴道少量出血，也称为月经中期出血，如果你常常在月经中期有极少量阴道出血，且被医生证实是排卵所致，你就可以据此推测自己的排卵期。

小腹隐痛

这种情况也不多见，但确实有极个别女性在排卵期前后，卵泡破裂，导致少量出血，而引起小腹隐痛。

B超监测排卵

通过B超可以监测排卵情况。但这种情况只适合在治疗不孕中使用促排卵药时，或受孕困难的女性。

性格改变

有的女性在排卵期可能出现类似"经前期紧张综合征"的症状，如心情低落，或脾气暴躁，情绪波动比较大。

50.胎龄的表达与计算

不是从末次月经第一天，胎儿就诞生了。临床意义上的胎龄与实际意义上的胎龄相差2周。如果从受孕的那一刻开始计算，胎儿的生长时间是266天（38周）；如果从孕妇的末次月经来潮的第一天开始计算，胎儿的生长时间是280天（40周）。

孕妇们到医院做产前检查时，通常所说的怀孕时间以及预产期的计算，都是以末次月经为起始时间的。

一位准妈妈问到：我的最后一次月经是12月5

日。请问排卵期具体是几号？怎样计算？

这位准妈妈的问题比较简单，计算排卵期和计算预产期是不一样的，计算预产期只知道末次月经时间就可以了，但计算排卵期，除了要知道末次月经时间外，还要知道月经周期，就是多长时间来一次月经。这位女士没告诉她的月经周期。如果假设这位女士的月经周期是30天，那么，这位女士的排卵期大约是在12月21日左右。

下次排卵期的计算方法是：（上次月经来潮日+月经周期）−14天。

具体你的排卵期计算方法是（月经周期按30天计算）：

（12月5日+30天）−14天=1月4日−14天=12月21日。

本节要点总结

孕3周时：决定性的时刻，排卵和受精发生。这周你奇迹般地怀孕了。精子和卵子在女性输卵管的外1/3壶腹部相遇融合而成受精卵，受精时互相激活，遗传物质相互融合，新生命诞生。受精卵一边分裂增殖，一边经输卵管移动至子宫，准备着床——你已经怀孕了！

准妈妈知道吗？您腹中的胎儿，从重量不到1毫克，直径仅为135～140微米的受精

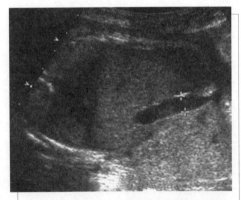

这是一张胎儿B超图，显示的是胎儿脐带，妈妈看不清楚，圆圈内的指示部分就是脐带，只有B超医生才能清晰地辨别出来。图片引自《胎儿电子监护学》。

卵，变为重量3000克以上，长约50厘米的胎儿，整整增长了10亿倍！这期间要经历细胞增殖、细胞决定、细胞分化、形态发生及细胞迁移、黏着、类聚、相互识别等过程，严格遵循发育规律，表现出精确的时间顺序和空间关系。

第4节 深挖地基，广积粮——胚胎着床

51.胚泡在着床的过程中经历着巨变

胚胎植入到妈妈的子宫内膜后，生命的种子就开始在母腹内生根发芽，准妈妈开始了孕育生命的路程。

已经成为胚泡的宝宝正在你的体内着床，把自己全部埋进厚厚的子宫内膜中，与子宫内膜细胞相互黏附容纳。被称为滋胚层的胚泡部分和妈妈子宫内膜的一部分将形成胎盘等胚外组织；被称为内细胞群的胚泡部分将发展成胎儿和部分胎膜。

胚泡着床的第2天，也就是受精第7天（孕3周），内细胞群分化成两层细胞，这就是那个微型双层汉堡，医学上叫二胚层胚盘。这时用来构造胚胎和胎盘的材料分化完毕，所有即将形成一个生命构造的材料都准备齐全。

现在，什么也看不出来的细胞和组织，正在有条不紊地按照遗传指令有序地"制造"，胚泡发生着非常重要的质变，充满着神奇。虽然许许多多生命形成的秘密尚未破译，但是对于微型的胚盘来说，已经万物皆备于我——简单地说，胚盘就是婴儿。

在准妈妈尚未意识到自己怀孕时，胚胎神经系统已经开始酝酿着巨变。没有人知道，略呈椭圆形的胚盘，最早应该建造什么，才能使一团细胞成为动物。而这些细胞自己

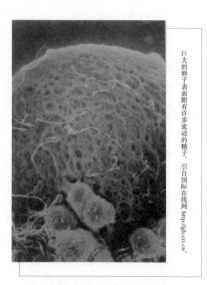

巨大的卵子表面附有许多流动的精子。引自国际在线网 http://gb.cri.cn。

些必要的生殖健康知识。我在回复中讲了有关知识，她顺利怀孕了。

即使夫妇没有任何问题，自然受孕也需要时间，并非计划哪个月怀孕就一定能够实现，在不避孕的情况下，半年之内没有怀孕，并不能就此认为患了不孕症，可向医生咨询或做相应的检查，不要紧张，更不要有心理压力和精神负担。

这位孕妇在信中说：感谢郑医生的精心指导，现在我已怀孕，不过这几天很担心，因为我上月7月26日来月经，8月23、24日就有少量的见红症状，一直到28日从药店买来早早孕试条，才测出已怀孕（32天），31日去我们当地医院，因为胎儿小没有做B超，医生说见红总归不好，需要保胎，打5天的黄体酮，5天打完，还是有少量的出血（见红），医生让我过10天去做B超，看看胎儿发育好不好。我非常担心，我的宝宝会有异常吗？

怀孕早期，出现阴道不规则出血，有以下几种情况：

● 首先要想到发生先兆流产的可能，以便及时采取保胎措施。

● 其次要考虑发生宫外孕的可能。

发生先兆流产和宫外孕时，除阴道不规则出血外，多伴有下腹部隐痛或小腹不适。

● 还有一种可能是受精卵植入出血。发生植入出血时，出血量极少，持续时间也很短，且不伴有腹痛。

● 第四种可能是，怀孕后，尽管不来月经了，但到了月经周期，仍可见少量阴道出血，这种情况多发生在怀孕后的第一个月经周期，比正常月经量少很多，时间也很短。

在这四种情况中，最常见的是先兆流

早已获知它该到何处去，到那里去做什么。

胚盘将在椭圆形最长的直径部位凹进去，两边卷上来形成中空管——神经管。首先建造背部的脊柱和神经。这时如果孕妇体内明显缺乏叶酸，就能导致胎儿神经管畸形。所以，医生建议在孕前3个月开始补充小剂量叶酸，一直服用到孕3个月。

处于这个时期的胚胎，容不得一点差错和伤害，如果房梁出问题，房子就可能会坍塌了。但因为爸爸妈妈不能察觉到胎宝宝的降临，吃药、装修、染发、喝酒、接触宠物、上医院、照X线片、不良情绪等等事件常常发生，我们在下面将会看到这些烦恼。

要点总结

孕4周时：完成植入过程，受精卵已经着床，进入极重要的形成组织和器官的时期，开始了急速的细胞和组织的分化和发生过程。妈妈仍然不知道已经怀孕，极少数人有植入流血发生。

52.解读胚胎植入流血

说到胚胎植入流血，我想起一位孕妇，她曾因不易受孕向我咨询过。这位女士既不是原发不孕，也不是继发不孕，只是缺乏一

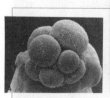

孕21天胚泡电镜显微图
引自William J. Larsen著《人类胚胎学》。

产，其次是宫外孕。后两种情况并不多见。另外，因前两种原因导致的阴道出血，需要及时处理，所以，一旦发生阴道出血，必须看医生，至少要向医生咨询。

下面有几个关于排卵期出血的咨询问题。写在这里，可能会对有类似问题的妈妈有所帮助。

一位女士说，她曾看过有关资料，排卵期出血如果时间短，出血量少属正常，不会影响受孕。但她每月在排卵期都会有5天左右，甚至更长时间的持续出血，偶尔还会一直延续到下个月经周期。她的月经周期一直稳定地保持在30-31天。不知这种情况是否正常？应该治疗吗？

月经中期阴道少量短期出血，有的是排卵期出血，属于一种生理现象。但是，由于阴道出血影响同房，因此会影响受孕。你的出血时间长，难以用排卵期出血解释，应该到医院做必要的检查，排除妇科疾病。长时间阴道出血，增加盆腔感染的机会，应积极干预治疗。

在排卵期同房后总有一些血，这样会影响怀孕吗？每次都是过1、2天就好了。不知是怎么回事？

如果你总是在同房后出血，医学上称为接触性出血，引起接触性出血最常见的原因是宫颈疾病，如宫颈糜烂、宫颈息肉等。但你

在排卵期同房后出血，可能与排卵期出血有关，排卵期小量阴道出血是生理现象，但必须要排除疾病的可能。

我29岁，6月7日来月经，21日有同房，次日阴道有少量出血，去年也出现过类似情况，医生诊断为激素水平低，为月经中期出血。如果我怀孕，是否对胎儿有影响？

不会对胎儿有不良影响。

53.孕满1月，胎儿外形是怎样的

末次月经结束后，新的卵子在妈妈体内发育成熟。成熟的卵子从卵泡中排出，与精子结合，新生命宣告诞生。从受精卵发育成胚泡，完成植入子宫的整个过程大约需要11-12天的时间。这就是孕1月在准妈妈体内悄悄发生的一切。

尽管胚泡已经完成植入，绒毛膜形成，但这时的胚胎还没有人的模样，仅仅是准妈妈子宫内膜中埋着的、一粒绿豆大小的囊泡，囊泡内壁上凸出一个大头针帽那么大的圆形双层汉堡，两层汉堡都是中空的，双层汉堡之间紧贴的两层壁，就叫圆形二胚层胚盘，胚盘最大长度为0.1-0.4厘米，胎儿就是由这两层扁平状细胞变来的。医学上把这个时期叫做胚前期。

第5节 脐带、胎盘、羊水、子宫，一个都不能少

从胎儿诞生到分娩，妈妈和胎儿是紧密联系、不可分割的整体。胎儿没有自主的呼吸，没有独立的循环和消化，不能自己摄入营养，所有需要都由妈妈供给。为此，就有了使胎儿和妈妈联系在一起的组织——胎盘、脐

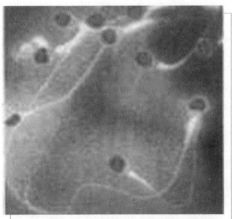

说精子像蝌蚪有些不确切，精子的尾巴比蝌蚪的尾巴长很多，长长的尾部使得精子游动的速度更快。图片引自国际在线网http://gb.cri.cn。

带、胎膜、羊水。

54.胎儿与妈妈血脉相连的象征——脐带

脐带是连接胎儿和胎盘的生命之桥,是胎儿与妈妈相连的象征。

脐带最早的演化过程

脐带组织来自胚体的尿囊。人类胚胎的尿囊出现仅数周后即退化,即将退化的尿囊壁上出现了两对血管,这两对血管并未随着尿囊的退化而消失,而是越来越发达,最终形成胎儿与母体进行物质交换的唯一通道——脐动脉和脐静脉。

脐动脉和脐静脉形成后,尿囊就完成了历史使命,开始退化,在退化过程中,先形成细管,后完全闭锁成为细胞索,构成韧带。与此同时,胚盘向腹侧卷折,背侧的羊膜囊也迅速生长,并向腹侧包卷成条状。卵黄囊、脐动脉、脐静脉、韧带等都被卷折其中,这就是脐带。随着胎儿的发育,脐带逐渐增长。

脐带的形成及结构

脐带是一条索状物,一端连于胎儿腹壁(就是以后的肚脐),另一端连于胎盘的胎儿面。如果把胎盘比作一把雨伞的话,脐带就是伞把。足月胎儿的脐带长约45–55厘米,直径1.5–2厘米,一条脐静脉和两条脐动脉呈"品"字形排列。表面被覆羊膜,中间有胶状结缔组织充填,保护着血管。

脐带的作用

● 将胎儿排泄的代谢废物和二氧化碳等送到胎盘,由妈妈帮助处理。这是由脐动脉完成的,也就是说,脐动脉中流的是胎儿的静脉血。

● 从妈妈那里获取氧气和营养物质供给胎儿。这是由脐静脉完成输送的。也就是说,脐静脉中流的是胎儿的动脉血。

● 脐带是胎儿与妈妈之间的通道,如果脐带受压,致使血流受阻,胎儿的生命就受到了威胁,脐带是胎儿的生命线。

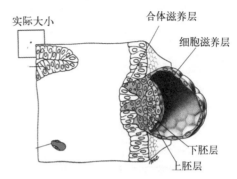

实际大小

合体滋养层
细胞滋养层
下胚层
上胚层

孕21天胚泡开始植入子宫内膜

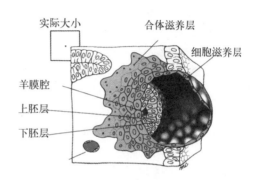

实际大小

合体滋养层
细胞滋养层
羊膜腔
上胚层
下胚层

孕22天羊膜腔出现

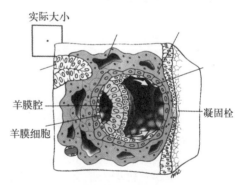

实际大小

羊膜腔
羊膜细胞
凝固栓

孕23天胚胎完全植入子宫内膜
羊膜腔不断扩大,植入过程结束是以子宫内膜壁上的凝固栓为标志的。

引自William J. Larsen著《人类胚胎学》。

脐带异常

脐带长度超过80厘米,为脐带过长,可引起脐带打结、缠绕、脱垂。脐带长度短于30厘米,为脐带过短,可引起脐带过伸,影响胎儿与妈妈间的血流交换。脐带不在胎盘的中央，而在胎盘的边缘附着，则称为球拍状胎盘。还有帆状附着。这些异常结构，都会对胎儿造成不同程度的影响。值得庆幸的是，这些异常情况极少发生，妈妈不必担心。

脐带绕颈的危险

因脐带本身有补偿性伸展，不拉紧至一定程度，不会发生临床症状，所以对胎儿的危害不大。但脐带绕颈后，相对来说脐带就变短了，如果胎儿在子宫内翻身或做大幅度运动时，可能会引起脐带过短的征象，导致胎儿缺氧窒息。另外脐带绕颈与脐带本身的长短、绕颈的圈数及程度等诸多因素有关，其危险性需要医生根据检查时的具体情况来判定。

假性脐带绕颈

脐带绕颈是通过B超发现的，有时，脐带挡在胎儿的颈部，并没有缠绕到胎儿的颈部，但在B超下，可以显示出脐带绕颈的影像。所以，当发现脐带绕颈时，应进一步复查，排除假性脐带绕颈。

55.滋养胎儿生命的源泉——胎盘

胎盘的形成

受精卵在子宫内膜着床后，胚泡滋胚层细胞向子宫内膜伸出数百根树根一样的触手——绒毛组织（称为绒毛膜），并迅速分支，在肥沃的子宫内膜牢牢地扎根，和子宫内膜细胞组织相互黏附容纳，不断生长，最终生成圆盘状的胎盘。所以胎盘是由两部分组成的，一部分是胎儿的绒毛膜，一部分是妈妈的子宫内膜。胎盘像树的细根与沃土互相紧紧抓牢，形成盘状，像把土和根从浅花盆里取出来的样子。树干就是脐带，树冠就是胎儿。

胎盘的发育

胎盘在受精卵形成后12天（孕26天）内出现并发挥功能。但直到孕3月，整个胎盘才完成全部构建。以后随着胎儿的增长而逐渐增大。到了胎儿足月时，胎盘重量一般可达500克，直径可达20厘米，平均厚度2.5厘米。

朝向胎儿面的胎盘光滑，表面覆有羊膜。朝向母体面的胎盘粗糙，可见15-30个胎盘小叶，吸盘一样固定在妈妈子宫内膜上。脐带自胎盘的中央出来，脐血管和绒毛血管靠渗透作用与母体的血液相交换。胎盘内有母体和胎儿体两套血液循环。呈封闭循环，一般不相混。

胎盘的重要作用

● 为胎儿的发育补给必要的营养和氧气。

● 帮助胎儿排泄二氧化碳及新陈代谢所产生的废弃物质。

● 代替胎儿行使尚未发育完成的肺、心、肾、胃肠等内脏的功能。

● 胎盘可分泌多种激素，如绒毛膜促性腺激素、绒毛膜促乳腺生长激素、孕激素、雌激素等，以维持整个孕期的顺利进行。这些激素对促进胎儿成长、母体健康、分娩、乳汁分泌等都起着非常重要的作用。

胎盘的位置

胎盘的正常位置在子宫腔上部的前壁或后壁。如果在子宫下部或宫颈管内口，则会因为胎盘位置异常，而不能维持胎儿的正常发育。

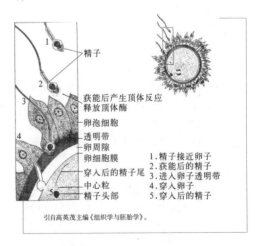

精子
获能后产生顶体反应
释放顶体酶
卵泡细胞
透明带
卵周隙
卵细胞膜
穿入后的精子尾
中心粒
精子头部

1. 精子接近卵子
2. 获能后的精子
3. 进入卵子透明带
4. 穿入卵子
5. 穿入后的精子

引自高英茂主编《组织学与胚胎学》。

精子穿入卵母细胞

精子穿入卵子的电镜显微图片。卵子是肉眼可以看到的，比一粒小米还小，精子是肉眼看不到的。引自William J. Larsen著《人类胚胎学》。

胎盘老化

随着孕龄的增加，胎盘逐渐成熟，从孕36周以后，胎盘开始出现生理性退行性变化，即胎盘老化现象。

通常可通过B超观察胎盘成熟度，分为0级胎盘；1级胎盘；2级胎盘；3级胎盘。一般认为2级胎盘为成熟胎盘，3级胎盘为过度成熟胎盘。也可通过血生化指标检查胎盘的成熟度。

胎盘钙化

胎盘钙化也是胎盘老化的一种生理性退变形式，在老化的胎盘上常有钙沉积，几乎在每个足月胎盘上都可见到钙化点。有学者认为胎盘钙化是胎盘发展的必然过程。

是谁制造了胎盘？

遗传自父方的基因负责制造胎盘；遗传自母方的基因负责胚胎大部分的发育，特别是头部和大脑。胎盘为什么由父亲来制造呢？

我的猜想是，父亲的基因不相信母亲的基因能够造一个胎盘——能够完成"入侵"子宫的胎盘，所以父亲的基因要亲自完成这项工作。

胎盘不是用来维持胎儿生命的母体器官，应该看作是胎儿的一个器官，胎儿借助这一器官，寄生于母体的血液循环，达到吸取养分、排泄废物的目的。

任何阻挡都是无效的，胎盘就是要实实在在地钻进母体的血管里去，并迫使血管扩张，进而又产生一些激素，提高母体的血压和血糖浓度，以便胎儿从母体获取养分。母体并非像我们想象的那样，完全听从胎盘的摆布，母体的反应是，通过提高胰岛素的浓度来抵御胎盘的强行"入侵"。尽管母体和胎儿有共同的目标——完成人体构建，在细节上却时常出现争端。

写下这一段，我还真有些担心，担心胎儿长大后会生妈妈的气，认为妈妈无情，要抵御使胎儿赖以生存的胎盘的植入。事实不是这样的，如果妈妈一点反应也没有，而是任由胎盘的性子来，那胎儿可能会遭受真正的灾难——妈妈患了糖尿病，不但会生出巨大儿，还会引起一系列病症；如果妈妈不做出反应，妈妈的血压会升高到足以使妈妈发生血管破裂，没了妈妈的健康，哪里还有宝宝的健康啊。

如果因为某些原因，胎儿不能分泌出足够的激素使母体血糖升高，母体就不分泌过多的胰岛素，以使血糖浓度维持在胎儿所需的浓度范围，怀孕过程仍然会顺利进行。可见，无论怎样妈妈都是疼胎宝宝的。

56.胎儿柔软的被褥——羊水

羊水被包裹在羊膜腔内。随着孕期的不同，羊水的来源、量与成分也发生着不同的变化。孕早期，羊水主要来源于妈妈血液流经胎膜渗入到羊膜腔的液体。到了孕中期，胎儿的尿就成为羊水的重要来源了。胎儿不但通过排尿生产羊水，还通过消化道吞咽羊水。羊水以每小时600毫升的速度不断交换，保持着动态平衡。羊水的成分随着胎儿的增长不断变化，胎儿早期和中期时，羊水是清澈透明的，晚期羊水逐渐变成碱性的、白色稍混浊液体，其中含有小片的混悬物质，这是因为胎儿把越来越多的分泌物、排泄物、脱落的上皮、胎脂、毳毛等物质排泄到羊水中所致。但羊水不像我们想象的那样浑浊，因为羊水是动态循环的，不是死水潭。

随着胎儿的增长，羊水不断增多。孕10周仅为30毫升。孕20周便增加到了350毫升，胎儿临近足月时，羊水可达500~1000毫升。羊水多于2000毫升为羊水过多，少于500毫升为羊水过少。通过羊水检查，可进行胎儿性别鉴定；了解胎儿成熟度；判断有无胎儿畸形及遗传性疾病。羊水检查已成为产前诊断的重要手段。

羊水的作用

● 羊水是胎儿的防震装置，一定容量的羊水能为胎儿提供较大的活动空间，使胎儿在子宫内做适度的呼吸和肢体运动，有利于胎儿的发育，缓冲来自于妈妈体内和外界的噪音、震动。

● 羊水保持着胎囊内恒定的温度，使胎儿的代谢活动在正常稳定的环境下进行。

● 羊水可缓冲外界压力和平衡外界压力的作用；减少突如其来的外界力量对胎儿的直接影响；避免子宫壁和胎儿对脐带直接压迫而导致胎儿缺氧。

● 羊水可保持胎儿体液平衡。当胎儿体内水分过多时，胎儿可以排尿方式排入羊水中；当胎儿缺水时，可吞咽羊水加以补偿。

● 羊水使胎儿皮肤保持适宜的湿度。

● 羊水帮助胎儿顺利娩出。临产时子宫收缩，宫内压力增高，羊水可向子宫颈部传导压力，扩张宫颈口，并可保护妈妈，减少因胎体直接压迫引起的子宫、阴道损伤。也可避免子宫收缩时产生的压力直接作用于胎儿。

● 羊水可防止胎盘的早期剥离。羊水对胎盘有挤压的作用，以防止胎盘提早剥离。

● 羊水可保护胎儿免受感染，并顺利通过产道。分娩时，羊水先破膜流出，一是可润滑产道，使胎儿易于通过；二是可清洗产道，减少胎儿被妈妈产道内病原菌感染的可能。

57.胎儿温馨的家园——子宫

妈妈没有怀孕时，子宫像个倒长的鸭梨，长度只有7、8厘米，宫腔内仅仅有个窄小的缝隙，假如往子宫腔内放置物体，只能容纳核桃大小的东西。一旦怀孕，子宫的增长简直令人难以置信。不但可容纳6、7斤，甚至10来斤的胎儿，还同时要容纳胎儿的附属物——胎盘、脐带、羊水、羊膜腔。

随着胎儿不断增长，子宫容积不断扩大，子宫壁不断增厚。子宫比任何一所房子都高级，能随着居住者的需求而变化。胎儿在子宫里受到层层保护，最外层是妈妈的腹壁，还有妈妈大网膜、肠管、腹腔液；外面有结实、富有弹性、能保暖的子宫肌壁；然后是包蜕膜、绒毛膜、羊膜的保护；羊膜囊内还有能防震、防皮肤干裂、能自由畅游的羊水。子宫是胎儿温馨的家园，也是人类的第一住所。

子宫的神奇确实令我们赞叹，当胎儿在子宫中生长发育的时候，子宫颈口如同一道结实的防盗门，紧紧关闭着，可当胎儿要娩出时，这扇紧闭的大门全部打开，让胎儿顺利通过，子宫颈口竟然可以在原来的基础上扩张100倍！

第6节 胎儿性别——
尊重自然的选择

胎儿的性别是在精子和卵子结合的那一瞬间决定的。从外观上能够区分胎儿性别，是在孕12周以后。当然，是通过B超看出来的。判断是否准确，还与B超医生的专业水平和经验有关。法律明文规定，不允许任何人，以任何方法和手段鉴别胎儿性别，除非有医学上的需要，还必须由医学专家提供相应证据，否则，均属于非法行为。

58.胎儿性别是在什么时候决定的

在人类的23对染色体中，有一对非常特别，女性的这一对染色体都是X，男性的这一

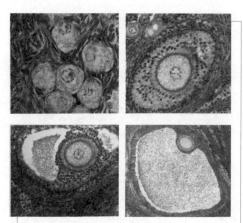

这四张小图片是卵细胞的成长发育过程。示意图引自William J. Larsen 著《人类胚胎学》。

医学上可以自由选择生男生女吗？

1994年，美国科学家发明了高难度的精子分离技术，采用的是一种特殊DNA流式分离术，能将携带X染色体的精子和携带Y染色体的精子分离开来。如果要男胎，就让携带Y染色体的精子和卵子结合；如果要女胎，就让携带X染色体的精子和卵子结合。

利用这一尖端生殖技术，可以用来控制一些与性别有关的遗传病，如血友病A、脆性X综合征、进行性肌营养不良等。摒弃带有致病基因染色体的精子，选择胎儿性别，可避免有先天缺陷病儿的出生。

无论科学多么发达，用来鉴别胎儿性别、能够决定胎儿性别的技术，也不应被广泛使用。尽管运用医学方法进行胎儿性别的选择，避免了与性别有关的遗传性疾病，但医学本身却不能避免这种技术被滥用的可能。

如B超的应用解决了产科中很多医学难题，但却因B超能鉴别胎儿性别，导致引产女婴事件频繁发生，尤其是在经济不发达的偏僻乡村。男胎和女胎比例的自然平衡，是人类发展的需要，人为破坏这一自然的平衡，后果是相当可怕的。

胎儿性别的其他鉴定方法

● 孕中期以后，通过B超可大致分辨出胎儿的性别；

● 抽取羊水，检查胎儿脱落细胞的性染色体；

● 测定羊水中睾丸酮激素的含量。

除非有医学指征，不能以任何医学方法和手段进行胎儿性别的鉴定，计划怀孕的夫妇，也不要道听途说，土法上马，以期达到选择胎儿性别的目的，我们应该遵从大自然的选择。

想按照自己的意愿选择胎儿性别的夫妇不在少数。我在因特网上做健康咨询专家时，曾回复过很多这样的咨询。

有一位女士通过网上咨询发来一封邮件，大体

对染色体却一条是X，另一条是Y，这就是性染色体。

人类使用一种简单的机制决定子代的性别，胎儿的性别由精子的基因来决定。父亲在制造精子时进行减数分裂，XY性染色体被拆分成X染色体和Y染色体，将X或Y染色体随机打包到每一个精子中。带有X染色体的精子与卵子结合，就是女孩；带有Y染色体的精子与卵子结合，就是男孩。

男胎与女胎，哪方比例更高

从理论上来讲，出现男婴和女婴的几率没有什么差异，胎儿的性别应该是男女各半。但实际上，男胎与女胎出生率之比是105：100，男胎的出生率较女胎略高一点。同样，早期流产的胎儿中，男胎与女胎的比例是107：100，还有一些在未发现怀孕时就流掉的胎儿，也被认为男胎占的比例比女胎高。有人类学学者做过调查，发现男婴男童平均夭亡率比女婴和女童稍高，推测这是人类进化过程中残留的痕迹，认为男性比女性更多地面临意外和危险。到青春期男女两性死亡率非常接近，而到老年男性死亡率又大大高于同龄女性。真正的原因并不清楚。

内容是这样的: 我们很想生个男孩, 从书上看到了一些办法, 比如用2%-2.5%的苏打水冲洗阴道, 但却不知如何冲洗, 试着用一次性注射器打进去, 每次我都很紧张, 而且不知道是否正确。请问用苏打水这种方法是否合适, 应当怎样操作?

生男生女的几率对每对夫妇来说都是50%的可能。这种人为干预并没有科学依据。因为生男生女并不仅仅与阴道内pH值有关, 还与其他因素有关。我们应该把生男生女视为大自然的选择, 就把这个权利交给自然母亲吧。如果你是由于医学原因需要生男孩, 可请求遗传医生或产科医生帮助。

一位女士咨询到: 从书上看到, 如果在排卵日同房受孕, 生下男孩的几率就比较高。书上还说排卵时辰也与胎儿性别有关。请问我如何确定我的排卵日是哪一天吗? 我的排卵时辰是在一天的什么时候呢? 同房是在排卵之前还是排卵之后, 才能提高生男孩的几率呢?

排卵日同房是受孕的条件之一, 并非是生男婴的条件, 如果含有Y染色体的精子和卵子结合, 胎儿的性别为男, 如果含有X染色体的精子和卵子结合, 胎儿的性别为女。通过月经周期预测的排卵期会有一定的误差。

男女的自然出生率差不多, 在排卵日受精会增加生男孩的几率, 仅仅是一种猜测而已, 这种猜测没有医学理论依据, 也没有医学统计学依据。至于说排卵的时辰就无从计算了。

59.这些选择性别的方法可靠吗

● 认为爸爸年龄越大, 生男孩的机会越大。

● 认为爸爸与妈妈年龄差异越大, 越容易生男孩, 这里指的是老夫少妻。

● 认为春夏生出的女孩多, 而在秋冬季节男孩的出生率高。

● 认为性交频度高, 生女孩的几率可能会大些。

● 认为在弱碱性的阴道环境中, 带Y染色体的精子活力强, 在弱酸性的阴道环境中, 带X染色体的精子活力强。活力强的精子容易和卵子结合。所以弱酸性阴道环境易怀女孩, 弱碱性阴道环境易生男孩。

● 有人认为, 饮食中以酸性食物为主, 如摄入较多的动物类食品, 会增加阴道酸性, 怀女孩的机会大些。如果摄入较多的蔬菜水果, 以碱性食物为主, 则可使阴道内环境有所改变, 更偏于碱性, 怀男孩的机会大些。

● 有人认为用小苏打水冲洗阴道, 使阴道环境呈弱碱性, 可增加生男孩的机会。

● 有人认为同房时, 当女性性高潮, 或性兴奋度比较高时, 阴道内碱性度也随之增高, 怀男孩的几率增大。

● 有人认为同房时, 如果尽量使男性生殖器接近子宫颈口, 则可避免阴道酸性环境对含有Y

受精卵形成第一周

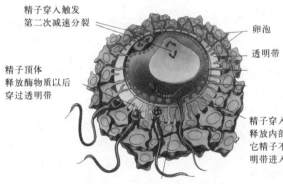

精子穿入触发
第二次减速分裂

卵泡

透明带

精子顶体
释放酶物质以后
穿过透明带

精子穿入促使皮植粒
释放内部物, 使得其
它精子不能再穿过透
明带进入卵泡

引自William J. Larsen著《人类胚胎学》。

染色体精子的影响，可增加生男孩的机会。

没有可靠的方法

实际上，上述的任何方法都是不可靠的。我们还不知道某些"秘方"会不会伤害到他们，所以，采取一些民间"秘方"以达到选择胎儿的性别是不安全的。准备怀孕的夫妇，最好顺其自然，无论是男是女，都是你们可爱的宝宝，要从内心深处接受来到这个世界的生命。全身心地去爱孩子，从准备怀孕的那一刻开始，就应该对未来宝宝充满着爱护和期盼，期盼宝宝健康成长，这是最好的胎教。

60.民间预测胎儿性别方法可靠吗

在古埃及，当妇女怀孕后，就备一袋大麦、一袋小麦，每天都要用孕妇的尿浇两袋麦子。如果小麦先发芽，认为怀的是男胎；如果大麦先发芽，认为怀的就是女胎。据考证，孕妇尿确对麦子发芽有促进作用，但没有证据表明与男胎、女胎有何关系。

通过胎儿心率预测性别。国内外都有这样的说法。认为孕晚期，胎儿心率在124次/分以下者为男胎，在144次/分以上者为女胎。理由是男胎心率慢，胎心跳动低沉有力；女胎心率快，搏动音调高而轻。现代医学不能证实这一说法的正确性。在这里，我要提请孕妇注意，孕中晚期，如果胎心率低于120次/分或大于160次/分，可能预示着胎儿有异常，应及时看医生。这与胎儿性别无关。

以腹部妊娠线色素沉着轻重来判断。如果孕妇腹部妊娠线细、短、色泽淡，女胎的可能性大；如果妊娠线粗、长、色素沉着多，可能是男胎。这也没有科学依据。

还有通过妊娠反应的轻重、胎动的强弱、腹形的差别、乳房大小及乳晕着色深浅等来预测胎儿的性别，但没有一项是得到证实的。我接触孕妇和新生儿十几年，这些形

形色色的"预测术"看得太多，听得太多了。事实证明，没有哪一条是真正管用的"经验之谈"，更谈不上科学依据了。

为什么会有猜对的时候

让我来告诉你，即使有时预测对了，也是自然几率。胎儿性别只有两种情况，不是男就是女。即使没有任何依据的猜测，猜对的几率也是50%。大家一定摸过奖，中奖率50%的话，你得到奖品的次数不会很少的。

不该发生的事件

我接诊过这样一个病例，6个月的女婴，因外阴发育异常就诊。检查：宝宝状况良好，为肥胖儿，不能独坐，生殖器外观为女婴，但大小阴唇过度发育，阴蒂肥大，两腿并拢大阴唇下方状似男婴阴囊，有较多皱褶。据母亲介绍，她在孕2、3个月时服用了能使女婴变为男婴的"换胎药"（男性激素），企图达到生男孩的目的，因为她已经有一个女儿了，希望能生个男儿。

胎儿的性别早在精卵结合的那一瞬间就决定了。男女生殖器起源于不同的始基，于2个月开始分化，到3个月时外生殖器形成。因此，妈妈在孕早期，尤其是孕6-12周时受到外界不良因素影响，生殖器官可能会停止发育或融合不全，形成各种类型的畸形。性激素类药物对生殖器的发育影响最大。

第7节 双胎和多胎妊娠
——有违人类繁衍方式吗

61.非自然因素导致的多胎妊娠

典型病例

有一位女士，是公安干警，她第一次怀孕，没有使用过任何药物，在第一次初检时，被确定是三胎妊娠。她的身高只有158厘米，她的丈夫和父母既高兴，又担心。直到孕32周，一切都还顺利，没有发现

并发症，3个胎儿发育良好，只是孕妇的肚子太大了，活动受到限制。到第33周，孕妇出现了阴道少量出血，但没有腹痛。出血持续了2天没有消失，孕妇到了医院，一位医学院毕业一年的产科医生为孕妇做了检查，没有发现异常，让孕妇回家休息。4天后，孕妇阴道出血增多，并出现阵发性腹痛，急诊住院，孕妇已经动产，宫口开到7-8厘米，保胎已经不可能，于住院后6小时经阴道顺娩出两男一女，长子体重2000克，次子体重2400克，女婴体重2300克。3个早产儿体重都在2000克以上，但均未到达2500克，都是低体重儿。3个早产儿都进入新生儿重症监护室，女婴和长子先后夭折于呼吸窘迫综合征，次子存活下来，现在已快3岁了，早已看不出早产儿的踪迹，是个壮实的"小伙子"。目前宝宝智力和体格发育正常。这3个宝宝出生后的抢救费高达几万元。孕妇和家人都空欢喜了一场，为夭折的两个孩子，全家人伤心了很长一段时间，直到现在，提起失去的那两个孩子，妈妈常常眼含热泪。

我收到过不少类似的咨询，问有什么办法可以使自己怀上双胞胎？其实，她们不知道，双胎妊娠被列为高危妊娠，如果是多胎妊娠危险性更大。当然大多数双胎都能顺利出生，三胎以上妊娠都健康存活下来的也很多，但毕竟冒很大的危险，孕妇妊娠并发症发生率高于单胎妊娠，早产、低体重、宫内发育迟滞的发生率和围产儿死亡率均高于单胎妊娠，还要冒联体婴的危险。所以，一定不要人为地促使自己怀双胞胎或多胞胎，这对你

子宫卵巢剖面图

子宫底　输卵管
子宫腔
子宫肌壁
子宫颈管
子宫颈
阴道
卵巢
子宫圆韧带
子宫口

小小的子宫腔，能够随着胎宝宝的生长不断扩大，并且可容纳胎宝宝长所需的附属物。示意图引自William J. Larsen著《人类胚胎学》。

自己和胎儿都不安全。单胎是最安全的。

在多胎妊娠中，最常见的是双胎妊娠，三胎妊娠比较少见，四胎以上妊娠是比较罕见的。

西林1985年根据大量资料统计得出多胎发生定律（西林定律），即多胎妊娠发生率的传统近似值为：双胎1：80；三胎1：6400；四胎1：512000。就是说：在该时期中，每80次分娩中有1次双胎；每6400次分娩中有一次三胎；每512000次分娩中有一次四胎。

在不同地区，不同种族中，多胎妊娠的发生率也不同，黑种人中双胎妊娠比例最高，黄种人比较少，白种人居中。我国双胎的发生率为1：68。实际上，双胎妊娠的发生率远比双胎分娩的发生率高。因为一些双胎在妊娠早期就流产了。

近年由于促性腺激素或绒毛膜促性腺激素的应用，多胎妊娠发生率大大提高了。非自然因素导致多胎妊娠比自然发生的多胎妊娠有更大的危险性。因为药物诱导排卵，因每个人对药物反应不同，可能会引起"超多胎"妊娠，超多胎妊娠不但胎儿存活的几率很小，还会增加孕妇并发症的发生率。

另外，用于治疗不孕症时采取的"诱发超排卵"一次可以有多个成熟的卵子释放并被采集。但也会有一定风险，卵巢可能会因受到过度刺激，造成黄体功能不足、分泌期子宫内膜发育延迟，导致孕卵着床失败。

62.多胎的危险性

● 流产：双胎流产发生率比单胎大两三倍。
● 早产：胎儿数目越多早产机会越大，生长迟缓的程度越大。
● 羊水过多：双胎妊娠发生羊水过多者占5%-10%，比单胎高10倍。
● 妊娠高血压综合征（妊高征）：双胎妊娠孕妇发生妊高征的比例要比单胎的孕妇高得多，是单胎妊娠的3倍，且发生时间早、程度重，严重

基础体温测定

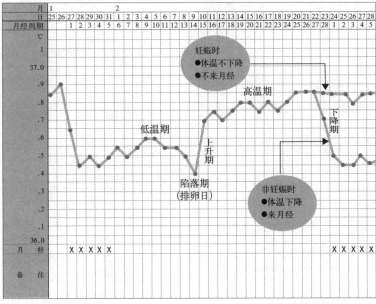

引自若麻绩佳树、横井茂夫著《妊娠出产育儿》。

危害母胎健康。

● 前置胎盘：双胎合并前置胎盘的约占1.5%。

● 产程延长：双胎妊娠容易发生宫缩乏力而导致产程延长。

● 胎位异常：分娩过程中，当第一个胎儿分娩后，第二个胎儿可能会转成横位。

● 产后出血：双胎子宫过度扩张，导致产后子宫收缩乏力，引起产后出血。

双胞胎的注意事项

● 加强营养，应增加蛋白质的摄入，若出现水肿要适当限盐；妊高征的发生率高于单胎妊娠，应及早发现。

● 双胎妊娠贫血的发生率约40%，应常规补充铁剂和叶酸；双胞胎需要母体供给更多的营养和氧气，有呼吸不畅时要注意局部环境，可向医生咨询是否需要定期吸氧。

● 双胎妊娠流产和早产的发生率高于单胎妊娠，不要过于劳累，妊娠中期以后应避免房事。提前4周做好分娩前的准备工作。如果时常感到疲劳或有肚子发紧、腹痛等不适症状时，要及时看医生并在家里休息。

● 如果是双胞胎妊娠，建议到产科高危门诊做产前检查。

第8节 早孕征兆

63.敏感，尿频，外阴不适

敏感的孕妇

孕1月的妈妈大多没有什么感觉，从外观上看不出什么变化，但有些准妈妈可能会出现某些征兆与不适。

怀孕可能会使你变得对什么都敏感起来，总是闻到特殊的味道。而且对味道也有新的喜好了。

曾有个孕妇自怀孕后开始喜欢闻汽油的味道，尤其是汽车尾气的味道，竟追着汽车闻。这可不能跟着感觉走，尾气对胎儿有极大的伤害。

尿频和排尿不尽感

类似轻微尿路感染的症状：有些尿频，有尿排不尽的感觉。平时不怎么爱小便的女士，上趟街都可能会找几次卫生间，这可能是怀孕了。但尿频并不是怀孕的固有症状，轻微的泌尿系感染或尿道口发炎也会表现出尿频。

外阴不适

胚胎往子宫内膜植入，准备为自己筑巢时，你的小腹可能会有些不适或疼痛，阴道分泌物看起来好像有淡淡的血丝——植入流血。当然，植入流血发生率是很低的。

皮肤和乳房变化

卸完妆或洗完脸，镜子里的你看起来有些脸色苍白，眼睑有些水肿，有了明显的眼袋。

你可能会感觉乳房胀痛，这是乳房在向你发出的讯号，乳房要为哺乳宝宝作准备了。但和月经来潮前差不多，有时不能分辨出来是要来月经，还是怀孕的早期。如果你感觉乳罩有些发紧，就该换一个宽松的了；如果你还在穿紧身内衣，也该换成柔软宽松的内衣。

情绪的变化

你的情绪可能很不稳定，刚才还兴高采烈，一会儿却垂头丧气起来；刚刚还心花怒放，现在却愁容满面；一分钟前还欢声笑语，现在却沉默寡言了。你周围的人会感觉你的

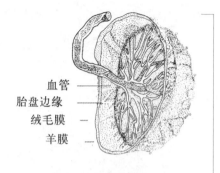

血管
胎盘边缘
绒毛膜
羊膜

胎盘示意图

这是非常逼真的胎盘，有脐带连接的一面是胎儿面，光滑；没有脐带的一面是子宫面，粗糙，如同一丛树眼，深埋在子宫内膜中，吸取妈妈体内的养分，供给快速生长的胎儿。

引自高英茂主编《组织学与胚胎学》

情绪变化很大，尤其是面对你的丈夫，你的情绪波动更大。自己意识不到，但你确实变得爱急躁，有些不耐烦，看周围的人不顺眼。情绪不稳定，有时感到心情郁闷。

64.早孕很像是初期的感冒

或感到周身发热，有些倦怠乏力；或感到周身发冷，有些多睡，清晨起来有些睡不醒的感觉。很像是感冒初期的症状，即使没

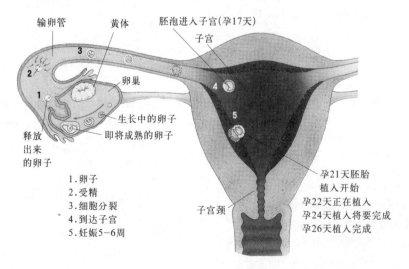

输卵管　黄体　胚泡进入子宫(孕17天)
子宫
卵巢
生长中的卵子
即将成熟的卵子
释放出来的卵子
1.卵子
2.受精
3.细胞分裂
4.到达子宫
5.妊娠5~6周
子宫颈
孕21天胚胎植入开始
孕22天正在植入
孕24天植入将要完成
孕26天植入完成

引自Elizabeth Fenwick著《新一代妈妈宝宝护理大全》。

有计划怀孕，已婚女性也要时刻想到可能会怀孕，不要动辄就吃药。

错把受孕当感冒

表妹到医院看我，我看到她很倦怠的样子，问她为什么。她告诉我，已经感冒有10多天了。吃了很多药，效果也不好，真是烦透了。那时，她刚刚结婚半年多。作为医生，我很容易判断她的症状不是感冒，哪有这么长时间的感冒？直觉告诉我，她很像早孕的状态。我问："你是不是怀孕了？"她惊异地反问："不会吧？""你月经怎么样？""我平时月经就不太准。有时按日子，有时错后，很少提前。""做个尿妊娠试验吧。"结果是阳性，确实是怀孕了。这下可急坏了表妹和妹夫。因为，他们没有想到会是怀孕，这10几天不但吃了很多药，还打了庆大霉素针。有一些药品说明书上还写着孕妇慎用或忌用。在以后的日子里，夫妇俩始终徘徊在是"要"还是"流"的痛苦选择中，直到已经超过做人工流产的时间，还是忧心忡忡，既怕孩子不好，又舍不得打掉。我给表妹很多劝说和医学解释，让她消除顾虑，高高兴兴度过孕期。总算有惊无险，孩子顺利出生，没有什么异常。只是幼时常常患感冒肺炎。现在已经是个结实的小男孩了。性格上有些多愁善感，这不像他父母，或许是妈妈那时的忧愁给了孩子。曾有心理学家认为，胎儿可以复制出母亲的心理状态，出生后在性格情绪上会还原妈妈的性格和情绪。

我的建议

当你出现这些症状时，还不知道自己是否已经怀孕了，可能会看病吃药，还可能会接受X线透视。这都是对胎儿有害的。一定不要这样做。无论你是否计划怀孕，婚后你都有怀孕的可能，有时避孕措施也不是百分之百地可靠。

在临床工作和孕期健康咨询中，有很多让孕妇着急、后悔的事，在前一章中，我曾就这个问题用了比较大的篇幅来专门和准妈妈们谈，希望准妈妈不要在得到怀孕的喜讯后，就陷入痛苦之中。有的时候，即使医生做了大量的解释工作，告诉孕妇"她的过错"对胎儿不会构成不良影响，但孕妇仍然不能释然，心中总是有些不放心。如果医生不能给予肯定的

答复，或需要自己拿主意，孕妇就更难了。下面这些有代表性的咨询从不同侧面反映了孕妇在得到怀孕消息后的种种问题，尽管问题不大，但也或多或少地给孕妇带来一些心理上的压力。可供有类似问题的孕妇参考。

65.早孕问题实例解答

肚脐牵扯感？

我在10天前的易孕期有过性生活，最近几天已经有所反应，表现在肚脐附近有牵扯感、不适。不知是否属于怀孕反应？

早孕反应出现和持续的时间因人而异。有的孕妇出现很早，有的人出现比较晚，有的孕妇在整个孕期都没有任何妊娠反应，极少数孕妇直到分娩还有不同程度的妊娠反应。大多数孕妇于妊娠5～6周出现妊娠反应，于妊娠12周以后消失或减轻。妊娠反应最常见的表现为倦怠、恶心、晨起干呕、烧心、尿频。有个别孕妇妊娠反应类似感冒的症状，这一点应引起注意。准备怀孕的女性不要轻易服用药物，当出现不适时，要想到是否怀孕了。但怀孕不会使肚脐附近有牵拉感、不适，可能是你的心理作用。

一根神经从小腹直达阴道抽着疼？

我上次月经是在1月28日。前几天小腹有点痛，好像是从小腹里有一根神经直达阴道抽着疼，又很像来月经时的痛。可总觉得小腹有点大，是怀孕反应吗？我们很担心。因为我们现在还不想要孩子，希望能知道都有什么症状是代表怀孕。

正常早期怀孕不会出现腹痛症状，也不会使小腹变大。但如果有宫外孕的话，会有腹痛。如何知道自己是否怀孕？可从以下几方面考虑：

● 停经史：没有采取有效的避孕措施，停经1周以上，怀孕可能性较大。

● 早孕反应如头晕、疲劳、嗜睡、食欲不振、恶心、偏食等。晨起后或餐桌上可发生干呕。

● 小便频繁。

● 乳房发胀，乳头乳晕着色加深。

●确诊要靠尿HCG或B超检查。

早孕试纸何时使用？

我7月19日来月经，7月25日月经结束。之后均未采取避孕措施。8月19日月经未来。今天（20日）用晨尿做早早孕测试，显示未怀孕（我可能太心急了）。请问早孕试纸应该何时使用结果才可靠？

早早孕试纸能够较早地反应是否怀孕。一般于停经37天左右可出现阳性结果。但是，也存在着很大的个体差异，有的可早至停经30天左右，有的也可迟至停经后50天左右。你停经31天，阴性结果不能肯定没有怀孕，如果一直不来月经，可于停经40天再测一次。如果月经正常来潮，就没有必要测了。

最快在同房后几天可以确知是否怀孕？

目前最早的尿HCG试验早早孕试纸，在停经30多天可出现阳性。也有少数出现假阳性或假阴性结果，阴道B超比腹部B超能够更早期发现孕囊。

会怀孕吗？

在应该来月经的当天发生无防护性行为，一星期左右未来月经，请问是不是有可能受孕？

排卵日是在月经来潮前14天左右。所以，从理论上讲，你不会怀孕的。但如果你的排卵日向后推迟了，推迟到你认为要来月经的那天排卵的话，你就有可能怀孕。但是，你在同房后一周却来月经了，就没有怀孕的可能了。

紧急避孕药对胎儿的影响？

我爱人今年23岁，由于避孕失败服用紧急避孕药物（毓婷），但为时已晚。请问这样是否会对胎儿造成影响？由于以前曾经有过一次药物流产，听说再次流产会对以后怀孕不利。

避孕药是孕妇禁忌用药，大多数属D类药，还有一部分属X类药（见第十六章《用药》），对胎儿有不良影响。因此，服用避孕药物时怀孕应该考虑做人工流产。但你服的是紧急避孕药毓婷，对胎儿不会造成不良影响，如果你们希望留下宝宝就要放下包袱，不要想太多不如人意的事情，以良好的心情孕育宝宝，相信宝宝会健康成长的。多次进

行人工流产，可增加继发不孕的发生。因流产而引起继发不孕的主要原因是盆腔感染、输卵管炎症。

避孕药对胎儿的安全性

我在今年6月3日曾服用了一粒避孕药，是一月一粒的（以前一直没有服用过），可不巧得很，6月25日验出怀孕了。我怕对婴儿有影响，于7月6日去医院做了人流手术（是吸宫）。手术后身体恢复很好，没有出血，但服用过阿莫灵和盐酸克林霉素进行消炎。由于身体无异样，所以我和先生于7月27日恢复了性生活，谁知这两天月经一直不来，我用早早孕试纸验了一下，发现我又怀孕了。我和先生是刚刚结婚的，大家身体都很好，所以我很想留下这个小孩，不知可不可以？外用皮炎平对胎儿有没有影响？

口服避孕药属X类药，即对动物和人类均有明显的致畸作用，这类药在妊娠期禁忌使用。为避免对胎儿产生潜在危险，专家们建议在停药3～6个月后怀孕为宜。你不是按月服用避孕药，是临时服用了一次。距怀孕近2个月的时间，可能不会有大的影响。但是，你是在人流后当月怀孕的，子宫内膜可能尚未完全修复，容易流产，两种因素，似乎都不支持你继续妊娠。可是，从另一方面考虑，短期内再次做人流术，对身体也是有伤害的，且可成为习惯性流产的原因。权衡利弊，我的建议是，如果你夫妇的年龄都不大，身体状况好，就暂时忍痛割爱，术后严格按要求休息，做好避孕。半年后再要孩子，至少要等到3个月以后。

人流术会对以后生育有影响吗？

因为我曾吃过避孕药，所以不想要这个孩子，下周去做人流来得及吗？我今年26岁，这个手术会不会影响今后的生育，应该注意什么呢？

必须做B超检查以确定是否为宫内孕。人工流产后如合并盆腔感染，尤其是输卵管炎，可引起输卵管堵塞导致继发不孕。做人流后要注意休息，严格按照医嘱去做，可避免人流引起的副作用。

避孕药及烟酒是否会导致胎儿畸形？

我妻子本月怀孕了，但怀孕前1个月曾使用过紧急避孕药物（毓婷）避孕，我以前有吸烟的习惯，后来很少吸烟，但在8月份吸过烟喝过啤酒。9月同房，10月份证实怀孕。请问这些事情是否会致胎儿畸形，对胎儿将来的智力有无影响？

毓婷属D类药，对生殖细胞和胎儿有致畸作用，因此，服用避孕药物时，应在停药后6个月再怀孕，你妻子是在孕前1个月服用的避孕药，有一定的风险。计划怀孕前3个月，夫妇双方应该戒烟戒酒，孕妇在整个孕期都应该戒烟戒酒，即使被动吸烟也要避免。鉴于以上原因，建议你夫妇到大医院，请示有关专家，听一听他们的意见。

第9节 快乐的孕生活，一点点的不如意

66.准爸爸也会有"妊娠反应"？

爸爸提供了胎儿的一半——精子，就完成了历史使命，接下来就是妈妈的事情了，因为胎儿生长在妈妈的体内。真的是这样吗？

让人不可思议，胎儿在妈妈体内生长，爸爸也会有"妊娠反应"。这并不奇怪，现代的爸爸，已经不是不问内政了，准妈妈的生理和心理变化同时影响着准爸爸。胎教的兴起，爸爸早在孩子胎儿期就与宝宝建立起深

胎盘的纵型切面图
引自高英茂主编《组织学与胚胎学》。

厚的父子之情，爸爸像妈妈一样关心着胎儿的生长发育。在孕育胎儿的过程中，爸爸扮演着重要角色。所以，如果爸爸出现"恶心"，腰围增加，或情绪有些波动，显得有些脆弱时，不要过于担心，这是正常的反应。

实例：我朋友的丈夫齐先生陪伴妻子到医院做孕期检查时，向我述说："她怀孕反应比较重，把我折腾得要命。现在她好了，我却开始反应了。""他说的没错，我怀孕，他腰粗了，还时不时恶心。"妻子在一旁如是说。

67.不要做粗心的妈妈

有些孕妇，在怀孕的早期，常常出现类似疾病的症状，而实际上是怀孕后带给母体的不适反应。怀孕后，尤其在早期，免疫力会有所下降，使得孕妇容易被病毒、细菌等致病菌感染。感冒是最常发生的，无论是假感冒，还是真感冒，不知道自己怀孕的女性很可能会吃些治疗感冒、缓解周身酸痛或头痛的药物。这样一来，不但对刚刚在母体子宫内站住脚的胎儿危害甚大，也会给孕妇带来烦恼。因为，孕妇很快会得知自己怀孕的消息，当得知吃药或得病的时候已经怀孕，哪个妈妈不为宝宝的健康担忧呢？

能不能不留下很多的遗憾？能不能不让自己吃后悔药？能不能不在得知怀孕喜讯的时候同时被担忧所笼罩？

我的建议：

● 婚前健康检查是必要的，孕前健康检查更是必须的，当你计划怀孕时，不要忘记去做相应的检查。（详见第一章《孕前准备》）

● 当你们夫妇有了要孩子的计划时，要想到小宝宝随时都有诞生的可能。所以，当你感觉不舒服的时候，不要随便用药，需要用药时，一定要向医生咨询并告诉医生你正在计划受孕，医生会选择对胎儿没有危害的药物，如果不需要用药，医生会告诉你的。即使是非处方药，也不能自行决定，因为，早期胚胎对大多数药物都很敏感。

● 当单位通知你需要去医院体检时，你可要

想到自己有怀孕的可能，尽管月经刚刚结束，也不要去接受对胎儿有害的检查，尤其是X射线。

● 当你准备进行家庭装修时，要想到有一些装修材料对人体是有害的，胎儿对环境中的有害物质是非常敏感的。

● 当你参加朋友的生日晚会，业务应酬，重大庆典，节假日宴会举杯畅饮时，尽量要不含酒精、咖啡因的饮料，最好不要喝白酒。果汁、植物蛋白饮品、乳酸菌饮品是很好的选择。你自己不能吸烟，丈夫最好戒烟。你周围的朋友可能会吸烟，被动吸烟，对你同样有害，如果此时你腹中已经有了小宝宝，事后你就要吃后悔药了。你情绪上的波动对胎儿同样有伤害。

● 当你必须长期接受某些环境辐射时，你要了解一下，这些辐射是否对胎儿有伤害。对那些没有结论的辐射，还是尽量回避为好。

● 当你正在吃减肥药或减肥食品时，请马上停掉，因为它们会伤害你的小宝宝。

● 当你刚刚停止吃避孕药时，应该继续使用非药物避孕，3个月后再怀孕是比较安全的。

● 当你要去美发店烫发或染发时，你可不要以为现在还没有怀孕，小宝宝在你的身体生活半个多月后，你才会得到怀孕的消息。

● 你可能是个体育爱好者，常常去俱乐部或体形训练室健身。如果你正在准备怀孕，要向你的教练询问一下，哪些锻炼项目，怎样的锻炼强度不至于在你还没有得到怀孕消息时，导致早期流产。

● 如果你的脾气不好，常常发怒，最好找一种方法能使自己的内心变得平和起来。如果你常常感到压抑，总是闷闷不乐，最好找你信赖的朋友倾诉，或找你信任的医生谈一谈。

● 如果你的丈夫和家人希望未来的宝宝是男孩，给你的内心很大压力，或者已经听取周围人的指点，在做种种努力。你可要和你的丈夫及家人认真地讨论一下，生男生女应该遵循自然规律，孕育新生命是一件自然快乐的事，你不能承担也不应该承担过分的要求。

68.早孕期生活中的小麻烦 实例解答

下面是准妈妈们遇到的一些生活中的问题咨询实例，你或许也遇到了类似的问题，

下面的回复会对你有些帮助。

喝酒与发热

受孕当天丈夫喝了2两酒，孕20天后我因低热服用了5片阿司匹林，到外地旅游了10天，很劳累，新婚初期不知怀孕，夫妻生活频繁，对胎儿有影响吗？

阿司匹林容易通过胎盘，孕早期服用对胎儿是否致畸存在争论，好在你是短期小剂量使用；丈夫不是长期或大量喝酒，没有酩酊大醉；劳累和性生活频繁都是造成流产的原因，你没有出现流产征兆，说明没有什么影响。但是不管怎么说，你是在没有准备的情况下怀孕的，从现在开始一定不要再做影响胎儿的事情啦。十月怀胎，你还有漫长的路，一定要注意。

吸入煤气

有一次因为煤气未关好，吸入了一些煤气，但人没有什么不适，请问这些会不会对胎儿有影响？

虽然吸入一些煤气，但你自身并没有不适感觉，说明你没有煤气中毒，所以对胎儿没有什么影响。不必担心。

大量饮酒当天受孕

我丈夫平时很少饮酒，可是因工作需要，他于5、

胎盘、羊水、脐带和胎儿

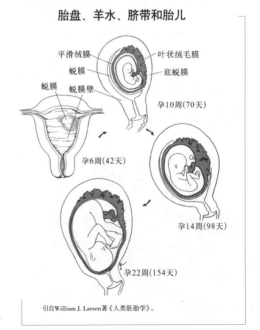

平滑绒膜
蜕膜
叶状绒毛膜
底蜕膜
蜕膜
蜕膜壁
孕10周(70天)
孕6周(42天)
孕14周(98天)
孕22周(154天)

引自William J. Larsen著《人类胚胎学》。

6、7日连续3天大量饮酒，我可能于7日晚受孕。不知这样是否会造成胎儿畸形，而且，在此之前，我已经药流过两次，一次自然流产。

从优生角度考虑，医学专家普遍认为，怀孕前3个月内应该禁烟禁酒，大量饮酒会影响精子质量。一般来说长期大量饮酒，甚至酗酒的男性，胎儿发生异常的几率很高。你丈夫偶尔饮酒，并未醉酒，不会造成胎儿畸形。

啤酒，腹泻，黄连素，人流一个都不少

我突然发现自己怀孕了，大概有1个多月，但是在上个星期我不自知的情况下，曾经因为应酬，喝过2次酒，每次都是啤酒，大概1瓶左右。前一阵子我一直在拉肚子，每天服用黄连素，持续1周时间。我以前因为

年龄不够没有指标，曾经做过3次人流，我害怕这次再做掉会留下什么后遗症。况且我现在年龄已够，而且工作稳定，也想要这个孩子，但是又担心孩子痴呆或者畸形。

痴呆和畸形儿的发生率是很低的，其发生原因是多方面的，有遗传、疾病、环境、精神、基因突变等因素。整个孕期要经历280天左右。有各种各样的危险因素包围着，但孕育生命就是这样的神奇，能战胜各种各样的来自外界的干扰，最终有几乎99%以上的健康儿出生。愉快的心情对孕育健康的胎儿是至关重要的。两瓶啤酒不会引起胎儿酒精中毒。黄

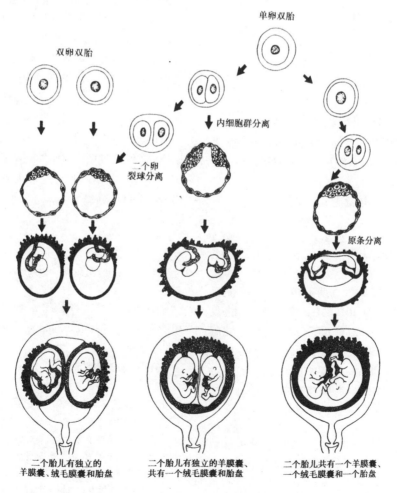

单卵双胎

双卵双胎

内细胞群分离

二个卵裂球分离

原条分离

二个胎儿有独立的
羊膜囊、绒毛膜囊和胎盘

二个胎儿有独立的羊膜囊、
共有一个绒毛膜囊和胎盘

二个胎儿共有一个羊膜囊、
一个绒毛膜囊和一个胎盘

引自高英茂主编《组织学与胚胎学》。

连素对胎儿无致畸和致痴作用的报道。

脚扭伤与正红花油

我太太上次月经来时是3月28日，现确诊已怀孕。但在5月3日不小心扭伤了脚，涂了7-8次红花油，因不知道已怀孕，现看到说明书上注明孕妇忌用。是否一定要去做流产？

正红花油是活血化淤的中药，孕妇过量使用可造成流产，没有致胎儿畸形的报道，你太太没有因为使用红花油而发生流产，就说明胎儿未受到不良影响。当然不应该去做流产了。但建议产前检查密切监视胎儿发育情况。产前初检最迟不要超过孕3个半月。

吃了一堆药

10月10日检查出怀孕，10月1日用二花、甘草泡过茶喝，并一次喝了2支双黄连。10月10日当天，因为牙齿发炎，吃了3片阿莫西林，并喝了大量水。听说怀孕早期不能吃药，我和丈夫非常担心，这些药有什么影响？这个孩子我们要还是不要？

你们夫妇有些过虑了，你只不过是服用了2支双黄连，3片阿莫西林，量是非常小的，几乎可以忽略不计，这些药物没有导致胎儿畸形的作用。以后服用任何药物都要在医生指导下。

要孩子，还减肥

我末次月经是9月24日，现已怀孕37天，在9月24日至10月5日曾服用过"生命减肥胶囊"，其主成分是褐藻酸钠、茎叶皂甙、虎杖等中药，这几种药物对胎儿是否有副作用？是否需要流产？

如果你的月经周期是30天，你受孕的日期大约是在10月10日左右，因此，你服用药物时尚没有受孕，对胎儿不会造成影响。减肥药是孕期禁忌药。现在你知道怀孕了，服用任何药物都要在医生指导下。

又是减肥惹祸，人流还不到3个月

我是2月14日末次月经，最近我有明显的呕吐，我担心是怀孕了。从2月19日至3月12日，我一直在吃减肥药，含有番泻叶等成分，如果真是怀孕，对孩子有害吗？我去年12月中旬做过一次人流，这个孩子能保下来吗？

首先确定你是否怀孕了，可做尿HCG检查，若确是怀孕，再询问你所服用的减肥药的具体成分。一般情况，减肥药都含有孕妇禁忌成分。

如果你所服用的药物没有孕妇禁忌的成分，应继续妊娠，以免短时间内两次行人工流产对你的身体造成伤害。如果你所服用的减肥药有孕期禁忌的成分，就果断终止妊娠，因为人工流产后3月内怀孕也影响妊娠结局，建议人流后半年再孕。

没有提前补叶酸

由于事先不知道要提前3个月补充叶酸，只是从2天前才开始服用善存片。不知道这样会不会对胎儿健康有不良影响？从现在开始又应该如何弥补？

孕前3个月开始补充叶酸，直至孕后3个月，其目的是为了预防胎儿神经管畸形。尤其是有发生神经管畸形高发危险的孕妇，及时补充适量的叶酸是非常重要的。如曾经有过不明原因的自然流产史，曾经流产、早产、死产、分娩过神经管畸形儿，家族中有神经管畸形儿出生史等，均建议在孕前3个月开始服用，直到孕期3个月。如果没有可疑病史，孕后再服用是完全可以的。你从现在开始服用，服用到妊娠后3个月。

绿茶

我从半年前喜欢上喝绿茶，而且一直到怀孕前都在喝。但听说绿茶中农药含量很高，虽然我习惯第一遍倒掉不喝，而且个人没有不良征兆，但对孩子会不会有不良影响？

孕期不宜大量喝浓茶，因茶中含有茶碱和咖啡因。但喝些很淡的绿茶对胎儿不会有不良影响的。

不知有孕就喝酒

我太太已怀孕2个月，11月28最后一次月经开始，12月9日体温显示为排卵日，开始并不知道有孕，至1月1日还未有月经，但在这之前我太太有两次喝酒，并吃了不少辛辣食物，请问会对小孩有影响吗？另外，我太太每日早餐喝牛奶，晚上喝豆浆，请问这两种哪个可与鸡蛋配餐？

孕妇不宜饮酒，对胎儿有不良影响，但

对胎儿的影响与饮酒量、对酒精的耐受性、饮酒时妊娠周数等有关。你妻子有过两次饮酒，不是长期大量饮酒，也未醉酒，不一定会有影响，以后注意就是了。牛奶与鸡蛋搭配更合适些。

小腿抽筋

我目前怀孕1个月，经常发生小腿肚抽筋现象，是不是缺钙的表现，如想补钙能否吃金乳钙？有无专门针对孕妇的钙片？我本来胃就不好，胀气，吃一点就饱。食欲也不太好。现在怀孕初期加上反应更加难过，听说吃生的白萝卜可以通气，我可以吃吗？如何解决胀气问题？另外我以前一直患有慢性咽炎，最近天气不好，咽喉总是不太舒服，加上上呼吸道也不太舒服，我一直没有吃药。请问这些小毛病会不会影响小孩的神经系统和视力发育？

缺钙可造成小腿腓肠肌抽搐，但并不是所有的抽筋都是由于缺钙引起的。过度劳累，乳酸产生过多也会引起抽筋，受凉时也会出现，尤其是怀孕的妇女更容易出现小腿抽筋现象。建议你化验血钙，如果血钙低，需要静脉补钙，口服补钙不能快速缓解症状，利用度也不高。目前没有专门针对孕妇的钙剂。可以吃金乳钙。萝卜确实有顺气功效，当然可以吃白萝卜了。还要注意不要受凉，少食

脐带的电镜显微图片。脐带是由三根血管组成，两根脐静脉是胎儿用来获取妈妈血液和养分的，一根脐动脉是用来清除胎儿体内废弃物的。从胎儿开始妈妈就是奉献，宝宝就是索取。引自William J. Larsen著《人类胚胎学》。

易使肠胀气的食物，如红薯、煮花生和煮玉米等。咽炎不会影响小儿神经系统和视力发育。药物对慢性咽炎治疗效果不是很好，频繁饮水会使咽炎症状减轻。

减肥的安必信给不知"情"的准妈妈带来了懊恼

我现在怀孕6个多月了，可有件事一直困扰着我。在怀孕1个多月时，我在不知道的情况下使用了"安必信"脂肪运动机按压过腹部，对胎儿是否有影响？

孕早期对腹部进行机械按压，主要是容易引起流产，你已经妊娠6个多月了，说明1个月时的机械刺激没有对你的胎儿造成危害。脂肪运动机本身是否对胎儿有影响，目前没有可靠的资料。医生不主张在怀孕期以药物或器械减肥。

腰椎突出症不能要孩子了吗？

我刚刚测出怀孕1个月（上个月月经为4月16-22日），3月份我的椎间盘突出（复发，前2年得的），断断续续治疗到现在，还是有腰酸腰痛的毛病。我先生前几天购买了"天鸟"超低波理疗仪。我每天均使用3次，每次15分钟，放在后腰尾椎骨附近。医生曾告诉我最好在治疗好以后半年再怀孕，但我们不小心又怀上了。是否可以继续怀孕？因去年10月份我曾经一次先兆流产（2个半月），我们都想要一个孩子。椎间盘突出可以怀孕吗？怀孕时可以使用理疗仪继续治疗吗？

妊娠中晚期，增大的子宫可压迫坐骨神经，也可使腰背肌、耻骨、腿部、腰骶部、腰肌等疼痛。若已经患有腰椎间盘突出症则可加重腰腿痛等症状，给顺利分娩带来一定的障碍。所以，建议治疗好腰椎间盘突出症后受孕当然是最好的。但依你所述，你很想要这个孩子，况且你曾于半年前自然流产一次，因此，你应在产科医生和骨科医生的帮助下，争取顺利产下这个孩子，不能顺娩，还可以剖腹产。孕期注意休息，主要是增加卧床时间，不要持重物。定期接受产科和骨科医生的检查。听取他们的建议和治疗意见，做好

孕期保健。孕期不宜使用超低波理疗仪。

"不知情"成了准妈妈治疗后悔的"药物"

我是春节前怀孕的。由于不知情，春节期间喝了不少酒，还有一次差不多醉了；还吃过一次牛黄解毒片（3片）。不知对胎儿影响大不大？由于我的年龄已近30，所以决定要这个小孩。如果影响较大的话，我会再作考虑的。

酒精对胎儿是有一定的影响，但与烟相比要小得多，长期或大量饮酒对胎儿的损害较大，临时喝几次，对胎儿不会有多大影响的，人对酒精的耐受性有很大差别，有的人喝很多也不醉，有的人喝一点就醉了，尤其是不长期饮酒的人更是如此。像你这样的情况并不少见，也未曾发生过令人不快的事。从现在起，注意孕期保健，不要为此忧虑了，愉快的心情对胎儿的发育是很重要的。3片牛黄解毒片对胎儿没有什么影响。

人工受孕

我3月5日做了人工受孕，当天夜里发热，我大量饮水，早上就退热了；我3月10日下午又发热，嗓子痛，有一点咳嗽，到晚上8点钟测体温39℃，服退热药以后退热。我平时即使感冒也不发热，这1周内两次发热是人工受孕引起的吗？我最担心的是，如果我怀孕，胎儿会被烧坏吗？

应该马上到给你行人工受孕的医院去看病，首先应该排除人工受孕引发的可能性。即使是感冒，如果出现高热也应该看医生，

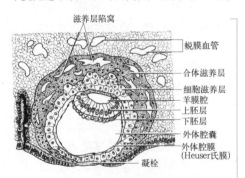

孕21-23天人胚泡植入完成

21-23天人胚泡植入完成。引自高英茂主编《组织学与胚胎学》。

而不要再自行服药，以免耽误病情。做人工受孕是比较大的工程，花费也比较大，要重视这次结果。如果真的怀孕，高热对胎儿是不好的。

第10节 药物带给孕1月准父母的困惑

孕1月是胚胎各器官分化生长阶段，易受各种外界因素影响，服用药物时更应格外注意，使用药物前，一定要在医生指导下使用。一般是在不知道怀孕的情况下用药，在孕2月得知怀孕的情况下回忆出来的回顾性用药史。用药的情况、类型和孕前用药类似，但不同之处是已经确诊怀孕，危险性更大。

关于用药问题，不同的药物有不同的影响，所以，通过咨询实例让准妈妈了解一些药物对胎儿的影响，要比单纯的讲解更有实际意义。

克霉唑，百多邦，无环鸟苷

因不知情，在孕两周时用了克霉唑栓7枚和外用克霉软膏、百多邦和外洗液，又因此时嘴角生出单纯性疱疹，外用了抗病毒的无环鸟苷眼药水，克霉唑栓说明书上写着孕期3个月禁用，我该如何办？

分析你的情况，我认为如果你年龄不大，也没有怀孕方面的问题，就是说很容易怀孕，建议终止这次妊娠。妊娠早期患口唇单纯疱疹，疱疹病毒感染可能会发生胎儿宫内感染，如果发生胎儿宫内感染，可能会影响胎儿发育。

准爸爸患带状疱疹

我刚刚被确诊怀孕，最后一次月经是8月16日。我老公9月初患了带状疱疹，这个孩子会健康吗？

带状疱疹是由水痘-带状疱疹病毒引起，该病毒是否对男性生殖细胞有侵害，尚未见过这方面的报道，你目前主要的问题是检查你本人是否有感染。如果你本人未被感

染，胎儿不会因此受到伤害的。

准爸爸长期服抗高血压药？

我丈夫因高血压长期服药，不知这类药要紧吗？我心里很是担心。

不知道你丈夫服用的是哪一类抗高血压药物，并不是所有的抗高血压药物对生殖健康都有影响。含有利尿剂的抗高血压药物可降低性欲。但尚未见对男性生殖细胞有害的报道。男性服用某些降压药会影响受精卵和胚胎的发育，如ACEI类降压药和利血平。

牙病未好就怀孕了

想看好牙病再怀孕，现在却意外怀孕，最后一次月经是10月24日或者是10月28日。11月12日拔牙，打一针麻药，并且输灭滴灵、青霉素两天，吃一个星期盐酸克林霉素一日3次，每次2粒，共12粒。甲硝唑片一日3次，每次2片（0.4g/片），共20颗，17日吃了一颗TV100（医生读音为氟氢酸）。现在我们担心是否对胎儿有影响？

如果你的月经周期是30天，受孕的可能时间是11月9日或11月13日左右，胚胎着床的时间大概在11月16日-20日。你拔牙用药时间基本上是在受精卵刚刚着床，或尚未着床时，所以，由于服用上述药物而导致胎儿畸形的可能性几乎没有。

你不必过于忧虑，31岁初产，年龄不算小，应该审慎行事，要有信心，这是很重要的，如果你整日担忧，本来药物对胎儿没有什么影响，却会由于你的过虑而影响胎儿生长发育。你要按期进行孕期保健，监测胎儿生长。需要什么检查，做孕期保健的医生会为你考虑的。

用药已经无可挽回，不像孕前可以停药或换药再受孕。所以用了比较危险的药物，通常难以在保住胎儿或流产之间抉择。同时许多药物对人类生殖细胞是否具有毒性，尚无研究资料。

圣诺韦

前几天我服用了抗病毒药圣诺韦，今天是7月9日被确认怀孕。为了保险起见，是否应该舍弃？

圣诺韦是抗病毒药，为C类，对胎儿是否有致畸作用，缺乏完整的研究资料。在动物实验中，对啮齿类动物有致畸作用；239名孕妇在妊娠前3个月内应用此类抗病毒药后的自然流率为10%，有47人做了人工流产，其余的168名活婴中无出生缺陷的有159名（95%）。

对于某种药物在妊娠期使用可能导致胎儿畸形和其他不良影响的风险程度作出确切的评估是很不容易的。圣诺韦属于有较高风险的抗病毒药，最好规避。

肠虫清

由于这几个月月经不准，未能及时得知怀孕，曾服用两片史克肠虫清。

肠虫清对胎儿安全性的研究资料不充分，动物实验对啮齿类动物的胎仔有致畸作用。

孕1月的特殊性在于前2周尚未受精，第3周受精卵尚未着床，第4周刚刚着床。本着尽量保护无辜小生命的原则，通过计算药物在母体内起效和排出的时间，对没有受孕和着床前的用药从宽掌握。孕前出于优生的原则，一般对用药的建议从严掌握。这可能是同样用药，我对孕前和孕后把握尺度有所轻重的原因。

乐朗片，曼舒林栓，高锰酸钾

末次月经为2月19日，阴道有轻微炎症，2月27日就医，医生开了乐朗片（消炎）5天，每天2次，每次2片（0.1克/片），高锰酸钾（外用）7天，曼舒林栓（塞入阴道）8天，每天一次，我可能在3月10日左右受孕，已确定怀孕。而这3种药均注有"孕妇慎用"字样。用药后会不会对胎儿有影响？我是否该服用一些保胎药或其他药物呢？

你受孕时已经停止服用药物了，因此，对胎儿没有影响。

你没有流产征兆，不必服用保胎药物。

盐酸克林霉素

我现在已怀孕1个月，末次月经期间因耳朵发炎服用了盐酸克林霉素，不知这种抗生素药对胎儿影响大吗？

排卵期应该是末次月经后的半个月，所以，你怀孕的时间，距离你服用药物时间已经有一段时间了，药物已经完全排出体内，对胎儿没有影响了。药物在体内的血药浓度和半衰期的分析同样适用于丈夫用药对精子的影响。

倍特巴沙等很多抗生素

我妻子上次的月经是10月2日，到现在已经过了好几天了，医院检查后确诊怀孕。可能是10月12日同房时怀孕的。但是我在7月12日之前服用了很多抗生素（5-7月），有倍特巴沙等比较厉害的抗生素，请问这些药对我的精子有没有影响，胎儿会不会发生畸形？

从精原细胞到精子成熟大约需要70天的时间，成熟的精子到具有受孕能力大约还需要两三周。精子从成熟到具有受孕能力大

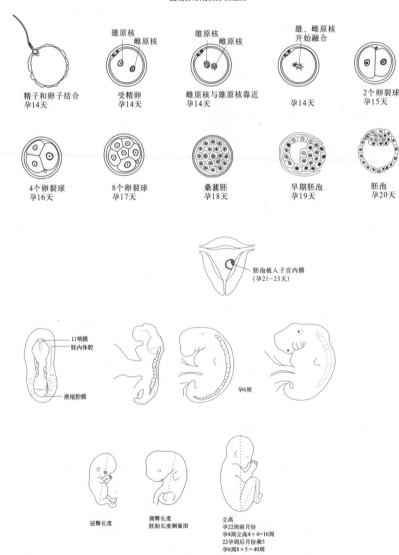

受精卵形成及分裂组图

精子和卵子结合
孕14天

雄原核
雌原核
受精卵
孕14天

雄原核
雌原核
雌原核与雄原核靠近
孕14天

雄、雌原核
开始融合
孕14天

2个卵裂球
孕15天

4个卵裂球
孕16天

8个卵裂球
孕17天

桑葚胚
孕18天

早期胚泡
孕19天

胚泡
孕20天

胚泡植入子宫内膜
（孕21-23天）

口咽膜
胚内体腔

泄殖腔膜

孕6周

冠臀长度

颈臀长度
胚胎长度测量图

立高
孕22周前月份
孕4周立高4×4＝16周
22孕周后月份乘5
孕8周8×5＝40周

约是3个月左右，因此，计划怀孕的男子应该在3个月前作好准备，避免接触对精子有伤害的一切有毒物质和理化因素。你服用的抗生素到底对精子的质量有无影响，目前药物对生殖细胞损害度的研究比较缺乏。但你是在5～7月份服用的药物，你妻子是10月中旬受孕，距离用药已经3个多月了，不必担心。

牙痛安，甲硝唑，人工牛黄

我今年35岁，结婚1年多，一星期前妊娠检查确定怀孕，但我在检查前一星期因为牙疼服用了3天的"牙痛安"，事后才发现说明书上标有"3个月以内孕妇禁用"，牙痛安的主要成分为"甲硝唑，人工牛黄"，请问这两种成分会对胎儿造成什么影响吗？

即使是孕期禁忌使用的药物，对胎儿的伤害也不是百分之百地发生，也是有一定几率的，与服用的剂量、时间、孕期、孕妇对药物的敏感性、胎儿对药物的敏感性等因素有关，并不是只要吃了，就一定会有伤害。早期对胎儿的伤害主要是致畸作用。如果因某种因素导致了胎儿畸形，有很大一部分在孕早期就流产或停止发育了。你现在没有流产先兆，也没有其他不适。况且你只吃了3天的量，不会因此导致胎儿畸形的。等到孕3个月做产前检查时，了解胎儿发育情况，有问题

再作决定也不迟。

十月怀胎，会受到这样或那样的不良因素袭扰，但大多数胎儿都能够健康地成长起来，是因为胎儿有一定抵抗不良环境的能力，胎盘会起到屏障作用，母亲的肝脏也会帮助把药物毒性降低到最小。甲硝唑和牛黄对胎儿的影响不像抗癌药或免疫制剂那样毒性大，你只吃了3天，影响不会很大的，你应该放心，不必过于忧虑。

CT片，利福平，异烟肼

7月27日经检查怀孕了。我丈夫6月13日做了鼻CT，而且用老的CT设备。他以前吃过半年抗结核药物利福平、异烟肼，3个月前已停药，最近吃过几次治疗鼻炎的抗过敏药：开瑞坦。此情况是否影响胎儿健康？

X射线对生殖细胞有伤害，一般建议在计划生育前的3个月内避免接触放射线，CT属于X放射线检查，但与普通X线相比，射线的照射量要小得多，而且是照射鼻部，据睾丸距离较远，综合考虑，对生殖细胞的影响是非常小的。因此，对胎儿影响的可能性是很小的。抗结核药已经停止使用3个月，不会有什么影响。丈夫在妻子妊娠期服用开瑞坦，不会影响胎儿。

生命的轮回

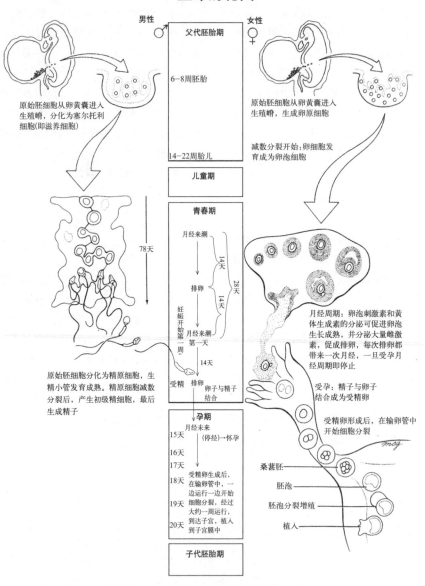

男性　父代胚胎期　女性

原始胚细胞从卵黄囊进入生殖嵴，分化为塞尔托利细胞(即滋养细胞)

6-8周胚胎

14-22周胎儿

原始胚细胞从卵黄囊进入生殖嵴，生成卵原细胞

减数分裂开始：卵细胞发育成为卵泡细胞

儿童期

青春期

原始胚细胞分化为精原细胞，生精小管发育成熟。精原细胞减数分裂后，产生初级精细胞，最后生成精子

月经来潮

排卵

妊娠开始第一周

月经来潮第一天

受精　排卵

卵子与精子结合

78天

14天　28天　14天

14天

月经周期：卵泡刺激素和黄体生成素的分泌可促进卵泡生长成熟，并分泌大量雌激素，促成排卵，每次排卵都带来一次月经，一旦受孕月经周期即停止

受孕：精子与卵子结合成为受精卵

受精卵形成后，在输卵管中开始细胞分裂

孕期

月经未来
15天
(停经)→怀孕
16天
17天
18天　受精卵生成后，在输卵管中，一边运行一边开始细胞分裂，经过大约一周运行，到达子宫，植入到子宫膜中
19天
20天

桑葚胚

胚泡

胚泡分裂增殖

植入

子代胚胎期

准爸爸妈妈知道吗？早在胎儿期，原始胚细胞就从卵囊进入生殖嵴被髓质生殖细胞核盖覆盖，生成卵原细胞(女胎)或分化为塞尔托利细胞(男胎)，青春期时这些原始生殖细胞开始分裂成熟，具备了生育能力。女性卵子每月释放1次，精子成熟过程是78天，因为精子每时每刻都在生成上亿的精子储存在精囊中，每次射精都有成千上万的成熟精子，而女性则每次仅释放1个成熟的卵子。只有在卵子排出进入输卵管后遇到成熟精子，才能受孕。

引自William J. Larsen著《人类胚胎学》。

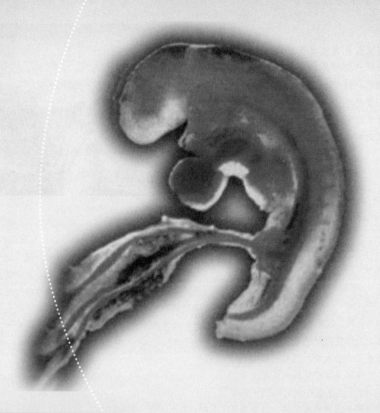

第三章

孕2月 （5-8周）

获知怀孕、避免流产、
器官形成、胎心管搏动

　　因为我还只是一个圆形双层汉堡，孕31天我将变成梨形的三层汉堡（像水母），在最令人兴奋的三层紧密连接之处将完成一个胎儿，上层形成皮肤，下层形成肠道的内壁，中层将形成其他全部。这个月我只能变成小水母，最后变成小海马。——胎宝宝

本章要点

- 胎儿各器官生长发育处于敏感期
- 早孕诊断和预产期推算
- 常见的早期流产情形
- 预防感冒等常见病
- 获知怀孕前吃过药怎么办
- 确定胎停育为时过早

第1节 2月胎儿自述
——小屋内快乐的生活

准妈妈/李淼

69.我发生了翻天覆地的变化

在上个月的最后1周，我顺利地把自己埋植在妈妈的子宫内膜中，并紧锣密鼓地进行着细胞分化和器官的形成。我就要安居乐业，打算一直住到瓜熟蒂落的那一天才从妈妈温暖舒适的小屋里出来。

这短短的4周，对于生活在外面的人们不算什么，可对于生活在妈妈子宫内的我来说，可是翻天覆地的变化。遗憾的是，爸爸妈妈对我已经选定和入住这个"明星楼盘"的信息还一无所知。我已经给妈妈发出了特快专递。我迅速制造出了许多激素HCG，阻止妈妈月经来潮把我冲掉，也告诉她不要吃药、照X线、养猫、染发。大约1周以后，妈妈意识到不对劲了，忙到医院化验，果然接到我的信了，上面写着"HCG+"或"HCG阳性"。不过，太早了我的信还在路上，根据邮局必需的投递时间，停经37天一般可以收到我的信。只有极少数的邮局传送错误，出现假阳性和假阴性。也有个别邮局把信发成了"特慢专递"，可能要到妈妈停经五六十天才能接到信。

现在就开始"干涉内政"了

这可是特大喜讯，无论对于我的爸爸，还是我的祖父祖母、外公外婆，我诞生的消息一定会给他们带来欢乐。尤其是我的爸爸更是乐在心里。如果妈妈您没有从爸爸的表情上看到您所期待的东西，您可千万不要生气，爸爸的内心是激动的，只是爸爸还没有醒过神来。尽管您已经计划好了要我来到您们中间，我的诞生或许已经是您们预料之

中的事情，然而一旦真的变成事实，往往还会有突如其来的感觉。许多要做爸爸的男人不知道如何表达他们的心情，有时还像个大男孩不知所措，甚至变得沉默寡言。您不要认为他不高兴，这是男人们常有的反应。您会感受得到他心里的高兴和复杂心情。

70.为了快速打造自己，我成了拼命三郎

我一面享受着小屋内快乐幸福的生活，一面像个拼命三郎快速"打造"自己，使我真正成材。这个时髦的词用在我身上是最恰当的，外面世界那些号称打造自己的人，谁也没有我的工作高难和神奇。因为我还只是一个圆形双层汉堡，孕31天我将变成梨形的三层汉堡（像水母），在最令人兴奋的三层紧密连接之处将完成一个胎儿，上层形成皮肤，下层形成肠道的内壁，中层将形成其他全部。这个月我只能变成小水母最后变成小海马。我开始像捏面人一样扭曲、折叠、缠绕。

首先是三层"面坯子"最上面正中凹进去（孕33天），变成一长条中空的脊椎（现在叫神经管，吃叶酸就是预防神经管畸形的），一端为口腔，一端为肛门。沿着神经管两侧长出一连串体节，直到尾巴，共有40对。鱼类就是这样的，一根脊索，前面是较大的口器，将食物送入消化道，后面是泄殖腔。靠这根坚固的棍杆和肌肉的收缩左右摆动，所以它们拥有游动的能力。远古的脊椎动物就是因为进化出脊索，帮助它们游过原始的海洋而生存下来。在今天，人类胚胎和海鞘幼虫都保留了

我们远古祖先的特征，被称为"幼形遗留"。

"面坯子"底面一直弯曲直到两端合拢成肚皮（孕42天），中空的部分就是体腔和肠道。下方可以看见不断增加的鳃条、凸出的心包和中肠突出形成的脐带。孕40天，我的身体表面首次出现四肢的苞状突起，开始是扁平的，像鱼鳍，后来变成圆的，到月末肢芽已经分为两节，末节顶端出现手板和足板，就像不分指的婴儿手套和袜子，还没有分枝。孕42天，头部隐约可见三对感觉斑：眼斑、耳斑、鼻斑。月末眼睑几乎盖住眼睛，视网膜已经有颜色，龙的传人的黑眼睛就是在这个时候有了黑色；耳斑已经鼓出来，叫耳廓突。舌头开始形成。头部体节、鳃条、感觉斑和骨甲是构成精细复杂的头面部的所有材料。这四种材料从外面唯一看不到的是骨甲。骨甲虽然像骨头一样坚硬，但不是来自体节（像我后来长的骨头），而是由远古的动物皮肤生成，保护血肉之躯。这种古生物像今天的四脚蛇，没有光滑柔软的表皮而是坦克一样的硬壳。我的颅骨和牙齿就是这种古生物的遗迹，我现在正着手制造。孕54天，我的颌部开始有牙齿发育的痕迹。虽然到我出生时嘴里什么牙都没有，但我已经准备好了两套咬合完美的牙齿。许多动物有不限套数的杂乱尖牙，只能供来撕咬，而我准备的牙齿还可以咀嚼，研磨出食物中精细的营养成分，把人类滋养成智慧生物脱颖而出。

孕44天神经管前端四个突起发育为脑，分别是后脑、中脑、两个前脑（将来的两个巨大的脑半球）。神经系统迅速发育，所以我需要妈妈储备好叶酸。我知道非常简洁地打造出最关键的结构，就像一个微雕艺术大师。所以我的头部特别发达并屈

准妈妈/田甜
孕早期，有的孕妇会有妊娠反应，多到空气清新、环境宜人的地方可以最大程度地减轻妊娠反应。

曲向胸膛，尾部细小并卷曲着，这时候，我的外形终于像许多书上画的小海马了（长7-12毫米）。

医生把现在的我叫做"胎芽"，连"胎儿"都称不上，更不能称为"人"了，所以这个月我还在"胚胎期"。不管怎么说，我已经从像汉堡包变得像动物了。科学家曾经认为，我从受精卵（单细胞生物）变成水母变成鱼变成海马变成爬行动物最后直立行走，认为我在妈妈肚子里重新排演了一遍生物从低等到高等的进化历程。我听过人们唱流行歌曲"我是一只鱼"，就是在怀念我——他们的胚胎时代呢！事实上，现代的科学家已经得出更完美的解释：动物之间共同特征通常在胚胎早期形成，个别特征则在晚期形成。我曾经像鱼，眼睛都在两侧，但我不是鱼的胚胎，只是遗留了相似的痕迹，曾经和鱼的胚胎长得像而已。

令人惊奇的是，内脏如肝、肺、胰、肾形成最初始的模样，最初的肠管出现，形成胃和食管。孕34天心脏形成一个空心管，孕35天其中分隔为2根空心管，孕36天心管开始搏动，孕37天心管开始扭曲折叠，孕42天折叠完成，初具心脏的形状。所以在孕8周末，在B超下可以清楚地看到胎心管搏动。胎心管搏动是我存活的标志，也是计算我的月龄的客观依据之一。软骨形成，以后才会变成坚硬的骨骼。我想做的事太多了，现在，我已经开始为未来的后代作准备，睾丸或卵巢开始形成。

71.我面临巨大的生存压力

虽然我是SOHO族在家工作，毕竟我太弱小了，一只小海马就像一个初出茅庐的打工仔，拼搏于茫茫沧海，四周危机四伏，晋升为高级职员前途茫茫。因为非常缺乏工作经验，千头万绪的遗传指令只要弄错一个，我可能就会被辞退——流产。同时，我还要时时担心妈妈也包括爸爸的经营失误：药物、剧烈运动、感染、患病、摔一跤、惊吓、做爱、装修等等，有时候只是让我难受一阵，有时候直接导致我的灭顶之灾，不用说，妈妈的经营破产了，我也同样被扫地出门。医学家有这样的统计，早期流产发生率为15%-20%，而实际上还有一些未觉察的流产没有被统计在内，那些未被觉察的流产为数并不少。胚胎发育不良的情形远远高于外界刺激的情形，也就是说我们面临被辞退的高风险，职员不称职的情形大大高于企业破产的情形，所以医

生多半不积极保胎，让我自谋生路，你可以设想我的生存压力多么巨大。我现在就像试用工，需要我像正式工一样优秀，分配给我的工作是最重要的，但是不给我正式员工的待遇，如果失业，劳动和社会保障部门也是袖手旁观，不发失业救济金。虽然我还年轻，谁说失去的不是永远失去？

我只有一个愿望：让自己变得结实强壮。不被妈妈不慎流掉，有足够的力量，抵御来自外界的不良刺激；我只能流着汗水在太阳照不到的地方默默辛苦地工作，不让爸爸妈妈传给我的基因在翻译转换时发生错误。

 你们的胎宝宝写于孕2月

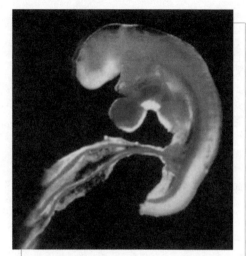

受精后6星期，人形已隐约可见。这时，胚胎的心跳每分钟140~150下，是母亲心跳的两倍。引自William J. Larsen著《人类胚胎学》。

第2节 2月胎儿生长发育

72. 孕2月胎儿生长逐周看

幼胚肉眼可以看到，长约1厘米，重量约1克，大约是一粒黄豆的大小和重量。身体成两等份，头非常大，占身长的一半，头部直接连着身体，还没有脖子，有看似长长的尾巴，如同小海马的形状。从外观上看，和其他动物的胎芽无明显差异。眼睛、鼻子、手脚还没有发育成形，可以看到嘴和下巴的雏形。

孕5周时：胎儿脑部形成大脑半球并迅速增大，最初的脑囊形成。神经管开始形成，神经系统的其他部分在继续发育着。心脏跳动开始出现。

孕6周时：胎儿的大脑半球不断增长起来。眼囊和眼球也开始形成了。胎儿的血液循环系统建立起来，已经开始工作了。肝、脾、肺、甲状腺都有了大体的模型。上肢芽已经很容易被辨认出来。

孕7周时：此期胎儿大脑的形成速度是非常快的，平均每分钟有10000个神经细胞产生。大脑皮质已经清晰可见，你的胎宝宝正在为将来拥有聪明的头脑做建设性准备工作呢。眼睑正在形成，就是说你的胎宝宝就要长眼皮了。胎宝宝的心脏已经全部建成，妈妈再也不用担心宝宝的心脏会受到外界因素的干扰了。胎宝宝知道不能一直依靠妈妈的供养，所以，他正在紧锣密鼓地建造自己的胃和食管。胎宝宝的舌头也开始逐渐形成了，这个小东西对胎宝宝可很重要，没有它不但不会说话，也不会吃饭喝水。随着胎宝宝的不断长大，前面已经形成建立起来的器官开始不断拉长增大。

孕8周时：胎宝宝的脑干已经能够被辨认出来，脑干可是个重要的部位，所有的大血管神经都通过它与躯体相连。嗅觉的基础部分开始建立。眼皮差不多可以把眼球盖起来。胎儿宝宝的生殖腺和生殖器官正在构建，妈妈可不要随便吃药，尤其不要吃性激素类的药物，以免宝宝的生殖器官发生畸变。胎宝宝的肢体开始长出来了，可以看到大腿、脚、手臂和手的模样，上肢和下肢的长度有多长了呢？大概能够在胎宝宝胸腹部相遇。脖子长出来

胎儿各器官发育时期表

孕周	脑	眼	心脏	手脚	唇	耳	性器官	上腭	牙齿	腹部
14						■		■		
13	■					■		■		
12	■					■		■	■	■
11	■					■	■		■	■
10	■			■		■	■		■	
9	■	■	■	■		■	■		■	
8	■	■	■	■		■	■		■	
7	■	■	■	■			■			
6	■	■	■	■	■					
5	■	■	■		■					
4	■									
3										
	脑	眼	心脏	手脚	唇	耳	性器官	上腭	牙齿	腹部
孕周	4-13	5-9	5-9	6-10	5-6	8-14	7-11	12-14	8-12	11-12

了，但从外观上看，好像只有后脖颈，因为宝宝的头是向前屈的，下颌紧紧贴着胸部，根本看不到前脖颈。妈妈可以想象你的胎宝宝正在给妈妈鞠躬呢。

73.胎儿各器官发育时期

从上表可以看出，胎儿各器官的发育主要在受精卵形成后的3-13周（即孕5-15周），对于妈妈来说，孕4月前是胎儿各器官发育的关键时期。在这一时期，胎儿对来自于外界的不良刺激非常敏感。令人惊奇的是：在孕10周内，就发育成熟为让我们能够辨识的小小胎儿，内部器官也大部分形成。可见孕4-8周正是最关键的器官形成期。

74.孕满2月时，胎儿外形是怎样的

胚胎有1.3厘米长。长长的尾巴逐渐缩短，头和身体的界限变得清楚，像人的模样了。胎儿上肢芽和下肢芽已经长出，在肢芽末端可看到五个手指、脚趾，但还没有长出手脚指趾节和指甲。可以说还不像人手的样子。眼睛出现，但分别长在头的两边，像鱼类。从外观上还分不清胎儿性别。

第3节 妊娠确诊

75.停经——胎儿来到的信号

对于妈妈来说，停经可能是胎儿来到的第一个信号。如期该到的月经没有来，才意识到可能怀孕了。但是应该注意以下关于停经的几点提示。

● 停经是胎儿来到的最重要表现，但不是绝对的，停经不一定就怀了胎儿。

● 月经不规律的女性，难以以此来计算怀孕的真正时间，以此计算预产期也不是很准确。

● 即使是怀孕了，可能在第一个月经周期还会有少量的出血，妈妈可能会认为是月经，把孕期推迟了整整1个月，这种现象是有的。

● 如果怀孕了，还没有停经的时候，胎儿已经在子宫内生活了一段时间，受孕是在月经中期开始的。吃药、打针、检查等等可都要注意啦。

76.妊娠试验——早孕诊断方法之一

早早孕试验是确定你是否怀孕的简便易行的方法。留取一点尿液，用早早孕试

纸一沾，试纸变成了蓝色，就知道怀孕。这个试验对确诊怀孕意义重大，现在有市售的早早孕试纸，自己就会做并判断是否怀孕了。

但要力求准确，最好是由实验室的医生帮你把关。只要认为有怀孕的可能，就应到医院做早孕诊断，以确定是否真的怀孕了。一般情况下停经37天后早早孕试纸就可出现阳性结果，但也存在着个体差异。有的甚至很晚才出现阳性结果，如果月经周期不准确，根据停经时间来衡量，早早孕试纸什么时候会出现阳性结果，那就更不好说了。

此种尿HCG妊娠试验阳性准确率高达90%以上，假阳性现象非常少。

28天做早早孕测试太早

我上次是2月28日来的月经，3月28日用早早孕试纸测的，显示没有怀孕，我每次月经都有下腹痛

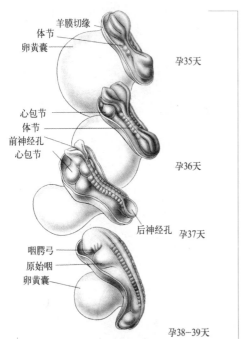

羊膜切缘
体节
卵黄囊

孕35天

心包节
体节
前神经孔
心包节

孕36天

后神经孔

咽腭弓
原始咽
卵黄囊

孕38~39天

"小提琴"又变成"西服领结"了，"西服领结"伸出花瓣来，那就是神经孔形成。再到后来，花瓣收拢闭合，也就是神经孔闭合，形成密闭的神经管。沿着神经管两侧平行的是两条体节。神经管的前端膨大衍生出脑，后端将衍生成脊髓。引自William J. Larsen著《人类胚胎学》。

和乳房胀的反应，现在也有，但已经过了3天还没有来，我这种情况有可能是已经怀孕了吗？怀孕天数是从末次月经第一天算起的吗？请问月经过期多久可以发现怀孕？用早早孕试纸需要怀孕多少天才能测试准确？

妊娠周数是从末次月经第一天算起的。过了月经来潮期没有来潮，就应考虑是否怀孕了。一般停经37天后早早孕试纸即可出现阳性结果。

体形变化还早呢

我末次月经是6月21日，已经过了1个星期仍没有要来的感觉，我想可能是怀孕了，请问怀孕多长时间尿HCG才会出现阳性？怀孕多长时间孕妇才出现体形变化？

停经37天后尿HCG即可呈现阳性。但尿HCG阳性结果出现的早晚存在着显著的个体差异，有的在停经不满30天即可出现阳性结果；有的在停经40天后仍为阴性。少数可出现假阴性或假阳性结果。

孕后的体形改变有很大的个体差异，较瘦或较高的体形变化较晚，较胖或个子较矮的体形变化较早，也与胎儿大小和胎数有关，一般多是在怀孕4个月以后逐渐出现体形变化。到了妊娠6个月体形变化就比较明显了，大多一看便知。

可以没有早孕反应

我上个月的月经是2月15日来的，这个月过了3天，用早孕试纸检查为弱阳性，是什么意思呢？不会怀孕吧，我可一点怀孕的反应都没有。

尿HCG弱阳性说明有怀孕的可能，结合闭经史，可诊断早孕，并不是每个孕妇都有早孕反应，出现早孕反应的时间也不一样。所以，现在没有妊娠反应不能说明就没有怀孕。

可能排卵期错后并怀孕

我现在怀孕73天，今天到妇幼保健站建卡，体检下来，其他都正常，但尿检呈弱阳性，医生说可能胚胎有问题，建议我到医院做一次B超。

并不一定说明胚胎有问题，也存在另

一种情况：停经73天，不一定就是怀孕73天，可能由于排卵期错后，真正的怀孕时间要晚于停经时间。如果没有特殊情况，可于停经后3个月做B超。

月经之前不会出现弱阳性反应

我的例假晚了4-5天，我用孕检试纸测试为弱阳性，请问是怀孕早期的原因，还是因为在例假要来之前性激素特别活跃的缘故？

月经来潮前激素活跃不会出现尿HCG弱阳性。你的月经推迟了5天未来，也就是有停经史，结合尿HCG呈弱阳性反应，早孕的可能性极大。

77.何时开始常规孕期检查

一经明确，就应进行孕期健康检查，最迟不要超过孕12周。

为什么到孕12周开始健康检查？

做孕期的全面检查，大多数产科医生要求产妇在孕3个月后再进行。其理由是：

● 孕早期，大多数孕妇有不同程度的妊娠反应，身体不适，不愿意接受全面的孕期检查。

● 孕早期，胚胎比较脆弱，易受各种因素影响而导致胎儿发育异常，这时如果接受包括B超、生殖器内检在内的孕期全面体检，对胎儿会造成一定的威胁，有导致流产的危险。有报道认为，B超的"热效应"对胎儿的眼睛有损害。

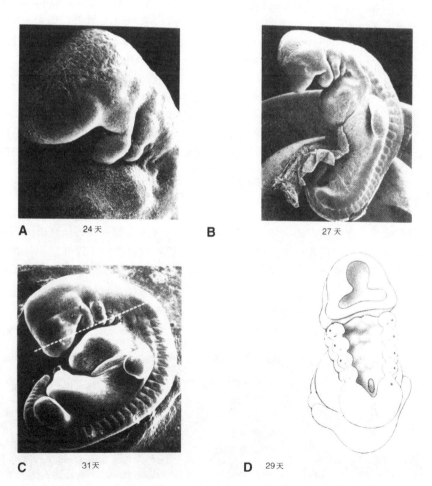

A 　24 天

B 　27 天

C 　31 天

D 　29 天

引自William J. Larsen著《人类胚胎学》。

● 孕早期对外界因素的各种刺激都比较敏感，医院是人群聚集的地方，尤其是综合医院，什么病人都有，会受到病菌病毒的威胁，久在医院逗留对孕妇是不利的。

什么情况需要提前孕检

但并不是说一定非要等到孕3个月后再做孕前健康检查，要灵活掌握，听取为你检查的医生的建议。随时有问题或有疑问，可以随时到医院看医生，做必要的孕期检查。

在整个妊娠过程中，具体检查安排是：孕12周以内检查一次；孕13-28周每月检查一次；孕28-36周每半月检查一次；孕36周以后至足月每周检查一次。但如果在妊娠过程中出现异常情况应及时看医生，不要等到规定的时间。

78.妈妈受孕日和胎儿出生日的推算

爸爸妈妈知道胎儿来了，就开始掐着手指算：宝宝是哪一天怀上的？毕竟那是一个值得回忆的重大时刻，当然，妈妈爸爸也会尽力搜索当时有没有什么怀孕禁忌的问题，如果有现在必须亡羊补牢。宝宝什么时候会告别子宫，诞生到这个世界？赶快找书上的预产期计算方法。这里我有一点要告诉爸爸妈妈：胎儿真正的诞生日和出生日几乎不可能准确推算出来。只有他自己准确知道他是什么时候诞生的，什么时候该离开母体。排卵期和预产期的计算，都是以妈妈的末次月经为标志，用一个简单的数学公式进行的推算，不是百分之百的准确，尤其是月经周期不准和月经紊乱的女性更是如此。排卵期和预产期是对胎儿胎龄，对胎儿何时出生的大概估计，一般前后不差两周。这样不但妈妈心中有数，医生也心中有底，知道什么时候该采取干预措施。

预产期计算方法与快速查阅

妈妈的末次月经月份减去3（或加上9）是胎儿生日的可能月份，妈妈的末次月经的第一天日期加上7是胎儿可能生日的日期。

什么时候月份减3合适？什么时候月份加9合适？一年是12个月，如果加9以后大于12，就用减3的方法计算，如果末次月经的月份小于或等于3，就用加9的方法计算。

举例说明：

妈妈的最后一次月经来潮日是11月6日。那么，胎儿可能的生日就是11-3=8（月）。6+7=13（日）。计算的结果是第2年8月13日。

我特意制作了一张爸爸妈妈可快速查出宝宝什么时候出生的"预产期速查表"，能让你一目了然。

月经周期很准，性生活很规律的夫妇，或许能够推算出胎儿大概的诞生时间。但大多数爸爸妈妈计算出的胎儿的诞生日都不是很准确。这就是为什么当胎儿早出生1、2周或晚出生1、2周，都不算早产或过期产，而算是足月产的原因。

我想赶在开学时上班

我是去年10月30日-11月3日的末次月经，经

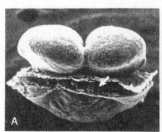
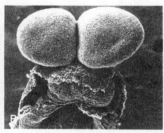
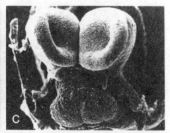

胎儿心脏发育图。引自William J. Larsen著《人类胚胎学》

期一般为28天，比较有规律。我们在11月9日和11月18日分别同房两次，确认怀孕，预产期为8月6日。我是老师，校方希望我能在9月开学时继续上班。怀孕的具体日期如果是第一次，预产期会不会有可能提前?希望能在开学去上班。

一般来说排卵期是在月经前的14天，你的排卵期可能是在11月13±2日左右，卵子排出后24小时内有受孕能力，精子排出后24-72小时内有受孕能力，你同房的时间是11月9日和18日，与13±2都比较接近，因此，很难确定是哪一次同房受孕。无论是哪一次受孕，预产期的计算都是按照末次月经计算，如果月经周期短，可能会比预产期提前几天分娩，如果月经周期长，可能会比预产期错后几天分娩。如果你想出满月后上班，最早也就是9月中旬，过早上班可能会影响母乳喂养。请你结合具体工作安排考虑，校长也会理解的。

能在末次月经后6天受孕吗?

我最后一次来月经是5月23日，6月26日去医院检查确知怀孕。由于我先生经常出差在外，我可以估计确切受孕时间为5月29日，但最后一次月经是5月23日到26日（4天），5月29日属于安全期，为何会受孕?

计算受孕日期的前提是月经周期稳定，月经周期不准，就很难计算确切的受孕日期，可能在任何时候受孕，这是很常见的。

排卵的间隔时间

通常情况下，青春期以后的女性，每一个月排卵一次，一次只排一个卵。但并不总是这样，个别女性，尤其是青春期女孩，可能会有无排卵月经，也可能出现隔月排卵现象，最长可以相隔4、5个月才排卵一次。但也有个别女性排卵间隔时间比较短，20天左右排卵一次。每个女性在其育龄阶段，排卵的间隔时间也不尽相同，有时会间隔长一些，有时会间隔短一些，

也会跳过一个或几个月经周期才排卵。而且，有时候，并不是每次月经都有排卵，偶尔会发生无排卵月经。

孕32天，不知是谁的孩子

5月17日是末次月经第一天，我的月经一般都是30天，这个月我一直和老公做爱，准备怀孕。但是，我真的好后悔，6月14日，我与老公吵架，结果和另外一个男人做了爱，要命的是没戴避孕套，虽然他在最后射到了体外。6月19日，因为没来月经，我到医院测出已经怀孕。我真的好怕，到底这是谁的孩子，老公不准我流产，我真的想去死了算了。你说有可能是第二个男人的小孩吗？那时可是在安全期？我可该怎么办呀？

按月经周期计算，你的排卵期应是6月

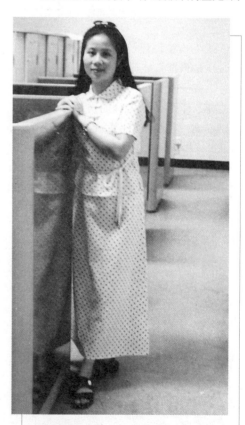

准妈妈/潘晓敏

准妈妈在怀孕早期工作仍然是很忙的，尤其是现在的白领都离不开电脑，所以，应该尽量减少连续工作的时间，每隔一两个小时到窗口或户外呼吸一下新鲜空气，活动活动筋骨。

2日左右，也就是说你的易受孕期大概在6月1日到4日左右。所以，你6月14日受孕的机会很小，这样推算，你腹中的孩子应该是你和你丈夫的。夫妻闹意见是难免的，但不能以这样的方法发泄自己的愤恨，你们现在有了自己的宝宝，要珍惜你们之间的感情，对下一代负责，彼此忠实于对方，婚外性行为不但会伤害对方，还会给自己内心留下阴影。

结婚40天，医生检查孕50天。是什么原因？

我结婚刚刚40天，妻子前几天去医院检验已怀孕（妻子上次月经约在结婚前1周），估计受孕时间在结婚3、4天后，但医生检验时说怀孕将近50天，请问是什么原因？

医生检验说怀孕将近50天，是根据B超，还是根据月经周期推算的？还是做内诊后估算子宫大小？无论采取什么方法估算胎龄，都可能有1-2周的误差。如果月经周期准确，月经周期推算是比较接近的。所以，这种情况是正常的。

月经周期短怎么计算？

我月经周期为24天，9月15日为末次月经，医院为我计算的预产期为6月22日，我想我的月经周期要比别人短6天，那么我的预产期是否应为6月18日更准确？

按照末次月经计算预产期，是以30天为月经周期计算的，您的月经周期是24天，计算后的预产期减6是正确的。所以，您的预产期可算为6月16日。因为每个孕妇的月经周期不同，计算的预产期可有1周左右的误差，您在6月16日分娩也不能认为是提前了，实际分娩的日期与推算的预产期可有1-2周的出入。

第4节 妊娠反应

许多孕妇从这个月开始，会感到从未有过的食而无味、嘴苦、不想吃饭的感觉，早晨起床刷牙，会有一股酸水出来，干呕几口，对食物开始挑剔，一阵阵烧心。过去，民间把妊娠反应叫"害喜"，是胎儿以这样的方式通知妈妈——怀孕了。HCG大量增加可能是原因之一，有人认为是胎儿为了保护自己不断提醒妈妈已经怀孕，有人认为是胎儿告诉妈妈进食的时候要注意，有人认为是不适宜胎儿的毒素成分以这种方式排出，也有人认为是母亲对胎儿作为"入侵者"的排异反应。总之，真正的原因尚不清楚。

大多数孕妇的妊娠反应都是比较轻的，有的孕妇从早到晚都恶心，但也能进食，并不把吃进去的饭菜吐出来，只是吐些黏液或酸水，即使每顿都发生呕吐，也不是把所有的饭菜都吐出来，营养丢失不严重。由于孕早期孕妇的基础代谢与正常人没有显著差别，膳食中营养素供给量与非孕妇时差不多，所以，轻度妊娠呕吐不会影响胚胎发育。孕妇不必过于担心，少食多餐，喜欢吃什么就吃什么，不必刻意追求食物的品种和数量。尽管有妊娠反应的孕妇不能吃更多的东西，甚至还发生呕吐，但并没有证据表明会影响胚胎发育。

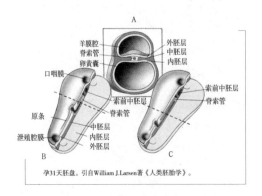

孕31天胚盘。引自William J.Larsen著《人类胚胎学》。

重度妊娠反应

有的孕妇妊娠呕吐比较厉害，无论进食与不进食都发生呕吐，而且呕吐次数比较多，不但把吃进去的饭菜吐出来，还呕吐胃液胆汁，甚至有血丝，好像要把整个胃肠都吐出来似的。

这种程度的呕吐，孕妇会丢失比较多的水分和电解质，化验尿酮体会出现阳性结果。由于不能正常进食，营养物质供应不足，孕妇会消耗体内自身营养，体重减轻，这不仅影响孕妇的健康，还会影响胚胎发育。怀孕早期，正是胚胎各器官形成发育阶段，需要包括蛋白质、脂肪、碳水化合物、矿物质、维生素和水在内的全面营养素。这时，孕妇就不能等闲视之了，要及时看医生，请医生帮助纠正水电解质紊乱和酸碱失衡。

口味的改变

并不都是爱吃酸的，"酸儿辣女"也只是想象而已。有的爱吃酸，有的爱吃辣，还有的可能喜欢别的口味（多是比较刺激、特殊的口味）。因为想生男孩或女孩，相信"酸儿辣女"的说法，就会从潜意识里支持吃酸或辣，但这并不能决定什么。

孕吐消失是胎儿停育吗？

我在10月20日确认怀孕，于18日出现恶心、不能吃油腻东西，并有孕吐现象，但从26日开始，早孕反应基本消失，不再有恶心等症状，担心是否胎儿停止发育，我该怎么办？

孕妇在妊娠6周左右常有挑食、食欲不振、轻度恶心呕吐、头晕、倦怠、厌油腻、喜酸食。晨起空腹时较重。一般于妊娠12周左右自然消失。但有的孕妇没有妊娠反应，也有的持续整个妊娠期。有的某一天清晨起来有些恶心，次日就没有了。有的比较轻，只是恶心。有的比较重，以至发生剧吐。有的停经30天左右出现，有的停经50天后方出现妊娠反应。

准妈妈/潘晓敏

孕妇在妊娠反应阶段尽量在环境优美的小区活动，在车水马龙、人声鼎沸的地方会有过多汽车尾气，增加被病毒感染的几率，既不利于孕妇的健康，又会加重妊娠反应。

由此可见，你妊娠反应1周后消失了，并不能就此认为胎儿停止了发育。但为了慎重起见，建议再做尿HCG，如果转阴性或弱阳性，就要进一步做B超检查。

没有妊娠反应正常吗？

我怀孕1个月了，可至今也没有什么反应。没有妊娠反应是不是不正常？不知道怀孕1个月应该有什么反应？

妊娠反应主要是胃肠道不适感。但有的人没有任何妊娠反应，这是很幸福的事，所以，没有妊娠反应是正常的。你不要试图感觉妊娠与不妊娠有什么不同，因为，妊娠反应与心理作用有关，本来没有什么反应，却努力去想，就会加重胃肠道症状。

头痛是妊娠反应吗？

如果呕吐剧烈，头痛与呕吐有关。有人有感冒症状，也会引发头痛。但头痛不是妊娠反应的现象。

发冷正常吗？

我现在怀孕8周，最近一两周，每天下午3点开始，一直到晚上总感觉冷，这2天量了一下体温，均为36.5～36.7℃，不知这是否正常？是否需要看医生？这种情况要继续多久？

你的体温是正常的，怀孕早期，有的孕妇总感觉冷，这也是妊娠反应的一种表现，但你是在最近一两周才感觉的，而且是在下午，还是应该监测体温，每天上午测一次，下午测一次体温，最好在醒后，不活动。是否有排尿不适或尿痛？是否有腰酸或腰痛？有的话就请化验尿常规，排除尿路感染。

80.妊娠呕吐期营养补充贴士

● 孕妇对妊娠反应要顺其自然，保持乐观情绪。调节饮食，保证营养，满足母亲和胎儿的需要。

● 进食的嗜好有改变不必忌讳，吃酸、吃辣都可以。适当吃些偏碱性食物，防止酸中毒。

● 要细嚼慢咽，每一口食物的分量要少，要完全咀嚼。

● 少下厨，避免闻到让自己不舒服的气味。

● 不要以咖啡、糖果、蛋糕来提神。短暂的兴奋一过，血糖会直线下降，反而比以前更加倦怠。

● 要避免任何不舒服的食物，如辛辣、口味重、油腻、加工过的肉类、巧克力、咖啡、酒、碳酸饮料等。

轻度妊娠呕吐饮食纠正

● 以少食多餐代替三餐，想吃就吃。多吃含蛋白质和维生素丰富的食物。

● 饭前少饮水，饭后足量饮水。能喝多少就喝多少。可吃流质、半流质食物。

● 有妊娠呕吐的孕妇往往喜欢吃凉食，有的书上认为孕妇吃凉食对胎儿发育有害，这样的说法没有依据。

重度妊娠呕吐饮食纠正

● 多吃清淡食品，少吃油腻、过甜和辛辣的食品。可吃营养价值比较高的藕粉、豆浆、蛋、奶等。

● 自己喜欢吃的就不用在乎品种和口味，没有那么多的禁忌，不要在意一些书上所说的酸性食物对胎儿有害的说法。即使你喜欢吃的食品营养价值并不是很高，也总比不吃或吃了呕吐要好得多。

● 如果早晨一起床就开始恶心，甚至呕吐，就不要急于穿衣服，洗漱，而是坐起来先吃些东西，如饼干、面包等，可挑选你想吃的东西，感觉不那么恶心了再起床。无论是否呕吐，只要能吃进去就大胆地吃，不要怕吐，吐了再吃，不断地吃。

可缓解孕吐又有营养的食物

饮料：柠檬汁、苏打水、热奶、冰镇酸奶、纯果汁等。

谷类食物：面包、麦片、绿豆大米粥、八宝粥、玉米粥、煮玉米、玉米饼子、玉米菜团等。

奶类：喝奶是很好的，营养丰富，不占很大胃内空间。如果不爱喝鲜奶，可喝酸奶，也可吃奶酪、奶片、黄油等。

蛋白质：肉类以清炖、清蒸、水煮、水煎、爆炒为主要烹饪方法，尽量不采用红烧、油炸、油煎、酱制等味道厚重的方法。如水煎蛋、水煮饺、水煮肉片、清蒸鱼、水煮鱼、糖醋里脊等。

蔬菜水果类：各种新鲜的蔬菜，可凉拌、素炒、炝凉菜、醋熘，如清炖萝卜、白菜肉卷等；新鲜水果或水果沙拉。

81.孕吐期进食的心因性因素

胃肠有病了，因不能吸收消化食物而呕吐。妊娠呕吐胃肠并没有器质性损害，心理因素很重要。要抱着这样的信念：我很健康，只要我吃，腹内的胎儿就能得到母体供应的营养。过去欧美孕妇曾经因为

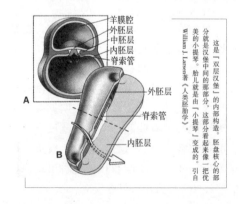

羊膜腔
外胚层
中胚层
内胚层
脊索管
外胚层
脊索管
内胚层

A

B

这是「双层汉堡」的内部构造。胚盘核心的部分就是汉堡中间的那部分，这部分看起来像一把优美的小提琴。胎儿就是由「小提琴」变成的。引自 William J. Larsen著《人类胚胎学》

服用止孕吐的药物"反应停"，导致大批短肢畸形的"海豹胎"出生，留给人类沉痛的教训。妊娠呕吐不是病，不可人为干预，尤其不可以相信某些迷信和偏方，更不可以服用任何药物。要学会接受，这是自然给母亲的一份特殊经历。

当孕妇认为胎儿会因为她的妊娠呕吐有可能发生营养问题时，会非常难过和担心，这种担心可加重妊娠呕吐。孕吐很正常，非常常见，而且很快就会自然过去。乐观的情绪会使妊娠呕吐程度减轻、时间缩短。

在这个月里，胎儿飞速发育，尽管你可能因妊娠反应不爱吃饭，你腹中的胎儿也在按照自己设定的目标不断成长着。这时的胎儿在进行组织和器官分化，一旦受到外界不良因素干扰，或自身遗传密码出错，都会使胎儿出现建构上的差错。爸爸妈妈要共同努力，避免胎儿受到外来不良因素的攻击。总是神经质地担心或情绪焦虑没有必要，这不但于事无补，还会影响你的心情，你只要规避对胎儿有害的因素就可以了。

第5节 避免流产

82.早期流产高发期

刚刚植入到子宫内膜、生活不久的早期胚胎与妈妈的连接还不是很稳定。一旦受到外界干扰，就有发生流产的可能。尤其当妈妈还不知道怀孕的时候，可能会做些剧烈的运动，或搬举较重的物品，或性生活等，都可能引起流产。

注意了这些人为的因素，即使发生了流产，爸爸妈妈也不必感到内疚。因为在孕早期大约有15%~20%的孕卵发生自然流产，大多不是人为的外界因素造成的，而

是胚胎本身的问题。所以，如果发生了不可逆转的流产，爸爸妈妈也不要太难过，人类繁衍遵循优胜劣汰的自然规律。更不要相互指责，伤了夫妻感情。

早期流产、晚期流产、宫外孕如何鉴别？

这个月我顺利怀孕了，末次月经是2月12日，今天是第38天，怀孕后我非常注意，除了做一些家务活、烧饭以外，基本上我都会卧床（吸取第一次流产的教训）。

从孕31天开始，我时常感到小腹轻微坠痛（像月经快来时子宫的坠痛感一样，我有痛经史），卧床后又有好转，这种坠痛感似乎天天都有，时间不长，一阵过去就好了，但是没有阴道流血。孕36天晚上突然腹泻，当天夜里感到脐周疼痛，一直持续到第二天中午。用手按压脐周，痛感更强。下午有一阵子宫处的坠痛，时间不长。

孕37天晚上阴道突然见红，颜色为粉红色，于是立即卧床，今天早晨仍有少量流血，颜色变为浅咖啡色，小腹处有时仍有轻微酸坠感，平躺时感觉明显。是不是又要流产了？我该怎么办呀？

早期流产（孕12周以前）、晚期流产（孕12周以后）、输卵管妊娠的主要症状都有腹痛和阴道出血，如何简要区分呢？

早期流产特点：在妊娠12周内发生流产的孕妇，阴道出血大都出现在腹痛前。这是因为：发生流产时，绒毛和蜕膜分离（好像树根和泥土分离），血窦开放，即开始出血。当胚胎全部剥离排出，子宫强力收缩，出现腹痛，血窦关闭，出血停止，早期流产的全过程均伴有阴道出血。早期流产出现阴道出血后，宫腔内存有血液，特别是血块，刺激子宫收缩，呈阵发性下腹疼痛，故阴道出血出现在腹痛前。

晚期流产特点：在妊娠12周以后发生流产的孕妇，则先有阵发性子宫收缩，然后胎盘剥离，故晚期流产阴道出血出现在腹痛后。

输卵管妊娠特点：输卵管妊娠发生流产和破裂前多没有任何症状，有的孕妇

在下腹一侧有隐痛或酸坠感，输卵管妊娠最早的表现常是腹痛，同时伴有或不伴有阴道不规则出血。腹痛伴有阴道出血，常为胚胎受损的征象，只有腹痛而无阴道出血，多为胚胎继续存活，有发生输卵管破裂的可能。

总结以上3种情况：早期流产，阴道出血在前，腹痛在后；晚期流产，腹痛在前，阴道出血在后；输卵管妊娠，腹痛伴有或不伴有阴道出血。

你现在是孕38天，属孕早期，先出现下腹坠痛，继后出现阴道少量出血，所以，在考虑先兆流产的情况下，不能排除输卵管妊娠，就是人们常说的宫外孕。所以，你应该马上到医院看医生。

83.如何规避流产

引起自然流产的主要原因
遗传因素

由于染色体的数目或结构异常所致的胚胎发育不良。自然流产中，尤其是怀孕头3个月内的流产，遗传因素可占60%-70%，其中流产儿染色体异常占50%-60%，夫妇一方或双方有染色体异常的约占10%。

外界不良因素

大量吸烟（包括被动吸烟）、饮酒、接触化学性毒物、严重的噪音和震动、情绪异常激动、高温环境等一切可导致胎盘和胎儿损伤的因素都可造成流产。

妈妈疾病

母体患任何不利胎儿生长发育的疾病都可造成流产。

爸爸因素

大约有10%-15%的男性精液中含有一定数量的细菌，可使胚胎流产。近来发现有一种无症状的菌精症可导致孕妇流产。

怎样减少流产的发生

● 发生流产后半年以内要避孕，待半年以后再次怀孕，可减少流产的发生。

● 要做遗传学检查，夫妇双方同时接受染色体的检查。

● 做血型鉴定包括Rh血型鉴定。

● 有子宫内口松弛的可做内口缝扎术。

● 针对黄体功能不全治疗的药物，使用时间要超过上次流产的妊娠期限。如上次是在孕3月流产，则治疗时间不能短于妊娠3月。

● 有甲状腺功能低下，要保持甲状腺功能正常后再怀孕，孕期也要服用抗甲低的药物。

● 注意休息，避免房事（尤其是在上次流产的妊娠期内），情绪稳定，生活规律有节。

● 男方要做生殖系统的检查。有菌精症的要治疗彻底后再使妻子受孕。

● 避免接触有毒物质和放射性物质。

不幸中的幸运

自然流产是孕妇的不幸，但从某种意义上讲，自然流产是人类不断优化自身的一种方式，也是对孕育着的新生命进行自然选择。胎儿早期流产会减少畸形儿的出生，因此，在保胎前应尽可能查明原因，有充分的依据，不要盲目保胎。

84.常见的早期流产情形实例解答

孕4周，值夜班

我妻已怀孕4周，近期由于值夜班起夜3次，

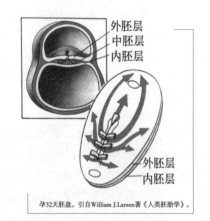

外胚层
中胚层
内胚层

外胚层
内胚层

孕32天胚盘。引自William J.Larsen著《人类胚胎学》。

次日感不适，有少量咖啡色分泌物流出。而且时常腹痛，昨日曾吃过2丸中药保胎丸（同仁堂出）。请问这胎是否可以保？

你妻子看医生了吗？是否已经诊断先兆流产。如果是先兆流产可采取适当保胎措施。我的建议是：如果流产的诱因是由于过度劳累、剧烈活动等人为因素引起的，应该努力保胎。如果是无故自然流产，则胎儿发育异常的可能性比较大，出于优生的考虑，就顺其自然吧。

做重活，长久候诊

去年8月30日应该如期而至的月经没来，大约在9月2日，阴道时而流出浅咖啡色的液体，我并没有意识到怀孕了，日常生活中还做了一些重活，9月6日化验证实是怀孕了。我去看了急诊，等候了10个小时后并未给予治疗，可能是因为久等的劳累，9月9日流产。

今年再次怀孕。末次月经是2月12日。近日又做了一些重活，而且情绪有过一次比较大的波动，今天又摔了一跤。因为太想做妈妈，更因为身在遥远的加拿大求学，求医不便，所以我非常担心会再次发生流产。请问如何避免再次流产？

不要熬夜，保证充足的睡眠。不要长时间逛街和提重物。骑脚踏车时一定要小心，如果没有把握，最好不骑。不要搭乘摩托车，更不能自驾摩托车。自驾汽车时要控制车速，以免急刹车时对腹部造成冲击。不要穿鞋跟高于2.5厘米的高跟鞋，以免发生滑倒等事件。精神放松，保持愉快的心情。

走路太多

我在8月份怀孕，国庆节10月2日的时候，因走路太多，出现落红，到医院保胎，后来做B超，发现胎盘已脱落，就进行药物流产，没有流成功，在10月17日进行清宫手术，我需要多久才可以再次怀孕？

流产后半年再次怀孕为好。

做爱以后

我今年24岁，怀孕2个月，以前曾药物流产3次，3、4天前，陪我先生到外地考试，星期天回到家，星期一下午，在我先生的要求下，同房了一次，中间很注意，但最后一不小心，使了一下劲，但也没很深入；晚上发现有暗色的血流出，第二天早上发现有鲜红色血流出，但量不是太大；到医院检查，做B超后，结论为"子宫前位，约2个月妊娠大，宫内妊娠囊形态失常，呈弯月状，囊内可见胎芽，心管搏动"。医生在征求了我们的意见后，开了保胎针和孕康口服液。我很想要这个孩子，怕流了以后怀不上，又怕生下孩子有什么不好，我应该怎么办？

孕早期同房有引起流产的危险，应适当加以限制。既往有习惯性流产的孕妇，在孕早期应停止性生活。孕晚期有引起早产的危险，建议预产期前6周停止性生活。

如果你是由于外界机械刺激引起的先兆流产，与胚胎本身发育不良所引起的先兆流产相比，有很大的保胎意义。只要胚胎发育正常，保胎容易成功。应消除焦虑情绪，听从医嘱，认真保胎治疗。

7次药流史，身体不健康

我3年前做过7次药流，最后一次还清了宫。有一次月经期间小腹像清官时一样刮痛，2天后自动消失了。计划怀孕检查时发现右侧附件炎和3度宫颈糜烂，用药好转，医生说9月份不用避孕了，于11月确认怀孕（末次月经10月21日）。一直没有早孕反应，就去做了B超，医生说宝宝只有6周大

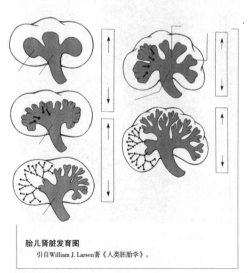

胎儿肾脏发育图
引自William J. Larsen著《人类胚胎学》。

小，而没有7周，开始喝爱儿乐妈妈奶粉。我性格外向，是搞电脑的，每天工作8小时，每周工作6天，还经常加班。孕70天小腹两侧痛（40多天也痛过，后来自己就好了），第3天有血丝，医生开了哮喘灵和胚宝，吃了2天无效，整个小腹开始痛；3天后血量增大，小腹依然疼痛有时转为腰痛，打3天黄体酮。第2天血更多了，B超发现宝宝坠至子宫口，带药回家，临睡时又疼痛受不了，凌晨开始大量出血，胚囊也掉了出来，我们都非常想知道流产的原因，以后再孕时注意，医生没有给我们一个说明。

另外，我的毛病很多，如胃痛，现在必须吃药才行；便秘，特别是夏天，现在注意饮食要好一些；风湿，一到天气变化就可能腿痛，还好不是太

严重；感冒，只要身边有人感冒，我就很容易被传染；过敏性体质，冬天出户吹了冷风，全身都是小红点，又痒又难受。这半年的时间我应该怎么治疗呢？我想从下周开始早起进行体育锻炼，我应该怎么锻炼呢？

你是自然流产。引起流产的原因有很多，临床上很难找到确切的原因，因为流产多是回顾性的诊断。

你要多方面注意：电脑工作每周净工作时间不要多于20小时。胃痛必须吃药，胃痛可由于多种疾病引起，但每种不同的胃病其治疗方法却不尽相同，明确诊断，再服用药物，才能彻底根治胃病。饮食不当是便秘的原因之一，也是常见的原因，应该多吃含纤维素高的食物，多吃蔬菜、粗粮等，养成定时排便的习惯。如果是饮食以外的原因，则需要医生给予治疗。风湿诊断是医生作出的吗，是哪一种类型？腿痛，关节痛大多不是什么风湿，建议你再看医生。慢性荨麻疹中药治疗效果比较好，能够根除。容易感冒，可以注射卡介苗素。锻炼身体，提高机体抵抗力和耐寒力也是非常重要的。注意生活要规律，劳逸结合，保证充足睡眠，多做户外运动和有氧运动。流产后要休息4周，现在还不宜做体育运动。

流产原因是母体还是胎儿？

我爱人怀孕47天时出现先兆流产的迹象（阴道出血1次，量较多），无腹痛等异常，经就诊后注射黄体酮5天，同时服用维生素E和维生素C。但56天时又有出血现象（量较少）。54天时做B超显示胎儿发育稍缓，有没有手段鉴别流产原因是母体还是婴儿因素？

脐带血、羊水穿刺、胎儿镜等检查都是针对胎儿的。染色体和遗传代谢疾病等检查是针对母体的。如果胎儿已经从母体内子宫流出，就不能通过这些检查了解胎儿情况了。目前还没有确切的手段鉴别流产的原因是胎儿因素，还是母体因素。

准妈妈/潘晓敏
快乐的孕早期生活并不是只是到风景优美的地方，到有人文历史文化的名胜古迹去游览也是胎教的一种方式。孕妇的选择是非常多的。

关于保胎的正确态度

我已经在家里休息了，并吃了保胎药，心中还有很多疑虑和不安，真不知如何是好？

我现在完全静卧在床，服用了维生素E，是否阴道不流血就可以停药？像我这样有先兆流产，即使阴道不流血了，但是不是在前3个月都必须卧床？先兆流产后的孕期3个月间，我应注意什么？

即使阴道不出血了，建议你继续服用维生素E至妊娠满3个月。你既往有过自然流产史，所以，应该保胎休息到妊娠满3个月，至少要超过你上次发生流产时的1、2周，还要避免孕晚期流产和早产的发生。

消除精神紧张，保持情绪稳定。卧床休息并非是整天都躺在床上，一动也不敢动，这样会增加思想负担。每个要做母亲的都希望能顺利生下小宝宝，但是千万不要感情用事，胚胎发育不良是流产最常见最主要的原因，强求保胎，即使保住了，孩子也不健康，不但给家庭和社会带来负担，也给孩子本人带来痛苦。所以顺其自然，是遵循优胜劣汰的人类自然优生繁衍规律，这样一想，你或许轻松了很多。

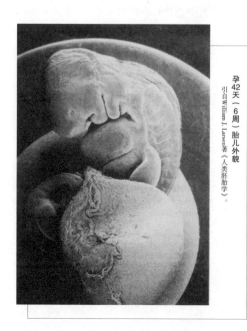

孕42天（6周）胎儿外貌
引自William J. Larsen著《人类胚胎学》。

是否提前保胎？

我上次月经是11月15日，做了HCG化验，结果为弱阳性，医生说这是怀孕了，是不是因为停经的时间比较短才会出现弱阳性的结果？我以前曾经自然流产一次，那这次怀孕要不要采取保胎措施如注射黄体酮？

停经时间短，尿HCG可为弱阳性。尽管曾经有过自然流产史，现在没有流产先兆，没有必要采取保胎措施。孕8周以内的流产，主要原因是由于胎儿发育问题。因此，只需要避免外在因素，健康的胚胎是不会自然流产的。

保胎药可以一直服到孕3月末吗？

我曾有两次自然流产，都在42天。未发现流产原因，现已怀孕50天。因怕再流产，在排卵期同房后即开始服用孕康口服液保胎至今。打算服到孕3个月末，不知可不可行，有无不良影响？

对习惯性流产的治疗时间就是要超过每次流产的孕期，即你每次都是在孕期42天出现流产，治疗时间应该超过42天，服用保胎药到3个月对胎儿没有不良影响。除了药物保胎外，还应注意休息，避免同房，不要做剧烈的运动，避免腹泻等。

先兆流产可否自己按中医调理？

已怀孕45天，前几日，自觉因劳累和饮食不当，阴道偶有见红，医生说是先兆流产，让我做B超检查，我担心40多天就接受B超检查会影响胎儿，故未做就擅自回家了。请问先兆流产一定要医生治疗吗？可否自己按中医调理？

先兆流产就是有流产的征兆，应及时干预，避免真正流产。目前首要问题是寻找阴道流血的原因，若是宫外孕造成的应紧急处理，B超是确诊的可靠检查。如果医生已经排除宫外孕的可能，暂时不做B超也可以。你不能自行在家中治疗，无论是西医方法还是中医方法，都需要在医生指导下进行。如果你怕发生先兆流产的胎儿可能会不健康，不愿意采取保胎措施，而愿意顺其自然，只在家中休息一下，那也未尝不可，但一定不要自行使用药物。

先兆流产，如何准备应急？

我在加拿大，除了大出血流产可以去看急诊外，像这样的先兆流产，家庭医生不会给予治疗，专科医生那里在没有到预约的时间里，也不会理你（我的预约时间被排在4月2日），所以，在这里遇到这种情况我感觉很难过，心中有许多担心，我该怎么办呢？

如果是这样的话，你就只好在家卧床休息，同时服用维生素E 50毫克/次，2次/日；舒喘灵0.8毫克/次，3次/日。或你们那里出售的适合发生先兆流产孕妇服用的其他保胎药。一旦阴道出血增多或腹痛加剧，应立即看急诊，切莫贻误病情，家中最好留人陪伴，如果没人陪伴，保证在你手头有急救电话号码。你无须紧张，但要作好准备。

85.保胎药物、B超对胚胎的影响

阴道出血对胎儿有什么影响？

我妻子上周五（2月23日）检查出怀孕，但自本周三开始有类似月经出血，上医院检查说是先兆流产，出血是什么原因？对胎儿有什么影响？

孕早期出现阴道不规律出血并伴有下腹痛是诊断先兆流产的依据。当胚胎出现问题时，胚胎外面的绒膜与蜕膜层剥离，引起宫缩，出现腹痛和阴道出血。胚胎发育不良是发生先兆流产的主要因素，也有母体的因素。出血预示着可能发生了流产。

黄体酮对胎儿有影响吗？

我妻子怀孕2个多月，现在时常左下腹疼痛。另外，她在几天前做家务，有少量出血，大夫没说具体是什么病，只是让我们注射黄体酮保胎。注射黄体酮是否影响胎儿发育？到目前她已做过两次B超检查，孕期常做B超检查对胎儿有没有影响？

保胎措施主要是休息、口服维生素E、舒喘灵。现在不太提倡使用黄体酮，黄体酮虽然没有致畸作用的报道，但其安全性有待研究。

孕期不要频繁做B超，尽管没有报道B超对胎儿有不良影响，但B超探头对腹部组织有热效应，还是少做为好。没有确切的医学指征，不要频繁做B超检查。

86.阴道出血一定是流产吗？

孕早期阴道出血，会使孕妇非常紧张。大多数人都知道，孕早期阴道出血是流产的征兆。有没有其他原因导致的孕早期阴道出血呢？是否与出血程度有关？怎样分辨是由流产引起，还是其他原因？

怀疑感染

我怀孕1个月，近日腹部疼痛，有少量出血，上周约定9月11日做B超检查，以决定是否保胎，但是由于出血颜色为咖啡色而非红色，且腹部总是隐隐作痛，我担心是否会有感染，拖的时间太长是否会有问题？

先兆流产应该积极保胎治疗，如果是难免流产就不需要保胎了。长期阴道出血确实可增加流产的机会，是否合并感染，应检查分泌物，化验血象，由妇产科医生做出诊断。

停经13天开始吃排毒养颜胶囊100粒。阴道出血2天

我现在怀孕有45天，末次月经是2月10日，2月23号左右我开始吃排毒养颜胶囊，3月20号停的药，共100粒，这种药的主要成分是人参皂甙、珍珠粉、红枣、鹿角胶、枸杞、大黄、芦荟、荷叶，服用这种药后会出现轻微腹痛腹泻，注意事项里还写着孕妇忌食，我本来并没有打算要孩子。前两天我流了一点咖啡色的感觉像血又不像血的液体，量很少，可是今天却流了点暗红色的血，比前两次多，不知道是不是今天有点累的缘故，我去年也是这个时候做过一次流产，这种药是否会造成胎儿畸形？我现在需要用黄体酮之类的保胎药吗？

既然是写着孕妇忌食，对胎儿就一定有不良影响，是否会导致畸形，没有这方面的临床研究，我认为，在这种情况下，你不需要使用保胎药，顺其自然。如果胎儿发育良好，就继续观察胎儿的发育情况，如果自然流产，很大程度上说明这个胎儿是不健康的。

孕6周阴道出血，是等待自然流产还是早做清宫

我爱人怀孕46天，在第31天时开始阴道出现少量出血，诊断为先兆流产，注射了1周的黄体酮，口服多力妈。症状减轻，第37天彩超显示妊娠囊稍有增长，但未见胎心、胎芽，其后几天，又有少量出血，腰痛，无组织物，无腹痛。是等待自然流产还是及早清宫？

从优生角度考虑，不主张过度保胎治疗。如果胎儿停止了发育或有严重的发育问题，就会自然流产了，但你目前没有清宫的指征。妊娠第8周可见胎心管搏动，建议到妊娠8周时做B超检查。确定胎儿是否存活，若胎停育则必须流产。如果胎儿发育正常，就继续在家中休息，妊娠12周后就不容易流产了，可继续工作。

先兆流产

先兆流产如果不想要这个孩子，是选择药物流产，还是刮宫流产？是否影响将来再孕（我妻曾在2000年8月份做过刮宫流产）？人流术后怎么保养？

因距上次流产时间较近，药物流产有可能造成残留，而出现阴道淋漓不断的出血，可能需要做清宫术。做人工流产比较有保证。依现在的医疗水平，只要注意掌握人流术的适应症和禁忌症，操作正确，人工流产术是很安全的。

尽管人工流产术是安全的，但是，如果多次行人工流产术，可造成失血性贫血，使机体抵抗力下降；可使子宫内膜损伤加重，增加宫内感染的机会；还可引起不孕症、早产和习惯性流产。

（1）术后不要马上离开，至少卧床观察1~2小时，若无异常感觉，阴道流血不多，腹痛不明显，再回家休息。

（2）身体需要一个恢复的过程，不要做过重的体力活，以免造成子宫出血过多，也可降低以后子宫脱垂的发生率。适当增加营养，加速身体恢复。至少休息2周。

（3）人工流产术后，一定要注意卫生，保持外阴清洁，2周内禁止盆浴，1个月内禁止性生活。以防罹患子宫内膜炎，甚至盆腔炎。

（4）注意避孕，以免短期再次妊娠。

（5）遇以下几种情况应及时到医院：阴道出血较多，多于平时月经量；阴道出血时间过长，超过1周；白带增多并且有难闻的气味；下腹痛，发热，周身不适或乏力；妊娠反应不消失。

87.什么是过期流产

我在怀孕70多天时有一点点出血（暗红色），去医院做B超检查说是未见胎心，过期流产，但之前我没一点不良感觉，请问这是由什么原因造成的?胎心在多少天开始出现？

妊娠70多天，B超应该发现胎心。一般胎心在妊娠8周以后出现。引起胎停育的原因有很多，妊娠早期胎停育大多数是胚胎本身的问题，如染色体异常。

孕1月阴道出血，B超为什么无胎儿？

我妻子受孕1个月，前5、6天有血丝出现，在家休息，前3、4天便没有，但这两天每天都有1毫升左右的出血，昨天去照了B超，宫内宫外都没有发现胎儿。请问这是什么原因呢？我们该怎么办呢？

在宫内宫外都没有发现胎囊，有几种可能：①根本就没有怀孕，只是月经不正常。建议再次查尿妊娠试验。②可能已经完全流产，你妻子在排便时未发现胎囊排出。③输卵管或其他部位（宫角、卵巢、腹腔、子宫颈等）异位妊娠，在很早的时候，经腹部B超未能看到妊娠囊。④葡萄胎。看不到典型的妊娠囊。⑤实际妊娠时间短，经腹部B超未能发现胎囊。

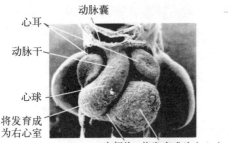

心耳
动脉囊
动脉干
心球
将发育成
为右心室

室间沟　将发育成为左心室

孕43天(6周+1天)心脏电镜图

胎儿心脏发育图
引自William J. Larsen著《人类胚胎学》。

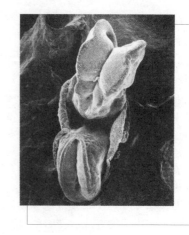

孕36～37天胚胎，前后神经孔都已打开。引自William J. Larsen著《人类胚胎学》。

建议：①如果没有腹痛，可继续观察阴道出血情况，卧床休息，同时口服维生素E和舒喘灵。②如果有腹痛，可做阴道B超，排除宫外孕的可能。③做尿HCG检查，如果仍为阳性，可进一步做血HCG定量测定，以排除葡萄胎的可能，也可间接了解胎儿是否存活，对宫外孕也有诊断作用。④如果已经发生了流产，因残留而出血，可做清宫术。

88.葡萄胎

葡萄胎的诊断依据

我想问一下什么是诊断葡萄胎的主要依据？在我怀孕41天时有少量见红，并无其他任何症状，当时大夫给我检查说孩子很小，我不知道这是否意味着子宫很小，9天后B超未见胎心音，后行刮宫术并病检为"水泡状胎块"。我知道葡萄胎子宫应该异常增大，并伴有其他症状，不知道我为什么会没有这些症状？

葡萄胎最常见的症状是阴道不规则出血，出出停停。葡萄胎是由于滋养层细胞增生和绒毛间质水肿，使绒毛变成了大小不等的水泡，相互间有细蒂相连如葡萄状，故成葡萄胎或水泡状胎块。葡萄胎的主要症状有：

（1）阴道出血：由于葡萄状物与子宫壁剥离而有阴道出血。

（2）子宫异常增大：由于绒毛过度增生、水肿及宫腔内积血，使子宫体积异常增大，与停经月份不符。子宫软而下段饱满，听不到胎心。但有少数怀葡萄胎的孕妇子宫不但不增大，还可能缩小，这是由于葡萄胎

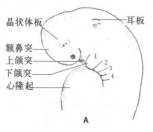

晶状体板
额鼻突
上颌突
下颌突
心隆起

耳板

A

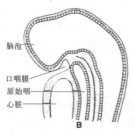

脑泡
口咽膜
原始咽
心脏

B

A 侧面观

B 矢状切面；
1～4示鳃弓

孕7～8周
(49～56天)
胚胎头部冠状
切面示意图

引自高英茂主编《组织学与胚胎学》。

114

发生坏死退化或部分已排出之故，也称为部分性葡萄胎。所以，当时医生检查子宫小不能因此排除葡萄胎的可能。

（3）妊娠中毒症的症状：有些怀葡萄胎的孕妇恶心、呕吐症状较正常孕妇重，较早出现水肿、高血压、蛋白尿等妊娠中毒症状。

（4）卵巢黄素囊肿：多因子宫过大影响妇科检查而不易触及。

葡萄胎的诊断依据：

葡萄胎的诊断主要靠B超，无胎心及羊水，出现密集的中、低小波，尿或血HCG的测定。一经确诊即应住院治疗。有过葡萄胎妊娠的女性最担心的是能否再怀孕生育一个正常的孩子。这需要连续2、3年去医院接受医生的检查和治疗。确诊为葡萄胎，刮宫后应密切观察，及早发现恶变给予化疗。定期随访，半年内每月复查一次，半年后每3个月复查一次，1年后每5个月复查一次，一直随访2年。没有医生允许，一定要做好避孕，万万不可怀孕，那样是很危险的。

发生葡萄胎的原因并不十分清楚。有科学家认为，引发葡萄胎的原因可能是不正常的基因组合，正常的胚胎是由两套染色体的基因组成，一套来自父亲一套来自母亲。葡萄胎除了线粒体外，胚胎的两套基因全都遗传自父方，也就是说葡萄胎有两套来自父方的基因。

第6节 孕2月妈妈常见问题

89.爱发脾气

这种现象很常见。随着怀孕的好消息到来，夫妻俩往往都很激动，并充满着幸福和憧憬。可好景不长，一向活泼开朗的妻子变得郁郁寡欢，愁眉不展，常常因为生活中的小事大动肝火，脾气暴躁。这是为什么呢？

孕期焦虑是一种心理变化，即将成为"母亲"的妻子，心情错综复杂，文化层次较高的女性更为突出。身心经历着重大变化，一些平时没有的担心全都袭上心头，诸如：胎儿是什么样的？胎儿会有什么问题吗？会因为怀孕发胖变丑吗？妈妈的角色什么样？丈夫婆婆都希望生男孩，要是女孩怎么办？还没有属于自己的住房，怎么养孩子？可能无法胜任目前紧张的工作，如何面对上司？还有婆媳关系、经济压力、工作安排等问题困扰着她们。

有些孕妇脾气变坏也有疾病的原因。轻微的疾病如妊娠反应，60%~80%孕妇有不同的肠胃不适，有些持续整个过程，较重的疾病如甲状腺功能亢进症，表现多汗、烦躁、心悸等症状。

请准爸爸注意

胎儿正处于快速发育阶段，各器官在不断分化形成，愉快的心情是最好的胎教。你的妻子可能会因为妊娠反应而难受；可能会因为从未有过的便秘而烦恼；可能会因为体内激素的变化而情绪波动；可能会因担心体形的变化而不安；晨起坐在梳妆台前看着有些肿胀和苍白的脸会难过。这些都是你们未来的宝宝带给妻子的改变，做丈夫的你，可要多多体谅妻子，孕育胎儿是你们夫妇共同的责任。如果你的妻子总是占着洗手间，你应该关切地问一问：是否便秘或尿频？是否有些恶心而干呕？妻子会感觉到你在关心着她，她不是在孤军奋战，这对她是很重要的。

如果你不知道妻子为什么流泪，不要烦恼，更不要生气，这是孕期体内激素变化导致的生物效应，而非成心和你找别扭，给予安慰是你应该做的。如果妻子无端脾气暴躁，做丈夫的，要理解妻子，气头上不和妻子争执，吵架后一定要主动认错，交流看法。平时，要多注意和妻子的沟通交流，许多问题要谈出来，乐观地共同面对。情形严重的，可请心理医生和精神科医生帮助。

90.唾液、分泌物、腹围

过多的唾液

这也是妊娠反应的一种表现，过多的唾液多发生于晨起有恶心感的孕妇，唾液增多也是孕期出现的正常反应，不必担心。如果你厌烦过多的唾液，或感觉在同事面前流唾液让你难堪，你可试着含些口香糖，或用含有薄荷的牙膏刷牙。用薄荷牙膏刷牙不会影响胎儿的健康，刷牙后用清水把口腔漱干净。

阴道分泌物增多

在整个孕期，你可能都会感觉阴道分泌物比孕前明显增多了，这不是异常，阴道分泌物可以阻止病原菌感染阴道和子宫，对你具有保护作用。你只需注意分泌物的性质是否正常：通常情况下，阴道分泌物有点轻微的、让你闻起来不太愉快的气味，但不是臭味或让你难以忍受的气味；分泌物是白色的，或略有些发黄。如果气味和颜色都不正常，就要看医生。保持局部清洁，但不要随便使用一些市售的

42天胎儿　　49天胎儿

引自William J. Larsen著《人类胚胎学》。

清洗液，应该购买孕妇专用洗液。使用有药物成分的洗液要有医生的推荐。

腰围增粗

这个月，你的腰围可能还没有什么变化。你要有充分的心理准备，怀孕会使你暂时失去苗条的腰身。不要再留恋你以前穿的衣服，重新选择适合你的新衣服。最好买休闲款式，可以买用腰带、系绳自由调节腰身的款式。穿丈夫的T恤或买一件T恤，都是不错的选择。少买只能穿2、3三个月的孕妇装，因为过后你只能送给朋友。

我只是怀孕一个月多一点。我觉得自己的腹围（尤其是上腹部）增加太快了，现在我已经不能穿上一个月前穿着还正正好的裤子了，这是不是不太正常呀？不过我并没有其他的不适或不正常的感觉。

妊娠一个月多，从外观上不易看出什么大的变化，如果仅仅是你以前的裤子的腰围不适宜了，那是正常的现象。如果别人从外观上就能够看出你体形有明显的变化，应该看产科医生或内科医生。

91.问题咨询实例解答

孕初期腹痛是什么原因？

孕初期出现腹痛应及时看医生，排除宫外孕的可能。如果阴道有血性分泌物，更应及时看医生。但如果偶尔感觉腹部不适，并没有明显的疼痛，或疼痛只是一闪而过，并没有持续一段时间，或一直感到在隐隐作痛，排便后就缓解了，就不需要看医生。

怀孕的妇女单纯出现下腹隐痛并不一定是疾病所致，这是因为妊娠使子宫的血管、淋巴管及弹力纤维增生，刺激神经末梢而产生的，子宫柔软敏感，孕妇在活动较多时可引起生理性子宫收缩而发生隐痛，只要注意保暖休息即可缓解腹痛。向

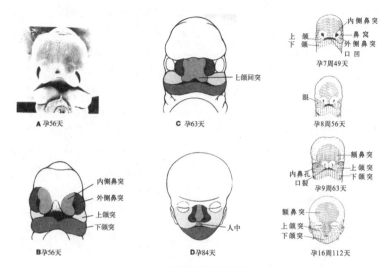

7~16周胎儿颜面形成过程示意图

最早看起来像两只眼睛的部位，实际上是两个鼻孔，看起来像是鼻子的部位实际上是嘴巴，胎儿的眼睛在头的两侧呢！正面还看不到，孕9周时(63天)眼睛移向颜面部。妈妈别着急，很快宝宝的五官就各就各位，按部就班排列整齐。到第14周时宝宝已经是漂亮的小娃娃了。

左图引自William J. Larsen著《人类胚胎学》。右图引自高英茂主编《组织学与胚胎学》。

疼痛一侧侧卧可使疼痛减轻。

下腹刺痛有什么问题吗？

上个月我曾经向你咨询过如何才能尽快受孕，在你的指导下，我已经怀孕，估计已有3周多。但有两次上班太累时，觉得一侧下腹稍微有点刺痛，休息以后又好了，这会不会有什么问题？

在正常情况下，孕早期可出现轻微的小腹不适，或者会感觉到有些隐隐作痛。但时间很短暂，程度很轻微，间歇期没有什么不适感觉。

如果是宫外孕，则疼痛比较明显，成渐进性，逐渐加重，常常并有阴道小量出血。

你可仔细观察，如果疼痛明显，持续时间长，应及时看医生。另外，慢性阑尾炎、大便干燥、排便不畅也可出现小腹不适或隐痛。

异常孕产史？

我妻子在去年6月实行剖腹产生下一个孩子，但是没有成活。妻子今年28岁，我现在准备再要一个孩子。在这个月由于避孕措施不当，妻子又怀孕了。请问现在该怎么办才最好？

剖腹产术后仍可再次妊娠，但为了使手术切口瘢痕组织恢复更加完好，一般情况下，剖腹产术后2年再妊娠生育比较安全。

你妻子在剖腹产后1年即怀孕了，如果你妻子剖腹产时，切口愈合很好，没有感染，也不是瘢痕体质，可继续妊娠到分娩，但一般不宜等到40周，多于38周提前分娩，孕期严密观察手术切口处情况，胎儿不宜过大，按期在高危产前门诊做产前保健。

如果不能继续妊娠，做人工流产时要格外小心，不宜采取药物流产。药物流产可能会引起胚胎组织滞留。

既往生过无脑儿

今年我26岁，去年7月份时做了一次人工引产术，原因是做B超提示无脑儿、脊椎裂。现在我又怀孕快一个月了，非常害怕以往的不幸会再次降临，医生建议我吃叶酸，我在生活饮食起居上还应注意什么呢？

怀孕初期需要注意的事情比较多。主要的有：

（1）一定不要接触有毒、有害、对胎

儿有影响的物质。

（2）服用任何药物都要请示医生，看病时要告知你已经怀孕，去医院不要在有X射线的地方停留。

（3）要注意休息，保证充足的睡眠，心情愉快，避免生气。

（4）保证合理的营养和平衡膳食结构。不要偏食。

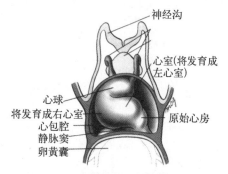

孕38天(5周+3天)心脏图

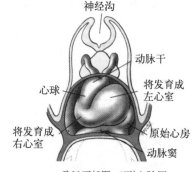

孕39天(5周+4天)心脏图

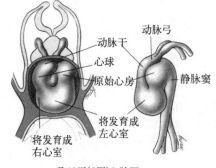

孕40天(5周)心脏图

引自William J. Larsen著《人类胚胎学》。

（5）不要道听途说，要从正规渠道获取孕期保健知识。

（6）作好孕期保健。在正规医院建立围产期保健手册，并按时接受检查。

（7）不要做剧烈运动。

（8）不要自行吃一些补药。

（9）有生产无脑儿、脊柱裂史的夫妇，在怀孕前3个月应该服用叶酸0.8~1.2毫克/日，直到怀孕后3月，再改成小剂量补充0.4毫克/日。

第7节 孕期预防感冒

92.孕期防感冒11点建议

普通感冒与流感

普通感冒是很常见的疾病，尤其在冬季发病率更高。感冒是否对胎儿造成不良影响，与引起感冒的病毒有关，但不管怎么样，孕妇患病对胎儿总不是件好事，所以，孕妇预防感冒是很重要的。大多数感冒是病毒感染，属自限性疾病，治疗多是针对症状，抗病毒药孕期是禁忌服用的，所以，孕期感冒应以休息、多饮水为主。如果症状重，则可适当服用板蓝根、双黄连等中药，如果合并有细菌感染则加服抗生素，记住，服用任何药物都要在医生指导下。

流行性感冒（简称流感）是由甲、乙、丙型流感病毒所引起的急性呼吸道传染病。流感与普通感冒不同，具有症状重、传染性强、突然暴发、迅速蔓延、影响面广、发病率高、死亡率高等特点。

流感对妊娠的影响取决于孕妇感染的程度，轻型流感对孕妇影响不大，重型流感的孕妇流产率为10%，流感可导致流产或早产发生率明显升高。孕妇在孕期不能接种流感疫苗，如果需要接种流感疫苗，一定要在妊娠前接种。

红糖姜水，美美一觉

当准妈妈受凉，或感觉要感冒时，喝一碗热的红糖姜水，然后美美地睡一觉。

生蒜、生葱赛过药

常吃生蒜、生葱头是预防感冒的好方法。大蒜素胶囊就是从蒜中提炼出来的。蒜不但有预防感冒之功效，还能抑制肠道致病菌。

锌与呼吸道防御

多吃含锌食物。缺锌时，呼吸道防御功能下降，孕妇需要比平时摄入更多的含锌食品。海产品、瘦肉、花生米、葵花子和豆类等食品都富含锌。

维生素C与呼吸道纤毛运动

维生素C是体内有害物质过氧化物的清除剂，同时具有提高呼吸道纤毛运动和防御功能。建议多吃富含维生素C的食品或维生素C片剂，如番茄、菜花、青椒、柑橘、

草莓、猕猴桃、西瓜、葡萄等。维生素C在加热过程中会大量丢失，所以，烹饪时要注意保护。

盐水漱口，廉价功效大

每天清晨起床洗漱后，用盐水漱口，再喝半杯白开水是不错的选择，不但可预防感冒，还对齿龈的健康有好处，因为，孕期齿龈充血，易患齿龈炎。

一年四季，冷水洗脸

晨起用冷水洗脸可增强抗感冒的能力。晚上可用温水洗脸，以免由于冷的刺激影响睡意。

室内湿度保持在45%

冬季空气湿度低，尤其是在北方，室内多用暖气取暖，空气非常干燥，而干燥的空气有利于病毒在呼吸道内聚集并生长。可使用加湿器保持室内适宜的湿度。

有争议，但无害的醋熏蒸

醋熏蒸法是否对预防感冒有效尚存在争

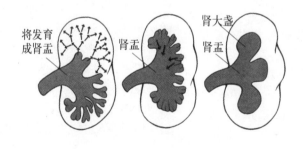

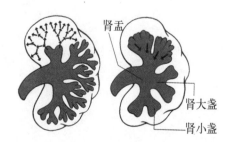

这是胎宝宝肾的发育过程示意图，这看起来和肺脏差不多，也是树干，树枝和树叶。

引自William J. Larsen著《人类胚胎学》。

议，但因没有害处，有些家庭还沿用此法。

不要忘了白开水

多喝水对预防感冒和咽炎具有很好的效果，每天最好保证喝600~800毫升水。

空调换气，不能代替开窗

应让新鲜的空气不断进入室内，大多数人都喜欢在早晨打开窗门通气，而后就一天门窗紧闭了。这样不好，至少在午睡后和晚睡前进行通风换气。使用空调的家庭也不能一天24小时门窗紧闭，不能完全靠空调的换气保持室内空气新鲜。另外，要在太阳出来后再开窗换气，如果太阳还没有出来开窗通风，室外的二氧化碳浓度较高，对孕妇不利。如果空气污染指数大，不利于通风换气，可借助空气清新器。

避开人群

尽量不去或少去人群密集的公共场所，因你无法保证人群中人们的健康状况，人越多被感染的几率越大，规避是好的选择。

坚持锻炼更重要

锻炼是提高身体抗病能力的有效途径，现代孕妇都知道这个道理，所以，大多数孕妇在整个孕期都坚持锻炼。

有效保暖防感冒

冬季气候寒冷，即使在南方，腊月也是比较冷的，孕妇保暖也是比较重要的，有些孕妇自怀孕后开始怕热，穿得很少也感觉不出冷，有些孕妇怀孕后很怕冷，穿很厚的衣服还是觉得手脚冰凉。这样的孕妇应该购买保暖效果好，穿起来又很轻便舒适的棉衣，以免穿得太厚影响运动。

孕妇穿脱衣服有讲究

增加衣服时要注意，早晨起来穿上的衣服不要随便脱掉，尤其是感觉到热或者已经出汗时，就更不能马上脱衣服，要静下来。如果你进入比较热的房间，要提前把衣服脱掉。等到出汗再减就很容易感冒。活动前也是一样，千万不要等到活动热了，出汗了再脱衣服，一定要在活动前作好准备。

93.怀孕期间感冒咨询实例解答

我家居住在闹市区，空气不好，我有时乘公交车半小时去公园散步。可朋友对我说怀孕期间频繁乘车颠簸不好，而且公共汽车上空气不好，可能有病毒。我应该怎么办？是应当尽量减少外出吗？

最近得流感的人很多，看了书上讲述的流感病毒对胎儿的不利影响，简直有点恐慌，虽然尽量注意，可毕竟不是生活在真空里，仍然要上班和同事相处，要去商店买生活必需品，请问应怎样预防？戴口罩管用吗？而且总不能老是戴口罩，一般人感染流感病毒的可能性大吗？只要接触就会感染吗？

应该减少乘车次数和时间，除了颠簸外，乘汽车时，会暴露在汽油污染中，汽油中含有较高的铅及其他有害毒物质，对胎儿不利。但不能因此减少外出活动的时间和次数。孕妇每天坚持到户外活动是非常必要的。不一定每天都到公园，可以在居住小区周围、人和车辆少的地方散散步。

流感主要是经飞沫、接触被流感病毒污染的东西传播。戴口罩也不能完全避免，流感有人群聚集性，流感病人会很快感染周围的人群。少去人多的地方、远离

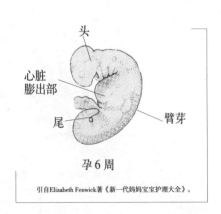

头

心脏
膨出部

尾

臂芽

孕6周

引自Elizabeth Fenwick著《新一代妈妈宝宝护理大全》。

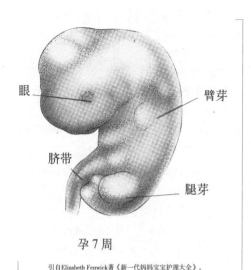

眼
臂芽
脐带
腿芽

孕 7 周

引自Elizabeth Fenwick著《新一代妈妈宝宝护理大全》。

感冒病人，多饮水，多休息，保证充足的睡眠，不要过于疲劳。上下班尽量避开高峰，车内和办公场所尽量在通风良好的地方。最好不要逛百货商场，尽量在人少和室内空气新鲜的时候去购物，时间要短。少接触公共场所的物品，饭前、便前、便后，用流动水洗手。

为了胎儿不服感冒药对吗？

这几天患了流感，鼻塞，咽喉又痛又痒，由于担心对胎儿不好，一直没敢服用感冒药，我是该就这么挺着不用药，还是到医院看病？

你说患了流感，到底是流感，还是普通感冒呢？流感对胎儿是有一定危害的，应该加以区别。

流行性感冒临床表现有头痛、发热（体温可高达39℃以上）、两眼胀痛、四肢疼痛、疲乏、眼结膜充血、鼻塞、流涕、咽喉干痛。流感导致流产或早产者较多。

普通感冒一般起病较缓，发热不超过39℃，上呼吸道症状如咳嗽、咽痛、胸闷等比较明显，而全身中毒症状如头痛、全身酸痛、畏寒、发热等较轻，且传播也慢。普通感冒对孕妇无明显影响。

如果确系流感，需要医生给予治疗。

若只是普通感冒，症状又不重，不必服药，只需多饮水、多休息，保证充足的睡眠和合理营养，一周左右可自愈。

发热怎么办？

我妻子怀孕一个多月，现在感冒了，发热38.6℃，不知该怎么吃药，"汇仁牌清热口服液"可以吃吗？

只要药品使用说明书中没有注明孕妇慎服或忌服就可以服用。你妻子感冒伴有中度发热，就应该看医生了，确定是病毒性感冒，还是细菌感染？若有细菌感染证据则应服用抗生素。孕期不能服用西药抗病毒药。除了药物治疗外，要注意休息，多饮水，体温过高可影响胎儿，应积极降温。

感冒及感冒药对胎儿有何影响？

妻子在12月3日至23日期间，因流涕、咳嗽服用了复方新诺明12片，感冒胶囊数粒、咳特灵胶囊各12粒，这些药物对胚胎或将来的胎儿是否有影响？

你妻子所服药物均为孕妇慎用药。根

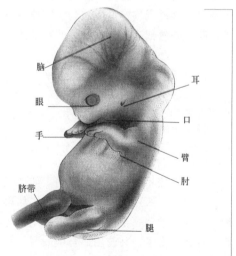

脑
眼
手
脐带
耳
口
臂
肘
腿

孕 8 周

本书的编辑体例是逐月展示胎宝宝的外形。其实在孕3月以后，胎宝宝的模样只是量变而已，在外观上已经没有质的变化了。而在受精卵到胎宝宝成形的这段时间的变化，可以说是以天来计算的，每天一个样。可惜获取胎宝宝在妈妈子宫内真实的模样是非常难的，这里为了更多地展示胎宝宝的变化，我们逐周显示了胎宝宝的形象。引自Elizabeth Fenwick著《新一代妈妈宝宝护理大全》。

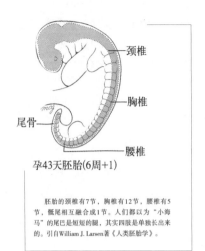

颈椎

胸椎

尾骨

腰椎

孕43天胚胎(6周+1)

胚胎的颈椎有7节，胸椎有12节，腰椎有5节，骶尾相互融合成1节。人们都以为"小海马"的尾巴是短短的腿，其实四肢是单独长出来的。引自William J. Larsen著《人类胚胎学》。

据推算受精卵尚未着床，对胎儿可能不会造成影响，不必担心。

感冒1个月不好

我妻子怀孕已2月有余，但感冒已有1个多月，这几日让医生注射了利炎康。我想问一下这对胎儿有没有不利，会不会出现畸形？

感冒不会持续1个多月的。是不是反反复复的感冒？或者是有鼻炎、鼻窦炎、咽炎等呼吸道疾病？你应该到医院检查一下。医生既然知道你是孕妇，就不会使用对胎儿有害的药物，这一点你放心。

退热后咳嗽不止采取什么措施？

我妻在怀孕40天时不慎患上感冒，发热有37.6℃左右，持续2天后开始服药（头孢拉定），服用一天后热度即退，但随即又开始咳嗽，在医生指导下继续服用头孢拉定，至今已连服5天，咳嗽仍不见好转。该采取什么措施？

头孢拉定不太适合孕妇服用。如果只是普通感冒，服用抗生素没有效果，如果确定并发了细菌感染，才有必要使用抗生素，首选青霉素，并选用适合孕妇服用的止咳祛痰药。除了服药外，要注意休息，保证睡眠时间，多喝水，多吃清淡的食物，吃些生蒜。

总打喷嚏腹部震动影响胎儿吗？

得了轻微感冒，没吃药。但却引发了鼻炎（我以前患过），拖了很久，我担心等胎儿大了我夜间打喷嚏会影响胎儿休息。另外，我觉得有时候躺着打喷嚏似乎腹部受力挺大。该怎么办？

因为你以前就有鼻炎史，感冒后很容易再次引起。如果只是打喷嚏，就不用服用药物，因为治疗鼻炎的药物对胎儿多少有些影响。如果流浓鼻涕，而且有很严重的鼻塞，影响呼吸和晚上睡眠，就要治疗了。偶尔打喷嚏不会影响胎儿的，左侧卧位可缓解腹部压力。

服用孕妇忌用药怎么办？

我没有准备要孩子，但现在已确诊怀孕35天，在21-29天时因感冒一直用药，其中多潘立酮片、牛黄解毒丸标明孕妇忌用，泰诺标明妊娠期遵医嘱，我很矛盾，不知影响有多大？我能不能要这个孩子？

药物对胎儿的影响，大多是实验室的实验结果，或从药物作用原理和毒副作用分析对胎儿有多大影响，或对曾使用过药物的孕妇，进行回顾性分析所得的结果，或药物对动物胎仔的影响。

药物对胎儿的影响，与服用药物时的妊娠时间、服用剂量、服用时间长短等诸多因素有关。早期妊娠药物对胎儿影响较大，主要是致畸作用。多潘立酮，牛黄解毒丸是孕妇禁忌药，但并没有肯定的致畸作用。从这个角度考虑，你不必顾虑太

胎儿脸和嘴的原始形状　　**胎儿脸和嘴的原始形状**

孕42天(6周)　　　　　孕42天(6周)
这是人类脸和嘴的原始形状　这是人类脸和嘴的原始形状
多像恐龙的嘴巴啊！　　　多像恐龙的嘴巴啊！

引自William J. Larsen著《人类胚胎学》。

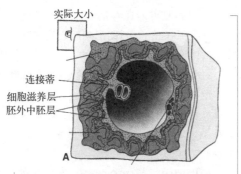

实际大小

连接蒂
细胞滋养层
胚外中胚层

A

孕28天左右，这就是完全植入子宫内膜后形成的那个"双层汉堡"。引自William J. Larsen著《人类胚胎学》。

大。如果胎儿发育正常，应该相信胎儿的生命力。健康的胚胎不会因母体一次感冒，吃了些药物而受到影响的。

你在妊娠早期患感冒，有病毒感染史，又使用了很多药，又是非计划怀孕。从优生角度考虑，倘若你年龄不大，受孕容易，你和丈夫及家人都非常担心，可以放弃。但一定要想好，人流本身也有副作用。

以上是我帮助你分析的各种可能性，请根据具体情况权衡。孕期用药的问题对医生来说也是一个非常难掌握的问题，不仅是实验室和临床资料缺乏，更是由于需要综合考虑的因素复杂。能够从复杂的问题中抓住主要问题，两害相权取其轻，不仅需要医生的学识，还需要医生的智慧。一个孕妇当然很难这样考虑问题，但理解医生的思路是很重要的。我专门写了孕前和孕期安全用药一章，希望有这样问题的读者能从完整的论述和众多实例中得到帮助。

第8节 胎心管搏动与胎停育

94.胎心管搏动

孕第8周，在B超下可清晰地见到胎心管搏动，但通过孕妇腹壁，即使借助多普勒胎心听诊仪，此期医生也并不能听到胎心管搏动。如果B超报告未见到胎心管搏动，爸爸妈妈就会非常着急和担心。遇到这种情况，如果没有阴道流血或腹痛等异常情况，孕妇不必过于担忧，因为按照末

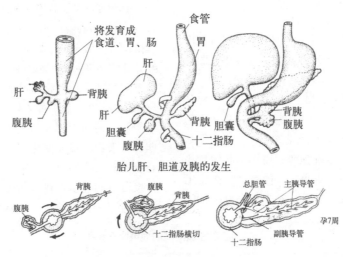

将发育成
食道、胃、肠

食管
胃
肝
背胰
胆囊
腹胰
十二指肠

肝
腹胰
背胰
肝
胆囊
腹胰

胃
背胰
腹胰

胎儿肝、胆道及胰的发生

腹胰
背胰
十二指肠横切

腹胰
背胰
十二指肠

总胆管
主胰导管
副胰导管
十二指肠
孕7周

胎儿肝、胆道及胰的发生

胎宝宝胰脏像个大树叶，胰腺是维系人体血糖代谢的指挥中枢，
胰腺包绕阔十二指肠，开口于十二指肠

引自高英茂主编《组织学与胚胎学》。

次月经计算的孕周会有1、2周的误差，或许你腹中的胎儿还没有长到你认为的孕周，再耐心等待1、2周。不要频繁做B超检查。

当医生认为应该有胎心管搏动，但检查没有发现的时候，孕妇就会极度紧张。就会产生这样的想法：该出现胎心管搏动的时候，医生却没有查到，那岂不意味着胎儿没有存活？这个结论对孕妇来说打击实在是太大了。

下面是一个真实的例子，是一位准爸爸向我进行的咨询。

还没等到孕3月检查的时间，3月14日晚上阴道出血，血量不大，到第二天早上仍有少量的血，3月15日到附近的开发区医院做B超，结果为过期流产，胎儿没有胎心管跳动，建议住院流产。我们不相信会有这样的结果，又到市里的医院检查，结果为胎儿停止发育，没有胎心管跳动，估计胎儿大约在50多天。可据我们自己计算的时间应该为70多天。3月18日做了血HCG值的检测，检测结果大于1000IU/L，医生说胎儿现在没有问题，建议3月25日再做一遍B超。

按末次月经计算的妊娠天数与医生检查不符合的可能性有两种：

● B超和检查误差。
● 月经周期长。

如果月经周期长，按照末次月经计算出的妊娠周数就会较实际的大，所以B超胎龄评估与停经天数一定时间差是正常的。你妻子的月经周期是40多天，按照末次月经计算妊娠天数就应该减去10多天，所以，实际妊娠天数是50多天，而非70天。

尿HCG是定性检测，血HCG是定量检测，对诊断意义更大，胎停育后，血HCG值会逐渐下降。所以，医生根据血HCG结果，认为胎儿可能还存活着就是基于此。一般情况下在孕8周开始出现胎心管搏动，所以，再等待一段时间是对的。

妊娠不同时期以及各孕妇之间血清HCG绝对值变化很大，每人是不相同的，没有可比性，只可自身比较。一般非孕妇女血HCG<100IU/L，在妊娠最初3个月，HCG水平每2天左右约升高一倍。

尿中的HCG（HCG半定量法）含量：非妊娠妇女<25IU/L，怀孕40天>5000IU/L，怀孕60-70天>（8-32）×104IU/L（清晨尿HCG水平最高。）

孕7周未见胎心搏动胎儿有生存的机会吗？

我和妻子知道有了小孩都非常高兴！我们在憧憬着未来的小宝宝，双方的父母也都非常高兴，所有的生活都以妻子为核心。但是，今天妻子听了同事的意见，去长春市妇产科医院检查，B超没有胎心管搏动，医生给开了一些营养药，说等3周如果还没有胎芽，就说明是死胎。妻子下午哭了，我也非常难受！我们的小孩到底还有生存的机会吗？请郑医帮助分析一下，让我们心里也有一个慰藉！

你妻子做B超时停经50天，妊娠7周加1，看不到胎心管搏动是正常的。原始胎心管搏动，一般出现于妊娠6-7周。按末次月经计算的孕期可有2周以内的误差，月经周期不规律的，就不是很准确了，有时需要靠B超来估算胎龄。如果妊娠8周以上仍未见胎心管搏动，则要高度警惕了。胚胎时期每一天都有很大变化，停经50天未见胎心管搏动，或许51天时就出现了。所以，如果没有阴道出血或腹痛等异常情况，不提倡过早做B超检查，以免给孕妇带来烦

正常妊娠期间的血清HCG水平

妊娠周数	0.5-1周	1-2周	2-3周	3-4周	4-5周	5-6周	6-8周	2-3月
HCG水平（单位/升）	5-50	50-500	100-5000	500-10000	1000-50000	10000-100000	15000-200000	10000-100000

HCG：绒毛膜促性腺激素

恼，也提高对胎儿的安全性。一定要劝慰你的妻子，宝宝在飞速进行器官分化和发育，悲伤对她及胎儿都是不利的。

停经50天未见胎芽及胎心管是否预示胎儿已经死亡？

1月21日我去医院做了子宫B超，诊断报告如下：子宫内现一0.8厘米×0.4厘米×0.6厘米孕囊，未见胎芽及胎心管搏动。左卵巢2.2厘米×1.6厘米×2.3厘米，右卵巢3.1厘米×2.3厘米×3.2厘米，医生诊断为早早孕，不足5周。我停经已经50多天了，为什么孩子才这么小？是不是已经死了？近来隐隐有腹痛（已有2周）。

成年女性正常卵巢大小在4厘米×3厘米×1厘米，随着月经周期变化，每个人卵巢大小并不一样，有个体差异，一般情况下，卵巢的长×宽×高/2小于6厘米。但只要卵巢结构、形状正常，即使大小有些变化，也不能说明异常，况且B超本身测量也有一些误差，你的B超结果是否有问题，还要结合临床分析，如果妇科医生和B超医生都未作出异常诊断，你就可以放心。

如果停经8周以后看不到胎心管搏动，应警惕是否有宫内停育。但是按照末次月经计算孕龄有时并不是十分准确，按末次月经计算怀孕50天并不肯定就是50天。如果胎停育会有阴道出血、腹痛等症状。

胚胎小于停经月份，是否早孕反应导致胚胎发育迟缓？

医生说胚胎小于停经月份，未见成形胚胎，但胎心良好。我一直吃不下什么东西，清晨会有恶心、呕吐的感觉。平时很不爱吃东西，没有食欲，不知道这跟胎儿发育有没有关系？

根据末次月经计算妊娠时间，估计的胎儿大小，有一定偏差的。你只是轻度妊娠反应，并非是妊娠剧吐，不会因此影响胚胎发育的。

孕40天做B超检查，对胎儿有多大影响？

B超对胎儿（40天）有多大的影响，我看了、问了很多，都说对胎儿发育不利，但我到一家大医院检查，医生要我做了B超，我好怕影响了我的小生命。美国科学家做了大量调查，证明对胎儿发育不利。

B超对胎儿是否有影响？对胎儿有什么影响？影响的程度有多大？几率有多大？到目前为止，尚无权威性定论，可谓众说

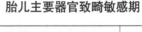

胎儿主要器官致畸敏感期

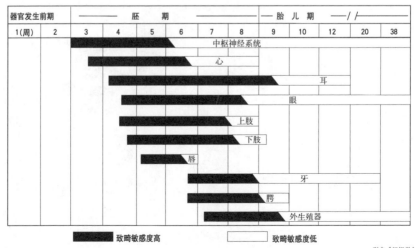

引自《组织学与胚胎学》。

纷纭，莫衷一是。多数学者认为没有太大的影响。有的学者认为妊娠早期（3个月内），应尽量不做B超检查，尽量减少B超次数，缩短B超时间。如果没有必要，应该在怀孕3个月以后再做，如果怀疑有宫外孕或胎停育等，必须做B超。

95.令准妈妈闻而生畏的胎停育

为什么会出现无原因的胎停育？

我在孕2月出现阴道少量出血，诊断胎停育做了人流术。我曾于半年前怀孕，孕8周出国15天，期间很劳累，经常坐一夜的飞机、汽车，却未出现异常。只因吃药，于孕10周时做了人流。我很疑虑，此次怀孕没有任何原因可寻，为什么会出现胎停育？我夫妻二人都很健康，双方家族无疾病史。

出现胎停育的确切原因是很难寻找的，据研究资料表明，流产的发生率约占全部妊娠的15%～20%。引起自然流产的病因可分为非遗传病因和遗传病因两大类。

非遗传病因是指母亲受到感染，或受某些药物、放射性物质的影响，或患有慢性消耗性疾病、内分泌失调、生殖器异常，或在怀孕期进行了盆腔手术等。

近20余年来，遗传学家对大量流产儿进行了与遗传有关的细胞核内染色体的研究。发现50%-60%的流产儿具有异常染色体，这种染色体异常，包括数目异常和结构异常。正由于这些染色体异常而导致了胚胎发育的障碍，胎儿停止发育，造成妊娠中断。

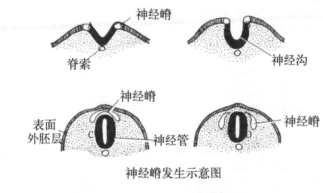

神经嵴发生示意图

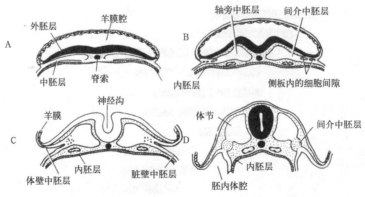

胚胎中胚层早期分化横切示意图

引自高英茂主编《组织学与胚胎学》。

导致胎儿染色体异常的原因主要有两种：

一种是环境中的致畸胎因素，如放射线、病毒和某些药物等。各种致畸胎因素作用于生殖细胞和处于早期发育的胚胎，导致胎儿染色体异常。

另一种是胎儿父母的一方或双方染色体异常。这些染色体异常的父母，往往从外表上看是正常的，并没有发育上的缺陷，而细胞内的遗传物质却发生了变化。他们孕育的胚胎很大一部分为染色体异常的胎儿。

染色体异常的携带者相当多，大约每250对夫妇中就有1个。胚胎死亡、自然流产正是对孕育着的新生命进行选择，去除了疾病胎儿，保证了健康胎儿的出生。

你半年前怀孕，尽管很劳累，但并未发生胎停育。而这次没有劳累，却发生了胎停育，这令你迷惑。其实，这并不奇怪。正常的胚胎生命力是很强的。而异常的胚胎即使没有外界不良因素干扰，也很难存活下来。当然，孕期过度劳累是不利于胎儿的，以后还是要注意为好。

胎死宫内，既不腹痛也无阴道出血是怎么回事？

怀孕8周。3天前凌晨下腹部有痉挛的感觉，持续大约3-5分钟，之后排出一小块粉红色片状组织，直径约有1厘米，呈不规则形状，并伴有少量出血。医生诊断为自然流产，而且预测2-3天内胚胎组织会排出，并伴随流血。但那天以后至今已3天，既无流血也无腹痛现象，不知是怎么回事？

你应该再次做尿HCG，如果仍然阳性，再做B超检查，如果确定胚胎已经停止发育，就要做人工流产术。也可做血HCG定量测定明确胎儿发育情况。

孕46天胎停育，与坐火车及电脑有关吗？

我怀孕46天时到外地出差大约1个月，也没什么早孕反应。可到外地后，66天时开始流血，大

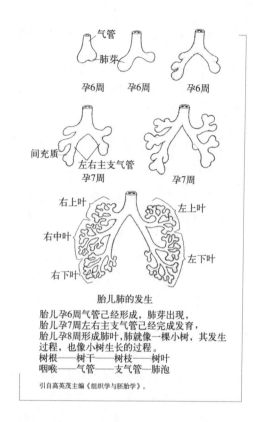

胎儿肺的发生

胎儿孕6周气管已经形成，肺芽出现，
胎儿孕7周左右主支气管已经完成发育，
胎儿孕8周形成肺叶，肺就像一棵小树，其发生过程，也像小树生长的过程。

树根——树干——树枝——树叶
咽喉——气管——支气管—肺泡

引自高英茂主编《组织学与胚胎学》。

夫说无明显胚芽，胚胎停止发育，难免流产，结果在70天时自然流产，我很难过，不知这和我操作电脑及坐火车有关系吗？什么时间再怀孕合适？我现在应注意些什么？

自然流产可能是一种原因，也可能是综合性因素。单纯坐火车不会导致流产，劳累则可导致流产。孕早期每周在电脑前的净工作时间超过20小时，可增加流产的发生率。引起自然流产的原因还有遗传因素、母体疾病、外界因素、父亲因素等等。

流产后有造成继发不孕的可能，但一般多是多次流产或合并子宫内膜炎、盆腔炎等情况下发生。流产后半年可再次考虑怀孕生育。

目前你要注意休息。要精神愉快，加强营养，防止过度疲劳，保证充分睡眠，预防生殖道感染。

高龄孕2月，什么情况下会发生胎停育？

我已经怀孕2个月了，末次月经是4月13日，自怀孕后经常出现左下腹抽筋似疼痛，阵发性，未见红，不知是什么原因，这正常吗？在什么情况下会出现胎儿停止发育？孕妇本身会出现什么症状而感觉到？此情况容易发生在孕早期、中期或晚期吗？

孕早期经常出现左下腹阵发性抽筋似的疼痛，如果没有其他伴随症状，可能是腹部肌肉抽搐或肠管蠕动所致，不是什么疾病，不必管它。如果有其他伴随症状，如阴道出血、腹泻等，则根据伴随症状结合体征和辅助检查判断。肾输尿管结石、大便干燥也可出现阵发性腹痛，应加以鉴别。

引起胎停育的原因很多，常见的有胚胎染色体异常，母体内分泌失调，生殖器官疾病，免疫方面的因素，母儿血型不合等诸多因素。胎停育后多引起流产，表现为下腹痛、阴道不规则出血，孕早期称胎停育（胚胎停止发育），中期和晚期称死胎（胎儿死于宫内）。

孕2月行人工流产。为何有乳房溢乳？

我老婆怀孕2个月时做了人工流产，现流产后1周，一切正常，但是经过轻轻挤压乳房就有少量奶水流出，这是什么现象啊？

人工流产后有少量奶水流出是正常现象。不要刺激乳房，会慢慢回奶的。

孕34天时曾有过阴道少量出血。胎停育后尿HCG是否转为阴性？

我现在怀孕有40天了，只是34天时曾出过2、3滴血。如果胎儿在肚中停育或已出现死胎是否早孕试验（HCG）会转为阴性？如果一直用早孕试纸检查，阳性能不能说明胎儿仍在正常发育呢？另外，我想去看中医，不知道中医能否凭号脉看出胎儿的发育情况？

胎停育后HCG会逐渐转为阴性，HCG阳性说明胎儿存活，但并不能说明胎儿发育是否完全正常。中医不能凭号脉"看出"胎儿的发育情况。

96.孕期生活中的烦恼实例解答

十珍汤对胎儿有害吗？

我在怀孕40天左右时，吃了含中药川芎、芥穗、白芍、香芹、茯苓、陈皮、生芋、当归、贝母各1钱炖的十珍汤。请问对胎儿有害吗？

中药对胎儿的影响，除了少数一些有明确毒性的中草药外，大多数没有肯定的结论。从你列的草药名单中，没有明确对胎儿有毒害作用的药物。

有没有孕早期适合的胃药？

怀孕45天。长期患有胃病，怀孕后，胃疼得更厉害了，有灼痛感。经常在每天的下午呕吐得非常厉害，吃一些什么药合适呢？我听说吃一些中药可以调理身体，但是哪些药能吃，哪些药不能吃，我一点都不了解，你能指导一下吗？

你平素就有胃病，加上妊娠反应，胃部不适会比没有胃病的人明显得多。治疗胃病的药物大都不适宜在孕期服用，尤其是妊娠早期，最好不吃药。中药也一样，并不是中药副作用就比西药小，而是有些缺乏临床验证，有些成分不清楚。我建议你最好克服一下，3个月后再在医生指导下，考虑适当服用一些治疗胃病的药物。

晚上做噩梦

孕2月，我白天心情比较愉快，但到了夜晚经常做噩梦，对胎儿有没有影响？

晚上做噩梦，与你白天想的太多有关，尽管你认为白天比较愉快，内心可能还是有些潜在的烦恼。你应该放下包袱，从紧张中解脱出来。做噩梦尽管对胎儿不会造成什么不良影响，但会因此影响你的休息和睡眠。

小疙瘩是风疹吗？

我太太怀孕2个多月后在背部和前胸出现一些小疙瘩，各有10多颗，大概有1-2毫米大，呈现突起状。看过皮肤科，医生说不需要治疗。2周后，小疙瘩消失。但是今天我看到一本书说这种小疙瘩很像风疹，而且对胎儿的影响很大。请问我现在如何判断？

通过优生四项检查，了解你太太感染风疹病毒的情况，产科医生会给你开这样的单子，待结果出来后再做分析。病毒抗体要包括IgG和IgM。

牙痛怎么办？

我已经怀孕55天，最近老感到牙疼，发现有一颗牙齿有一点点松动。对胎儿有没有影响？能否吃止痛药？

牙齿松动，如果没有炎症，对胎儿没有什么影响，但不能吃止痛药。如果疼痛很厉害，要看牙科医生，并告诉牙科医生你已经怀孕，请他在治疗时充分考虑。

腰痛，白带多且黄，尿黄

怀孕第9周，开始感觉腰后中间部位痛，白天不厉害，晚上睡觉有时平躺后再想侧身就动不了，白带见多，内裤上有一点黄色，尿有些黄，这是正常的吗？

是否是腰椎间盘突出，需要看外科医生，但现在你正是孕期，不能拍腰椎CT，

只能检查一下，同时应该排除妇科感染性疾病。尿黄最常见的原因是喝水少，要多喝水。如果不是喝水少所致，建议化验尿常规，是否有尿胆原、尿胆素增高。

腰、骶尾痛，是先兆流产吗？

前几天，感觉髋骨有点痛，近几天尾骨也痛，腰也有点痛，别人说可能是流产的先兆，要我卧床休息。我现在每天坐公交车上下班，每次40分钟左右。我该怎么办呢？

先兆流产症状是小腹痛，阴道不规则小量出血。如果没有，可正常上班。怀孕期可以出现腰腿痛，你的症状不是先兆流产。

气短、头疼、睡眠差、过敏

我的妻子现在时常感到气短、头疼，并导致睡眠极差，这是否是贫血？若是，你可否推荐服用药物。我的妻子怀孕前偶尔会有过敏反应，身上起大面积的扁平状红斑，奇痒，一般一天后自行消失，若在孕期出现这种情况，是否会对胎儿产生影响？

气短、头痛、睡眠差不是贫血的症状，睡眠不好就可导致气短、头痛，孕妇如果睡眠不好，会影响孕妇的情绪和身体健康，因此会间接影响胎儿的。你妻子既往有睡眠障碍吗？如果是近来才发生的，有什么心理上的原因吗？建议检查血压、心脏，排除器质性疾病。

荨麻疹对胎儿没有什么影响。在饮食上多注意，少吃虾蟹类的海产品，出汗后不要受冷风吹。

怀孕后是否需要在家休息？

我怀孕2个月了，做老师每天站很长时间，是否需要在家休息？

关于怀孕后是否有必要在家休息，我的意见是：没有必要停止工作，你是教师，不是重体力工作，你也没有习惯性流产和自然流产史。待在家里不上班，会增加孕期精神抑郁的几率。怀孕是很正常的事情，要用一颗平常心去看待。怀孕期间积极参加社会工作，对孕妇和胎儿都是有

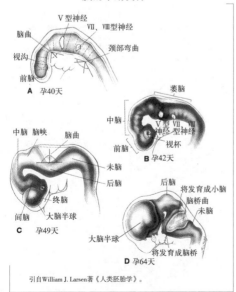

脑的早期发育

V型神经
脑曲
VII、VIII型神经
颈部弯曲
视沟
前脑
A 孕40天

中脑
菱脑
V型、VIII
神经 VII型神经
前脑
视杯
B 孕42天

中脑 脑峡
脑曲
间脑
终脑
大脑半球
末脑
后脑
C 孕49天

后脑
将发育成小脑
脑桥曲
末脑
大脑半球
将发育成脑桥
D 孕64天

引自William J. Larsen著《人类胚胎学》。

好处的。怀孕后到产科门诊，会得到很好的孕期保健。不必担心，需要休息时，医生会告诉你的。

鲜奶和奶粉哪个更好？

喝鲜奶或孕妇奶粉哪个更好？施贵宝出产的"安儿康"复合维生素片（专供孕妇使用）和"善存"，哪个更适合现在服用？

鲜奶如果质量过关是比较好的选择，因为鲜奶中的钙更容易吸收，孕妇奶粉各种成分比较合理。两种都可以。安儿康和善存片都可以服用，两者可任选其一。

胚胎发育枝状图

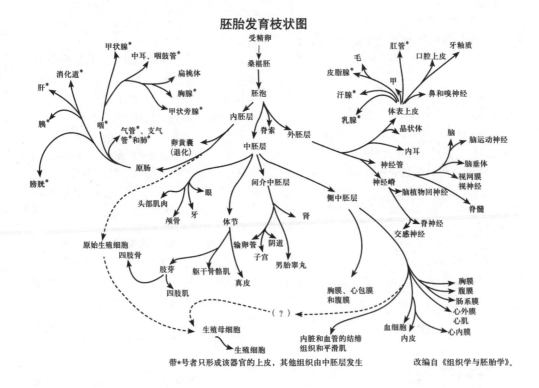

带*号者只形成该器官的上皮，其他组织由中胚层发生

改编自《组织学与胚胎学》。

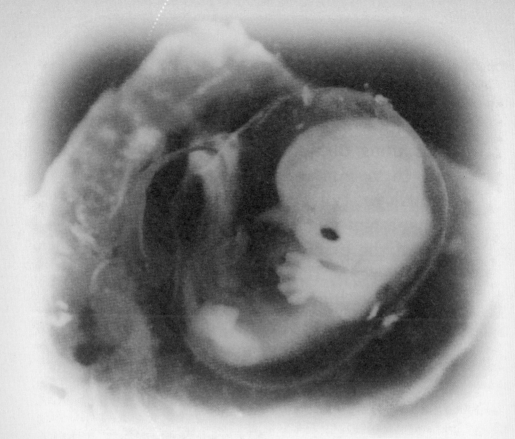

图片引自William J. Larsen著《人类胚胎学》

第四章

孕3月 （9-12周）

成为胎儿、全面孕检、孕吐
持续、保护胎儿

许多精彩过程犹如被淹没的历
史，许多完美的结果令科学家惊叹不
已，但是不能解释，生命形成的终极
秘密到目前为止仍由上帝保守。我知
道我一步都不可以走错。——胎宝宝

本章要点

- 胎宝宝从胚胎期进入胎儿期
- 胎儿全部器官基本形成，但性别未显露
- 多数孕妇妊娠反应发生在这个月
- 借助多普勒胎心仪可听到胎心音
- 胎儿进入急速生长期
- 全面孕检的时间和项目
- 本月仍应慎重使用药物
- 胎儿是否会因为某些因素发生畸形

第1节 3月胎儿自述
——我要从小海马变成小小孩

97.妈妈可知道我已经告别"胚"成为"胎"

在上个月的最后时日，我已经把自己打造得初具规模了。在这个月里，妈妈已经知道自己怀孕了，我不再是孤独地悄悄生长，有了爸爸妈妈的呵护。接下来的孕9-12周，是我发育极其关键的时期。孕9-10周，我要从小海马发育成一个外形初具的小婴孩，这可是一个巨大的工程。这也是我第二次质的飞跃，我将从胚胎期进入胎儿期，流产的危险小了。孕10周以后就是精雕细凿的工作，比如到这个月末，我才长出手指甲，脚趾甲还要等到下个月末才能长出来。

在短短的前14天，我的资格考试准备可是非常艰巨的：从胚胎变成胎儿，也就是结束我的试用工生涯（孕4-10周叫胚胎期），那样我被解聘的风险就小多了。把自己组装成一个活灵活现的小胎儿，一个环节出错都会前功尽弃。我的工作更加高难和细致。对妈妈来说，到这个月的第一天，我也仅仅57天大（实际上我真正的年龄是43天，妈妈知道吗？妈妈所讲的孕期是根据您的末次月经算起，而我的诞生是在妈妈末次月经后大约2周）。我要完成代表"人"的90%以上的器官构造，外观上也要像个"人"，尾巴、体节、鳃条消失，心脏、中肠回缩到体内，颜面、四肢形成，你看，我完全不像海马，晋升为高等智慧生物，我已经是微雕婴儿了。唯一从外观上看不出来的是我的性别。我为什么要这么着急？我在妈妈肚子里不是还有很长的时

间吗？因为我要转正呀！告诉你一个秘密，谁都是年轻时打拼，坐稳江山以后，不出重大差错，就不会被解聘的。以后30周的时间我只是长大而已，天增岁月人增寿。这叫付出辛苦，得到欢乐。

98.我一步都不可以走错

我会努力的，这个月我可要大干一场。我的体节消失，因为我身上的所有细胞和组织都具有不同的任务和使命，它们会繁殖、迁移。我长出体节不等于我会长成蚯蚓，相反我会长出令人耳目一新的胸肋。有些体节会隐藏甚至消失，有些体节被改头换面。就像大变革开始前，所有人都被征集为战士。首先划分战区和后备区——形成胎儿的内细胞群和形成胞衣的滋养层，然后划分海、陆、空三军——形成皮肤、口鼻、眼脑、神经的叫外胚层；形成肌肉、骨骼、四肢、生殖器官、肾、血管、心脏的叫中胚层；形成许多腺体、内脏、咽、气管表皮、肠管的叫内胚层，就是那个三明治的三层，你知道三明治中间那层价格较贵的原因了吧，因为它是主力兵种，强大的陆军。各兵种又划分为几个方面军，有些迅速壮大，比如形成四肢的部分；有些装备精良，比如形成头脑的部分；有些溃败消失，比如形成尾巴的部分；大多数一直留在原处；有些长途迁移，比如形成生殖细胞的部分，是从胎儿体外卵黄囊中形成的，它们变成变形虫样的细胞万里长征通过肚脐到达正在发育的睾丸或卵巢中；有些被收编改造，比如把鳃条改造为耳道、舌骨、主动脉；有些甚至被闲置，有些损耗惊人。有些是特务连，肩负特殊任务；有些是工兵连，完成开路搭桥的任务就解散；有些大材小用，将来只构成微不足道的看不见的一片软骨；有些命运不济，出现的时间短暂

准妈妈/高桥雅江
妈妈又怀孕了，从外观上还看不出是孕妇呢，带大女儿到大自然中玩耍，对女儿好，对腹中的胎宝宝也好。

132

而且很快就因为多余而萎缩，出师未捷身先死；有些暂时成为废物，却仍有机会被再度起用；有些是惊世传奇，比如颈部，曾经是肾脏和生殖器官的发源地。许多精彩过程犹如被淹没的历史，科学家并未发现，许多完美的结果令科学家惊叹不已，但是不能解释，生命形成的终极秘密到目前为止仍由上帝保守。但有一点是清楚的，生命发生的每一个细节都有精确的时间和空间顺序，我知道我一步都不可以走错，我必须把自己组装成正品，而不是残次品，因为每一道工序都没有返工和回炉的机会。

99.爸爸妈妈想知道我的模样吗?

我的颜面形成，开始有点像外星人，眼睛在两侧，鼻子分得很开，鼻孔很大而且长在该长眼睛的地方，鼻子下方是深深的沟裂，嘴的两边还没有封口呢。孕9周开始肺已经分出枝芽状小泡，心脏则完成心室分隔，爸爸妈妈已经能够借助一个叫多普勒的听诊仪清晰地听到我的心跳声。循环系统建立，当然不是我自己独立的，是我和妈妈连接。胃已经形成，各种肠管在孕64天形成。肠管的发生和扭曲是由于细胞生长速度不同引起的，肠管比胚胎整体生长速度快，所以肠管必须堆叠缠绕。肾发育，输尿管形成。尿道口和肛门原来有一层膜"封口"，在孕10周先后破裂。孕49~64天，我长出一层薄薄的肌肉，把胸腔和腹腔隔开。紧接着，我要进一步挪动我的五官，眼睛、鼻子、耳朵、嘴巴样样都要精雕细凿，稍有不慎，影响市容，爸爸妈妈就要一直愁到我结婚，整形医院就是因为我的粗心大意开设的。孕12周末我已经从比较酷的太空人脸变成漂亮的地球人脸。这个月是我的上腭形成的时期，唇腭裂畸形就是此时

准妈妈潘晓敏

妈妈妊娠反应大多结束了，很巧的是胎宝宝也基本上完成了身体的构建。胎宝宝更加需要妈妈的营养，妈妈应该开始注意营养的均衡和全面。

发生的。我的下颌和两颊发育，两套牙齿原基(乳牙原基和恒牙原基)和声带生成。颈部明显，颈部肌肉正在形成。我的外阴形成，但是还不分男女，虽然我知道下一步我应该变成先生还是女士。骨开始取代软骨，眼皮形成，而且是紧闭的。皮肤仍然是超薄透明的，皮肤毛囊正在形成。手足板上隐约出现指趾雏形，最早手指脚趾之间是不分瓣的，像鹅鸭一样的扁平蹼，孕50天以后指(趾)间的肌肉渐渐变薄，最终在孕70天完全消失，变成5个独立的指(趾)头。这是由于细胞凋亡引起的。这个过程发生错误，就会出现并指和多指畸形。爸爸妈妈都非常关心我是否都精确无误地长了5根指(趾)头，但能准确辨认的时间并不长，很快我进入孕中期，已经会握紧拳头，让试图计算我的指头数目的B超医生发愁。

100.我的大脑在急速发展着

不用说，我的大脑和神经系统更是急速发育。脑和脊柱贯通，4个脑室在孕49天形成，但一直要到出生后才全部长成，不像其他器官在孕10周内基本完成，仅仅是体积较小而已。所以在整个孕期都要好好保护我的脑和神经，发现脑和脊柱是否有发育缺陷是医生花许多时间用B超检查我的主要原因。尽管妈妈还感觉不到我的存在，但如果借用超声波，可以清晰地看到我已经会在子宫内活动了，到了这个月的最后几天，如果我头部受到触碰，尤其是我的前额部受到外力撞击的时候，我就会赶紧把头转过去，我这可不是生气了，而是对外界刺激的反应，说明我长本事了，有了最初的感觉和触觉，是对自己的一种保护。如果妈妈不小心把我碰痛了，我会赶紧躲开。不过我再躲也躲不开妈妈的子宫，妈妈可要多加小心，不要真的碰痛了我。

尽管我的能力增强了很多，但我的所有精力都用在器官形成和组织分化上，也就是说我还在不分白天黑夜地忙着组装我自己，妈妈仍然要一如既往地保护我，为我创造一个舒适的环境，一切对我有害的东西都不要接触，电离辐射、有毒物质、不健康食物、烟酒等对我的威胁仍然很大。

 你们的胎宝宝写于孕3月

第2节 3月胎儿的生长

孕9周时

妈妈可能不知道,在这以前,你的胎宝宝的胸腔和腹腔是相通的,当膈肌形成后,宝宝的腹腔和胸腔之间才相互分开,成为独立的胸腔和腹腔。妈妈知道,早在前几周,宝宝的眼皮就长出来了,可是妈妈不知道,宝宝并不能主动把眼皮闭合或睁开,眼皮的运动需要有眼肌和神经的参与,别着急,这周宝宝的眼肌就开始慢慢形成了。等到神经发育了,宝宝就能自如地睁眼和闭眼了。现在宝宝的手指和脚趾都长出来了。B超下可以看到胎儿活动。

孕10周时

各系统,各器官初步形成,90%器官已经建立。中枢神经系统各部的基本结构建立,但与最后大脑外形之间存在着很大的差异。肾脏和输尿管开始发育,并有了一点点的排泄功能。B超可见心脏形成,并可出现搏动。心率为125次/分。脐带延长,神经、肌肉已发育。齿根和声带开始形成。原来分布在头两侧的眼睛开始逐渐向脸部并拢,部分软骨开始向比较坚硬的骨骼发展。胎宝宝颈部的肌肉正在不断变得发达起来,以支撑住自己硕大的脑袋。上牙床和上腭开始形成。于此同时,味觉芽也开始形成,胃已经被放置到正常位置,胎宝宝在为自己离开母体后吃奶作准备了。两个肺叶长出许多的细支气管。

孕11周时

此期开始,胎儿的增长速度加快。对营养的需求增大。可喜的是随着胎儿的长大,对外界的干扰抵抗能力增强了,因有害刺激导致的畸形几率逐渐下降了。胎宝宝的骨骼逐渐变硬。妈妈很难想象,你的胎宝宝的头

模特/王慧子(左)　贺燕霞(右)
怀孕3个的孕妇应该到医院接受全面的产前检查。

部占整个身体的一半,可以说是大脑袋,小身子。胎儿是头大脸小,看起来胎宝宝的耳位仍是比较低垂的,皮肤正在长毛囊,等毛囊长好了,就开始长毳毛了。妈妈不要忘了,胎宝宝的外生殖器还在发育着。

孕12周时

妈妈知道吗? 胎宝宝的肝脏主要是用来制造血细胞的,而解毒主要靠妈妈的肝脏,等到胎宝宝离开母体,其肝脏就开始承担起解毒功能了,脾脏和骨髓开始逐渐接替制造血细胞的工作。肝脏也是胎儿的大器官。胎儿的肺脏结构已经构造好了。胎儿已经有了完整的甲状腺和胰腺,只是还不具备完整的功能,甲状腺可是主要的内分泌腺,它所分泌的甲状腺素是维持人体基础代谢的重要物质。对成人来说并不重要的脾脏,对于宝宝来说可是很重要的造血器官。胎宝宝已经开始有胆汁分泌了,出生后好消化奶中的脂肪。胎宝宝已经有了触感,当宝宝的头部被碰到时,宝宝会将头转开。如果妈妈轻轻地抚摩胎儿,胎儿一定会感受到妈妈的爱抚。

胎儿头部抬起,头部几乎占胎儿全长的一半,头发开始出现。眼、耳、鼻、颜面已逐渐形成,开始形成眼皮和鼻孔,眉毛也开始

生成。两只眼睛离得还是比较远，耳廓清晰可见，下颌和两颊开始发育，更像人的脸了。

外生殖器已初步形成，男胎和女胎开始出现区别，有了胎儿性别特征，外生殖器与肛门已经分开。躯干伸直，尾巴完全消失。上、下肢芽已从胎体伸出，并逐渐形成四肢，下肢很短，上肢达到最后的相对长度，指趾分化清楚，并有指趾甲出现。四肢开始有活动。皮肤是透明的，从外面可以看到里面的血管和内脏。

胎儿对刺激开始有反应，如眨眼、吸吮、手指脚趾张开等。胎儿在羊水中可以自由活动，有时下肢伸开，做出走的样子，有时又做出蛙泳的样子。但胎儿这时动作轻微，妈妈尚感觉不到胎动。

你腹中的宝宝已经从一个胚胎成长为一个健康活泼的胎儿，从外观上看，你的宝宝已经是个"微雕婴儿"了。

103.令父母兴奋的胎动和心跳声

像钟摆一样的心跳声

到了这个月，医生会用多普勒胎心听诊仪，听你腹中胎儿的心跳，这会让你激动万分，因为，多谱勒可以把胎心跳动的声音放大，你可以清晰地听到"咚咚"的声音。你会把这个好消息兴奋地描述给丈夫，他也会激动不已。听到宝宝心跳的声音，你第一次感到一个生命在你的体内生长，你体会到做妈妈

的快乐。让胎儿感受到你的爱，让丈夫分享孕育胎儿的乐趣，这是最好的胎教。使用普通的胎心听诊器，经妈妈腹壁还听不到胎心搏动。在B超下可以清晰地看到胎心搏动。

准妈妈感受不到的胎动

进入第3孕月，胎儿已经会活动了，但是，只是B超下可以监测到胎动，妈妈并不能感觉到胎动，因为这时的胎儿还很小，空间相对比较大，胎儿纵使伸伸胳膊、踢踢腿妈妈也很难感觉到。所以，妈妈感觉不到胎动并不证明胎儿还不会活动。一般情况下，初准妈妈在孕16周左右能感觉到胎动，有的妈妈要迟至孕20周。

第3节 仍然持续的妊娠反应就要过去

104.妊娠反应持续

妊娠反应与孕妇的心理有很大的关系，与孕妇的情绪和饮食也有关系。当你出现了难以忍受的妊娠反应时，应该做的就是让自己快乐起来，要相信不适很快就会过去。

有的孕妇会说，我真的是好难受，即使我什么也不想，反应也不过去，我实在是快乐不起来。我相信这可能是真的，但这只是极个别现象，有这种感受的孕妇也不必着急，再过两天或许一下子就好了，吃什么都香。那个时候，你腹中的宝宝才真正需要你为他吃

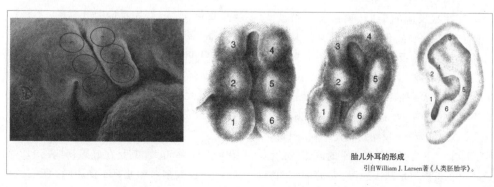

胎儿外耳的形成
引自William J. Larsen著《人类胚胎学》。

第四章 孕3月（9—12周）

135

进更多东西，在这以前他不会因为你进食不好就不吸取营养的。他会从你的身体中获取他所需要的养分。现在的准爸爸可不像过去了，妻子和妻子腹中的胎儿都牵着准爸爸的每一根神经。这是好事，可孕妇不要因为丈夫的疼爱，而忘记自己是孕育胎儿的主体，你的坚强对胎儿的成长至关重要。准爸爸看到妻子吐得厉害，担心胎儿发育受影响，但更担心他的妻子。

妊娠反应严重要看医生

妊娠反应比较严重的孕妇，要寻找一下原因。是否心因性妊娠反应？是否有胃肠道疾病？是否饮食不合理？这些都需要看医生，纠正呕吐所导致的水电解质丢失，缓解呕吐症状。

医生可能会建议你补充一些营养品，如善存、施尔康、玛特纳等含有多种维生素和微量元素的药物。这是有必要的。但任何补养品都不能代替自然食物。所以，要保持愉快的心情。要相信，妊娠反应是正常的生理表现，下个月会明显减轻，甚至消失。这只是在你妊娠中的一个小小的插曲。

妊娠反应严重，呈持续性呕吐，不能进食、进水，称为妊娠剧吐。症状轻者，可有反复呕吐、厌食、挑食、无力，不能坚持正常的工作和学习。但体重减轻不明显，尿酮体阴性。症状重者，呕吐发作频繁，不能进食、进水，呕吐物除食物、黏液外，可有胆汁或咖啡色血样物，全身乏力，精神萎靡不振。需要别人搀扶行走，明显消瘦，尿酮体阳性，甚至有脱水、电解质紊乱，需要到医院补液。

吃你喜欢吃的食物

有妊娠反应的孕妇，有的可能明显减轻；有的没有减轻，但加重的很少了；从这个月开始出现妊娠反应的孕妇也有。如果是这样，吃你喜欢吃的食品，现在的胎儿还不需要很多的营养。所以，妈妈也不要强迫自己吃不喜欢吃的东西，这样可能会使妊娠反应加重，或时间延长，反而对胎儿不利。只要能吃，胎儿就不会受到影响。平时吃饭快的，这时进食可要尽量减慢速度，最好能细嚼慢咽，如果狼吞虎咽，可能会导致胃部不适，引发恶心呕吐。

如何预防由饮食不当引发的突然孕吐

● 孕妇即使没有妊娠反应，在饮食上也不能无所顾忌，一定要注意饮食卫生。一旦发生呕吐就可能会引发妊娠反应。

● 最好不在饭店吃饭。偶尔上饭店应酬，不能把东西吃杂，切不可暴饮暴食。

● 不吃油腻的东西，一顿不吃两种以上的肉食，不多吃煎、炸、烤的食物。

● 不过多饮用冰镇饮料，尤其是碳酸、咖啡类饮料，不同时喝多种饮料。

● 应注意饮食搭配与禁忌，有些食物不能搭配在一起吃，如羊肉和酸菜，花生和红薯，红薯和鸡蛋，菠菜和豆腐等等，非孕妇吃了可能不会有什么反应，孕妇吃了可能引发呕吐。

● 不要在过冷的地方吃比较油腻的食物，如在饭店里，空调温度普遍比较低，孕妇胃部和腹部会遭受冷气刺激，倘若再吃肉类等油腻食物，很可能会导致呕吐，出现急性胃肠炎症状。

● 平时在家里除了注意上述问题外，还要注意有的孕妇把腹中的胎儿看得很重，为了胎儿吃自己非常不想吃的东西，导致恶心呕吐，事与愿违，殃及胎儿。

第一次怀孕出现剧烈妊娠反应，再孕还会这样吗？

我工作比较忙，体质比较差，妊娠反应非常剧烈，并有先兆流产的现象，两次B超未发现胚芽和胎心搏动。后来在大夫建议下做了人流。第二次怀孕的妊娠反应会不会没有第一次厉害？

妊娠反应严重程度因人而异，每次妊娠反应程度也不尽相同。第二次妊娠反应也许轻，也许重。但妊娠反应是正常的，不是疾病，不要有精神负担。

孕期呕吐并非都是妊娠反应所致

没有妊娠反应的孕妇，如果不注意饮食卫生也会引起呕吐。倘若处理不当还会引发妊娠反应，从此呕吐下去，直至妊娠反应期过去为止。呕吐不但会影响胎儿健康，也给孕妇带来痛苦，尤其是在妊娠初期，治疗呕吐的药物大多对胎儿有不良影响，所以，妊

胎儿牙的发生

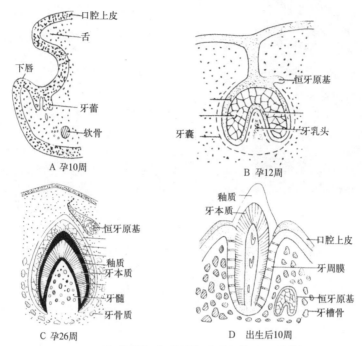

A．孕10周　B．孕12周　C．孕26周　D．10月婴儿

准妈妈知道吗？你的胎宝宝早在你怀孕8周时，乳牙就开始发育了。
引自高英茂主编《组织学与胚胎学》。

娠期间注意饮食卫生，避免胃肠道疾病是很重要的。

典型病例

杨女士是一位工作繁忙的杂志主编，正处在妊娠初期，非常注意孕期保健。尽管很少有休闲时间，却感觉精力充沛，已经怀孕70天了，没有任何不适反应。只是不太喜欢吃鸡蛋、酸奶和大蒜。同事们都很羡慕她。

可是，就在孕71天时，中午和姐妹们吃了一顿丰盛的大餐，有羊肉、酸菜、菌类、猪肉、山野菜等20多种菜，主食是烤鸭、玉米饼。可口的饭菜让杨女士忘乎所以了，放开量大吃起来。餐后没有什么异样感觉，高高兴兴回到公司。可是到了下午就开始恶心，胃痛，紧接着就开始了频繁呕吐，几个小时内吐了23次，先吐的是所进食物，以后就是胃液，最后都吐了黄绿色的胆汁了，真是苦不堪言。她的同事、丈夫和老母亲急得团团转，立即打电话向我求救。

我的医嘱：

● 暂禁食水6~8小时。停止呕吐后，交替频繁饮糖水和盐水，一次只喝一小口，以免引起呕吐，只要恶心立即停止饮用，能喝多少就喝多少。

● 采取舒服的体位，以左侧卧位为佳。用暖水袋热敷胃部（灌70℃左右的热水），暖水袋外用干毛巾包裹放在上腹部。

● 爱人轻轻按摩孕妇的内关穴和合谷穴。内关穴部位为手腕内侧正中，合谷穴为拇指与食指之间手背部，人们常称为虎口。

● 不呕吐，有饥饿感时，可进食流质饮食，如米汤、燕麦片、烂面条等。一次不能吃得过多，要少食多餐。

● 精神要充分放松，不要害怕，更不要有精神负担，不要怕从此就揭开了妊娠呕吐的序幕，不要怕影响胎儿的健康。只要处理得当，由于饮食问题导致的呕吐会很快过去的。

杨女士到了午夜3点钟停止呕吐，开始吃少量米粥，晨起还可以吃馒头了。只是感觉周身发软。这是由于呕吐，又未进食，导致电解质失衡。

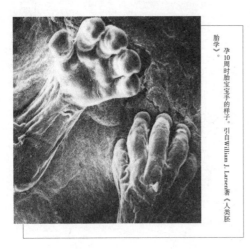

胎学。
孕10周时胎宝宝手的样子。引自William J. Larsen著《人类胚

我的第二次医嘱:

补充氯化钾。10%的氯化钾10毫升,加温开水约100毫升,慢慢饮用。补充30~50毫升即可。

24小时后扬女士恢复了健康。没服用任何药物,胎儿也未发生异常。休息2天就投入了紧张的工作了。

105.孕3月,胎儿对营养需要增加

食物种类多样化

进入孕3月的胎儿,开始了快速发育,需要的营养开始增加。这个月母亲营养对胎儿大脑的发育可是非常重要的。这里所说的营养,不单单指的是食物的量,更重要的是食物的质。

适当增加蛋白质的摄入量,如奶、瘦肉、鱼肉等。不要过多食入不完全蛋白质,如豆类。适当增加含铁、钙、锌丰富的食物。只要对胎儿无害,最好什么都吃,食品种类多样化,才能保证营养均衡全面。

孕期体重增长都来源哪?

孕妇在整个孕期体重可增加15公斤左右。其中胎儿及胎盘等增加3.75公斤;乳房增加1公斤;体内储存的蛋白质、脂肪和其他营养物质增加3.5公斤;胎盘0.75公斤;子宫增大1公斤;羊水1公斤;血液增加2公斤;体液增加

2公斤。但是,并不是所有的孕妇都按此增重,孕期增加的体重值也存在着个体差异。

孕妇在孕期特别渴望吃某种食品,这是什么原因?

研究人员曾试图证实孕妇特别渴望吃某种食品,是因为孕妇体内缺乏该食品中所含的那种营养素,但事实并非如此。关于这一问题至今尚未弄清。有的孕妇特别渴望吃巧克力、辛辣食品、酸梅、臭豆腐等特别口味,事实上并不是孕妇饮食结构中缺乏其中某种营养成分。有的孕妇特别渴望吃非食品类东西,如泥块、墙皮等,这种现象医学上称异食症。吃下这些非食品类东西,对孕妇和胎儿都是有害的。一般来讲,上述现象在怀孕3个月之后就会消失。孕期饮食应以孕妇健康和胎儿发育为宗旨。注意平衡膳食,补充营养,不应顾及自己的饮食癖好和体形的胖瘦。

106.清洁乳房要轻柔

乳房仍在不断地增大,除此以外,你会发现,乳晕的色泽变黑了,长了很多小疙瘩,乳房皮肤上有很清晰的静脉血管,尤其是在乳房下方,这都是孕期的正常表现。戴孕妇乳罩是非常必要的,这样可避免增大的乳房组织受到下垂的牵拉。有些女士洗澡时,喜欢用力搓澡,把皮肤搓得通红,甚至出现皮下出血点。这种习惯可不好,尤其是乳房部位,不能再这样搓了,怀孕后,乳腺组织快速增生,要轻柔地对待乳房,也不要用力清洗乳头,更不能用力擦洗乳头开口,以免哺乳期发生漏乳现象。

正常的乳房胀痛

不少女士曾向我咨询,说她的乳房很胀,而且痛,看了医生说有乳腺增生,服了治疗乳腺增生的药物,吃了几天药,又开始担心起腹内的胎儿。

孕早期会有乳房胀痛或轻微的乳腺增生,这时治疗乳腺增生有些过分。

准妈妈/田甜

曾经有位这样的准妈妈，因为是意外怀孕，但又下不了决心做人流，就加大运动量，希望宝宝自然流掉，可是宝宝却安然无恙。另外一位妈妈得知怀孕后诚惶诚恐，连走路都不敢迈大步，生怕发生流产。其实，如果胎宝宝是健康的，准妈妈是可以快乐的运动的，蹦蹦跳跳不会导致健康胚胎流产。

107.孕3月准妈妈遇到的问题

臀部变宽是为了胎儿的娩出

为了胎儿的生长和分娩，你的臀部会变得宽大，腰部、腿部、臀部肌肉增加且结实有力，这些部位的脂肪也增厚，这些变化使你看起来不再那样娇小、苗条，你需要买号码大的内衣和外套了。这是怀孕给你带来的变化，它不会使你变丑，在人们眼里，孕妇是美丽的。分娩后，你的身材会很快恢复到孕前水平。年轻的妈妈比较担心体形的变化，尤其是职业女性。这种担心不利于胎儿的情感发育。

偏高的基础体温

妈妈的基础体温可能会比平时高些，可能会波动在37.0~37.5℃。妈妈可不要认为自己发热感冒了，更不要随便吃药，这个时期胎儿还处在敏感期，如果吃了对胎儿有害的药物，可能会导致胎儿发育异常。

可能会时常感到头晕

怀孕初期，可能会时常感到头晕，尤其是在体位发生改变时，如从坐位变成站位，躺着时突然起来。这是由于怀孕后，需要更多的血液供应，突然改变体位时，大脑没有得到充足的血液。注意不要突然改变体位。

如果没有改变体位而常感头晕时，要及时看医生，是否有低血糖或贫血。

让自己变得轻松起来

由于这样或那样的原因导致的精神紧张，对腹中的胎儿可能会造成伤害，所以，可能的情况下，要尽量避免。如果是工作让你紧张，最好早一些告诉你的老板和同事你怀孕的消息，这样会得到同事的帮助和老板的谅解，减轻你工作中的压力。如果是因为担心胎儿的健康让你紧张，最好找你信任的医生谈一谈，解决你的疑虑。

如何放松紧张的神经

把手放在脐部，深吸一口气，吸到不能再吸时，慢慢把手抬起。憋住气，不要呼出，默数1、2、3、4、5，再慢慢地呼出气体。连续做深吸气和深呼气两次。恢复到正常呼吸，有节律地呼吸。2分钟后再重复1次。

阴道分泌物可能会增多

阴道分泌物增多并不一定是病，如果分泌物有难闻的气味或色泽异常再看医生也不迟。不要轻易使用药物，不要随意使用市场上购买的洗液，即使有人向你推荐。用清水洗是最好的。

第4节 孕3月医学检查

108.全面孕期检查时间和项目

不要超过孕3月半

● 这个月份内一定要去做产前登记，产前初检，领取母子健康手册。选择一家信赖的医院作为产前检查和分娩的医院。

● 绝大多数正常孕妇做第一次检查（孕期初检）后，每4周检查1次，28周后每2周检查1次，36周后每周检查1次，直至分娩（遵医嘱，完成定期孕期检查的项目）。

● 如有遗传病或家族遗传性疾病史，应再次进行遗传咨询，确定是否需要做产前诊断和什么时候做。

●到内科医生那里检查一下，是否正在患有影响妊娠的疾病。如有慢性疾病，随着孕期的增加，可能会影响妈妈和胎儿，最好在高危门诊进行孕期检查。

血常规和血型检查

通过血常规检查，了解孕母是否有贫血，血象（白细胞）是否正常。血型检查除了为入院分娩可能的输血作准备外，还是为了提前了解有无发生母婴ABO血型不合的可能，如果妈妈是O型血，就要查爸爸，如果爸爸是A型、B型、AB型，就要考虑到有可能发生母婴血型不合的可能，尤其爸爸是A型更应注意。这是因为母婴O-A血型不合引起新生儿溶血的几率相对大、程度相对重。有条件的医院，可能会为孕母做Rh血型鉴定，以提前预知是否会发生Rh血型不合溶血病，但在我国这种可能性很低，一般不做常规检查项目。

采末梢血（指血）时，如果在寒冷的冬季，手被冻得冰冷，皮肤通红，应该等到肢体温暖，肤色正常后再去采血。

尿液检查

在整个孕期，尿检是医生早期发现是否并发妊高征的方法之一，也是了解是否有尿路感染或肾盂肾炎的方法，还可以了解尿糖是否阳性，是妊娠并发糖尿病的参考指标。

在留取尿液时需要注意：留取晨起第一泡尿的中段尿，这是24小时最浓缩的尿液，且不受进餐运动等因素影响，能够得到更准确可靠的结果；如果自备小瓶留取尿液，一定要把小瓶清洗干净并晾干，有水或不洁净会影响化验结果；最好不用药瓶，以免残留的药物影响结果；留取的尿液不要放置太长时间，以免影响检验结果。

生殖道感染检查

这是很重要的检查项目，在母婴传播疾病中都有详细的论述，请参阅有关章节。

产科医生的检查

如身高、体重、腹围、子宫底高度、血压、骨盆测量、胎心多普勒等。

体重：由于乳房的增大和血容量的增多，体重会增加。但是，如果有明显的妊娠反应，则体重非但不增加，反而会减轻。如果体重比怀孕前减少了2公斤以上，需要在医生帮助下加强营养。如果体重比怀孕前重了1.5公斤以上，可能摄入了太多的热量，超过了胎儿生长所需的热量，应该改变一下饮食结构。

血压：测量血压前，至少应坐在候诊椅上休息10分钟；要尽量暴露上臂，因为血压袖带要包裹上臂的四分之三；当上臂平伸时，应与心脏在同一水平，这样测量的血压值才能准确。当紧张时，做深呼吸可使精神放松下来。

血糖或尿糖：如果要化验空腹血糖或尿糖，至少在12小时之内不吃任何东西；如果要化验餐后2小时血糖或尿糖，一定要严格按照医嘱去做。

不要促使医生做过多的检查

医生会根据需要进行必要的检查。是否接受某些高端技术检查，你要掌握一个原则，就是对胎儿有伤害性的检查尽量不做，价格昂贵的检查不一定都是好的或有用的。爸爸妈妈对胎儿发育情况过度担心可能是促使医生

刚刚成型的胎儿。引自William J. Larsen著《人类胚胎学》。

做过多检查的原因之一。过多的检查对胎儿可能有害，你可千万不要做医生开具检查和药物的催化剂，你的过分担忧，会让为你检查的医生很为难。当你因为某些原因而担心胎儿是否有问题时，医生往往不能给你百分之百的肯定或否定，没有哪位医生能够保证你的胎儿一定会平安无事，也没有哪位医生会在没有任何可靠证据的时候，告诉你胎儿的具体情况。医生只能客观地分析你目前的情况，可能出现的问题，和可能的妊娠结局。过分担忧和焦虑不但不能解决什么问题，还会使胎儿受到妈妈情绪的不良影响，妈妈孕期的负面情绪对胎儿的发育是不利的。

109.孕期检查的诸多问题

做过孕前检查的孕妇还要做什么检查？

如果在孕前已经做过比较全面的健康检查（具体项目请见第一章中的孕前检查），孕期初检时，有一些项目就不检了，如血型。有些项目可暂时不检，如肝功、梅毒血清学、病毒六项等。但孕12~16周医生仍会让你接受必要的孕期血生化检查。如果你是高龄孕妇，医生还会让你做唐式筛查、甲胎蛋白测定，估算先天愚型、神经管畸形的风险度。即使你在孕前做过比较详细的检查了，孕期初检时，医生也会让你接受下列检查：血常规、尿常规、阴道分泌物涂片、子宫B超、体重、血压等。

重复检查项目的意义是什么？

从孕期常规检查项目时间表中可以看到，每次检查都是重复检查一些项目，为什么呢？因为这些检查项目是对孕妇进行孕期保健的重要监测指标。每次检查尿蛋白和血压，主要是为了及时发现严重危害母婴健康的孕期并发症——妊娠高血压综合征。尿糖测定是为了间接监测糖代谢，妊娠期糖尿病也是孕期特有的疾病，对母婴的健康危害甚大。除了每次孕检时常规查尿糖外，还要在孕中期做妊娠期糖尿病筛查，及时发现此并发症。体重也是孕期检查中需每次监测并记录的项目。通过体重的监测，了解孕妇体重增长情况，间接了解胎儿生长情况和孕妇水钠潴留（水肿）程度。除了表中所列项目外，医生还会在每次的检查中，根据具体情况做其他相应的检查。

孕妇如何对待异常的检查结果

母婴传播疾病是危害胎儿的大敌，越来越受到重视。但是还有许多爸爸妈妈不知道的问题，有些问题，连医生也不能给予准确的解答。尤其是实验室检查结果的分析有时是模棱两可的。这给孕妇带来了许多烦恼。

从大量的咨询可以反映出，这是普遍

第四章 孕3月（9—12周）

不同孕周时的体重增加明细表(g)

明　　细	孕	周		
	10　周	20　周	30　周	40　周
胎　儿	5	300	1500	3400
胎　盘	20	170	430	650
羊　水	30	250	750	800
子　宫	140	326	600	970
乳　房	45	180	360	405
血　液	100	600	1300	1256
组织间液	0	30	80	1680
脂　肪	326	2050	3480	3345
体重增加总计	660	3900	8500	12500

引自《实用妇产科学》。

问题。爸爸妈妈们非常相信检查的结果，认为结果百分之百科学客观。其实有些检查项目，其结果并不绝对反映出某一定论：有个体差异，有仪器误差，有化验室的医生对临床和病人具体情况不熟悉，有临床医生对检查提示的依据不十分了解等等。仪器是人来操纵和解读的，所以貌似客观的检查结果离不开医生的主观分析和判断。医生不是一个简单机械的职业，一看化验单就下结论，而是要全面具体地进行个体分析，是高智力工作。有不少妈妈不相信医生的分析和解释，比较信奉检查结论，并且为此苦恼不已，不断追问为什么检查结果是那样的。我周围有许多这样的案例。

胎儿器官发育与母婴传播疾病

胚胎各器官系统形成的关键时期是在孕12周以前，任何有害因素都可能导致胎儿器官发育异常。以前，胎盘被认为是一个"屏障"，可阻止有害物质到达胎儿，但是，现在认为几乎所有进入母体的物质都能到达胎儿。这引起了医学界的关注，避免有害物质对胎儿的伤害，可极大地防止异常儿的出生。从以下表格中可以粗略了解胎儿器官分化发育时间。

从胚胎各器官发育表中可以看出，胎儿器官分化、塑造、成形、发育大都在孕5-12

准妈妈/潘晓敏
准妈妈不要久坐，工作一段时间后站起来休息一会，对胎宝宝的健康发育非常有利。

周。这一时期的胎儿对任何有害因素的刺激都非常敏感。在各种有害因素中，生物学因素，尤其是各种病毒和其他致病微生物，可引起胎儿宫内感染，导致胎儿先天缺陷。

第5节 孕期用药慎之又慎

110.孕3月仍应慎重使用药物

这个月胎儿各器官正在进一步分化形成、生长发育，对外界不良因素刺激仍然敏感。这个月因为不知道怀孕而服药的情况非常少见了，但是因为疾病不得不用药的情况多了起来。疾病本身和治疗的药物两方面都成为妈妈担心的问题。

胎儿各器官对药物敏感性在不同发育时期有很大差异，胚胎期各器官都在发育，大多数细胞处于分裂过程，对毒性物质的影响极为敏感，进入胎儿期（第9周后），胎儿的血脑屏障功能比较差，药物易进入中枢神经系统，且胎儿血浆蛋白含量和肾小球滤过率都偏低，容易导致药物在胎儿体内蓄积。所以，在胎儿发育早期，孕母用药要非常慎重。

用了丁胺卡那，对胎儿耳神经有多大伤害？

我患感冒吊了2天的葡萄糖加丁胺卡那（共6支），医生说丁胺卡那会对胎儿耳神经有影响，我很担心，该怎么办？

丁安卡那有耳毒和肾毒作用，孕妇不宜使用。你在妊娠早期使用了此药，对你的胎儿耳神经是否有伤害，有多大的伤害，是很难做出判断的。

对胎儿伤害的发生率是针对人群而言的，具体到你个人，如果发生了，就是百分之百，如果没有发生就是零。正如某种遗传病有50%的发生率，是说每生一个孩子都有

50%可能发病，并不是说如果生两个孩子就要有一个是患者，也许一个也没有，也许两个都是，也许仅有一个。丁安卡那对胎儿的不良影响发生率也不是百分之百的。我见到过太多有先天疾病的新生儿和婴幼儿，所以从医生的角度，我希望更多的妈妈提前避开这些伤害，这正是我写这本书的目的之一。

当然，我也遇到另外的情形，如在妊娠2个月时使用庆大霉素1周（与丁安卡那同样的副作用），也是非常担心，但孩子生下来却非常健康。你有知情权，更应该综合考虑其他因素：比如用药的时间和量，受精卵是否着床，身体是否健康，此前是否还受到别的伤害，丈夫的健康，胎儿发育状况等。如果其他因素也存在问题，就要慎重考虑。一旦决定保留孩子，就要扔掉所有心理包袱，否则对胎儿是不利的。

先锋霉素Ⅴ明明标着"孕妇忌用"，大夫为何说是安全的？

妻子怀孕3个月，从昨天嗓子痛，咳嗽，今天开始发热，体温38℃，到医院诊治，大夫开的头孢唑林钠（先锋Ⅴ）静脉注射5克，我发现该药物说明上有"孕妇忌用"字样，可大夫说先锋霉素Ⅴ对孕妇是安全的，我现在担心这种药物对胎儿是否有损害？妻子青霉素过敏。

先锋霉素Ⅴ也称头孢唑林钠，此药能通过胎盘进入胎儿循环和羊水中。关于妊娠期应用此药对胎儿安全性的研究，目前尚缺乏充分的可供对照的研究资料。但据某医学杂志报道，妊娠期使用先锋霉素Ⅴ是比较安全的，而先锋霉素Ⅵ不宜用于孕妇。感冒多是由病毒所致，如果没有细菌感染的证据，不应随意使用抗生素。

服用治疗痤疮的中药对胎儿没什么影响吧？

我因为脸部痤疮去医院就诊，医生说我肝脾火旺，给我开了两种中成药，一种是补中益气口服液，主要成分是黄芪、党参、甘草、白术、当归、升麻、柴

胡、陈皮等。另一种是一清胶囊，主要成分是大黄和黄芩。共服了5天。现在想起来有点害怕，因为那时候我已经受孕，在书上看到大黄是孕妇慎用的中药。最近我总有打喷嚏，早晚鼻塞的现象，服用"板蓝根"冲剂一个星期，没事吧？

大黄是孕妇慎用药，成药中大黄含量不会很大。当时受精卵在运行状态，药物对其影响是很微小的。可以服用板蓝根，但不要超量服用。妊娠初期会有类似感冒的症状，实际是早孕反应，需要鉴别，不要为此而服用药物。

吃安宫黄体酮期间怀上的胎儿会健康吗？

孕前几个月，我的月经都不正常，医生开了安宫黄体酮（每天6片），吃了5天，还有一剂中药。吃药这个月怀孕了，医生开了叶酸片（5毫克/片，每天6片）、维生素E及ATP片，我吃了4天。吃安宫黄体酮宝宝会不会不健康？叶酸是否过量？其他的药是否需要继续服用？

安宫黄体酮对胎儿的安全性缺乏资料，但未见引起胎儿畸形的报道。服用叶酸可预防胎儿神经管发育异常，推荐的剂量是0.4-0.8毫克/天，你每天服用30毫克，不知医生是为了什么，也不知医生为何给你服用ATP和维生素E，应该问一下给你开药的医生。

庆大霉素会使胎儿"失聪"吗？

我妊娠3个月时患急性肠胃炎，医生给用了8万单位的庆大霉素（静脉点滴），事后我听说对胎儿的耳蜗发育有影响，严重的会导致失聪，我很担心。

庆大霉素有耳毒性和肾毒性，不宜用于孕妇。但考虑到你只是用了一次，我认为不至于造成如此严重的后果。

使用多种药物后应终止妊娠吗？

我在怀孕前后服用了一些药物，具体如下：断雪流片、安络血片、先锋Ⅵ号胶囊、维生素K（用药时间：3天）；桂枝茯苓胶囊（用药时间：2天）；强的松片（5毫克/片）（用药时间：21天）。听说先锋Ⅵ号和强的松片会对胎儿有影响，而我服用强的松的时间又比较长，且是在孕后服用。我们全家都很担心宝宝会不会健康，是否应该放弃？

经过推算，除强的松外，其他药物都是

在受精卵着床前服用的,这些药物能很快被排除体外,不会在体内蓄积,所以,不会对胎儿有什么影响。

强的松是糖皮质激素,是C类妊娠用药,即动物实验中发现对胎仔有不良影响,但在人类还缺乏充分证明。我国和国外都没有资料表明对胎儿有致畸作用,但在临床中不提倡使用,更不提倡长期使用。即使如此,我认为你现在没有终止妊娠的指征。

胸透并使用了麻醉药,会有怎样的妊娠结局?

我于3月19日检查出怀孕了,末次月经是2月12日,月经一直很规律。3月8日拔了一颗智齿,打过麻药(2%浓度的利多卡因10毫升);3月13日单位组织体检,做了胸透和B超。不知对胎儿是否有影响?

孕早期胸部X线透视和使用麻药对胎儿都有不良影响。在孕前准备一章和其他章节都有这方面的讨论。

具体分析你的情况:你的月经很规律,但不知月经周期是多少天?假设你的月经周期是30天。2月按28天计算,那么,你的排卵期大概在2月28日左右,由此推测,使用麻醉药大概是在你受孕的1周左右,这时正是受精卵在输卵管中运行准备着床的时候,是受精卵快速分裂期。当接受X线胸透时,你大约已经受孕近2周。也就是说你是在停经28天前后接触的X线。这一时期,很少会引起胎儿畸形,因为,这个时期的胚胎受到有害因素刺激后,或者死亡(早期自然流产),或者通过补偿使受损的细胞得以恢复。是"全"或"无"的结局。所以,如果你没有任何流产迹象,就尽管放心好了,胎儿会健康地成长起来。

111.孕期患了重症感冒需要治疗

前一章谈了不少关于感冒的问题。这一章里,多数是必须治疗的重症感冒和药物让妈妈非常担心。所以,妈妈还是要预防为主。当然爸爸感冒了,对胎儿一样会构成威胁。

发热是否伤害胎儿?

感冒发热,最高达38.7℃,持续了10多个小时,住院治疗静脉点滴双黄连、青霉素、维生素C。有的医生说发热问题很大,孩子可能不要了;有的医生说问题不大。请问专家我该怎么办?

发热对胎儿可能会有一定影响,尤其是高热,由于宫腔内温度高而影响胎儿。你妻子是中度发热,而非高热,原发病只是单纯的感冒,也不是对胎儿有肯定危害的病毒感染或其他疾病,一次普通感冒不会对胎儿造成很大影响的。十月怀胎,一点问题也没有是很难的,只要没有确切的结论认为胎儿已经受到了伤害,就不应轻易放弃。如果胎儿不健康,发生流产的几率就比较大,胎儿能够存留下来,说明胎儿还是健康的。所以你不必过于担心。

持续发低热是否影响胎儿器官形成?

在怀孕的前3个月里,我一直持续发低烧,37.5~38.2℃之间,去验血,医生也没有说出原因,又因为感冒发了一天高热(39℃)。不知对孩子的器官形成及神经系统有什么影响?我这种情况,继续要孩子是不是风险很大?

从怀孕以后你一直不间断地每日测量体温吗?这3个月里体温一直波动在37.5~38.2℃吗?是在38℃时候多,还是在37.5℃时候多?如果只是在37℃左右,可能是由于妊娠使基础体温升高,但体温达38℃以上,就应该考虑疾病问题了,要到医院做一些必要的检查。主要问题是要找到发热的原因,才可以判断对胎儿可能的影响。

第 6 节 流产、阴道出血与胎停育

112.流产几率下降

随着孕期的增加,胎儿在妈妈子宫内逐渐越来越安稳了。发生流产的几率明显减少。但是，仍然有流产的可能，仍然不能粗心大意。

有的孕妇在孕早期会有少量阴道出血，在孕卵着床、停经后的第一个月经周期时，都可能出现少量阴道出血，尽管不是流产先兆，但妈妈仍会担心胎儿的健康，有的妈妈甚至担心胎儿会不会缺胳膊短腿，这种担心是没有必要的。妈妈尽管放心，孕卵着床或停经后第一个月经周期时的少量出血不会影响胎儿的正常发育。

止血针就是保胎药吗？

先兆流产住院，B超显示目前胎儿发育正常。开始几天只是卧床休息，但住院第5天时又出血，就打了3天止血针，现在家保胎。请问打止血针算不算保胎措施，会不会强行保下了质量有问题的胎儿？卧床休息应该持续到什么时候？

止血针不能算保胎药，不会因此保下有问题的婴儿。卧床休息应该到孕12周，当然不是整天在床上躺着。B超结果没有提示胎儿有异常情况，没有终止妊娠的理由。

流产后月经量多伴腹痛，还可以怀孕吗？

孕3个月时流产。月经来潮后，因怕怀孕服用了紧急避孕药，没想到多次来月经，以前月经都是很准的，现服金妇康、血府逐瘀，月经量很多而且伴随腹痛，这是什么原因造成的？还可以怀孕吗？

这种情况不能认为是月经失调，而是不规则阴道出血。是什么原因引起的反复出血，出血量比较多，还伴有腹痛，应该及时看医生，排除盆腔感染。正常情况下流产后半年可考虑再孕，但你需要查清楚出血及腹痛原因，待治愈疾病后才能考虑再孕的问题。

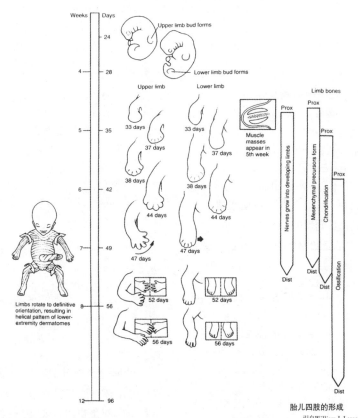

胎儿四肢的形成

引自William J. Larsen著《人类胚胎学》。

不同孕周胎儿体重预测

孕龄(周)	头围(cm)			腹围(cm)			股骨长径(cm)			头围/腹围			预测体重(kg)		
	下限	标准值	上限	下限	标准值	上限	下限	标准值	上限	下限	标准值	上限	下限10%	中位数	上限90%
12	5.1	7.0	8.9	3.1	5.6	8.1	0.2	0.8	1.4	1.12	1.22	1.31	–	–	–
13	6.5	8.9	10.3	4.4	6.9	9.4	0.5	1.1	1.7	1.11	1.21	1.30	–	–	–
14	7.9	9.8	11.7	5.6	8.1	10.6	0.9	1.5	2.1	1.11	1.20	1.30	–	–	–
15	9.2	11.1	13.0	6.8	9.8	11.8	1.2	1.8	2.4	1.10	1.19	1.29	–	–	–
16	10.5	12.4	14.3	8.0	10.5	13.0	1.5	2.1	2.7	1.09	1.18	1.28	–	–	–
17	11.8	13.7	15.6	9.2	11.7	14.2	1.8	2.4	3.0	1.08	1.18	1.27	–	–	–
18	13.1	15.0	16.9	10.4	12.9	15.4	2.1	2.7	3.3	1.07	1.17	1.26	–	–	–
19	14.4	16.3	18.2	11.6	14.1	16.6	2.3	3.0	3.6	1.06	1.16	1.25	–	–	–
20	15.6	17.5	19.4	12.7	15.2	17.7	2.7	3.3	3.9	1.06	1.15	1.24	–	–	–
21	16.8	18.7	20.6	13.9	16.4	18.9	3.0	3.6	4.2	1.05	1.14	1.24	0.28	0.41	0.86
22	18.0	19.9	21.8	15.0	17.5	20.0	3.3	3.9	4.5	1.04	1.14	1.23	0.32	0.48	0.92
23	19.1	21.0	22.9	16.1	18.6	21.1	3.6	4.2	4.8	1.03	1.12	1.22	0.37	0.55	0.99
24	20.2	22.1	24.0	17.2	19.7	22.0	3.8	4.4	5.0	1.02	1.12	1.21	0.42	0.64	1.08
25	21.3	23.2	25.1	18.3	20.8	23.3	4.1	4.7	5.3	1.01	1.11	1.20	0.49	0.74	1.18
26	22.3	24.2	26.1	19.4	21.9	24.4	4.3	4.9	5.5	1.00	1.10	1.19	0.57	0.86	1.32
27	23.3	25.2	27.1	20.4	22.9	25.4	4.6	5.2	5.8	1.00	1.09	1.18	0.66	1.99	1.47
28	24.3	26.2	28.1	21.5	24.0	26.5	4.8	5.4	6.0	0.99	1.08	1.18	0.77	1.15	1.66
29	25.2	27.1	29.0	22.5	25.0	27.5	5.0	5.6	6.2	0.98	1.07	1.17	0.89	1.31	1.89
30	26.1	28.0	29.9	23.5	26.0	28.5	5.2	5.8	6.4	0.97	1.07	1.16	1.03	1.46	2.10
31	27.0	28.9	30.8	24.5	27.0	29.5	5.5	6.1	6.7	0.96	1.06	1.15	1.18	1.63	2.29
32	27.8	29.7	31.6	25.5	28.0	30.5	5.7	6.3	6.9	0.95	1.05	1.14	1.31	1.81	2.50
33	28.5	30.4	32.3	26.5	29.0	31.5	5.9	6.5	7.1	0.95	1.04	1.13	1.48	2.01	2.69
34	29.3	31.2	33.1	27.5	30.0	32.5	6.0	6.6	7.2	0.94	1.03	1.13	1.67	2.22	2.88
35	29.9	31.8	33.7	28.4	30.9	33.4	6.2	6.8	7.4	0.93	1.02	1.12	1.87	2.43	3.09
36	30.6	32.5	34.4	29.3	31.8	34.3	6.4	7.0	7.6	0.92	1.01	1.11	2.19	2.65	3.29
37	31.1	33.0	34.9	30.2	32.7	35.2	6.6	7.2	7.8	0.91	1.01	1.10	2.31	2.87	3.47
38	31.9	33.6	35.5	31.1	33.6	36.1	6.7	7.3	7.9	0.90	1.00	1.09	2.51	3.03	3.61
39	32.2	34.1	36.0	32.0	34.5	37.0	6.9	7.5	8.1	0.89	0.99	1.08	2.63	3.17	3.75
40	32.6	34.5	36.4	32.9	35.4	37.9	7.0	7.6	8.2	0.89	0.98	1.08	2.75	3.28	3.87

引自《导产超声诊断学》

孕2月半，宫内出血面积增大

我妻子怀孕两个半月，不知什么原因，流了少量血。彩超检查宫内有少量积血，查血凝四项正常，没有摔倒过及同房，住了5天院后，彩超检查发现宫内积血面积增大，胎心正常。该怎么办？

如果没有再发生阴道出血，胎儿发育良好，就顺其自然，如果宫内积血面积进一步增大，胎儿发育受到影响，就终止妊娠。

害怕再次承受胎停育的打击不敢去医院

我的末次月经是12月20日，月经周期基本规律。用早早孕试纸陆续测过3次均为阳性，所以我算起来已经是孕10周了。回想起来，我与爱人大概是由1月2日的那次做爱怀上的小宝宝。但我们这次没有算好安全期，未加重视。我曾于1月1日因咽喉肿痛服用过1周的利君沙，也吃过一种美容消斑药1周（上面写着孕妇忌服，主要成分是：红花、白芷、白茯苓、珍珠粉、灵芝、芦荟、桑椹、蜂花粉、枸杞、桃仁、杏仁等）。1月15日我与爱人在性生活后发现有浅咖啡色

出血，断断续续持续到1月25日，由于我有意识地卧床休息，以后就停止了。但从孕8周开始早孕反应就消失了，乳房也不觉得发胀，吃东西也不觉得反胃。我曾于1年前孕8周胎停育而做过一次人流。现在的我每一天的每一刻心里都是七上八下的，按说我应该去医院检查一下，但我既怕大夫检查时万一手劲过大再次出现流产，又怕做B超时大夫告诉我胎停育，我承受不了再一次的打击。可不去医院吧，我又不知道我肚子里的小宝宝到底是不是还好！我看了很多孕期保健类书籍，越看反而心里越害怕，一会儿怕我是宫外孕，一会儿又怕怀上的宝宝发育不正常，我总在问我爱人：宝宝现在还活着吗？怎么我没有感觉了呀？另外，我的腰还老疼，是下部腰椎（臀部上端）两侧的两个小坑处，这大概也是先兆流产的表现吧？我想等到孕12周时再去医院检查，我想那时胎儿是死是活，发育是否正常就应该能看清楚了吧？

根据闭经史及3次HCG阳性，首先可以确定你是怀孕了。受孕期大概是1月2日，受精卵着床时间是1月9日以后。利君沙和美容药

146

对胎儿的影响都不会很大，所以由服用药物而造成胎停育的几率极小。

阴道小量出血和腰骶疼痛，不能排除宫外孕或先兆流产，你应立即到医院妇产科检查，及时发现异常情况，采取必要的治疗措施。如果胎儿已停止发育，留在体内也是有危险的。你应该用理智和科学的态度面对现实，回避是不可取的。告诉医生既往胎停育史，医生会倍加小心的。若再出现胎停育，应进行一些优生项目检查，如Rh血型、染色体等，接受生育指导、孕期干预、胎内治疗等，以免再次出现类似情况。

胎儿顶臀径小，会是发育迟缓吗？

我于孕11周第3天因为有少量流血去医院，B超显示胎儿顶臀为3.8厘米，可见胎心搏动。医生让我回家保胎，开了维生素E及绒毛膜促性腺激素。我见书里写到11周的胎儿要有4.5厘米大小。孩子不会发育迟缓吧？

孕周的计算方法并不能完全代表你真正的受孕时间，可有1—2周的差异。B超评估胎龄也不是百分之百的准确，同样有一些小的误差。基于此，不能仅凭借一次B超判断胎儿发育迟缓，要动态观察，如果在一段时间内，胎儿未按规律生长，才考虑是否有胎儿宫内发育迟缓，须及时干预和治疗。建议你过1、2周再复查。

当准父母刚刚沉浸在幸福喜悦中时，B超单上胎停育3个刺眼的字，如同晴天霹雳，给夫妇俩以沉重的打击。面对胎儿夭折的不幸，准妈妈要自我劝慰。胎儿过早夭折一定有他的理由，他或许染色体出了问题，或许他的附属物——胎盘、脐带等没有准备好，这不是你的错，也不是他的错，而是人类的繁衍规律，把最健康的孩子留下来。这样的结果对你和孩子都是最好的，如果他不健康，出生对他来说是不幸的。如果胎停育发生在你身上，你要停止伤心，和孩子道别后，要重新鼓足勇气，再孕育一个健康的宝宝。

何时、何因发生胎停育？再孕是否需要保胎？

孕50多天时，曾感觉腹痛，阴道有2、3滴鲜血流出。孕63天时，阴道出现少量黑褐色分泌物，卧床休息未见好转，用了5天黄体酮。孕75天B超，胚芽只有2厘米，诊断胎停育，已经清宫。请问胎儿是何时停育的？是什么原因导致胎停育？下次怀孕，可否开始就用黄体酮和绒毛膜促性腺激素保胎，或吃中药？

胎停育的确切时间难以估算，大约是在孕8周前。

孕卵异常是胎停育的主要原因，发生在8周以内者占80%。从排出物来看，胚胎往往

第四章

孕3月

（9—12周）

孕期常规检查项目时间表

频率	孕周	尿液		血液							其他	
		蛋白	糖	血型	贫血	梅毒	风疹	乙肝	弓形体	身高	体重	血压
28周以前：4周1次	确诊	停经后做尿HCG检查，以确定是否怀孕										
	12	★	★	★	★	★	★	★	★	★	★	★
	16	★	★								★	★
	20	★	★								★	★
	24	★	★								★	★
	28	★									★	★
29—36周2周1次	30	★									★	★
	32	★									★	★
	34	★									★	★
	36	★									★	★
37—40周1周1次	37	★									★	★
	38	★									★	★
	39	★	★								★	★
	40	★	★								★	★

注：★是必查项目，空白处根据身体情况或医生建议是否检查。

147

发育不全或完全枯萎，有时仅存有羊膜囊而不见胚胎。大约22%-60%的标本中有染色体异常。导致孕卵异常的可能原因是卵子或精子的缺陷或两者均有缺陷。

其他常见原因有：外界不良因素，如大量吸烟(包括被动吸烟)、饮酒、接触化学性毒物、严重的噪音和震动、情绪异常激动、高温环境等一切可导致胎盘和胎儿损伤的因素；母体疾病；父体因素。大约有10%-15%的男性精液中含有一定数量的细菌，可影响胚胎发育。

我不赞成想尽一切办法保胎，而应该做好孕前保健，减少异常胎儿的发生。为此，下次再妊娠时，没有必要一开始就盲目保胎。我的建议是：半年以后再考虑怀孕；双方同时接受染色体检查，女方做血型鉴定，男方做生殖系统的检查，有菌精症的要彻底治疗；如果黄体功能不全，使用药物时间要超过10周；避免接触有毒物质和放射线照射等外界不良因素。

第7节 准妈妈对疾病的担忧

头晕正常吗？

我现在怀孕已10周，但最近半个月以来，一直有头晕的现象，尤其是中午和坐完公交车后，请问这是不是正常现象？在饮食上我该注意什么？

不是怀孕后的正常现象。应该做一下检查，测量血压、心电图、血糖、血常规等，排除孕期低血压、心率过速、贫血、血糖代谢紊乱等问题。膳食合理，不要偏食，多吃新鲜蔬菜和水果，少吃腌、炸、烤、煎等食品，多吃富含蛋白质、钙、锌等食物。

腋下疼痛并有疙瘩是由怀孕造成的吗？

我妹妹怀孕已3个月，感觉胳肢窝内有些疼，摸

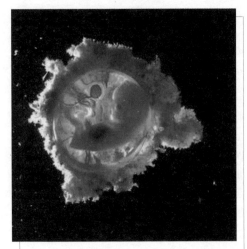

这是孕9周时胎儿在子宫中的样子。引自国际在线网http://gb.cri。

起来有疙瘩，大夫说要等怀孕3个月以后才能诊治。后来不疼了，最近又开始疼，我们都非常担心。她怀孕前从无以上反应，是不是由怀孕造成的？

首先应明确诊断。最可能的是妊娠后导致的副乳或腋下淋巴结炎。

如果是副乳在孕期可暂时不用处理，有感染应抗炎治疗。如果是淋巴结炎，则应积极抗感染治疗，选择对胎儿影响小的药物。

怀孕任何时期用药，都要在医生指导下。治疗副乳的口服药物孕期不宜使用，抗生素类中的青霉素类比较安全。

什么原因引起的胸闷？

怀孕3个月，近几天晚上休息出现胸闷、呼吸感觉困难，心电图为：窦性心律不齐，心电图大致正常。医生说正常，但晚上休息还是出现胸闷现象，请问是什么原因？

应该看内科医生或心血管科医生，排除妊娠合并内科疾病或出现妊娠期特有的疾病，如围产期心肌病。确定没有疾病，再考虑是其他因素，如环境因素、精神因素等。

怀孕后为什么会有皮肤瘙痒？

怀孕12周。这一阵常皮肤瘙痒，不知是怎么回事？

妊娠期皮肤瘙痒首先应该排除妊娠胆汁淤积综合征。妊娠期也可出现非特异性皮

肤瘙痒，可随着孕龄的增加逐渐减轻。

腿痛是孕期反应吗？

怀孕有10周了，没有什么特殊反应，饭量比以前大了许多，比平时要多吃一半以上，另外最近我感到左大腿骨头常有酸痛的感觉，不知这是否是正常的孕期反应？

没有妊娠反应是件幸福的事情，饭量增加也是很正常的。左大腿骨痛应看骨科医生，不是孕早期反应。

胃不舒服是孕期反应，还是有病？

下腹部有坠胀感，似要来月经，医生给开了保胎药，服药期间，食欲极差，一直感到上腹不舒服，总是觉得饿，但稍微多吃点儿又觉得撑，最近还经常打嗝。不知是孕期正常反应，还是胃有毛病，可不可以吃药。

妊娠反应可造成胃部不适，服用保胎药也可引起胃部不适，建议再观察一段时间。一般妊娠反应3个月后可明显减轻甚至消失。药物对胃部的影响，一般停药后1周可消失，若实在不舒服可服用胃舒冲剂。

怀孕后为什么会有腋窝淋巴结肿痛？

尊敬的郑大夫，在你的指导下顺利怀孕。但怀孕后发现两侧腋窝淋巴肿大而且有压痛感，我腋窝淋巴肿大已有近2年的时间，但以前没有疼痛感。我曾做过人流，好像从那时起两侧腋窝淋巴就开始肿，当时比较小，现在大了呈长条状，固定、无滑动感，皮肤表面无异常。为什么怀孕后会疼痛并比原来还大了呢？

从你的描述分析，可能不是淋巴结肿大，而是副乳。副乳在月经期或怀孕时会增

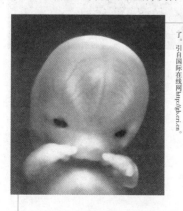

胎宝宝的皮肤还非常薄，而且透明，从外面可以清晰地看到血管，甚至能够看到血液流动。随着胎宝宝的长大，出现皮下脂肪层，皮肤增厚，皮肤就不再透明了。

引自国际在线网http://gb.cri.cn

大，并出现疼痛。建议你到妇科看一下。

有无既能治愈阑尾炎，又不伤害胎儿的方法？

我怀孕已经有3个月，今天医院检查出我得了阑尾炎，请教郑大夫，是否有一种治疗方法，能够治好我的阑尾炎却又能够最大限度地不伤害胎儿？

阑尾炎是外科疾病，治疗方法有两种，一是保守治疗，即用药物；二是手术治疗。采用哪一种，要由外科医生根据病情决定。但孕期5个月内，不适宜行腹部手术。所以，在病情允许情况下，尽量采取保守治疗。可选用对胎儿影响不大的青霉素静脉滴注，疗程7-10天。

小腹及尿道痛

我爱人怀孕9周，这两天小腹两侧开始疼痛，前几天尿道痛，并无血状分泌物，是不是膀胱炎或肾炎？

症状很像泌尿系感染，诊断依据主要靠尿常规检查。吃药、多饮水都可使尿常规恢复至正常。一些药物对胎儿有影响，应在医生指导下服用。

115.生活中令准妈妈担忧的琐碎事

脚部涂用了清凉油

我是怀孕3个月的准妈妈，前两天因脚上瘙痒，涂了新加坡进口的清凉油。今天我在看怀孕3个月的注意事项时，看到孕妇不可涂用清凉油。

清凉油中含有的樟脑等成分，孕妇不宜使用，但偶尔涂擦1~2次对胎儿不会有多大影响，以后不要再用了。一定要时刻注意你腹中有正在发育的胎儿，无论用什么都查一查书，问问医生，以免担心和后悔。

能否做心电图、吃孕宝？

我怀孕3个月了，时常感到心慌，医生让做心电图，不知心电图是否对胎儿有不好的影响。另外，能否用孕宝保健品？

孕妇做心电图对胎儿没有不良影响，在孕期的任何时候都可做心电图。我认为无论什么样的保健品都不如吃自然的食品，若是有特殊

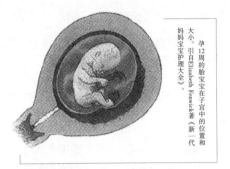

孕12周的胎宝宝在子宫中的位置和大小。引自Elizabeth Fenwick著《新一代妈妈宝宝护理大全》。

情况，如贫血、缺钙、缺锌不能通过食物补充时，或食欲差、呕吐等情况时，可以适当补充营养保健品，应根据实际情况选择适合你的产品。若没有自然流产史，目前也没有什么不好的征兆，不要服用有保胎作用的孕宝。

血糖偏高，碘偏低，唐氏筛查风险率1∶390

我现已怀孕12周，检查出现了一些问题。血糖为6.4 mmol/L，经过葡萄糖负荷测试服用1个小时后测8.7 mmol/L，家族无糖尿病史。碘测试为78.0 μg/L，比较低。第一次唐氏筛查风险率为1∶390，比较低，请问这些指标是什么意思？

妊娠期糖尿病多发生于妊娠晚期，根据你目前检查结果，尚不能确诊妊娠并发糖尿病，应该继续监测血糖变化。但要从现在开始进行干预，制定合理的饮食方案。建议看内分泌医生，帮助诊治。碘值较低可多吃海产品，使用加碘盐时最后放入，以免碘破坏过多，使用碘剂一定要在内分泌医生指导下。唐氏筛查风险率低说明发生唐氏综合征的可能性小，不必担心。

风疹是否能等到孕14周以后和唐氏筛查一同做？

请问风疹检查什么时候做？是和唐氏筛查一起等到14~20周之间做吗？

孕妇感染了风疹病毒，如果在孕早期发生了胎儿宫内感染，可导致胎儿畸形，所以，风疹病毒检查越早越好。不应等到孕14周以后。

怀孕期真的不能喝茶吗？

我怀孕3个月，非常喜欢喝茶，几乎每天都能喝2杯茶水，可是最近听同事说孕妇不能喝茶，我想知道茶叶是否真的对孕妇有影响？可否喝些淡茶，每日是否限制饮用量？

茶叶中含有一种能成瘾的刺激性物质，即咖啡因。这种物质能使孕妇神经系统兴奋、心跳加快、血压升高，会影响孕妇休息和睡眠，造成情绪紧张。咖啡因还可通过胎盘作用于胎儿。茶叶中所含的咖啡碱可以破坏维生素B1，增加孕妇脚气病的发生率，影响胎儿发育。茶叶中的鞣酸可影响铁的吸收，引起缺铁性贫血，不但对孕妇有害，还可影响胎儿的生长发育。由于母铁不足，导致胎儿铁储备不足，出生后发生缺铁性贫血的机会增大。

基于以上原因，孕妇最好不要饮用茶水，尤其是比较浓的茶水。如果非常想喝的话，可在早、中餐之间喝少许淡茶水。

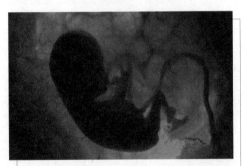

刚刚成形的胎儿和足月的胎儿的形象相比还能看得出"小海马"的痕迹。头巨大，几乎占了全身的一半，四肢非常细，而且短小，长长的脐带和母体相连。引自国际在线网http://gb.cri.cn。

图片引自国际在线网 http://gb.cri.cn

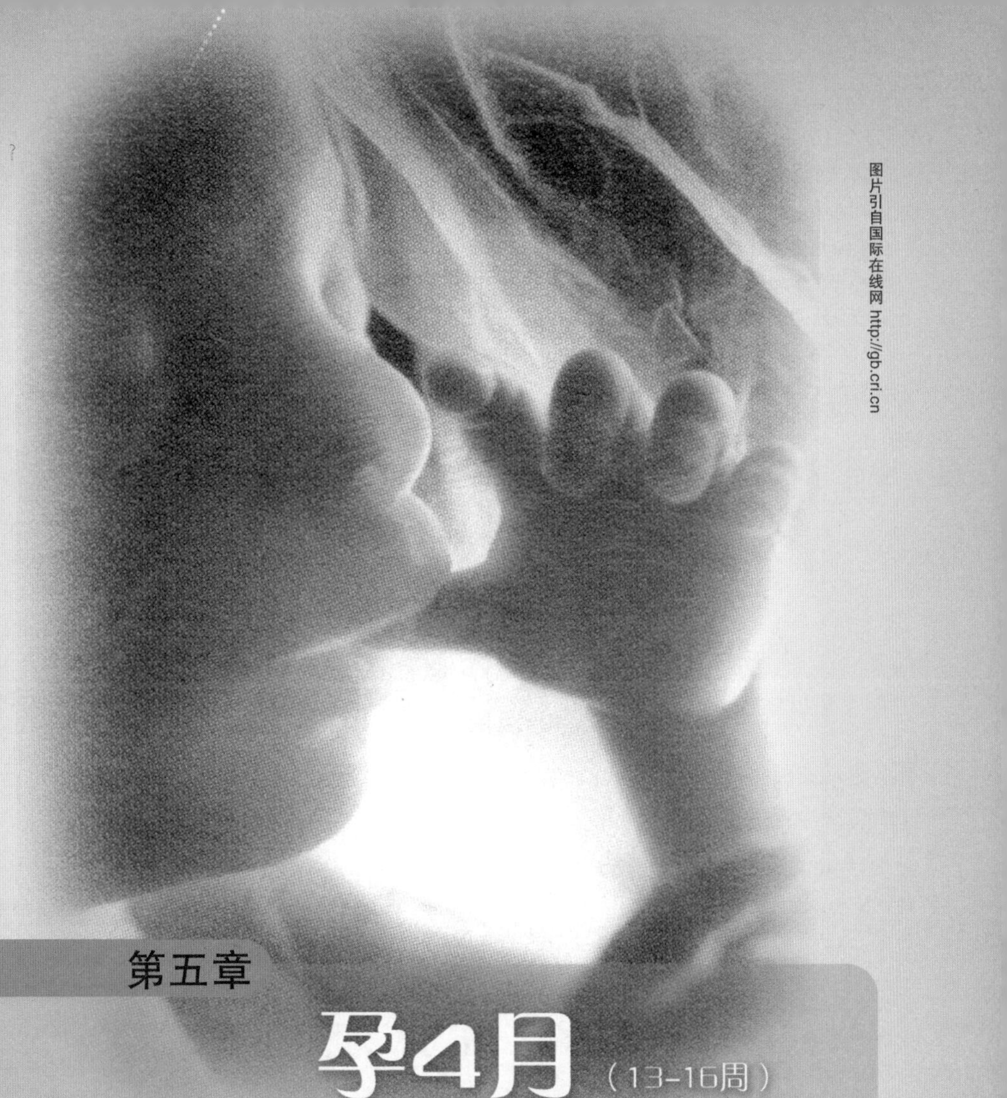

第五章

孕4月（13-16周）

胎心搏动、小腹隆起、早孕反应消失

如果我的小手碰到我的小嘴唇，我就会吸吮几下，我已经在锻炼自己的吸吮能力了。我心脏像钟摆一样滴答滴答地一刻不停跳动着。我的肾脏已经开始产尿了，我还会把尿排出来，成为羊水的一部分。——胎宝宝

本章要点

- 胎宝宝有了清晰有力的胎心搏动
- 从外观上能区分胎儿的性别了
- 小腹开始隆起
- 孕妇面部可能出现黄褐斑，皮肤变得敏感
- 流产几率下降，妊娠反应消失
- 一些令孕妇担忧的问题

第1节 4月胎儿自述
——我已经是五脏俱全的小小婴孩了

116.妈妈，您感觉到我的微微胎动了吗

我已经从一个肉眼看不到的细胞发育成具有人的特征且五脏俱全的小小胎儿，不但拥有了器官，还出现了最初始的功能，对外界不良刺激和有害物质的抵御能力增强起来。我已经会在子宫内翻滚，并时时伸伸小手和小脚，敏感的妈妈可能会对我的活动有所感觉，觉到微微的胎动。我对外界的反应也变

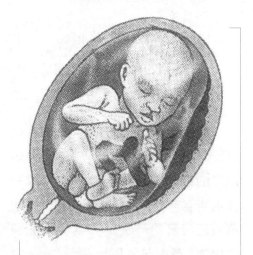

胎宝宝已经会吸吮自己的手指了。宝宝还能够吞咽羊水，补充水分。引自Elizabeth Fenwick著《新一代妈妈宝宝护理大全》。

得敏感起来。

我已经会吸吮我灵巧的小手了

如果我的小手碰到了我的小嘴唇，我就会吸吮几下，我已经在锻炼自己的吸吮能力了。您们一定不相信我有这个能力，这是真的。我心脏像钟摆一样滴答滴答地一刻不停跳动着。我的肾脏已经开始产尿了，我还会把尿排出来，成为羊水的一部分。这证明我的泌尿系统即将投入试运行。为了测试我精心组装完毕的消化系统是否能正常运转，我会喝一些羊水，帮助羊水快速循环起来，免得羊水变得浑浊。也就是说，从这个月开始，我除了添加零件外，开始做铺设管道线路，通水通电，加油加汽等等工作，因为我要对已经造好的器官和系统进行验收、检测和投入试运行，我要让已经造好的机器产生功能，开始运行。

妈妈该庆祝一下我们的成功，从现在开始，我已经度过了最危险的时期，我不再对外界不良刺激如此敏感了，我变得越来越"皮实"了。妈妈也度过了最易发生流产的时期，妊娠反应也消失了，而这时正是我真正需要妈妈供给充足养分的时候。我们娘俩即将进入黄金期。

117.从外观上可以知道我是男孩女孩了

尽管早在受精卵形成时，我的性别就被决定了，可直到现在谜底才正式揭晓。从外观可以看出来我是男是女。如果我没有患与性别有关的遗传病，医生也不会特意检查我的性别。爸爸妈妈如果让B超长时间照射我的生殖器，可能会产生热效应，毕竟我稚嫩的机体和刚刚发育完成的器官还不能承受过多刺激。

我正在紧锣密鼓地进行内装修呢

我的内部就更加完善了。以前我主要的工作是构造器官，孕中期开始进入功能完善阶段。就像我盖好了毛坯房，开始通水、通电、埋线路、铺管道。这时各种腺体发育，胆汁分泌、肝脏造血、唾液腺形成、胃液产生、肾脏产尿。同时，我还要长得更大，我使劲长出基本框架，所以头大，身体细小瘦长，还没有肌肉脂肪的保护，像小号的干巴巴的小老头。尽管如此，我这个月仍然在快速生长。

我的个头长得飞快

在接下来的日子里，妈妈将进入孕期的黄金阶段，妊娠反应没有了，体重开始增加，小腹可能会微微隆起，是个美丽的孕妇。在这4周里，我的个头长得飞快。对妈妈的营养需求也大了起来。不过妈妈可

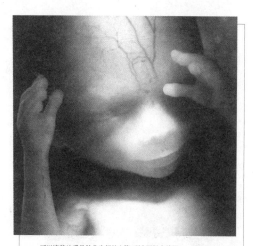
可以清楚地看见胎儿头部的血管。引自国际在线网http://gb.cri.cn。

不要认为你一个人需要吃两个人的份，我只不过需要相当于一杯牛奶那么多的热量。所以，我所需要的不是量的问题，而是质的问题，是富含优质蛋白、矿物质、维生素的食物。

118.爸爸妈妈一定很想知道4个月时的我什么样吧

起初，我的两只眼睛长在头的两边，耳朵位置非常低，都快到下巴颏了，我的小鼻子是个鼻孔向上的朝天鼻，没有鼻梁，只有鼻孔，脑袋也抬不起来，总是低垂着，好像犯了错误。我的胳膊短短的，腿也短短的。我的耳朵已经从脖子上转移到头部，24颗乳牙牙体全部形成，声带完整。现在我不但长出脖子来了，还可以把头竖直。腿比胳膊长，我的臂和腿关节

形成，硬骨进一步发育，所以我的运动更有力，虽然妈妈不一定感觉到。到了这个月末，我已经能攥起小拳头了。我确实还有一些细枝末节的工作要完工，手指甲在进一步生长，这个月末我开始长脚趾甲。指甲和趾甲都是从表皮开始生发出一层新组织，逐渐扩大。不仅如此，指纹和趾纹也开始形成。还记得我长胳膊腿、手足的顺序吧，那时是搞基建，"由里向外"。现在是搞装修，有些是"由外向里"。比如先长指纹和趾纹，然后是从手掌的指（趾）向手臂和足跟逐渐长出掌心纹和足底纹。新生儿出生后，医生给宝宝留手足印，不只是给妈妈一个纪念品，而是通过掌纹和足纹多少，评价婴儿成熟程度。透过皮肤可以看到血管，因为这时的皮肤仍然是半透明的。我最终形成的皮肤一共分为6层，和新生儿、成人一样。但孕10周只形成2层的皮肤，薄而透明；孕12周以后形成3层，就变得半透明了，但仍然较薄；直到孕22周才形成6层，因为最底层长了脂肪层，所以就不透明了。

 你们的胎宝宝写于孕4月

第2节 4月胎儿生长发育

119.4月胎儿生长逐周看

胎儿13周时

在宝宝牙槽内开始出现乳牙牙体。声带也开始形成。胎儿的手指和脚趾纹印开始形成了，宝宝出生时，要在宝宝出生记录单上印

男性和女性外生殖器的形成

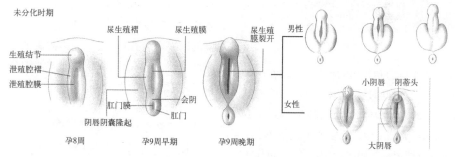

男婴外生殖器畸形主要就是尿道下裂，妈妈孕3个月以后，如果是男胎的话，裂开的生殖膜没有再闭合。引自William J. Larsen著《人类胚胎学》。

153

第五章

孕4月

（13－16周）

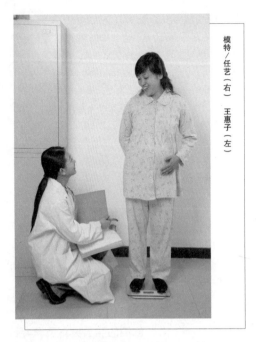

模特／任艺（右）　王惠子（左）

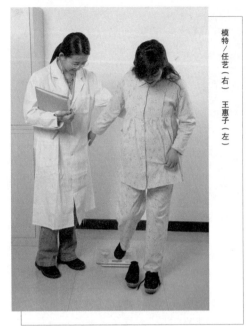

模特／任艺（右）　王惠子（左）

模特／任艺（右）　王惠子（左）

测量体重是产前检查中必不可少的项目。孕妇非常重视自己的体重变化，因为体重增加理想与否与胎儿生长发育密切相关，孕妇不希望自己太胖，吃的营养物质都给腹中的宝宝，别都长在自己身上。其实，孕妇体重变化并不总是与胎儿生长发育成正比，孕妇体重增加多少并不能全部反映胎儿体重。

上宝宝的小脚印和妈妈的拇指印。印在出生记录单上的小脚印是宝宝唯一的，不会有第二个宝宝的脚印和你的宝宝相同。妈妈也要在宝宝的纪念册上印上宝宝的小脚印和小手印，也可以把爸爸妈妈的拇指印印上，留作永久的纪念。

胎儿14周时

这周是胎心率最快的时期，可高达180/分。B超下可清晰地看到胎动，但初次怀孕的妈妈，可能还感觉不到胎儿在子宫中的活动。性器官已经完全能区分男性和女性。胃内消化腺和口腔内唾液腺形成。

胎儿15周时

骨化过程较快，大脑已经开始发育，腹壁开始增厚，有了一定的防御能力，以保护内脏。

胎儿16周时

头部占全身长度的1/3。心跳117～157/分。胃内开始产生胃液。肾脏开始产生尿液。胎儿会把尿液排到羊水中，妈妈不用担心，宝宝的尿液可没有毒，也不会为此使羊水变得浑浊不清，妈妈会为宝宝清理羊水中的废弃物。宝宝也会时不时喝几口羊水。

120.4月胎儿外形是怎样的

胎儿已经像个"小人"了。身长约16厘米。体重约120克。全身有一层嫩嫩的、微红的、薄薄的皮肤。但和上个月相比，颜色加深了，厚度也略有增加。前额大大的，还是很突出。头上可见到很短的小绒毛，宝宝开始长头发了。两只眼睛逐渐靠拢，不再像鱼一样在头的两侧。眼皮可以完全盖住眼球，绝大多数时间，眼睛都是轻轻地闭合着。给予明显的刺激，可能会微微眨动眼睑。已经有了比较完整的嘴巴形状，两个大大的鼻孔。耳朵已从颈部移到头上，脸上可以看到毳毛。腿比胳膊长了，不再是个"小棒槌"，可以分辨出前臂、肘，手指也长了，不再像几个"小球球"。小胳膊、小腿开始在羊水中自由地活动起来。敏感的妈妈可以感到轻微的胎动，像小鱼在腹中游动。

121.宝宝生命的重要标志——胎心

用听诊器可经孕妇腹部听到胎心心音。使用多谱乐听诊，孕妇可以听到被放大的胎儿心跳声，有力而又规律，就像钟摆声。如果医生允许，最好让你的丈夫亲耳听一听胎儿的心跳。你的丈夫也会像你一样从内心迸发出父爱。B超下可以清晰地看到胎心有节律搏动。

也可以让你的丈夫学习使用听诊器听胎心，不但可监护胎儿在宫内生活情况，还可增加父婴情感交流，当你感受到丈夫对宝宝的疼爱和关心时，幸福之感会油然而生，对胎儿的发育有极大的好处。

胎心搏动在120-160次/分。如果大于160次/分，或小于120次/分，应及时看医生。胎心搏动比较规律，但胎心的强弱和节律与胎儿的状态有关。如果胎儿清醒或活动时，胎心会快而强，如果胎儿安静或睡觉时，胎心可能会慢而稍弱。

妈妈对胎宝宝的活动——胎动牵肠挂肚，胎心的跳动情况也同样让妈妈放心不下。孕检时，医生的每一句话，都会牵动着孕

妇的神经。即使医生很不经意说出的话，对孕妇来说都是非常重要的信息。医生的自言自语常常引起孕妇的不安。请准妈妈放心，如果有问题，医生不会仅限于自言自语，一定会明确告诉你的。

胎心位置低是不是预示胎儿发育不好？

我怀孕已整4个月，医生说听胎心时好不容易才找到，且位置很低，仅仅在耻骨上面一点，和3个月检查时位置差不多。我有点担心小孩子是不是发育不好，是营养跟不上，还是有其他问题？

通过B超检查，对胎龄进行评估，来确定胎儿发育情况，确定是否有宫内发育迟缓，但不能仅仅根据一次B超结果就断定，需要动态观察。通过腹部听诊胎心音也是如此，胎心音听诊部位与胎儿大小、胎儿位置、孕妇身高、体形、胖瘦等诸多因素有关。不能根据胎心音听诊位置确定胎儿大小，建议2周后复查。

什么时候可以用听诊器听到胎心？

我最近买了一个双用听诊器，说是可以听胎心，但我自己并没有听到，什么时候可以用普通听诊器听到胎心？

自己使用普通听诊器听胎心，要找准胎儿的位置，如果是头位（胎儿头朝下），在下腹部的两侧寻找胎心音；如果是臀位（胎儿头朝上），在中腹部的两侧寻找胎心。一般在妊娠4个月以后可以听到。但如果没有经验，不容易听到胎心。到了孕6个月后就比较容易听到了。

122.和妈妈交流的方式——最初的
胎动

敏感的孕妇和有过生育经历的妈妈会比较早感到胎动。妈妈最初对胎动的描述有时存在较大差异：感觉像鱼在水中游；像小猪一样在拱；像小青蛙在跳；像鸟在飞；像血管搏动；像在蹦、蠕动、跳动等等。这都是妈妈的主观感觉，并不都能代表胎儿在如何

动。有时妈妈还会把自己的肠鸣音、腹主动脉的搏动感误认为是胎儿在动。这都是很正常的。

下腹部跳动的感觉是胎动引起的吗?

近几天我感到下腹部有跳动的现象,有时左边,有时右边,手触摸有跳动的感觉。这是否是胎动?我看书上介绍一般要到16~20周才会感觉胎动。每天早上触摸下腹部,总能摸到有很大面积的硬物(从下腹至肚脐附近),晚上就要小得多,而且位置靠下,这是不是胎儿?这种情况正常吗?

胎动出现的时间可早些,也可晚些,并不是绝对的,况且,按照末次月经周期计算的胎龄会有误差,现在出现胎动是正常的。孕3个多月还比较瘦,腹部皮下脂肪比较薄,可以在耻骨联合上触摸到增大的子宫,尤其是膀胱充盈未排大小便前明显。

肚子有抻的感觉并感觉痒,是胎动吗?

我现怀孕14周,有时感觉到肚脐抻,过一会就好了,而且肚皮还痒痒,请问这是胎儿在动,还是其他原因?

这时出现这种感觉是正常现象,但腹部皮肤痒不是胎儿在动,是腹壁皮肤对妊娠的反应。

孕4个月要记录胎动吗?

也许你现在已经感觉到胎动,但孕4个月还不需要记录每天胎动的次数。

什么时候感觉到胎动正常呢?

一般情况下,初次怀孕的妈妈多在孕4个月后感觉到胎动,这时的胎动还不规律,妈妈也不能很明确感觉,所以,这时通过记数胎动了解胎儿的发育情况不是很可靠。

关于胎动次数,有的书上是这样写的:胎儿每小时胎动的次数约3~5次,每天10次以上(早、中、晚分别记数胎动1次,每次记数1小时,把3次记数的胎动数相加即为每天胎动数)。实际上,这时记数胎动的意义并没有这么大。胎动少些,胎动多些,都是正常的。这与孕妇的感觉有关。实际上,孕妇感觉不到的胎动可能一天会有几十次,甚至几百次。

第3节 孕4个月的准妈妈

123.体重是否在稳步增长

一般情况下,孕后大多是体重增加。但增加的幅度和时间各异,有的从怀孕初期体重就开始稳步逐渐增加,到足月可增加到15公斤左右。有的孕妇体重增长并不是很明显,可能整个孕期只增长10公斤。有的孕妇到了孕4个月,体重已经有了明显的增加。早期体重增加显著的,并不一定代表整个孕期体重的增长始终处于领先地位,而早期体重增加并不很显著的孕妇,到了后期可能会异军突起。孕妇的体重并不总是按照书本上所说的那样每月均衡地增长着。如果体重出现异常情况,在孕检时,医生会告诉你,并给予相应的检查和处理,孕妇本人不要为你"不理想的体重变化"而犯愁。在测量体重时,要考虑到以下不起眼的影响因素:

● 季节:冬季人们不爱出汗,水分丢失少;冬季大多数人喜欢吃比较荤的饭菜,进食食盐的量相对多,储存在体内的水分比较多;冬季穿戴的东西比较多,占有一定的分量。所以,冬季体重要高些。

● 相反,夏季体重要低些。

● 吃饭与否和体重高低有关系,别看你一顿只吃几两饭,可体重要比饭前增加1、2斤,甚至2、3斤,所以,你是吃饭后马上测量体重,还是空腹测量的体重,之间会有不同。

● 排泄前后:不言而喻,排泄前后也同样影响体重的高低。

● 秤:用来测量体重的磅秤不总是准确无误的,医院的磅秤使用率非常高,往往还没到定期校验时间,已经不准确了。所以,即使你每次都到同一所医院,用同一台磅秤秤量,也要考虑秤的准确性。

模特/任艺（右）　王惠子（左）
　　测量腹围时，孕妇需要把衣服解开，完全暴露腹部，站立位测量腹围，仰卧位再测量腹围，取中间值，随着胎宝宝的增大，准妈妈的腹围也增加。妈妈切莫因为某次做产前检查时，腹围增加不太理想而紧张。

孕妇体重增加的因素

　　胎儿、增大的子宫、胎盘、羊水、增加的血容量、水钠潴留、皮下脂肪、肌肉组织、增大的乳房。

孕妇体重增加不是自己长胖

　　孕妇体重增加最主要的原因不是自己长胖，而是胎儿、胎盘、羊水、血容量、水钠潴留。孕妇皮下脂肪和肌肉的增长，主要是分布在臀、腰、腿、腹，这些部位的增长是为分娩作准备。所以，尽管孕妇分娩时比平时增加了15公斤左右，孩子降生后，如果在哺乳期合理饮食，做好产后体形恢复锻炼，体重会很快恢复到孕前水平的。一般来说，孩子断母乳后约半年，妈妈的体形就会恢复到生育前水平。

孕早期，体重不增也正常

　　孕妇体重并非是均匀地逐日逐月增加。在妊娠早期，如果早孕反应比较重，食量很小的孕妇，体重不但不会增加，可能还会有所下降。这种情况并不少见。

注意异常的体重增加

　　孕期控制体重过度、过快增长是必要的。如果孕期体重增加过多，产后恢复就比较困难。胎儿过大，会给分娩带来困难，增加难产和剖腹产率。体重增长过快时，要想到是否水肿所致。有的孕妇比较胖，皮肤弹性好，水肿是全身性的，并不能从外观看出是水肿所致，要注意鉴别。

不要忽视异常的体重变化

　　体重增长缓慢也要注意，是否有胎儿发育迟缓，孕妇是否有营养不足、慢性消耗性疾病等异常情况。

　　体重下降明显也不正常。妊娠早期体重下降一般不超过2公斤。如果体重下降比较明显，则要排除疾病所致，或孕吐导致的脱水和营养不良。不要等到这个时候才看医生。

一个真实的故事

　　一位孕妇被丈夫背着进入病房，因为她已经不能自己走路，太虚弱了！严重脱水、酸中毒、低血钾、低血钠。体重比怀孕前下降了15公斤。入院后开始纠正脱水酸中毒和电解质紊乱，经过1周的治疗，孕妇呕吐减轻了，但仍不能正常进食，不能下地行走。孕妇的精神很差，躺在床上，盖上被子，几乎猜想不出躺着的是一个成人，而且还是位孕妇。腹部像弯弯的小船，皮肤弹性很差，四肢无力。入院时血钾1.2 mmol/L。每天补3.0克钾，从静脉中补充，怕刺激胃，不敢让孕妇口服。会诊后制定了治疗方案，一天补了12克的钾，次日孕妇能下床走路了，不再呕吐，能进流食。

　　这样严重的妊娠反应，是非常少见的。所以，任何问题都要一分为二地看待，不能一味强调妊娠反应仅仅是生理现象，忽视了严重呕吐带给孕妇和胎儿的危害。正常情况

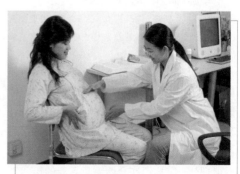

模特/任艺（左）　王惠子（右）
　　测量孕妇的子宫高度是测量的耻骨上缘与子宫底的距离。大部分孕妇认为子宫底是在下面，实际上正好相反。腹部隆起的最上方是子宫底，最下方是耻骨上缘。

准妈妈/崔琳

下，妊娠反应会在短时间内过去，不会影响孕妇和胎儿的健康。面对妊娠反应不要有心理负担。如果孕妇能够保持愉快的心情，注意饮食卫生，拥有一颗平常心，可能就没有妊娠反应，更不用说严重的妊娠反应了。但是，如果出现了严重的妊娠反应，一定不要硬挺，要及时看医生。

孕13周体重未增是否正常？

我怀孕13周+3天的时候去医院检查，体重为56公斤，现在已经是16周+3天了，去同一家医院称体重还是56公斤，不知是否正常？

首先要确定体重测量的正确性，如果正确，再检查胎儿生长发育是否正常，如果一切正常，就没有关系了。如果胎儿发育落后，就要给予相应的治疗。

孕3月体重只增加0.5公斤

我平常就很瘦，怀孕已有3个多月了，体重也只增加了0.5公斤。不知道应该怎样才能使宝宝有足够的营养？

有研究表明，孕前体重与新生儿出生体重明显相关，低出生体重儿往往是由孕前体重低或孕后体重增加少的母亲所生，因此，孕前和孕期营养对提高胎儿健康发育水平有直接关系。你孕前体重就低，孕后体重增加不很理想。应从现在开始注意营养的摄入。首先应看医生，是否有胃肠道疾病或其他情况，再根据孕妇每日所需要的营养尽量补充，

主要是蛋白质、维生素、微量元素的摄入要充足。若实在进食少或由于妊娠反应难以进食，可适当补充药用维生素、微量元素及宏量元素等。

124.学着测量腹围

从孕16周开始测量腹围，取立位，以肚脐为准，水平绕腹一周，测得数值即为腹围。腹围平均每周增长0.8厘米。怀孕20-24周增长最快；怀孕34周后腹围增长速度减慢。如果以妊娠16周测量的腹围为基数，到足月，平均增长值为21厘米。不按数值增长时，通常会给孕妇带来担忧和困惑。实际上，每个孕妇腹围的增长情况并不完全相同。这是因为：

●未孕前，每个人的胖瘦不同，腹围也不同；

●孕后腹围的增长不仅仅是由胎儿和子宫的增大所致，孕妇本人也占有很大因素；

●有的孕妇有妊娠反应，进食不是很好，早期腹围增加并不明显。待反应消失，食欲增加后，孕妇的体重才开始增加，腹围也就随之增大；

●有的孕妇自孕后体重迅速增加，腹部皮下脂肪较快增厚，不但腰围增粗，腹围也较其他人增长快；

●有的孕妇水钠潴留明显，也会使腹围增加明显；

所以，单以腹围的增长来衡量子宫和胎儿的增长情况是有局限性，也是片面的，应该结合其他检查综合分析。

腹形与胎儿性别

传统的观念认为，腹形与胎儿的性别有关，这种说法没有科学根据。胎儿的性别不会表现在孕妇的腹形上。

孕4个月腹部仍不增大对吗？

这是来自一位准爸爸的咨询，字里行间透露出丈夫对妻子的关心。

我妻子怀孕快4个月了，为什么到现在还不见她的肚子凸起？应该注意些什么问题？妻子结婚后瘦了许多，我真担心。

身材高，或体形较瘦的，怀孕4个月从腹

准妈妈/田甜

田甜整个孕期都是在不停地游玩，因为她和老公都是记者，不坐班，经常有机会外出采访，户外活动特别多，整个孕期没补过一粒钙片，只在怀孕晚期喝过孕妇奶粉。

部上可完全看不出怀孕的样子。身材矮，或体形较胖的，可能会显露腹部。结婚后出现消瘦是什么原因，需要综合分析才能作出判断，但一定要排除疾病所致，如甲亢。如果消瘦很明显，建议你的妻子做一下健康检查。但不要做对胎儿有影响的检查项目，如X射线等。

125.可能遇到的问题

宫底高度与预测的孕龄不符

胎儿进入了快速增长阶段，子宫开始增大，已出盆腔。在耻骨联合上缘可触及子宫底。宫底位置是否符合你的孕龄，在你做产前检查时，医生会给你一个准确的答案。如果医生说你的宫底高度与预测的孕龄不很符合，但并没有建议你做进一步检查，如B超检查，你就不必担心。医生会判断是异常情况还是个体差异。到了16周末，你的腹部可能会微微隆起，但比较瘦，或个子比较高的还看不出来。如果你周围的孕妇和你的孕期一样，但却与你的变化不同，你不必着急，每个孕妇的反应、表现和变化都是不一样的，没有两个孕妇的怀孕过程完全一样。

乳头有淡黄色液体溢出

乳房会有明显的增大，乳头和乳晕颜色加深，如果这时乳头孔有少许的淡黄色液

体，是正常现象，千万不要去挤、捏乳头，擦洗时也要注意保护，不要用力。如果你的乳头有些凹陷，或乳头过小、过大，要在医生指导下进行纠正，但要注意，刺激乳房可能会引起子宫收缩，如果你曾经有过自然流产史，要防止因纠正乳头凹陷而引发流产，这时重要的是要保住胎儿，而不是纠正乳头凹陷。等到胎儿大一些再纠正也来得及。

鼻出血

在气候干燥的春冬季节，尤其是室内有取暖设备的北方，孕妇可能会出现鼻出血。这可能会使孕妇很紧张，过去从来没有这种现象呀。不要着急，这是由于孕激素导致机体血流量增加，脆弱且肿胀的鼻黏膜，在你不经意地擤鼻涕或揉鼻子时，黏膜血管破裂出血。一旦发生鼻出血，立即用冷毛巾敷鼻根部，用手捏住鼻孔，流血会很快停止。如果不能止住，或流血比较多，或经常发生，就需要看鼻科医生了。

预防方法：维生素C300毫克，加强毛细血管强度；改变室内湿度，可使用加湿器维护室内适宜的湿度；可用淡盐水或鼻腔清洗液清洗鼻腔。

感觉呼吸不畅

心率轻度增快。尤其是活动时表现明显，平时缺乏锻炼的女士，这时可能会感到有些心悸，气不够用，要注意休息。

有的孕妇可能会感到一阵阵头晕，尤其是改变体位时，这可能是发生了低血压，请医生测量一下。平时从坐位变立位、起床，或从坐便器上起来时，都要注意动作要缓慢，不要猛然起来，以免发生直立性低血压，晕厥摔倒。

频繁起夜

你可能发现晚上开始起来小便了，甚至比白天还要勤，这是由于胎儿的代谢产物增多，肾脏负担增加，不要为此不敢喝水，补充

准妈妈/崔琳

足够的水分对你是非常必要的。

下肢静脉曲张

很多人见过下肢静脉曲张,老年人或长期从事站立工作的人比较常见。在小腿肚上,看到蜿蜒曲折的蓝青色的静脉团。这种情况也会出现在孕妇身上。因为怀孕后,血容量逐渐增加,孕妇体重也逐渐增加。子宫体积增大。这些都会对盆腔的静脉和下肢静脉造成压迫,致使静脉血液回流受阻,出现下肢静脉曲张。从这个月开始,孕妇就要注意预防了。

● 少站立;

● 尽量不仰卧;

● 可用枕头把腿适当垫高些;

● 坐着时,最好抬高下肢与心脏成水平位;

● 有静脉曲张趋势,或水肿明显,白天走路、站立时可穿上弹力袜;

● 一旦发生静脉曲张就要看医生。

126.困扰孕妇的便秘与腹泻

大便非常吃力怎么解决?

我在怀孕前就有轻微的便秘。怀孕后,便秘一天比一天严重了,我每天很注意饮食的搭配,吃饭也比较正常,可为什么老是不能很顺畅地把大便排下来呢?真的不知道如何是好。

妊娠期因肠蠕动减少及肠张力减弱,运动量减少,加之子宫及胎头压迫,也感排便困难,怀孕后很容易引起便秘,甚至导致痔疮。你在孕前就有便秘史,就更难以纠正了,最好的办法就是注意饮食结构,多运动,定时排便,不能使用泻药,也不适宜使用开塞露。

建议你多吃含纤维素高的蔬菜和食物,如芹菜、菠菜、白菜、萝卜,尤其是胡萝卜、黄瓜,适当吃些粗粮,如红薯、玉米面、小米,不要吃太精细的面粉,最好吃全麦粉或普通粉。会缓解大便干燥,每天晨起喝一杯凉白开水会刺激肠蠕动,每天喝胡萝卜水也有润肠作用。做汤时多加些香油也有一定效果。每天要坚持散步。把各种措施综合起来,定能缓解便秘。如果便秘严重,可在医生指导下服用轻缓泻剂,如番泻叶冲水喝,也可间断用开塞露。但不要养成依靠开塞露排便的习惯。不要应用重泻剂,以免引起早产。

便秘不好,腹泻更不好

孕期腹泻对孕妇健康有很大的影响。除此以外,腹泻使肠蠕动加快,甚至出现肠痉挛,这些改变会影响子宫,可刺激子宫收缩导致流产、早产等不良后果。所以孕期预防腹泻也是很重要的。

● 每顿饭要定时、定质、定量;

● 饮食搭配要合理,不能只吃高蛋白饮食,而忽视谷物的摄入,什么都吃是最好的;

● 冷热食品要隔开食用,吃完热食品,不能马上就吃凉食品。冷热食品至少要间隔1个小时;

● 不要进食过于油腻、辛辣的食物和不易消化的食物;

● 补铁剂时,一定要在饭后服用,且最好以食补为主,以免影响食欲或出现腹泻;

● 仔细观察一下,在什么情况下,吃什么饮食出现腹泻?如是否与吃海产品或辛辣食品有关,是否与受凉有关等;

● 要排除疾病所致。

127.意想不到的变化

孕期你可能会出现意想不到的变化,有一点请你记住,绝大多数变化都不是异常的，一是胎儿带给妈妈的变化，人类的繁衍是很自然的事情，胎儿不会因为他的出生而葬送妈妈的生命，医学的进步和生活水平的提高，使得绝大多数妈妈都能顺利度过妊娠和分娩。二是妈妈为了孕育和分娩，身体发生一些变化，妈妈也不会为了生育而伤害自己的身体，因为妈妈知道孕育和分娩只是刚刚开始，妈妈还要担负起养育孩子的重担。所以，妈妈会力争以最佳的状态担当起做母亲的责任。作为孕妇的你切不要为身体发生的变化而烦恼和担忧。当然有极个别的孕妇会出现病理改变，即使这样也不必过分担心，现代的医疗技术会给予你最大的保证。

黄褐斑

到了孕中期，有的孕妇面部会出现黄褐斑，不要着急，一般分娩后会逐渐消退，至少会变淡。尽管如此，还是要好好保护皮肤，不要在强烈的日光下暴露皮肤。孕期在夏天应该使用防晒霜，因为怀孕后对各种化妆品成分更加敏感，所以要使用优质、化学添加成分少而且含量符合国家标准的产品。应注意不是只有阳光普照的时候才有紫外线，即使在秋冬季节或夏日的阴雨天，也有一定量的紫外线。长期把皮肤暴露在烈日下，又不使用防晒霜，会增加皮肤的损害，使黄褐斑加重。孕妇皮肤容易干燥，要注意补充水分，使用具有保湿功效的护肤品，也要注意保持室内环境的湿度。晚上睡眠时，可以使用加湿器保持室内适宜的湿度。

头发变得黑又亮

孕期你的身体会发生意想不到的变化，头发就是其中之一。原本稀疏发黄的头发，由于怀孕，可能变得浓密黑亮，这要归功于你的宝宝，但随之而发生的汗毛增多或隐隐的胡须也会让你烦恼，不要紧，这都是怀孕带给你的变化，是暂时的。如果你的头发变得发黄或稀疏了，并不能说明你的营养不好，

就像由稀疏变浓密一样，都是孕期的暂时现象。是否会发生永久的变化？没有这方面的研究资料，但我知道有的女性，从此就改变了发质。

我的姐姐小的时候，头发又稀疏又黄，为此爸爸不希望她留长发，因为她的小辫不但细得可怜，头发还常常掉在饭菜里。可在孕期，她的头发戏剧般地变得又浓密又黑亮。当她的女儿3个多月时，她开始掉头发。女儿给她的头发又开始往回索要了。但不管怎样掉，她的头发仍然比孕前多，现在女儿已经20多岁了，妈妈的头发仍然是又黑又亮，比做姑娘时的头发还多。她的发质彻底改变了。

胎儿在妈妈子宫内迅速生长发育起来，使妈妈的头发处在"生长"阶段，让妈妈的头发变得浓密，和丰满的体形相映衬；离开妈妈子宫3个月的婴儿，开始认识了自己的母亲，头发进入"休息"阶段，长出的头发开始脱落。这是妈妈体内激素变化的结果。

128.孕4个月咨询实例解答

胎盘靠下怎么办？

我在孕15周半时有出血，内裤洇了手掌大，吃了3次黄体酮，并休息了2周，这时又有些发黑的血丝蹭到内裤上，于是我到医院进行了彩超检查，发现胎盘靠下，胎儿其他正常，我该怎么办？

如果是低置胎盘，保胎比较困难，要格外注意，如果妊娠中期保住了，到了妊娠晚期也有发生早产的可能。如果确诊是低置胎盘，建议你到高危产科门诊就诊并进行孕期保健。减少运动，最好不要做家务，工作时也须注意不要过度劳累，尤其不要搬物。有腹痛或出血及时看医生，要提前1、2周住院，不能等到动产再住院。

是否需要做羊水及染色体检查？

我已怀孕15周，在怀孕87天时有先兆流产，卧床休息后症状消失。唐氏及优生四项结果还未出来，我想问羊水穿刺及染色体检查是否应该做？

你未用任何保胎药物，也没有住院保胎，经过卧床休息就保住了胎儿，间接说明

准妈妈／崔琳

胎儿有先天发育异常的可能性不是很大。如果唐氏综合征筛查和优生四项检查都没有什么问题，双方家族也没有遗传病史，你也没有既往自然流产史、胎停育史、先天缺陷儿出生史等医学指征，损伤性检查对胎儿必定是个刺激，还是不做为好。

转氨酶高怎么办？

我爱人已经怀孕4个月，经检查转氨酶高。我本人是表面抗原阳性，她是阴性。请问这种情况我该怎么办？

单纯转氨酶增高，不能判断是什么问题，需做进一步检查。孕期出现肝功能异常，除肝脏本身疾病外，还应考虑与妊娠有关的肝脏异常，检查血小板凝血功能、血压、肾脏功能等。总之，应引起充分重视。

患急性乙肝，胎儿腹腔积液

妻子已怀孕5个多月。孕4个月临床鉴定为急性乙肝，经半个月治疗，服用中药垂盆草冲剂后，肝功能恢复正常。最近B超检查时，发现胎儿有6毫米的腹腔积水，请问这种情况是什么原因造成的？我们很想保住这个孩子。

你妻子患的是急性乙肝，不知当时的肝功能、乙肝标志物、乙肝病毒DNA测定结果如何？目前您妻子一般状况如何？只服用了中药吗？对胎儿采取了什么保护措施？因为你妻子在孕期患了急性乙肝，不能排除孕妇疾病对胎儿的影响。胎儿腹腔积液不能排除

胎儿肝脏疾患。

正常情况下，在胎儿前腹壁与肝脏之间有时可见到很薄的暗区带，易与胎儿腹水混淆，应加以鉴别。目前需要做必要的检查，明确引起胎儿腹腔积液的原因，才能有相应的治疗措施。

感冒伴中度发热

我妻子已经怀孕3个多月，前几天感冒发热38.4℃，检查是细菌性感冒，点滴了两天青霉素与鱼腥草，打了柴胡注射针，还开了头孢拉定胶囊与川贝枇杷露，这些药孕妇能不能服用？

感冒是否对胎儿有不良影响，要视感染的病原菌种类、病情的轻重、治疗是否及时、是否有胎儿宫内感染等多种因素而定。医生诊断是细菌性感冒，怀疑是什么细菌呢？如果只是局部细菌感染，对胎儿不会造成什么影响。短期的中度发热对胎儿影响不大。青霉素、鱼腥草、柴胡、川贝枇杷露在孕期还属安全用药。头孢拉定孕期不宜使用。

感冒能吃药吗？

我妹妹现在怀孕4个月，前两天感冒，流鼻涕、咳嗽，不发热，不知道对胎儿有无影响？能否吃药？吃什么药安全？

孕期感冒对胎儿的影响，要视引起感冒的病毒而定，有些病毒性感冒对胎儿影响较大，多数病毒对胎儿影响是很小的。如果症状很轻，可多饮水，休息，不必用药。如果症状明显，可服用金银花或板蓝根冲剂。合并细菌感染服用抗生素，必须在医生指导下使用。

怀孕3个月才开始补叶酸行吗？

怀孕3个多月，以前没吃过叶酸，现在再补行吗？

服用叶酸可预防胎儿神经管畸形，建议从孕前3个月开始补充，补到妊娠后3个月止。你现在孕3个多月了，建议您补充多种维生素和矿物质，如善存片。善存片内也含有0.4毫克的叶酸。

孕4月睡觉采取哪种姿势好？

对于怀孕4月的孕妇来说，对睡眠姿势

并没有特别的要求，你觉得什么姿势舒服就采取什么姿势。

加湿器的超声波对胎儿有影响吗？

加湿器是否对胎儿造成不良影响，缺乏研究资料，从理论上讲对胎儿不会造成不良影响，但为了安全起见，建议把加湿器放在稍远的位置，如果放在卧室中，建议离床2米以外。

手脚痒疹，能使用清凉油吗？

我妻子已经怀孕3个多月了，最近不知什么原因，她的手和脚都长了一些"小包"，不知是被蚊虫叮的，还是皮肤过敏（整理过一个摆放较久的物品箱），十分痒。但是，我听说孕妇不能使用清凉油之类的药品，不敢乱用，所以很头痛。请你教我该如何做才好？

皮肤病需要视诊才能明确诊断。如果很痒，大多是过敏或蚊虫叮咬所致，不必特殊处理。可外用炉甘石洗剂止痒。如果奇痒难忍，可看皮肤科医生，给予相应的处理，不乱用药是对的。

失眠、多梦、头痛月余

我已怀孕14周。在第8周开始晚上经常失眠，就是睡着了也是经常做梦。在怀孕前我的睡眠很好，从没有过这种现象。我现在什么药也不敢吃。白天还头痛，非常担心孩子的健康。

你应该到医院检查一下，排除疾病所

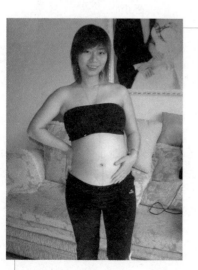

准妈妈·魏菊
孕4个月时小腹开始隆起，准妈妈可以拍最早的漂亮的孕妇照，纪念这段美好的时光。

致。如果一切正常，建议你看心理门诊，排除妊娠期抑郁症。

身心疲惫，并感冒2个月对胎儿有影响吗？

已怀孕3个多月，但受孕时我和爱人均是经过长途车马劳顿，身心非常疲惫，而且我怀孕后有2个多月时间的感冒，没敢乱吃药，现感冒已好。我们很想要一个健康的孩子，但做业务工作，经常在各地奔波，我现应注意些什么？

孕前身体处于最佳状态当然好，然而，现代生活节奏快，尤其是都市职业女性比较忙碌，过度疲劳可能会增加流产、早产几率。所以，要尽量抽时间休息，避免太劳累了。

你说感冒持续2个多月，一次感冒持续2个多月的可能性没有，或是反复感冒，或是由感冒并发了其他病症，如咽炎、气管炎、鼻窦炎等。还有一种情况，怀孕初期的妊娠反应，有时很像轻微的感冒。如果是这样的话，你没吃药就对了。

能到国外去开会吗？

我现在已怀孕2个月，6月中旬到7月中旬之间（即怀孕4个月到5个月间）在国外有一个重要会议，我不知道能否去参加？如果能，需要注意些什么？我现在30岁，在此之前曾做过4次人流，其中有两次是手术，我一直很担心流产，不知道这期间去国外有没有危险？

最容易自然流产的时间是妊娠3个月以前，4个月以后流产的发生率明显下降，妊娠6个月以后则比较安全了。出国多需要坐飞机，还会面临异国水土不服的可能，你又做过4次人工流产，增加了流产发生的几率，年龄也相对偏大，我认为，为了安全起见，你还是不去为好。

后记：这位女士又给我发来一封邮件，由于工作关系，她还是去参加了那次重要的会议，但非常遗憾，在她到国外第3天的时候，发生了自然流产，她非常难过，也非常后悔。我给她回了一封3000多字的信，劝导她。其实，如果是非常健康的胎儿，大概不会因为一次出国开会就流掉了，发生早期自然流产，

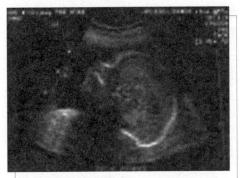

通过B超可以看出胎儿的大体轮廓。

除了强烈的机械刺激，大多是不健康的胚胎所致，由于胚胎异常发生自然流产的可占到50%-80%，所以，宝宝走了，是他不希望自己来到世上就不健康，带给家人不幸，带给社会负担。

在人生旅途中，总会发生这样或那样不如人愿的事情，我们都有难过和痛苦的时刻，关键是我们要学会战胜它，而不是把自己锁在困苦中不能自拔，对心理危机的及时干预是非常重要的。当我们遇到心理危机时，无论是大是小，都要及时排解，找亲人、找朋友、找心理医生，倾诉自己内心的苦恼，能极大地缓解内心的紧张和压力，尤其是孕妇。良好的心态是对胎儿最好的胎教，孕妇切莫郁闷在心。

她很快地调整了自己的心态，从悲痛中走了出来，重新投入到紧张的工作中，并学会适时放松自己，半年后她再次怀孕，顺利地生下了一个健康的宝宝。

手癣用什么药安全？能吃花旗参吗？

我怀孕14周，能否服用花旗参、西洋参？手上发现有癣（小小的水泡），用什么药水安全？

没有必要服用这些补药。手癣可使用达克宁霜，但不要长期涂抹。另外，皮肤病需要视诊，是否手癣，需要看过医生，不能自己判断，自己用药。

突发腹痛怎么办？

我爱人怀孕14周了，昨天早晨她的小腹左下侧和中上部开始有不停的抽搐式疼痛，但无其他异常分泌物。前天她工作时曾走了挺远的路，下车时还用力关了车门，怎么办？

立即看产科医生，确定是否有先兆流产，卧床休息，服用维生素E，100毫克/天，舒喘灵2.4毫克/次，3次/天，直至腹痛消失。

腿及小腹痛

我现在怀孕14周，最近胯关节很疼，甚至无法单腿站立，有时弯一下腿都疼，晚上翻身都很费劲。我以前从未有此方面的疾病，请问这与怀孕是否有关系？另外，我现在还感觉坐着或睡觉蜷着时小腹疼，好像有异物顶在那，站立或走路则疼痛消失，这是怎么回事？

增大的子宫压迫坐骨神经可以出现腿痛，增大的子宫压迫其他部位也可以产生坐着和躺下蜷着好像有异物顶着的感觉，但这些疼痛和不适都是在孕晚期才出现。你刚刚孕14周，子宫增大不显著，难以用怀孕本身解释。建议你看医生，排除疾病所致。

接触静电后妊娠反应减轻

我爱人因为怀孕，几乎每天都有恶心，甚至呕吐。一天，她接触我的衣服时，被静电电了一下。次日，她似乎感到舒服一些。恶心和呕吐都减轻了些。不知静电对胎儿有无不良影响？

未见孕妇触摸物体时产生的静电对胎儿有不良影响的报道。从理论上讲，静电不会对胎儿有危害。妊娠反应大多于孕3个月内消失，个体差异很大，有的没有明显的反应，有的反应时间很短，你妻子的情况可能仅仅是偶然的巧合。不必担心。

不幸事件的打击

怀孕4个多月，没有做过产前检查。怀孕不到1个月的时候，爸爸检查得了癌症，并且是晚期，住院开刀做了手术。我爸刚出院，我妈又检查出了胆结石，也做了手术。2、3个月中遇到这么多的大事，对我来说是非常大的压力，我非常担心自己的情绪对胎儿的影响，会不会畸形或先天性心脏病？

胎儿畸形或先天性心脏病大多数是胚胎本身缺陷、遗传病、病毒感染、接触过有毒物质等造成的，也有少部分至今原因不明。没有确切证据表明，不良情绪和精神打击会直接导致畸形及先天性心脏病。

孕妇心理健康对胎儿正常发育是非常重

要的，你能意识到这一点，说明你对健康的理解是完整的，只有孕妇身心都健康，才可能孕育一个健康的宝宝。情绪低落不稳定，心理状况不佳，心情郁闷可导致免疫力下降，诱发疾病。重大的精神打击可导致流产或早产的发生。

孕3月以前是胚胎形成、器官分化的重要时期，需要准妈妈提供充足的养分和平稳的环境。当孕妇遭遇不幸打击时，要及时进行心理危机干预，尽快调整心情，孕妇自己也要善于调整自己。如果你把不幸扩大，不但伤害自己，还会连累无辜和弱小的胎儿。

把痛苦告诉给亲人和朋友，你的痛苦就

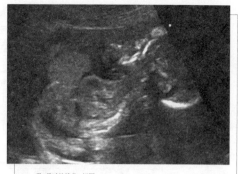

孕4月时的胎儿B超图。

减少了一半；把快乐告诉亲人和朋友，你的快乐就增加了1倍。学会释放痛苦和压力，享受快乐和轻松，就能保持良好心态。想想你就要为人母亲了，会从内心迸发出母爱，母爱的力量是巨大的，不但能让母亲战胜分娩的疼痛，还能让母亲战胜重重困难。

曾见过一份报道：孩子被汽车压在车轮下，情急之下，母亲竟然抬起了压在孩子身上的轮胎！我没有亲眼目睹这感人的一幕，无法考证它的真实性，但传播消息的人肯定相信它是真实的。没有人怀疑母爱的伟大，我愿意把它当做真实的故事来听。

母爱能够保护胎儿。我曾经遇到过一位孕妇，在她刚刚获悉自己怀孕几天后，因为工作的疏忽造成了严重的后果，以至赔款数万元，还被单位解聘了。事情发生2个月后，她年仅50岁的父亲因女儿的遭遇心脏病发作突然去世。面对这样的打击，她很坚强，平安地度过孕期，最后把孩子生下来了，孩子很健康。随后她又考取了研究生，开始了新的事业。我相信你也能够做到。

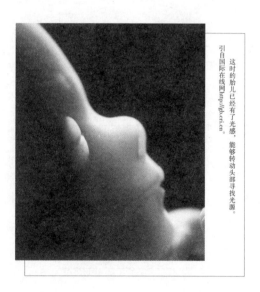

引自国际在线网http://gb.cri.cn。

这时的胎儿已经有了光感，能够转动头部寻找光源。

孕检记录表

孕妈妈姓名_____ 末次月经____年___月__日 预产期___年___月__日

计划分娩医院_____ 孕检医院_____

孕检日期____年___月__日 星期____ 孕检第____次 孕检医生_____

一般检查项目					
	体重(kg)	血压(mmHg)	宫高(cm)	腹围(cm)	浮肿(+或−)
数 值					
结 论					
建 议					

血、尿检查项目					
尿 检	蛋 白	尿 糖	胆红素	红细胞	白细胞
结 果					
结 论					
建 议					
血常规	白细胞	红细胞	血色素	血小板	白细胞分类
结 果					
结 论					
建 议					

特殊检查项目					
	血 糖	血 脂	胆汁酸	谷丙转氨酶	血浆蛋白
结 果					
结 论					
建 议					

B超检查					
	双顶径	股骨长径	胎心率	羊水平段	胎龄估算
结 果					
结 论					
建 议					

其他检查项目					

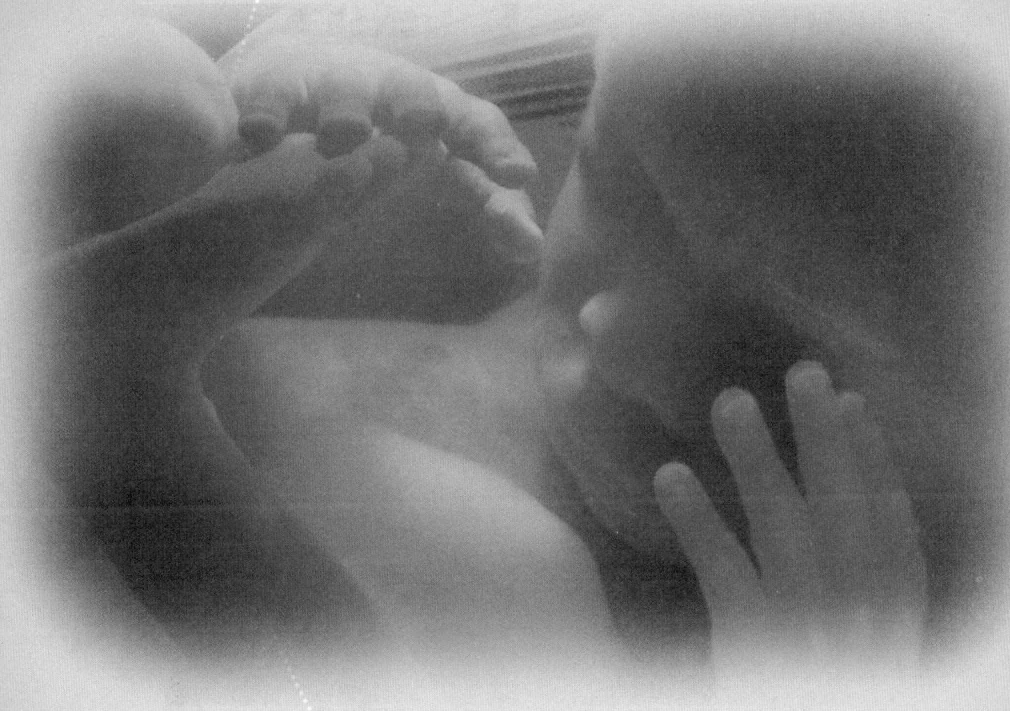

图片引自Elizabeth Fenwick著《新一代妈妈宝宝护理大全》

第六章

孕5月（17-20周）

感到胎动、不易流产、
左侧卧位

现在专家比较赞成的是，妈妈给
我唱摇篮曲，里面既有文学，又有音
乐，通过妈妈的幸福和愉悦，把美好
的心情传给我。妈妈唱的摇篮曲还
是传统育儿方式的传递，对我没有
伤害，是最可靠的。——胎宝宝

本章要点

● 绝大多数准妈妈开始感觉到胎动啦

● 是否需要做产前诊断

● 一定要测量血压、化验尿液

第1节 5月胎儿自述
—— 开始进入
精雕细凿期

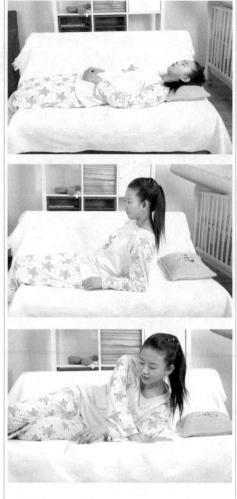

模特/王惠子

孕妇错误的起床姿势。

其实正确的起床姿势不单单对孕妇适用，平时人们起床最好先趴过来再慢慢起身，这样对腰椎能起到很好的保护作用。中老年人中腰痛的人的很多，所以保护腰椎要从年轻人做起。

129.我的本事又大了许多

我又长了好多本事。声带开始发育，但我在出生前始终都不发音。肺内充满的是液体，而不是气体。我要告诉爸爸妈妈，我像一只能在水中听到声音的鱼，能够听到来自妈妈身体内部的声音了：妈妈的心跳声、血液在血管中流动的声音。不仅如此，我还能够听到来自外界的声音呢，妈妈和爸爸的说话声最能引起我的注意；妈妈的唱歌声最能刺激我的听觉神经。我最喜欢爸爸妈妈抽点时间和我说话，时常给我唱支歌。唱片、广播里的音乐和语音我都觉得一般，不过是机器记录的高低频率而已。作为高等动物，我的鉴赏能力是发烧级的：我喜欢人的声音，是爸爸妈妈的超级追星族，这么说吧，我悲伤着爸爸妈妈的悲伤，快乐着爸爸妈妈的快乐。

我的运动影响妈妈休息了吗?

通过这一个月的生长发育，我的运动能力可长进不少，一伸胳膊一踢腿，妈妈都会感到我的力气大了许多。如果我在小屋内翻筋斗，妈妈一定睡不着觉，因为我的生物钟和妈妈的生物钟不一样，所以，妈妈要睡觉的时候不一定是我想休息的时候。不是我淘气，我还太小，不能和大人一样。现在妈妈还不能以我的运动作为监护我生长发育的指标，因为我的运动还很不规律，妈妈的感觉也还不准确，妈妈很难准确地记录我的胎动次数。如果哪一天，或哪一刻，妈妈感觉我不爱动的时候，不要过于担忧。

我的生长速度真的减缓了吗?

有的书上写，从这个月开始，我的生长速度减慢，这没有错。但很容易让妈妈产生错觉，认为我有些疲劳要歇一歇啦，其实不是这样的。所谓速度减慢，只是相对于前一段我的外观发生着急剧的变化

而言。就像盖房子，在打地基、砌砖头到房子出现的阶段，特别显眼；到内部装饰、铺地抹墙、铺管道线路等阶段，就特别不显眼，但这些细碎的活很重要，事实上我的生长始终不曾停歇。

130.爸爸妈妈猜一猜我长成什么样子啦

这时的我身体与头、手足的比例更加相称。头已

168

经和一个鸡蛋差不多大小，当我满5个月时，身长约为足月胎儿的一半大小，大约在20-25厘米，体重大约达到250-300克。皮肤渐渐变成红色，因为皮下脂肪沉积有些不透明，但脂肪很薄，皮肤也还不厚。骨骼更加坚硬起来，照X线可以清楚地看到我的骨骼图像，可是妈妈千万要远离X射线，胎儿是不能接受有害射线的。我的骨骼发育在这个时期开始加快。四肢、脊柱已开始进入骨化阶段，这时的妈妈要多补充钙。我会花更多时间吸吮手指、踢腿和动胳膊。妈妈会感到我的运动，根据大部分妈妈描述，说我像是鱼儿在漂浮。

可不要担心我被羊水泡肿了

因为我一直在羊水中漂浮，羊水也随着我的消化排泄系统试运转而有些浑浊，我开始注意我的皮肤保护问题了。因为我的皮肤很薄，皮下脂肪也薄，为了保证我的皮肤不被泡坏，变成水发鱿鱼，我分泌出一层白色的胎脂，油乎乎地涂满我的全身，做全身的皮肤护理呢！因为我的皮下脂肪越来越厚，我越长大胎脂就越少。到我出生的时候，我只有背部、四肢外侧等裸露部位还有少量胎脂，能给我保温。妈妈给我穿上衣服，就用不着胎脂了。如果我过期产，胎脂就会干硬，皮肤就会又硬又干像牛皮纸一样，所以我还是喜欢按时出来。

131.妈妈拥有一份好心情是对我最好的"胎教"

爸爸妈妈可能准备给我进行胎教，也接受了一些胎教指导。我只想告诉爸爸妈妈一声，别把我折腾坏了。我的首要任务是发育和生长，可不要本末倒置，拿一些东西来干扰我正常的工作流程，我要一分心，把我的某一个硬件或软件程序装错了，胎教的漏子就捅大了。我的大脑虽已产生最原始的意识，但还不具备支配动作的能力，对外来的刺激反应还不够灵敏。其实，妈妈拥有一份好心情，休息好，吃好，就是对我最好的胎教。这时我的耳朵突出头部，外耳形状已经完成两个阶段的变化，渐渐接近最终的轮廓，这个过程要到孕28周才最后完成。现在专家比较赞成的是，妈妈给我唱摇篮曲，里面既有文学，又有音乐，通过妈妈的幸福和愉悦，把美好的心情传给我。摇篮曲还是民族音乐和传统育儿方式的传递，对我没有伤害，是最可靠的。

我给妈妈创造了黄金阶段

这个月仍然是孕妇的黄金阶段。妈妈没有了妊娠反应，也没有我增大带给妈妈活动上的不便。最感到欣慰的是，我已经度过了胎儿发育最关键的时期——发育畸形的危险减少，妈妈也度过最担心的关键时期——早期流产的威胁减少。爸爸妈妈该为我庆贺，到了这个月末，我就走过了妈妈一半的孕育过程。

 你们的胎宝宝写于孕5月

第2节 5月胎儿生长发育

132. 5月胎儿生长发育逐周看

胎儿17周时

心脏发育几乎完成，心搏有力，145次/分左右。出现雏形的牙龈。胳膊比腿长得快，开始出现肘关节。手指清晰可见，但还不能分辨出指关节来。B超可隐约见排列整齐的胎儿脊柱。棕色脂肪开始形成，胎宝宝是在为出生做准备，胎宝宝在温暖的羊水中来到外界，会受到突如其来的冷刺激，棕色脂肪就可以大显身手释放热量，维持宝宝的体温。快速的生长速度在这周开始减慢。在17-20周间听觉发育，胎儿可以听到妈妈内部器官和外面世界的声音。

胎儿18周时

胎儿开始出现呼吸运动，但肺脏仍没有换气携氧功能，肺内充满的是液体，而不是气体。脑发育趋于完善，两大脑半球扩张盖过间脑和中脑，与正在发育中的小脑逐渐贴近。大脑神经元树突形成，产生最原始的意识。小脑两半球也开始形成，但此期胎儿的延髓上方的中脑部分还没有很好地发育，还不具备支配动作的能力。对外来的刺激反应还不够灵敏。妈妈要注意保护。

模特/王惠子

孕妇正确的起床姿势。

孕妇起床的姿势，对保护胎儿和孕妇腰椎是很重要的。通常情况下，人们起床都是从仰卧位或侧卧位直接用头颈和腰背部，并借助上肢肘部支持的力量，这样姿势起床会增加腹部肌肉的张力，加重腰部肌肉的劳损，腰椎的稳定性主要靠腰背部肌肉协调平衡和支撑。

胎儿19周时

十二指肠和大肠开始固定，消化器官开始有功能。肝脏和脾脏先后开始有了造血功能。因为胎儿开始喝羊水，使胃慢慢增大。皮脂腺开始分泌，并与脱落的上皮细胞形成一层胎脂。以保护胎儿体表的皮肤，使胎儿在羊水的浸泡中不至于皲裂、硬化和擦伤。

胎儿20周时

消化道中的腺体开始发挥作用，胃内出现制造黏液的细胞，肠道内的胎便开始积聚。肺泡上皮开始分化；胎儿的骨骼发育在这个时期开始加快；四肢、脊柱已开始进入骨化阶段。这时的妈妈需要补充足够的钙，以保证胎儿的骨骼生长。纤细的眉毛正在形成。

133. 5月胎儿外形是怎样的

胎儿身长20-25厘米，体重250-300克，全身的比例显得匀称了，全身都长出了毳毛。皮肤比以前发红了，因为有了些皮下脂肪，皮肤不再是透明的，但脂肪沉积很少，皮肤还是比较薄的。胎儿的整个身体还是弯曲的，前额向前突，大而宽，眼皮已经能完整地盖住眼球。嘴逐渐缩小变得越来越好看。两个鼻孔张得大大的，还是个朝天鼻，随着不断地发展发育，鼻孔逐渐向下。脖子又长了些，两眼距离靠拢，面目五官变得好看起来。

这时胎儿还不是很大，空间相对宽敞，活动范围比较大。所以，胎儿可以像鱼一样慢慢游动，随时都在改变着位置。头颈部可以转动。胎儿会张开嘴喝羊水，如同吸吮奶的动作，并有了微弱的吞咽能力。胎儿手脚细小但相当活跃，会握起自己的小拳头，还会用小手摸脸和身体的其他部位，当然是无意识的。胎儿就喜欢踢腿运动，这时妈妈一定感觉得到，宝宝又踢妈妈了。胎儿骨骼肌肉开始变得结实，四肢活动有力，使妈妈感到胎动幅度增大，频率增加。

134.准妈妈初感胎动——与胎宝宝开始"交流"

孕妇感觉到的最早的胎儿活动——胎动初感——是孕妇对孕育在自己体内新生命客观上的觉察。第一次生育的女性大多在孕18周以后才能感觉到胎动,第二次以上生育的女性可早在孕16周左右即可感到胎动,但情形并不总是这样,有的孕妇会比较早地感到胎动,而有的孕妇则在孕20周以后才感到。大多数孕妇会在本月初次感觉胎动。胎儿每天出现的胎动也是有一定规律的,通常情况下,晚上胎动比较频繁,到了下半夜胎动明显减少,早晨又有所增加,上午胎动比较少,而且常常出现波动,可能会忽少忽多。另外,随着胎儿睡眠周期的改变,胎动也发生相应的变化,胎儿觉醒时,胎动多而有力;胎儿睡眠时,胎动则少而弱,有时可持续20分钟,甚至近1个小时孕妇都会感觉不到胎动。

医学上,把胎动分为几种运动形式,分别描述为:

● 翻滚运动:是胎儿的全身运动,包括在子宫内游动、翻身、踢腿、挥舞等运动。孕妇可明显感觉到胎儿的翻滚运动。

● 单纯运动:为某一肢体的运动,大多数孕妇能够感觉到这种运动。

● 高频运动:是胎儿胸部或腹部的突然运动,与新生儿打嗝相似。孕妇多不能感觉到。

● 呼吸样运动:是胎儿胸壁、膈肌类似呼吸的运动。孕妇察觉不到这种形式的胎动。

胎儿还有一些未被归类的运动形式,如握拳、伸手、吸吮手指、吞咽羊水、咂嘴、睁眼、闭眼、摇头、抬头、低头、用手触摸自己等,妈妈可能都感觉不到,尤其是当妈妈忙于事务时,即使是单纯运动,妈妈也感觉不到。

可见,胎儿在妈妈的子宫内除了休息睡觉,几乎是不闲着,即使妈妈感觉不到胎动,也不能证明胎儿安安静静地待在那。

反映胎儿生存状况的胎儿监护

胎儿监护主要是监测胎儿在宫内的生存状况。有学者曾把胎儿生存的环境——子宫内环境比作珠穆朗玛峰,意思是说胎儿是生活在低氧环境中的。一个正常胎儿的动脉氧分压为20毫米汞柱(mmHg)左右,而成人的动脉氧分压为75~100mmHg。无论是胎儿,还是婴儿,抑或是成人,中枢神经系统对缺氧的耐受性都比较差,也就是说中枢神经系统的氧储备能力低,一旦缺氧,首当其冲受损的是中枢神经系统,因此产科医生非常重视胎儿是否发生缺氧。胎动和胎心是最主要的监护指标,所以,每次做孕期检查时,产科医生都会询问并观察胎动情况,听诊胎心率。单纯的胎心率监测或单纯的胎动监测都具有重要的临床意义。胎心率与胎动两者结合到一起进行综合分析,其临床意义更大——伴随胎动发生的胎心率加速是胎儿健康的表现。

5月胎儿胎动是什么样的呢?

随着胎儿各部分肌肉、骨骼的发育,胎儿已经会伸伸他的小手、小胳膊,还会踢踢腿,还会在子宫里游动。其实,胎儿早在第11周时就会做很多动作了,只是那时妈妈还不

模特/王惠子
最好直身坐立,疲劳时可轻柔地舒展身体。

孕5月
(17—20周)

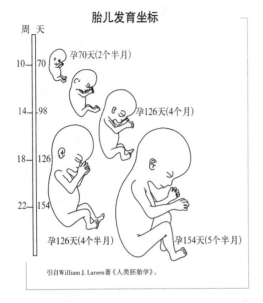

胎儿发育坐标

周 天

10 — 70   孕70天(2个半月)

14 — 98   孕126天(4个月)

18 — 126

22 — 154

孕126天(4个半月)   孕154天(5个半月)

引自William J. Larsen著《人类胚胎学》。

能感觉到。现在妈妈终于能够感觉到胎儿的运动了。

绝大多数孕妇到了这个月会感觉到明显的胎动。关于胎动,孕妇在这个月有比较多的疑问:胎儿应该怎样动?一天动多少次正常?动的幅度足够吗?这些问题一股脑地冒了出来。

孕妇对胎动有着不同的感觉

每位孕妇对第一次胎动感觉的描述可能都不尽相同:有的孕妇感觉像小鱼在水中游动;有的孕妇把感觉到的第一次胎动描述为像蝴蝶在拍动翅膀;有的孕妇感觉像一个可爱的小精灵在踢她的肚子;有的妈妈把胎儿的运动误认为是"饥肠辘辘"。孕妇感觉不到胎儿诸如打嗝、吸吮等一些小的动作,只能感觉到幅度和力量比较大的动作。所以,妈妈所感觉的胎动并不能完全反映胎儿在子宫内的运动情况。胎儿在子宫内每天有几十次,甚至几百次的活动,可妈妈只能感觉到几次,十几次的胎动。所以,这个月记数胎动不能作为监测的可靠指标。

孕妇不同状态与胎动

一般情况下,每小时胎动不少于3次,12小时胎动不少于20次。但每个胎儿之间存在着个体差异,就像出生的婴儿和长大的孩子一样,有的孩子好动,有的孩子就比较安静。另外,孕妇在安静状态时,会更多感到胎动,而在活动、工作、谈话等注意力不集中在胎动的状态下,会忽视胎动,较少感觉到胎动。所以,在你怀孕7个月前,记数胎动的意义都不是很大,只要你感觉到有胎动就足够了。如果你的宝宝还没有到该让你感到胎动的周龄,或比你预期的晚一些,都很正常。

只有在孕妇突然感觉胎动不正常的情况下,比如胎动突然停止、胎动明显频繁或伴随其他异常表现,计数和关注胎动才有意义。一旦感觉异常,及时看医生,注意是否有胎儿发育问题。

135.关于胎动咨询实例解答

没有经常的胎动

我现在怀孕已有5个月,小宝宝没有经常的胎动。这会不会有什么问题?

孕28周计算胎动意义比较大。孕周小时,胎动不是很规律,动的幅度不大,有时孕妇感觉不是很明显。如果你觉得胎动和前一段时间比有明显的减少,要及时看医生。

胎动时而明显,时而不明显

18周开始略微感觉有胎动,19周末明显,这两天胎动非常明显,1天之中有时1小时能达到10多次,有时没什么感觉,我不知是否正常?

你的感觉没有什么异常,妊娠19周时会有这样的情况。

胎动时阴道有阵阵的收缩感

我现在怀孕近5个月了,几乎每天都有胎动,而且胎动时,我的阴道有一阵一阵的收缩感,好像要生产的感觉。这正常吗?

每天都有胎动是正常的,若没有则是异常的了。胎动时阴道有一阵一阵的收缩感,像是要分娩,不是正常的。建议看产科医生。如果有阵阵宫缩现象,需要处理。

腹部有肌肉收缩产生的硬块是胎动所致吗?

我现在怀孕已经19周了,在17周多时感觉到胎动,每次从胎动开始,下腹部都有肌肉收缩造成的硬块,待10分钟左右就软下去了,现在有时晚上做梦醒时也发觉脐下一指部收缩起一个很硬的包块,很不舒服,过一会也会慢慢软下去。是怎么回事?有什么办法么?

这位孕妇描述的情况不是很具体,硬块有多大? 如果是腹部肌肉收缩也多是主动的,被动的腹部肌肉收缩少见,如果是血钙低,也应以小腿腓肠肌收缩为主,表现为肌肉痉挛,有疼痛感觉。我考虑你所说的可能就是胎动本身,建议看医生排除宫缩所致。

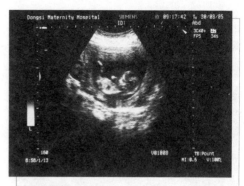

胎宝宝/潘晓敏的宝宝
胎宝宝躺在妈妈的子宫里就像躺在摇篮中,图上可以清楚看到胎宝宝小胳膊小腿在动。

136.练习用听诊器听胎宝宝的心脏跳动

类似钟表"滴答"声的胎心津

从孕18-20周开始,用听诊器可以经孕妇腹壁听到胎儿心脏的搏动音。孕妇本人和丈夫也可以练习着听,进行自我监护。胎儿心音呈双音,第一音和第二音很接近类似钟表的"滴答"声,速度快而规律。孕24周前,胎儿心音多在脐下正中或偏左、偏右处听到。

隔着肚皮听胎心如同枕头下的机械小闹表

到了这个月末,医生不再需要借助多谱乐胎心听诊仪才能听到被放大的胎心了,用机械的产科专用胎心听诊器,或胎心听筒就可听到胎心搏动,有经验的医生也可用普通听诊器听到胎心。胎心搏动强而有力,节律快,成钟摆样。胎心搏动快慢与胎儿所处状态关系密切(胎心的变异性),胎儿清醒活动时,胎心增快,胎儿处于安静睡眠状态时,胎心减慢。胎心的这种变异性是非常重要的,胎心监护是用来判断胎儿发育状况的重要指标之一。前一段时间,医生还不能用听诊器听出胎心,是用仪器把胎心放大后听到的,

放大后的胎心孕妇本人也能清晰地听到,而当医生用听诊器听胎心时,孕妇就听不到胎心搏动的声音了。你能想象出来,隔着肚皮,用听诊器听胎心是什么感觉吗? 大概和听放在枕头下的机械手表走动的滴答声差不多。

发现胎心音还有一段医学史呢

现在所有的孕妇都知道通过听胎心了解胎儿的情况。但在几百年前,人们还不知道胎心的存在。胎儿在子宫内有胎心音存在的事实是一位名叫Marsar的法国人于1650年提出来的。但直到150年后,瑞士外科医生Mayor用耳朵直接从腹部听到胎心音,医生们才承认胎心音的存在。1819年法国内科医生Laennec发明了用木材制作的钟式听诊器,2年后开始应用这种木制的钟式听诊器直接通过孕妇的腹部听到了胎心搏动的声音,并流传到全世界。从此以后,专家学者及医生们经过不懈的努力,完善了胎心听诊器。20世纪初,Delee-Hillis胎心音专用听诊器问世,到了1964年,超声多普勒效应的应用,让医生能够更早地通过孕妇体表监测到胎心。现在胎儿监护系统已经相当发达。借助各种先进设备直观观察胎儿的生长发育已为期不远了。

胎心监护的意义

在过去的年代里,胎心监护仅仅用于推

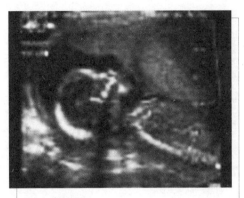
胎宝宝/徐楠的宝宝

胎宝宝仰面躺着，可以清晰地看到鼻子、牙槽骨和小下颌。

到胎心率，而胎心监护仪不会受到宫缩的影响，在分娩过程中能够及时发现胎儿是否有宫内缺氧。

第3节 孕5月妈妈的变化和问题

137. 孕妇的体重并不完全代表胎儿的生长发育

孕妇体重的增长不是评价胎儿发育的可靠指标，这是因为：

● 子宫内容物只占孕妇体重增加的25%。而75%都是孕妇本身的增长；

● 每个孕妇怀孕期的变化不同，有的孕妇怀孕后体重增长非常明显，而有的孕妇却不会因为怀孕而长胖，只是略比孕前胖些；

● 每个孕妇怀孕前基础体重不同，怀孕后体重变化也各有差异。

曾有孕妇询问：我现在怀孕18周，体重应该达到多少？这个问题实在没办法回答，孕前的初始体重决定着你现在的体重值，一个孕前就达到70公斤的女性，怀孕10周以上，至少不会低于70公斤；而一个孕前体重只有40公斤的女性，到了孕足月，体重可能也达不到60公斤。尽管这是很显然的事情，也是很浅显的，但有时身在其中，难免有些糊涂。

不能单纯凭借孕妇体重的增长而断言胎儿发育状况，这个问题很容易理解，但有的孕妇仍然会因为孕期体重变化与书上所讲的不同而担心腹中的胎儿，尤其是体重增长少，或不怎么增长的孕妇，普遍担心胎儿会有发育不良或营养不良。

理论上孕妇在整个孕期体重是按照一定的规律增长的，但实际上，每个孕妇之间体重的增长情况存在着一定的差异。如果你的体重没有按照下面的规律增长，并不能因此认为是不正常的，更不能因此认为胎儿发育有问题。每次孕期体检时，医生都会为你

测胎儿是否存活。现在已经利用胎心监护诊断胎儿的储备能力和胎儿健康状况。胎心率监护不仅可用于诊断胎儿心脏功能，还可作为诊断胎儿中枢神经系统功能的重要手段之一。当胎儿赖以生存的子宫内环境恶化时，胎儿的中枢神经系统是最早受到伤害的器官，因为胎儿的中枢神经系统最缺乏储备能力，对缺氧的耐受能力非常低，一旦受损就可能终生遗留。所以，产科医生非常重视胎心率的监护。

尽管对胎心监护的研究已经非常深入，但产科医生们和孕妇仍然习惯沿用传统的胎心监护和胎动监护来初步判断胎儿在子宫内的生活情况。通常情况，当胎心率大于160次/分或小于100次/分，认为胎儿有宫内窘迫；胎心率不规律，或胎儿躁动是胎儿宫内缺氧的表现。

随着医学的进步和临床经验的积累，发现仅仅依靠单纯一次或间断听诊胎心率来判断胎儿在宫内的状况并非十分可靠，而连续不断的胎心率资料可以动态观察胎心的变化，尤其是一些细微的变化，对判断胎儿在宫内的生存状态是非常有意义的。就如同现在广泛应用于心血管疾病诊断的24小时动态心电图监测动态血压一样。尤其在产程监护中，当宫缩发生时，使用胎心听诊器很难听

测量体重，有问题医生会做出解释和判断，也会给予相应的处理，如果医生认为是正常的，你大可不必担心。

体重的增长规律大致如下：

孕16周以后，体重出现明显增长；

孕16-24周时，每周增加0.6公斤；

孕25-40周时，每周增加0.4公斤；

整个孕期，体重增长11-15公斤。

138.孕妇的腹围大小并不完全代表胎儿的大小

常常有孕妇问孕期与腹围的对应关系，这个问题和前面所说的体重问题差不多，显而易见存在着个体差异，和体重一样，尽管在整个孕期腹围的增长遵循着一定的规律，但也并不完全一致，这个月你可能会比书上写的增加多了些，也可能少了些。只要不是很离谱，医生未告知你有什么问题，你就不必忧心忡忡的，总是怀疑胎儿不正常，这样的心态对你和孩子都不好，也没有任何意义。腹围也从孕16周开始测量。

腹围的增长规律：

孕20-24周时，腹围增长最快，每周可增长1.6厘米；

孕24-36周时，腹围每周增长0.8厘米；

孕36周以后，腹围增长速度减慢，每周增长0.3厘米。

孕16-40周，腹围平均增长21厘米，每周平均增长0.8厘米。

单纯测量腹围多少不能作为胎儿发育的指标，主要是腹围增长的速度。就是说某一次测量腹围数不能作为评价的指标，应该动态观察腹围增长情况。

肚子小会是胎儿停止发育了吗？

我现在已经怀孕4个多月了（17周半），别人都说我的肚子挺小的，看不出来。我们单位也有几个同事和我差不多的月份，和她们比起来，我也觉得自己的肚子确实很小，这是不是和前一段时间我妊娠剧吐有关系呢？前几天我看书上写，有的胎儿有可能会在母体内发育停滞，我属不属于这种情况呢？

如果你已经做过B超，没有发现胎儿异常，就不必因为腹部比其他孕妇看起来小而担心。每个人孕期体形的变化都不一样，并不是说腹部大，胎儿就一定大，腹部小，胎儿就会有发育迟滞。腹部的大小不但与胎儿大小有关，还与很多因素有关，如子宫增大幅度（而子宫增大不但与胎儿增大有关，还与羊水多寡、子宫位置等有关）、腹壁脂肪厚度、身高、胖瘦、体形特点等有关。所以，仅凭腹部小不能说明胎儿发育不正常。

139.可以测量子宫底高了

子宫底由耻骨联合下逐渐向上升，到了这个月末，可能会达到耻骨与脐之间。孕妇自己可以摸出子宫底的位置，子宫底的高度在18厘米左右，可能达到了你的脐部。一般情况下是在孕16周开始测量子宫高度（宫高）。

宫高的增长规律：

孕16-36周时，宫高每周增长0.8-1.0厘米，平均增长0.9厘米；

孕36-40周时，每周增长0.4厘米；

孕40周后，宫高不但不再增长，反而会下降。是因为胎头入盆的缘故；

如果连续两次或间断三次测量的宫高

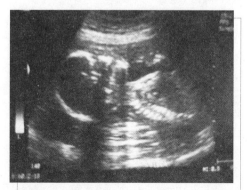

胎宝宝/徐楠的宝宝
胎宝宝面朝上，脊椎和上肢的骨骼B超影像有部分重叠。

在警戒区,则提示异常;

宫高在低值多提示胎儿宫内发育迟缓或畸形;

宫高在高值多提示多胎、羊水过多、胎儿畸形、巨大儿、臀位、胎头高浮、骨盆狭窄、头盆不称和前置胎盘。

140.孕5月重点提示

监测血压的关键期

通常情况下,这个月孕妇的血压是比较平稳的,孕20周是监测血压的关键期,如果在孕20周前,孕妇出现高血压,多考虑是原发性高血压,如果孕20周以前血压正常,孕20周以后出现高血压,就要警惕是否并发了妊娠高血压(妊高征)。所以,每次孕期检查都要重视血压的测量。

尿液检查

这个月做尿检是非常必要的,尤其是血压偏高的孕妇更应定期检测尿蛋白,及时发现合并妊高征的可能。

不建议使用卫生护垫

没有了每月一次的月经,让你省事多了,但孕期阴道分泌物增多让你觉得有些不舒服。孕期阴道分泌物增多是正常现象,你可能会因为有太多的分泌物而使用卫生护垫,我不赞成这样做,再好的卫生护垫也多多少少会影响局部透气。穿纯棉的内裤,每天换1-2次,并把洗净的内裤在阳光下暴晒是比较好的选择。

该为宝宝准备粮仓了

现在开始为宝宝准备好粮袋——乳房。为了宝宝出生后有充足的奶水,从胎儿诞生那一刻开始,乳房就默默地做着准备。妈妈也要保护好乳房,以保证母乳喂养的顺利进行。关于乳房的保护、母乳喂养的好处、不能母乳喂养的医学指征等等,我在婴儿卷中有详细阐述。妈妈最好提前阅读一下,做好充分的准备。

乳头保养

从这个月开始进行乳头保养,可极大地减少乳头皲裂、乳腺炎、乳头凹陷、乳头过大、过小的发生,为进行顺利母乳喂养打下良好基础。

● 每次洗澡后,在乳头上涂上橄榄油或维生素软膏,用拇指和食指轻轻摩擦乳头及周围,5分钟左右,坚持每天都这样做,可使乳头皮肤变得不那么娇嫩,宝宝出生后吸吮乳头时,妈妈不至于疼痛。

● 如果有乳头扁平或乳头凹陷,从现在开始可以进行纠正。用拇指、食指、中指三个手指对捏起乳头,向外牵拉,停留片刻,每次牵拉15次,每天坚持3次,也可使用吸乳器进行矫正。

● 如果出现腹部不适,好像子宫收缩时,要立即停止,并看医生。有习惯流产的孕妇,一定不要自行做乳房护理和乳头保养。

腹部皮肤干痒

随着胎儿的长大,子宫占据腹部更多的空间,使腹部皮肤不断伸张,开始出现腹部皮肤发痒的感觉,除了腹部皮肤,其他部位的皮肤也发干。

● 不要用手搔抓。

● 不要过多使用香皂,不可以使用肥皂,选用碱性小的洗面奶、洗手液、浴液比较好。

● 不要用过热的水洗澡,不用浴巾搓澡。

● 多喝水,保持环境湿度。家里和办公室购置加湿器、小鱼缸、水生植物盆景等。

● 使用高效保湿护肤品和全身护肤产品。情形严重的应请教美容师和医生。

夜间下肢痉挛

孕妇发生夜间下肢痉挛的原因尚不清楚,有的认为与维生素D缺乏有关,也有的认为与迷走神经兴奋有关。曾有人对4例重度夜间下肢痉挛的孕妇测定血清钙,均在正常范围。夜间下肢痉挛的孕妇多是初孕妇,大多发生于妊娠16-18周,最早发生于妊娠第4周,多发生于夜间。所以称为夜间下肢痉挛,痉挛部位多见小腿肌。需要与之鉴别的是不安腿综合征。不安腿综合征也常发生在妊娠期，多在临睡觉时，孕妇感觉小腿深处有难以形容和难以忍受的不适感，越静止越明显，活动后可减轻。这种情形在妊娠后3个月以内多见。睡觉前用温水洗脚，按摩小腿肚10分钟有助于缓解腿部不适。

脸部皮肤的改变——蝴蝶斑

可能是怀孕后体内激素水平过高所致，但并非所有的孕妇都会出现面部皮肤的改变，其原因不得而知。这听起来漂亮的名字，并不受女性欢迎。民间有这样的说法：怀女孩会使妈妈长蝴蝶斑；怀男孩的孕妇脸部不长，这种说法显然站不住脚。不必为孕期的变化而烦恼，孩子出生后不久，你就会恢复原样的。避免强烈的日光晒；不让面部长时间暴露在日光下，保护孕期皮肤，可减轻蝴蝶斑的程度。

晚期流产

当你怀孕超过3个月时，你和医生都会松一口气：发生流产的几率已经非常小了，胎儿已经在子宫内安稳地驻扎下来。但仍需预防晚期流产的发生，尽管发生的几率很小。

胚胎或胎儿在28周前终止，排出母体者称为流产。近年由于产科和新生儿监护的发展，计算流产胎儿的时间缩短了，改为20周。发生在孕12周以前的流产称为早期流产；发生在12周以后的流产称为晚期流产。妊娠满

不同孕周子宫底高度示意图

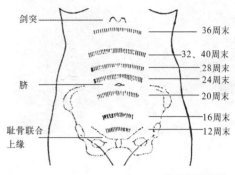

剑突

脐

耻骨联合
上缘

36周末
32、40周末
28周末
24周末
20周末
16周末
12周末

引自《胎儿电子监护学》。

28周后，满37周前娩出的胎儿称为早产儿。国外有的国家把妊娠满20周后，不足37周娩出的胎儿称为早产儿。

引起晚期流产的原因有：

● 胎盘问题，胎盘种植的部位不正确，如前置胎盘、低位胎盘；

● 不能产生足够维持妊娠的激素；

● 孕妇的健康出了问题，如急慢性感染、营养不良等；

● 因宫颈口松弛而过早扩张。

发生晚期流产的危险信号

持续几天阴道分泌物为粉红色或棕色。如果有阴道出血并伴有腹痛，发生晚期流产的危险性已经很大了，应及时看医生。

阴道出血会是流产吗?

我太太怀孕第17周，今天下午逛街2小时后回家小便，在擦拭时见红，量不多。我们夫妇俩很紧张，

不同孕周子宫底高度和子宫长度		
妊娠周末数	手测子宫底高度	子宫长度(cm)
12	耻骨联合上2～3横指	
16	脐耻之间	
20	脐下1横指	18(15.3～21.4)
24	脐上1横指	24(22.4～25.1)
28	脐上3横指	26(22.4～29.0)
32	脐与剑突之间	29(25.3～32.0)
36	剑突下2横指	32(29.8～34.5)
40	脐与剑突之间或略高	33(30.0～35.3)

引自《胎儿电子监护学》。

出镜/郑成武 田甜

田甜的孕期生活是幸福快乐的，田甜本人性格温柔，丈夫深知妻子孕期心情好坏与胎儿的健康关系密切，让妻子快乐是丈夫的责任。

害怕发生流产了。希望能给予指导和建议。

要到医院看医生，确定是否有先兆流产。建议卧床休息，口服维生素E和舒喘灵。

引产会影响以后生育吗？

我今年30岁，未婚。怀孕近20周了，不想要这个孩子了，如果引产会影响我以后生育吗？

因为未婚不想要这个孩子的担忧，属于社会伦理范畴，已经超出了本书的范围。从医学角度，引产有导致继发不孕的可能，但现在医疗水平和生活水平都很高，其几率是很小的，只要注意产后休息，避免生殖器和盆腔感染，还是很安全的。

口服药物流产应在停经后39天以内进行，最晚不能超过49天，吸宫术人工流产应在停经后12周以内进行。停经12-14周之间可用钳刮术终止妊娠，大月份流产增加了流产的危险性。妊娠超过了14周，就要等到妊娠20周左右进行引产了。中期妊娠引产要比早期流产困难大，所以，如果不是特殊情况，最好不要等到妊娠中期引产。

如何面对来自四面八方的忠告

即使你不想把怀孕的消息告诉别人，这时的你也很容易让人一眼看出你是一名孕妇。这并不是什么坏事，你会因此而得到更多的关怀和照顾。但有一点可能会让你无所适从，那就是每个关心你的人都会给你一些忠告。你的父母、公婆、亲戚，还有你的同事、朋友，甚至会有你不很熟悉的人，都会参与到你孕期的保护中来。很有意思的是，男士倒是很少这样做，包括你的丈夫和父亲。女士们会给你这样或那样的忠告，会传授给你很多经验，会给你很多建议。最让你受不了的可能就是警告了，有时在你看来简直就是恐吓。她们会把自己的经历告诉给你，也会把她们周围的所见所闻告诉你。或许有值得你借鉴和参考的，或许对你没有任何帮助，或许使你有了更多的担心和烦恼。最好的办法就是不往心里去，做好例行的产前检查，有疑问或担忧及时向医生咨询。记住，不要听从非医务人员的建议。书报杂志电视网络中形形色色的说法，也要有所选择，看是否是专业人员的建议或者权威机构发布的结论。

向准爸爸进言

你的妻子已经是个标准的孕妇了，无论从外观和思想，她都接受了准妈妈的角色。她的焦虑少了，不再莫名其妙地发脾气。但随之而来的是担忧和恐惧，她怕孩子有什么异常，如果看到书中关于"兔唇"、"无脑儿"、"21-三体综合征"等的描述，她会对自己孩子的命运忧心忡忡，她把所有的精力都放在胎儿身上，你成了她倾诉不安和恐惧的对象。你不但是她最亲、最值得信赖的人，你还是孩子的爸爸，这足以使她对你产生完全的依赖——心理的、身体的、精神的。爸爸也会有对孩子的担忧，但通常是理性的。所以爸爸应该更多参与到孕育胎儿的过程中来，用你的快乐和理性感染妻子。正在怀孕的妻子总是希望从丈夫那里得到更多的关心和照顾。

141.孕妇能否一夜保持左侧卧位

一位准妈妈打电话向我咨询：医生说孕妇应该采取左侧卧位，她很在意医生的这个建议，因为，书上也这么说，采取左侧卧位可以避免胎儿缺氧缺血。为此，她每天睡觉时，几乎一动不动地左侧卧位，但这使她很难入睡，因为她已经习惯右侧卧位睡眠。好不容易睡着了，又会在梦中惊醒，如果发现自己没有采取左侧卧位睡姿，她都会非常后悔。从那以后，她几乎不能安心睡眠，一夜不能安睡，白天也没有精神。后来，干脆让丈夫帮助看着，一旦睡姿不对了，就让老公帮助她翻过身来。他们夫妇俩都为此筋疲力尽。几乎坚持不下去了，怎么办？

孕妇左侧卧位睡眠好的理由

不能否认，孕妇采取左侧卧位睡眠对胎儿的生长发育和孕妇的身体健康都有益处。这是因为：

当孕妇采取左侧卧位时

直接反应：右旋的子宫得到缓解；减少增大的子宫压迫腹主动脉及下腔静脉和输尿管。

间接反应：增加子宫胎盘血流的灌注量和肾血流量；使回心血量增加，增加各器官的血供；减轻或预防妊高征的发生；减轻水钠潴留，即减轻孕妇水肿。

当孕妇采取仰卧位时

直接反应：增大的子宫压迫脊柱侧前方的腹主动脉；增大子宫压迫下腔静脉。

间接反应：子宫胎盘血流灌注减少；回心血量、心输出量减少；各器官血供减少；肾血流量减少；加重或诱发妊高征；加重水钠潴留。

当孕妇采取右侧卧位时

直接反应：子宫进一步右旋。

准妈妈／潘晓敏

现代女性社交活动比较多，需要经常参加一些宴请，准妈妈可以打扮得漂漂亮亮，快快乐乐地去赴宴，需要注意，不要在烟雾缭绕的环境中进餐，不要喝白酒，少吃油炸、特辣、刺激强的食物，不要暴饮暴食。

间接反应：子宫血管受到的牵拉或扭曲加重；子宫胎盘供血减少。

什么时候左侧卧位睡眠好

改变睡眠姿势的前提是子宫增大

很显然，睡眠姿势对胎儿和孕妇的影响并不是从怀孕的那一刻开始的。睡眠姿势对胎儿和孕妇的影响来源于子宫对腹主动脉、下腔静脉、输尿管的压迫。而只有增大的子宫才有这样的影响。所以，妊娠早期，在子宫未增大前没有这些影响，也就不存在睡眠姿势的问题了。那么，增大到什么程度才能产生这些影响呢？一般来说，妊娠5个月以后，子宫迅速增大，增大的子宫会因为不同的睡眠姿势出现不同的影响。

不同的侧卧位与子宫右旋

由于腹腔左下有乙状结肠，增大的子宫有不同程度的右旋，使子宫的血管和韧带受到牵拉，左侧卧位可适当缓解右旋。

仰卧位睡姿与血管受压

脊柱前方是腹主动脉和下腔静脉，仰卧位时，会受到来自子宫重量的压迫。侧卧位时可减少主动脉、下腔静脉、输尿管的受压程度。

睡姿只是影响胎儿生长发育和孕妇健康很小的因素

任何人都不可能、也并非绝对需要一夜保持一个睡眠姿势，这会给孕妇带来睡眠不适、担忧、焦虑，最终发展到睡眠障碍。而不能安心睡眠，没有好的睡眠质量，对胎儿和孕妇的健康是最大的威胁。不要为了医生一句"孕妇应该采取左侧睡眠"而降低你的睡眠质量。

为什么如此要求孕妇？

没人能一夜采取一个姿势睡眠！用一架摄像机连续不断给睡眠中的人拍摄一夜的睡眠姿势，可发现这样一个现象：一个人在一夜的睡眠中要有几百次的睡姿变换，最根本的是睡眠的人自己要感到舒适。要求孕妇一夜都采取左侧位睡姿是不现实的。有些对医生万分信任的孕妇们，为一夜不变地保持左侧卧位，而不能安心入睡，甚至焦虑是不明智的。我认为你做到以下几点就足够了。

● 当躺下休息时，要尽可能采取左侧卧位。

理由：减少增大的子宫压迫腹主动脉及下腔静脉和输尿管，增加子宫胎盘血流的灌注量和肾血流量，减轻或预防妊高征的发生。

● 如果你醒来，就采取左侧卧位；如果你感到不舒服时，就采取你舒服的体位。

理由：胎儿有自我保护能力，当你睡眠时所采取的体位对胎儿有影响时，胎儿会发出信号，让你醒来，或让你在睡梦中采取适宜的体位。

● 你感到舒服的睡眠姿势是最好的，不要因为你不能保持左侧卧位而烦恼。

理由：每个人都有自我保护能力，即使是孕妇也一样，如果由于仰卧位压迫了动脉，回心血量减少导致血供不足，你会在睡眠中改变体位，或醒过来。

● 定时排便，积极改善便秘。

理由：子宫右旋与左下腹乙状结肠有关，乙状结肠是粪便存留的地方，为了给增大的子宫腾出更多的空间、减少子宫右旋程度，要定时排便。

● 不要长时间站立、行走和静坐，静坐时，不要躺在向后倾斜的沙发背或椅背上，最好是坐直身体。

理由：长时间站立和行走会影响下腔静脉回流和腹主动脉血供，坐直身体可减少腹主动脉受压。

142.是否需要做产前诊断

产前诊断是通过一些特殊的医疗检查手段，对宫内胎儿进行检查，发现异常胎儿。需要做产前诊断的孕妇是很少的。哪些孕妇需要做产前诊断，有哪些诊断措施和方法，

第十四章有详细论述。

查出巨细胞病毒感染如何处理？

我妻子怀孕快5个月了，查出母体感染了巨细胞病毒，此病毒是否会对胎儿造成危害？该如何处理？

巨细胞病毒感染可分为：原发巨细胞病毒感染、巨细胞病毒复燃、再感染巨细胞病毒三种情况。对于孕妇来说，无论哪一种感染都有可能导致宫内感染，对胎儿造成危害。原发巨细胞病毒感染的孕妇，大约有50%的新生儿出生时具有典型的巨细胞病毒感染的临床特征。诊断宫内胎儿感染比较可靠的方法是做羊水病毒分离。一旦确定胎儿宫内感染，治疗效果多不理想，最好考虑终止妊娠，建议你看产科高危门诊做产前诊断。

背部长皮疹，发痒

我妻子怀孕5个月，背部长皮疹，很痒，疑病毒感染。经TORCH检查，巨细胞包函体（CMV） IgG阳性;IgM 阴性。放免：CG>18.6微克/毫升。请问：对胎儿有什么样的影响？如何治疗？

CMV IgG阳性，而IgM阴性，可能是既往曾经感染过CMV， 病毒已停止复制，处于稳定期，引起胎儿宫内感染的可能性很小，如果没有发生宫内感染，对胎儿就没有影响。现在没有确定孕妇有活动巨细胞病毒感染，不建议做羊水和脐血检查。

身上起小包

我太太在怀孕第17周的时候身上起了一些小包，在第18周的体检中查出血液里含有风疹病毒，不知道这会对胎儿有多大的影响，听说有可能会造成愚痴儿。

妊娠4个月后感染风疹，胎儿患先天性风疹综合征（CRS）的发生率减少，但仍不能排除致畸的可能性。应做进一步检查，确定是否有胎儿宫内感染。如果有宫内感染的可能，应考虑终止妊娠。

先天愚型风险率为1:100怎么办？

在孕17周时，我在妇产医院做了产前检查，结果有一项指标：先天愚型风险率为1:100，大夫说风险率有些高。由于工作繁忙，我在孕25周才去医院复

查，但大夫说孕周太大，无法检查此项指标，只有在胎儿出生时检查脐血，才能确定是否正常。是否只有羊水穿刺才能确诊先天愚型？有无其他百分之百的确诊指标？孕25周后是否无法再采取？还有其他诊断方法没有？

先天愚型指标的检测数值与孕周大小有关，所以医生会告诉你孕周太大，检测结果不可靠了。但如果出生后再检查也没有实际意义了。产前确诊是很重要的。

没有百分之百的确诊指标，其他检查方法中，染色体检查误差很小，但阳性率低。其实，即使先天愚型风险率很高，也不一定会生出先天愚型的孩子。如果医院不能确诊，希望你放下包袱，等待孩子的降生。

143. 生活中的常见问题实例解答

孕期可戴隐形眼镜吗？能否长时间使用笔记本电脑？

我怀孕已快5个月了，有个问题一直使我焦虑不安，因为宝宝是无意中有的，而且我月经不太规律，直到快7周时才发现有了宝宝，那段时间身体一直觉得不好，又忙于应付考试，发过烧以及牙龈肿痛，因而在不知情的情况下服用过3次克感敏，4~5次散利痛，后做过2次B超检查，没有发现问题，请问这些药是否属于A、B类药物，对胎儿会有影响吗？孕妇能戴隐形眼镜吗？笔记本电脑的显示屏是液晶的，我能否长时间使用？

克感敏和散利痛属C类药，对胎儿没有致畸作用，但长期应用或大量使用，对胎儿有害，你只是吃了短时、小剂量的，对胎儿不会造成什么影响。

没有证据证明孕妇不能戴隐形眼睛。

液晶显示屏的辐射极小，不会造成非电离损伤，但孕妇不宜长时间坐在电脑前工作，长时间工作可造成疲劳感，对胎儿发育也同样不利，要劳逸结合，尤其是在孕晚期，更应注意休息。

金施尔康可代替玛特纳吗？

我现在孕20周，产检时医生向我推荐"玛特纳"，

于是开了2瓶，但医院药房没有，向医生反映后就改为"金施尔康"，取了药才发现"金施尔康"没有注明是孕妇专用药，不知能否服用。

玛特纳和金施尔康都是营养素，所含营养素成分没有原则上的差异，服用哪一种都可以，玛特纳并不是紧缺营养品，如果你很想吃孕妇专用的玛特纳可以到药店购买。

能否吃板蓝根？

我妻子怀孕5个多月，前几天鼻塞、头晕、轻微咳嗽。已有5天了，她现在吃的是青霉素V钾，对胎儿有没有影响？可不可以吃中药板蓝根？

可以吃板蓝根冲剂，也可吃金银花冲剂，普通感冒大多是鼻病毒，对胎儿没有致畸作用。不要太担心，注意休息，多饮水，感冒是自限性疾病，一般不用吃药也能好的。没有合并细菌感染，不需要服用青霉素V钾。

感冒发热可以吃药吗？

我已经怀孕20周了，前几天患了感冒，医生开了感冒清热颗粒。由于怕吃药对胎儿有影响，所以体温持续在37.3℃左右又挺了两天，第三天下午体温上升到38.8℃，去医院，医生批评了我，由于没有及时吃药，病情没有得到控制。打了一针柴胡并开了阿莫西林（每次0.5克，每天3次），发热4天后体温正常，但依然咳嗽、流鼻涕、打喷嚏。发热持续4天，吃了这些药对胎儿有什么影响？

你虽然发热4天，但一直没有高热，只

准妈妈潘晓敏　这位准妈妈身材比较娇小，她在整个孕期腹型都显得比实际孕龄大一些。胎宝宝的检查完全符合实际胎龄，所以，从腹部外形上不能完全判断胎儿的大小和准妈妈的实际孕龄。不同的孕妇在相同孕龄腹部大小会有一定的个体差异，不必担心。

准妈妈/邵颖娅

这位准妈妈很娴静优雅，以很平静的心态度过这段怀孕的黄金时期。我接到过一些准妈妈和的咨询，她们在怀孕以后做任何事情都战战兢兢，草木皆兵，过于在意怀孕过程中的每一点点的细节，真累啊！其实怀孕是一件非常自然，非常美好的事情，要以平常心对待。

是低热或短时的中度热，对胎儿应该没有大的影响。你使用的药物对胎儿也是相对安全的。不随便用药是对的，但在医生知道你怀孕的情况下开的药也不敢吃，就不对了。

经常感冒。用什么感冒药好？

我妻子怀孕5个月了，经常感冒，不知服用什么药好，999感冒胶囊、抗病毒颗粒、安必仙能不能用？

妊娠3个月以后，胎儿各器官基本形成，发生畸形的机会明显减少，所以有些孕早期不能服用的药物，到了孕中期就可以服用了。尽管如此，孕妇服用药物也要在医生指导下。999感冒胶囊、抗病毒颗粒都不适宜孕妇使用。大多数感冒是病毒引起的，不必使用抗生素。轻微感冒可不用药物，多饮水，多睡眠，多休息，一般3～5天就会好的。较重的感冒要在医生指导下服用药物，一般来说，双黄连口服液、双花口服液、板蓝根是比较安全的。

腹泻、腿痛、膀胱痛、补钙

怀孕19周+3天。孕18周做B超显示胎盘厚度为20毫米，正常吗？近10天来，吃了凉性食物，如苹果、梨，甚至是一碗凉稀饭后，都会引起胃部不适，随后就拉肚子，过后就好了。请问需要去医院看吗？12周以来，右腿稍微使劲比如抬右腿、穿衣服时会觉得右腹部靠下点的地方疼，以至不敢使劲，这是怎么了？半夜时候如果翻身也会觉得膀胱处有牵扯痛，无尿时就好多了，怎么回事呢？补钙的钙尔奇D片在

什么时间服用能发挥其最大效果？饭前还是饭后？喝牛奶时一次喝500克和分两次喝500克从吸收上讲有区别吗？

胎盘厚度正常。避免引起腹泻的原因，不吃凉饭，不要空腹吃凉水果，吃完饭后不要马上就吃凉水果，饭后2小时再吃，刚从冰箱中拿出的水果，要放置在室温环境中一段时间后再吃。应该排除是否有慢性阑尾炎。增大的子宫压迫神经和肠管也可引起类似症状。孕期不要"金鸡独立"，容易摔倒，也容易因站不稳而抻着，对安胎不利。膀胱痛和妊娠有关。如果没有尿频、尿急和排尿痛等症，不需处理。钙尔奇D饭后服用对胃没有刺激作用，但不要和奶一起服用。一次喝1斤奶过多，不易消化，应该分成两次饮用。

孕龄18周，B超估算却是14周

今天去医院做B超检查，大夫说我现在怀孕14周了。可我按末次月经算已是18周了。大夫说是后期受孕，B超结果是胎儿发育好。是这样吗？

B超胎龄评估与你实际孕龄（按末次月经计算）相差4周，但B超提示胎儿发育好。可以从两方面考虑：末次月经记忆有误，或隔月排卵，就是说尽管你第2个月没有来月经，是因为没有排卵。不排卵也就不能受孕。从另一方面考虑，是否存在胎儿宫内发育迟缓（IUGR），要确定是否为IUGR，需要进一步动态观察，一两周后再做B超，观察胎儿发育情况。目前医生告诉你胎儿没有问题，你就放心好了。

居住条件差，每天使用电脑

我爱人怀孕4、5个月了，住在一间15平方米的宿舍里，我天天都在打电脑，会不会对我爱人和孩子不好呢？她现在乳头上分泌出一些淡淡的液体，正常吗？

电脑显示屏距离人体至少70厘米以上，你的房间比较小，长时间开电脑，更要注意通风。电脑放在离床远的地方，电脑主机和屏幕后背不要对着常常有人坐卧的地方。你爱人接触电脑时间每天尽量少于6小时。孕

中期乳头分泌一些淡淡的液体，属于正常现象，但要尽量避免刺激乳头。

头昏血压低，吸氧吃参可防胎儿缺氧吗？

我目前孕5月，近感头昏，查血压88/55 mmHg，据说会引起胎儿缺氧，有人建议吸氧，有人建议吃参，不知是否有用，具体怎么解决？

孕期出现低血压的情况并不少见。如果你有低血压家族史，就更会出现此种情况了。建议你定时吸氧，每日2次，每次30分钟，加强营养，注意休息，不要骑车，多采取左侧卧位，不必吃参。

腰骶痛，妊娠反应仍未消失

我的腰至尾骨这一部经常疼，晚上躺着翻身很不方便，是因为缺钙吗？我通常每天喝2~3杯牛奶。怀孕5个多月，可为什么现在我有时还会有想呕吐的感觉？

妊娠中期以后，由于胎儿逐渐增大，腹部向前凸起，身体重心改变。为了维持身体的平衡状态，上身后仰，腰椎向前突，后背伸肌处于紧张状态，时间长了，就会感到腰背疼痛。另外，由于雌激素的作用，脊柱及骨盆各关节、韧带变软，松弛，也可引起腰背痛。缓解的办法：不要提重物，不要睡软床，要穿低跟鞋，休息、锻炼相结合。不是缺钙引起的。孕期喝奶很好。

有的人在整个妊娠期，甚至分娩后仍然有妊娠反应表现。更有甚者，虽然已经分娩几个月了，但在妊娠反应期听过的音乐、吃过的食物，都可诱发恶心，甚至呕吐，你最好不要去想它，慢慢会好的。

是否可以拔牙？

怀孕满19周，严重牙痛。这颗病牙是右上方智齿，且是颗残牙。不知拔牙中实施的麻药对胎儿有无影响？根据以往经验，拔牙后易因发炎引起低热，这会对胎儿有影响吗？

怀孕期间，一般是不主张治疗牙病的，尤其是拔牙。但如果病情严重，也不是完全禁忌，建议到正规医院牙科进行治疗。拔牙是局部注射麻药，对胎儿影响不是很大。

习惯性便秘

我妹妹怀孕已5个月。但近期经常便秘，她以前就经常便秘。请问平时除了喝蜂蜜，还有什么好办法？如何用药或外用药？

应多吃含纤维素高的蔬菜、水果，调理饮食，吃得不要过精过细，适当吃些粗粮，如玉米面、红薯。喝胡萝卜水，晨起喝一杯温开水对缓解便秘可能有效。适当进行户外活动，促进肠蠕动。养成按时排便的习惯，有便意时不要拖延。孕期不宜使用治疗便秘的药物。

耻骨阵痛

我怀孕5个月，没干过什么重活，不知是什么原因最近耻骨总感到阵阵发痛，会是什么原因引起的呢？应该如何治疗？

正常情况下，怀孕5个月的孕妇不应出现耻骨阵痛现象，你是否久坐不动，导致血运不周？局部是否有压痛？建议你不要久坐，多走动，感觉一下是否可以缓解疼痛。如果不能缓解或阴道有血性分泌物，可能是先兆流产的征兆，要立即去医院检查。

如何补碘？

我刚怀孕5个月，有人说若孕妇缺碘就会影响孩子的大脑发育，还有人说若孕妇吃含碘食盐过多也会影响胎儿的脑发育。不知这些说法对不对？我该怎么办？

是的，如果孕妇碘缺乏，会导致孕妇和胎儿的甲状腺素合成不足，胎儿大脑发育会受到阻碍。严重缺碘的孕妇，会生下克汀病的患儿，智力和体格发育落后，主要发生在山区和内陆。碘在海洋生物中大量聚集，只要饮食中含有足够人体代谢所需的碘，就不会出现碘缺乏的症状。我们现在吃的含碘盐就是为了防止缺碘病。海带、海藻、海贝、海虾等海产品中含有丰富的碘。因此，碘缺乏病已显著下降。

但是，高碘也同样能够引起甲状腺肿。研究表明，胎盘对含碘药物十分敏感，碘化物可通过胎盘而使新生婴儿发生甲状腺肿。为此，英国已将含碘药物列为孕妇禁忌药品。所以孕

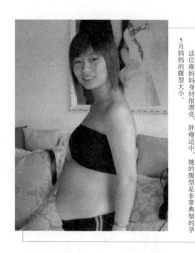

妇不能擅自补碘或吃含碘的药物。含碘盐是国家指定的标准，是受政府监督控制的。只要你不过量吃盐，就不会因为吃含碘盐而导致食碘过多，这一点你尽管放心。

梦中出现性高潮会引起流产吗？

我现在怀孕4个半月，这几天夜里睡觉时连续两次梦遗，发生性生活高潮时特有的宫缩现象，惊醒后特别害怕，怕对宝宝不好引起流产。我和老公自怀孕后就未有过性生活，我也没有欲望，也未接触过各类刺激物，生殖器官也无炎症，我不知为何会发生？

孕期应节制性生活，但并不等于完全禁止，分床而睡也不可取，孕期夫妻间的感情交流有利于胎儿的智力发育和情感培养。清醒时，你因为担心性生活对胎儿的影响，从思想上禁锢欲望，当你熟睡后，解除了这种禁锢，就自然出现，这是很正常的现象。如果你没有流产史，也没有流产的倾向，可适当进行性生活，你现在已经过了易流产期，更不用过分担心，但要避免强烈的大动作。

乘车时被撞了一下

我现在怀孕19周了，今天我乘车时不小心被撞了一下，不重。但我不知对胎儿会不会有伤害？

如果你没有腹部不适、疼痛、阴道出血等情况，一般不会对胎儿造成危害，被外力碰撞主要容易引起流产。如果有流产迹象，要及时到医院。

受到惊吓

孕5个多月，一切正常。但今天我偶然受到惊吓，挺厉害的，请问会不会影响到胎儿的心脏发育？

孕妇受到严重的精神刺激对胎儿是不利的，你所说的惊吓不知是什么，如果你和胎儿没有什么异常症状不会影响胎儿心脏。以后要多加注意，保护好自己。

饭后头晕

近来我常觉得头晕，特别是饭后。这是什么原因？

可能的原因有孕期贫血及妊娠高血压或低血压。建议做血常规、尿常规、血压检查，采取相应的治疗措施。

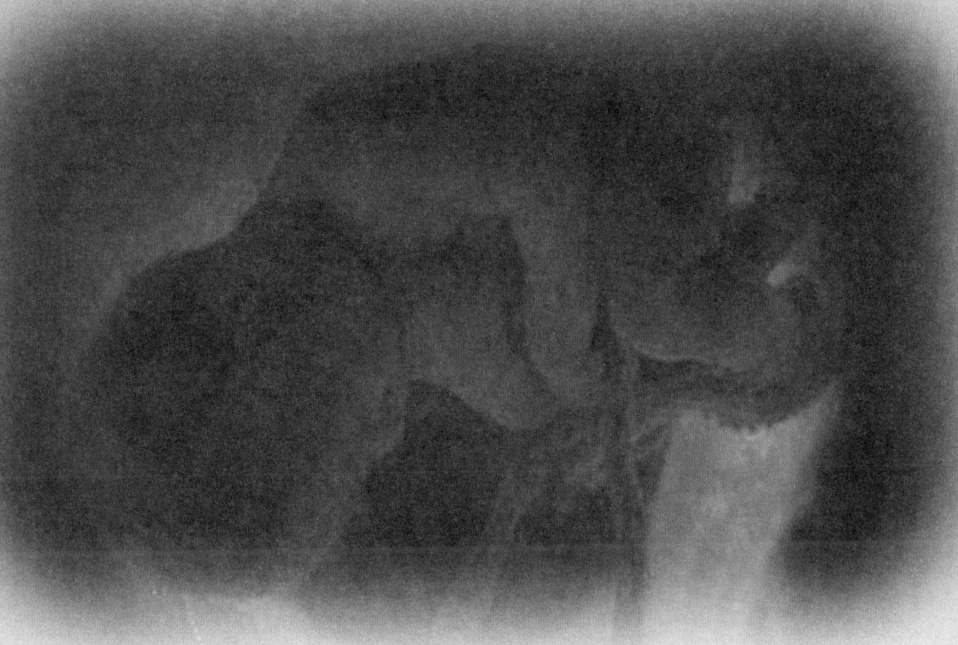

图片引自国际在线网http://gb.cri.cn

第七章

孕6月（21-24周）

适于旅游、补充铁钙、避免噪音

我的听力发育起来了，就像在深海中的潜水员，听到的是高分贝的声音。令人吃惊的是，我能够听到妈妈的声音。——胎宝宝

・做妊娠期糖尿病筛查是非常必要的
・要检查是否有孕期贫血
・为胎宝宝多晒太阳，多吃高钙食品

第 1 节 6月胎儿自述
——开始让造好的器官产生功能

144.我能够听到妈妈的声音了

我在妈妈的子宫中生活了20周，几乎所有的器官系统都完成了构造，接下来是一些微细的调整了，正在一步步走向成熟。我通过自己的运动告诉妈妈在子宫内生活得很好，如果感觉不好了，我会发出信号——剧烈的胎动、少动或不动。我的听力发育起来了，就像在深海中的潜水员，听到的是高分贝的声音。令人吃惊的是，我能够听到妈妈的声音。

代表人类思维的高级神经开始发育

从这个月开始，我的大脑向更高级的层次发展，大脑皮质负责思维和智慧的部分已经发育起来，大脑面积增大，脑的沟回明显增多，我明显表现出高等智慧生物的智商。对于来自外界的刺激，我已经能够做出快速反应，当妈妈有大的动作时，我会把身体紧紧地抱在一起，来保护自己不受到伤害，如果妈妈路过噪音很大的施工现场，我也会这样做，因为噪音

准妈妈/田甜
田甜也是身材比较娇小，她觉得穿上孕妇服会非常臃肿，但是做过时尚记者的她别出心裁，专门挑选了一套酷似古代武侠练功服的孕妇装，再把头发高高地梳上去，顿时觉得步履轻快，正在体验武侠的风采。

对我实在没有什么好处。

妈妈越是安静我越是活蹦乱跳

我不断地长大，妈妈为我建的小屋对于现在的我来说还是比较宽敞的，所以，我还会来回地翻滚，如果我现在是臀位或横位，都不要紧，我离固定位置还早着呢。我会有很大的动静，尤其是在妈妈晚上要睡觉的时候，妈妈躺在那里，腹壁放松了，我有更大的活动空间，我也不用时常抱紧自己躲避妈妈的大动作。所以，我就尽情地活动。其实我白天也不少动，只是没有像晚上这样容易被妈妈察觉。妈妈可千万不要认为我不正常，说我多动或少动。带我上医院，医生又可能给我做B超了，我可不愿意长时间接受B超探头，它太热了。我已经进入胎动期。这时，爸爸把耳朵贴在妈妈肚皮上，可以听到我运动的声音。如果妈妈肚皮薄，还可以看到妈妈的肚皮会被震动。我能够听到很多声音了，但我生活在羊水中，并不是什么都能听得到。我只对妈妈的声音比较敏感。

145.我长得好看多了

到现在为止，我的眼睑发育完成，但仍然是闭合的。我的皮肤缺乏皮下脂肪，呈半透明，可看见毛细血管中的血，不仅红，还皱皱巴巴的。不过外层有胎脂附着，以后还要逐渐增厚，为分娩时起到润滑作用。我已经在为自己离开母体做准备了。

我的全身开始长出细细的绒毛，叫做毳毛，覆盖了我的头和身躯。因为我的皮肤和毛囊已经发育好了。大家都知道我们祖先曾经浑身长毛，从来不用为衣服花钱，个个自备天然纯毛大衣。因为不方便换洗，所以变成纯皮（皮肤）+纺织品。浑身胎毛就是"幼形遗留"的证据，我的胎毛在孕38周左右消失。

子宫对于我来说仍是比较宽敞的，我会很频繁地在羊水内改变姿势。嘴、眼、手都开始有明显的动作。尽管我的肺脏已经构建完成，并有了初步呼吸能力，但如果我这时从妈妈的子宫中出来，还不能存活。

 你们的胎宝宝写于孕6月

第2节 6月胎儿生长发育

胎儿21周时

胎儿体内基本构造已进入最后完成阶段。头、躯干、四肢比以前显得匀称些了。头部占全身约1/4，仍是头大身小。鼻子、眼睛、眉毛、嘴形状已经完整，有了外耳形状。大脑皱褶逐步出现。新小脑发育，出现海马沟，延髓的呼吸中枢开始活动。胎心搏动很快，使用胎心听诊器或普通听诊器，经孕妇腹壁，可以听到胎心有力的跳动音。胎儿的牙釉质和牙质开始沉积。呼吸系统功能正在不断发育完善。骨骼钙化逐渐扩展。

胎儿22周时

胎儿进入"胎动期"。肢体活动增加，腹壁薄的妈妈可以看到胎动时引起的腹壁震动。还可以摸到胎儿的肢体。这时，子宫对于胎儿来说仍是比较宽敞的，会很频繁地在羊水内改变姿势。嘴、眼、手都开始有明显的动作。已经有了初步的呼吸运动、吞咽活动，但这些运动和活动尚不能产生功效，此时早产还不能存活。

胎儿23周时

胎体还比较瘦，缺乏皮下脂肪。皮肤呈半透明，可看见毛细血管中的血，颜色偏红。胎儿心跳有力而规律，120-160次/分。如果妈妈的腹壁比较薄，爸爸的耳朵也比较灵敏，把耳朵紧紧贴在腹壁上仔细听，也可能听到胎心搏动。用一个纸筒听比裸耳听更明显。现在一般家庭中都有听诊器。爸爸可以学习着听胎儿的心跳。不但能了解宝宝的情况，还可增进感情。

胎儿24周时

胎儿已进入中期发育的后阶段。皮肤出现皱纹。有较多的胎脂附着，起到营养和保护皮肤的作用。胎儿的发育真是令爸爸妈妈惊奇。他会为自己离开母体做准备。肺血管也已经开始发育。

胎儿已经明显长大了。身高可达35厘米，体重可达680克，全身比例越来越接近新生儿。这个月的胎儿还很瘦。还是头大身子小，头发又长多了，身长也比上个月长了。睫毛也清晰可见。骨骼开始变得强壮起来，关节开始了全面发育。胎儿肢体动作增加，手指清晰可见，长出了指节，手指偶尔碰到嘴唇，胎儿会轻轻吸吮。踢腿的力量增加了，妈妈可以明显地感觉到，胎儿运动的次数、幅度、力量都有不同程度的增加。

铁的补充极为重要

铁是生产血红蛋白的必备元素，血红蛋白把氧运送给细胞。随着孕龄的增大，对铁的需求量不断增加。胎儿也要从妈妈的组织中吸取铁，以满足自己生长发育的需要，胎儿还要在体内储存一定量的铁，以满足出生后的需要。孕妇需比平时多补充铁，除了要多吃含铁丰富的食物外，还需要额外补充含铁的

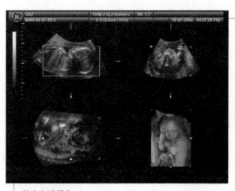

胎宝宝/冷明康
这组B超图非常清晰，因为这是高清晰度彩色B超，是妈妈在美国一家医院拍的。

营养药或含铁的保健品。

生产血红蛋白不仅需要元素铁，还需要有充足的叶酸和维生素B12，维生素C可促进铁的吸收。所以，为了保证铁的吸收和利用，不但需要补充足够的铁，还需要同时补充足够的叶酸和维生素B12、维生素C。孕前和孕初期补充小剂量的叶酸是为了预防胎儿神经管畸形，这个时期补充叶酸是为了预防和纠正孕妇贫血。预防胎儿神经管畸形需要补充的叶酸量为每日0.4-0.8毫克，预防和纠正贫血需要补充的叶酸剂量为每日5毫克。含叶酸丰富的食物有大叶青菜和含蛋白质高的食物。医生可能会让你吃维生素、铁剂和叶酸复合胶囊或药片。

缺铁性贫血

缺铁性贫血是缺铁的晚期表现，是体内铁储备告急的信号，是贫血中最常见的类型，育龄女性、孕妇、婴儿发病率最高。

贫血对孕妇的影响

慢性或轻度贫血，机体能够逐渐适应，孕妇多没有不适症状，对孕妇影响不大。如果贫血明显，孕妇则会出现心跳加快、疲乏无力、食欲减退、情绪低落等。如果贫血严重，则可导致贫血性心脏病。贫血可使妊高征的发病率增高；机体抵抗病原菌的能力下降；分娩

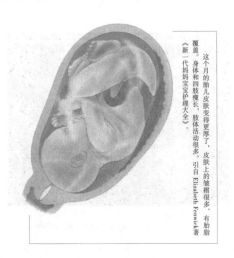

这个月的胎儿皮肤变得更厚了，皮肤上的皱褶很多，有胎脂覆盖。身体和四肢瘦长，肢体活动很多。

引自 Elizabeth Fenwick 著《新一代妈妈宝宝护理大全》

时宫缩不良；产后出血；失血性休克。

贫血对胎儿的影响

孕妇贫血，胎盘供血不足，可导致胎儿宫内发育迟缓及早产。孕期贫血妈妈所生的新生儿患病率和死亡率都增高。胎死宫内的发生率增加6倍，胎儿宫内窘迫发生率可高达36%。铁的运输是单方向由胎盘送给胎儿，即使孕妇缺铁，铁仍不断通过胎盘供给胎儿，但如果孕妇严重缺铁，无论如何也不能保证胎儿铁的需要，则胎儿出现缺铁，胎儿铁储备不足，出生后发生缺铁性贫血的几率增高。胎儿缺铁会影响胎儿脑发育。

缺铁性贫血的预防

本病是可以预防的，预防缺铁性贫血并不难，但为什么仍然有如此多的发生率呢？其主要原因是重视不够。

摄取含铁丰富的食物：小麦、黄豆、绿豆、蘑菇、木耳、动物肝脏、动物血、黑芝麻、绿叶蔬菜、紫菜等。

孕20周以后开始服用铁剂：福乃得（控释铁剂，每片含铁525毫克）；或右旋糖酐铁2片/次，每日两次；或硫酸亚铁0.3克/日。

影响铁吸收的食物：茶叶、咖啡等可影响铁的吸收；植物和蛋类中含铁量虽然不低，但不易吸收，动物铁易吸收；维生素C有利于铁的吸收，多吃含维生素C的食物可促进铁的吸收。

钙的需要量增加

到了孕中期，每日钙的需要量为1500-1800毫克。我国膳食结构特点，一般情况下，从食物中摄取的钙量约800毫克左右，不能满足孕妇的需要，应该额外补充钙剂。

常常有孕妇问：到底吃什么钙好？首先要明确，从食物中摄取钙是最佳途径，不要因为市场上琳琅满目的补钙品而忽视食补。无论什么样的钙剂，都比食物钙的吸收利用率低。钙的吸收利用还需要有维生素D的参

与。所以，在补充钙的同时不要忘记补充维生素D。钙补多了，不但不能吸收，造成药源的浪费，还会引起大便干硬，孕妇本来就容易出现便秘。服用过多的钙剂可加重便秘。所以，补钙不是越多越好，应适量补充。

小腿抽筋不一定都是缺钙所致，妊娠期，由于增大的子宫压迫下腔静脉、大隐静脉及坐骨神经等神经血管肌肉组织，也可出现小腿抽筋现象。可化验血钙、血磷、血镁、碱性磷酸酶，以协助诊断及用药。食物补钙吸收好，如喝鲜奶、吃骨头、虾皮等含钙高的食品。注意劳逸结合，尽量少静止站立，每天散散步，多采取左侧卧位。不要长时间坐着看电视。长时间一个姿势容易疲劳，不利于血液循环，适当增加卧位休息时间。

149.胎动、胎心率、胎心音

还不能把胎动作为监测手段

胎动变得越来越规律，你基本能比较准确地感觉胎动，但仍不能作为监护胎儿的可靠指标。不必为胎动减少和增加而烦恼，除非有非常显著的变化。这个月胎动监护还不太可靠，要到第24周末才可作为监测胎儿生长发育的方法。

妈妈不必为一时的胎动减少和增加而烦恼

你可能会感觉胎动不同于上个月了，胎宝宝不再是温柔地和你打招呼，而是大幅度地在子宫中运动、翻滚、伸胳膊、踢腿，样样都不逊色，可以称为"小体操家"了。现在你和宝宝还没有达成协议——不会因为你要睡觉休息，他就老老实实一动不动，他也不会因你已熟睡而悄悄地活动，他可以让你从睡梦中惊醒。不要急，在随后的日子里，他会逐渐与你同步，你也会对宝宝的"拳打脚踢"习以为常——睡得更加香甜，因为你知道宝宝非常健康，就像你听惯了丈夫的鼾声，没了这

声音你还睡不踏实。

胎动实例咨询

胎动过于频繁

我怀孕24周，昨天夜里因为有些忙，12点才睡觉，睡觉时感觉胎动很厉害，连续跳动有10到20多下。早晨8点多又开始连续跳动，不知胎儿怎么了？

胎动异常增加，首先考虑是否有脐绕颈、胎盘供血不足、胎儿缺氧、胎儿宫内窘迫等情况，应及时看产科医生，寻找引起胎动异常的原因，不要在家里等待。过于劳累会引起胎动异常增加，以后不要过度疲劳。休息一下，如果胎宝宝正常了，就没什么事了，也不必过于担心。

胎动少，拍他对吗？

我怀孕24周，从第21周感觉胎动，最初两天很明显，感到他在踢我的肚皮，可后来经常感觉不到他在动，有时一天隐隐约约动几下，甚至一下。最近，我要是在感觉不到胎动时，就用手轻轻推他，拍他，他就开始动10分钟左右。我的胎动是否正常？

一般在妊娠28周以后开始记数胎动，28周前胎动可不规律，记数时有一定困难。你最初感觉明显，是因为你刚刚感觉胎动，等到习惯了胎动，就会不那么明显了。胎儿不动时，是在休息，不要有意刺激他。

2天未感觉胎动，如何应对？

我夫人现已怀孕22周，从上周开始感觉到胎动，平均每天3-4次，但从前天开始，一直没有再感觉到胎动。请问这是否正常，该如何应对？

准妈妈/高桥雅江
这是高桥雅江在世界公园日本园中拍摄的照片。在怀第二个女儿的时候，她抱着大女儿重温故乡的田园风情。

你夫人感觉胎动的时间比较晚，感觉到的胎动也比较少，现在又感觉不到胎动了，不排除你夫人对胎动感觉不准确的可能。但是，如果感觉准确，突然没有胎动了，就需要马上看医生，不要耽误。

像钟表"滴答"一样的胎心跳动

胎心听诊是最传统，也是最简单、实用的胎儿监护方法。

孕20周以后，即使非专业人员使用听诊器也能听到胎心。一般在脐下正中或稍偏左偏右。胎心音有其特点，虽然也是双音，但第一音和第二音很相近，就像钟表的"滴答"声。速度比较快，达120-160次/分，大多数情况下在140次/分左右。丈夫可每天帮助孕妇听胎心一次，并记录在母子健康手册上。如果胎心率少于120次/分或大于160次/分时，要密切观察胎动和胎心的变化，如果仍不正常就要看医生了。

150.胎龄评估

孕12周以后，胎儿头部可以清晰显示，因此，从孕12周以后就可以通过B超对胎儿头部各项指标的测量来评估胎龄大小了。但是，在孕16周前和26周以后，因每个胎儿发育的生物学差异相对较大，以此评估胎龄时，

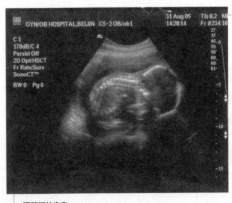

邱丽娜的宝宝
从这张B超图片里可以清楚地看到胎宝宝的脊柱。

会出现较大的误差。

胎头测量的指标有双顶径（BPD）、头围（HC）、枕额径（OFD）。其中最常用的是BPD。也可通过B超测量胎儿腹围（AC）和股骨长径（FL）来评估胎龄。

胎龄评估存在着一定的误差

到了孕中晚期，孕妇会接受B超检查，在B超检查中，B超医生会根据胎儿几个部位测量的数值初步预测胎龄。如果孕妇记不清末次月经时间，就可通过B超预测胎龄，推测预产期。进行胎龄评估还有更重要的意义：推断胎儿在宫内的发育情况，如是否有宫内发育迟缓。但通过B超预测胎龄也存在很大的误差。在分析预测结果时，要考虑正常的变化范围，以及孕妇月经周期的变化，还有医生操作的准确性等。如果预测结果比实际孕龄大或小，并不都意味胎儿发育异常，还应做具体分析，或间隔一定时间后复查。

每个胎儿之间都存在着一定的个体差异，遗传、人种、营养、疾病等因素，对胎儿的发育都有一定的影响。一个身材高大的孕妇和一个身材矮小的孕妇相比，胎儿的各项测量指标可能会有一定的差异。

临床上常会出现这样的情况：早期妊娠预测的胎龄，与中晚期预测的胎龄不一致。这主要是因为孕早期胎儿间的个体差异不像孕中晚期那样明显。

胎龄比实际孕龄大，是否与孕前服禁忌药有关？

我的末次月经是4月6日，今天是10月9日，应为6个月胎龄，26周零4天，但B超显示 双顶径（BPD）7.1厘米，股骨长径（FL）5.2厘米，医生说已7个月了，我很担心，因为3月份我感冒，吃了大量孕妇禁用的药，现在我不知道该怎么办？另外，孕11周半时，B超显示BPD2.2厘米，FL0.7厘米，是否符合孕周？

孕周与BPD、FL的正常对应关系是：

孕12周时，　BPD平均值为2.0厘米，FL平均值是0.8厘米。

孕27周时，BPD平均值是6.7厘米，FL平均值是5.2厘米。

你是在孕11周半、26周零4天分别做的B超。可分别按12周、27周对应的BPD、FL计算。两次B超结果，胎儿FL值是符合孕周的。BPD略大于孕周，考虑有几种可能：①测定的准确性。②父母一方是否头颅比较大。③胎儿生长发育过快。即使没有这3种可能，0.2~0.3厘米的差别是很小的。书上所表明的是平均值。有小的差异是完全可能的。不能就此认为胎儿发育与胎儿不符。你的末次月经记得很清楚，如果月经周期准确，从道理上来讲应该是在4月下旬受孕的，你3月份感冒用药对胎儿不会造成影响，不要为此担心。

胎儿体重预测

在临床中，医生会遇到一些情况，需要预测胎儿体重，如患有糖尿病的孕妇，可能会出生巨大儿；胎盘功能不好，或脐带发育有问题时，胎儿的生长发育可能会受影响，出现胎儿宫内发育迟缓、小样儿；孕妇合并有不宜继续妊娠的疾病，需要提前终止妊娠等情况时。可以利用B超通过测量胎儿的双顶颈（BPD）、头围（HC）等预测胎儿体重。

胎儿体重预测存在不少误差，影响胎儿体重的因素不仅仅与身长、股骨长、双顶颈等因素有关，还与胎儿内脏、软组织等诸多因素有关。另外，高质量的声像图及熟练、准确的测量技术对获得准确的测量结果有重要意义。测量上的误差可引起计算的误差。因此，预测出的胎儿体重结果需要医生根据孕妇的各种情况做综合分析，孕妇切不可因为一个预测值有偏差而焦虑。如果医生告诉你没有问题，你就要把心放下来。

胎位不正需要纠正吗？

孕22周+3天到医院检查，宫高18厘米，腹围83厘米，胎心140/分，说胎儿过小。17周+4天我的体重为42.5公斤，22周+3天体重为47.5公斤是否正常？胎儿臀位，双顶径5.7厘米，胎盘前壁，功能0级，羊水深度6厘米，股骨长径3.9厘米，是否提示胎儿过小？胎位不正需要纠正吗？腹部及腰背部瘙痒，有红疹，是否需要治疗？

单从宫高和腹围来判断胎儿发育是否落后有很大误差，从双顶径和股骨长径来判断胎儿发育是否落后还比较可靠，从测量的数值来看，不能算发育迟缓。孕妇体重比较轻，不知孕妇身高是多少，孕前体重是多少，如果比孕前增加过少，应看医生。目前不需要纠正胎位。皮肤问题需看医生，确定是妊娠红斑还是荨麻疹。

第3节 孕6月的准妈妈

151.孕6月准妈妈的变化

体重增长加速

体重增长加快，增加比较明显，从外观上看，变得丰满起来。看起来是个真正的孕妇了。体重每周可增350克左右。这时，妈妈开始要注意饮食结构了，既保证胎儿营养所需，也要避免孕妇过胖和胎儿过大，不吃只

胎龄评估误差表

孕龄周	BPD厘米	孕龄误差天	HC厘米	孕龄误差天	OFD厘米	孕龄误差天
21	5.22	3	18.6	12	6.3	10
22	5.45	4	19.6	13	6.7	10
23	5.80	3	20.9	14	7.2	11
24	6.05	4	22.2	14	7.6	12

引自张青萍主编《超声诊断学》。

提供热量但营养价值很低的食品，如含糖高的食品。

子宫底达脐上两指

子宫也进一步增大，可达脐上两指，使得下腹部看起来明显隆起。在别人看起来，孕妇活动不像以前灵活了，但孕妇本人却大多感觉不到自己有多大的变化，可能走得还会很快。如果孕妇自己并不觉得笨拙，尽可按照自己的意愿行事，过分的休养既不利于胎儿发育，也不利于顺利分娩。

爱出汗

怀孕后，基础代谢率增高约20%，这使得孕妇，尤其是中期以后，很少会感觉到冷，甚至比男士更耐寒。即使天气转冷了，有些孕妇还是穿得不厚。不过，也不要穿得过于单薄，孕期适当保暖还是必要的，只要不出汗就可以了。大多数孕妇在孕早期都有怕冷的感觉，到了孕中、晚期就开始怕热了。

乳房分泌液体

我爱人现已怀孕25周了，乳房会分泌一些液体，没有肿胀感，会有什么问题吗？

孕期乳房会发生一系列变化，妊娠最早几周感觉乳房发胀，有触痛感，妊娠8周后乳房明显增大，妊娠期间有大量多种的激素参与乳腺发育，为充分的泌乳作准备，但妊娠期并无乳汁分泌，于妊娠后期挤压乳房时可得到数滴稀薄的黄色液体。你爱人现在孕中期，一般情况下不会有乳汁样液体溢出。个别孕妇在孕中期挤压乳房时可见少量清液。要减少对乳房的刺激，孕检时可顺便看一下乳腺科，排除疾病的可能。

头晕

有的孕妇会感觉一阵阵的头晕，尤其是变换体位时，如果医生认为你没有什么问题，就不要烦恼和担心，试着这样做，或许能改善你的情况。

· 不要长时间站立；

· 不要长时间走路，尤其是逛街，你会在不知不觉中走很长的路；

· 当你坐着时，如果有人叫你，你千万不要突然起身，要慢慢地从坐位变成立位；

· 躺着时，如果你要起来，最好先趴过来（以膝盖和前臂支撑身体），然后再慢慢起来；

· 血糖低会使你头晕，如果你感觉头晕，吃点东西是否能够缓解头晕？能的话，就在三餐以外，加一两次点心；

· 天气热，气压低会使你感觉到头晕，你要尽量避开闷热的房间；

· 如果你感觉有些头晕，躺下来休息一下，如果不能缓解，或头晕很重，要与医生联系。

152.孕6月准妈妈需注意的问题

解除疑虑

当周围的人都知道你怀孕了的时候，你可能会听到来自四面八方的建议和忠告；你也可能通过杂志、书籍看到孕妇可能遇到的麻烦；你自己也会遇到许多问题。把你积攒的问题都在产检时向医生寻求解答，如果怕有遗漏，可事先把要问的问题记在一个小本上，逐一地咨询医生。

有习惯流产史的孕妇不宜做乳房护理

乳房进一步增大，在乳房的周围可能会出现一些小斑点，乳晕范围扩大，不要把它看成是不正常的表现。这时要开始注意乳房

准妈妈/潘晓敏
几乎每位孕妇都会自觉不自觉地把手放在腹部抚摸着胎宝宝，这样准妈妈最舒服，感到胎儿是安全的，因为胎儿被妈妈捧在手里。

的护理和保护了，如果有乳头凹陷，可以每天向外牵拉几次，但是，如果有腹部不适，甚至腹痛的感觉时，就不能再做了。每天用干净的湿毛巾轻轻擦洗乳头一次，以免溢出的少量乳液堵塞乳头上的乳腺管开口。擦的时候动作一定要轻柔，以免把乳头擦破，有习惯流产史的孕妇，做乳头护理时要注意，过分刺激乳头可能会引起子宫收缩。

预防早产

如果出现这些现象，你要想到早产的可能，一定要与你的医生取得联系。

·阴道分泌物改变，粉红色、褐色、血色或水样；

·小腹一阵阵的疼痛，或像痛经，或像拉肚子；或总有便意；

·腰骶部痛。

腹泻刺激子宫收缩

孕期腹泻对孕妇健康有很大的影响，腹泻使肠蠕动加快，甚至出现肠痉挛，这些改变会影响子宫，刺激子宫收缩导致流产、早产等不良后果。所以孕期预防腹泻是很重要的。

我是一名怀孕6个月的孕妇，自5个多月起时常腹泻，严重时大便呈水样。近来影响吃饭，不敢吃生冷食物和水果，饭后也常感腹部不适，常嗝气，大便淡黄稀软。期间我服过黄连素、多酶片、乳哌酸片，见效不大。用什么方法能尽快调理过来，我怕因为我进食不好，造成胎儿发育不良。

应该到医院做必要的检查。检查的项目有：大便常规、大便潜血、便中虫卵、大便培养、大便病毒检测，如巨细胞病毒包涵体等，根据临床症状、体征，结合化验室检查明确诊断。不要无根据地自行服用抗生素，以免菌群失调，反而使腹泻进一步加重。

腹泻会增加早产的机会，应积极控制。如果化验室检查正常，建议停止服用抗生素，可服用丽珠肠乐、整肠生或乳酶生等围生态制剂，稳定肠道内环境，遏制致病菌生长，还可服用维生素B1、健脾素。每天用热水

准妈妈潘晓敏

袋热敷腹部，不要吃生冷食品。

我怀孕6个月了，近来消化系统有点不正常，不是拉肚子就是便秘。我该如何调养？

调整孕期消化功能紊乱主要靠饮食调理，辅以对胎儿无影响的药物。建议你按如下方法调理。

每顿饭要定时、定质、定量；饮食搭配要合理，不能只吃高蛋白饮食，而忽视谷物的摄入，什么都吃是最好的；冷热食品要隔开食用，吃完热食品，不能马上就吃凉食品，冷热食品至少要间隔1小时；不要进食过于油腻、辛辣的食物和不易消化的食物；若你正在服补血药铁剂，建议隔日口服或每周服用3次，不要每日3次口服，以免影响食欲或出现腹泻。

你可仔细观察一下，在什么情况下、吃什么饮食出现腹泻或便秘？能否找到一些规律或引起腹泻或便秘的原因。如，是否与吃海产品或辛辣食品有关，是否与受凉有关等。还要排除疾病所致，要排除疾病需要看医生，做必要的检查。

第**4**节 孕6月实际问题解答

153.医学报告单带来的烦恼

胎龄相差2个月以上

我爱人是9月17号停经，12月20号左右开始反应的，呕吐不止。今年3月中旬去医院检查，医生说胎儿只有4个月半，就是说受孕是在去年11月。我爱人月经一直正常，就在怀孕前——9月份不正常，应该是8月23号来，但是推迟到9月17日。请问可能是什么时候怀孕的？

按照正常情况，你爱人的末次月经本应该是8月23日，却推迟到了9月17日，推迟了25天，那就不能排除下一个月经周期也会再次向后推迟，如果仍然推迟25天，下个月经来潮时间应该是11月11日，排卵期就可能是在10月底，甚至在11月初。以此估算胎龄，你爱人怀孕4个多月应该是很有可能的。建议下个月做B超，监测胎儿生长情况，如果下个月B超提示5个多月了，说明胎儿在宫内发育是正常的，就不需要再担心了。月经不准的情况下，就以B超评估胎龄了。

准妈妈潘晓敏

潘晓敏在看到了《婴儿卷》中婴儿图片和说明以后非常受启发，所以，从孕期开始连续拍摄并且记录下了她的孕期生活。她还想办法找到了我，把她的这些生动真实的图片提供给我。这本书有了一个比较完整的准妈妈孕期图片「纪录片」。

但也不排除另一种情况，就是受孕时间并没有推迟到10月低或11月初，而是在9月初，是由于胎儿发育迟缓而使B超结果与末次月经时间不符合。这需要动态观察胎儿的发育情况才能确定。

胎儿腹水，怀疑肾输尿管畸形

我生活在昆明。在孕5个多月时，按期接受了正常的孕检。可就是这次孕检让我陷入了万分苦恼，B超单上写着可疑胎儿腹水，怀疑可能有肾输尿管畸形。这突如其来的打击使得我们夫妇不知所措。

我帮她分析了B超结果，胎儿20周以后腹腔内的脏器大部分都可以看到，但在正常胎儿前腹壁与肝脏之间常可见一条很薄的暗区带，很容易被误认为是胎儿腹水。另外，产科医生所计算的孕龄是根据孕妇末次月经来潮的第一天开始算起，对于月经不是很准的孕妇来说，往往有一两周的误差，而B超所显示的是实际的胎龄。如果相差1周，在1周里，胎儿各脏器的变化是很大的。所以，B超结果需要动态观察。而且，B超是影像学，要靠B超医生的主观分析。基于以上几点，我劝告她不要着急，过1周再复查，结果一切正常。现在孩子已经3岁多，很健康。

B超未见胎儿口唇

我今年29岁，4月28日末次月经，在3月底4月初得过肺炎，住院1周，照过2次X线。上周B超显示胎儿唇未见。请问这是什么意思？

夫妇双方如果接触了X线照射，应该在接触的3个月后怀孕比较安全。卵子对X线照射的敏感程度比精子弱，你是在受孕之前接受的X线照射，相对来说，对胎儿不会造成确切的影响。

B超提示胎儿唇未见，应该有3种解释：一种是B超没有扫描到胎儿唇部，就如同没有看到是男胎还是女胎一样，不能就此说明孩子没有生殖器，只是因为胎儿所处的位置未能探察到而已；另一种是很清晰地探察到了胎儿唇部，但却未见正常的胎儿唇的影

准妈妈/潘晓敏
潘女士怀孕24周。

像，怀疑有兔唇；第三种，就是没有看清楚。所以，最好向给你做B超的医生询问，解释所报告的结果。你具有知情权。

双顶径值低

我妻子怀孕6个月，B超检查胎儿双顶径比正常值低。有何后果？是何原因引起？有何补救办法？

B超检查结果并不都是十分准确，而且由双顶径判定小儿头的大小也有一定的局限性，除非有明显的异常，否则没有多大的意义。只是双顶径值低不能说明什么，应结合胎儿的其他数值和医生的检查，如果有宫内发育迟缓，应积极治疗。

尿蛋白阳性

我妻子怀孕6个半月，现在发现尿液中有蛋白质、红细胞，尿道口有血迹，我们很担心。请问这是什么毛病？对胎儿有无影响？

除了尿常规化验异常外，有无尿频、尿急、尿痛、腰痛、排尿不畅、发热等症状？有无高血压、水肿等？你妻子目前的首要问题是要尽快明确诊断，是泌尿系感染？肾盂肾炎？肾结石？还是妊娠高血压综合征？仅根据你所提供的资料不能明确诊断，不同的疾病对胎儿的影响不同。

丈夫支原体阳性

我怀孕后，先生查出支原体阳性，每次检查我都会询问医生是否会对胎儿有不良影响，但都不能得到一个明确的答案，医生只说B超检查没有问题就没事了。

你先生支原体阳性，是做的什么检查？是血清抗体，还是咽试纸培养？还是生殖器分泌物检查？支原体阳性不是疾病名称，你先生患的是什么病？如果你先生患的是生殖器非淋菌性尿道炎（支原体感染），应该让他到医院治疗，你也要查一下分泌物，如果你没有感染解脲脲原体，在同房时戴上避孕套，以防交叉感染。

血色素93.7克/升是否需要吃补血药？

我现在怀孕21周，到医院检查，医院让我进行乙肝五项的检查，不知是否必要，如果现在检查出有问题，还能继续怀孕吗？另我检查血色素为93.7克/升，是否需要吃补血的药？

做乙肝检查是孕妇常规检查项目。查出有问题主要是阻断母婴传播，不会因某项阳性而终止妊娠。血色素低于100克/升应服用补血药。

154.孕期生活中的问题实例解答

隆胸术后能母乳喂养吗？

我已经怀孕6个月了，有个问题一直困扰着我，两年前我做过隆胸手术，放的是生理盐水包囊，当时也问过主刀医生将来会不会影响喂奶，说是没有问题。我现在还想向你确认一下，奶水不会变质吧？如果实在不行，我准备用牛奶。

隆胸术后是否会影响喂奶，是否影响奶水质量，没有见过这方面的报道。你放的是生理盐水包囊，从理论上讲应该没有什么影响，如果是正规医院做的手术，你就应该相信医生的话。乳汁是在乳腺管中，隆胸手术不会破坏乳腺管的，所以，乳汁分泌和乳汁质量都不应受到影响。母乳是婴儿最佳的食品，如果没有不能喂母乳的医学指征，应该母乳喂养。

孕妇不怕冷正常吗？

我的孩子是10月份出生的，北方的10月已经是秋风瑟瑟了，那时，我每天要骑2小时的单车往返4次上班，直到住院分娩那天，我还是穿着一件夏季的汗衫，因为我实在感觉不到冷。不单我是这样，我看

准妈妈潘晓敏

潘女士走进草丛中，感受草的芳香和簇拥，胎宝宝长大后也会像妈妈一样，热爱大自然。（潘女士怀孕22周）

到周围的孕妇也大多不怕冷。这正常吗？

孕妇到了孕中晚期，体重增加，代谢功能旺盛，血容量增加，血液循环速度加快，产热量增多。因此，孕妇常常感觉不到冷。

乘飞机

我孕5个月加17天，孕前曾服用过一次紧急避孕药毓婷；曾乘坐飞机一次。不知会有什么影响？

孕前服用短效避孕药，乘坐飞机对胎儿不会造成不良影响。

乳房下方痛？

孕6个多月。如果坐得时间长了，左侧乳房下方就会觉得酸痛（不戴胸罩也是这样），现在更严重了。站立时这种感觉就不是很明显，经过一夜睡眠后，基本上可以消失。是什么原因引起的？

若无其他情况，你所说的可能就是左侧肋胁疼痛，是由于增大的子宫使腹内压力增高，腹腔内脏被挤压所致。坐位时，这种情况加重，出现肋胁疼痛，类似"脾曲综合征"的表现，分娩后症状消失。坐位时尽量坐靠背椅，减少子宫对腹腔脏器的挤压。另外，建议看一下乳腺科，排除乳腺疾病。

是否改用其他药品？

怀孕6个月时发现外阴瘙痒，经检查为霉菌。医生建议用苏打粉和克霉唑栓剂治疗。但栓剂不能在一夜间完全溶化（500毫克1枚），第二天一早我不得不将剩余药品洗去。因怕伤害胎儿，故不敢将药品塞得过深，共用过2枚，发现药品磨破了阴道口的皮肤。我是不是不适合使用栓剂？是否可以等分娩后再治疗？不治疗对胎儿会有什么影响？不知我是怎么感染上霉菌的？

妊娠期，特别是孕中晚期雌激素水平很高，阴道分泌物增多，阴道内糖原的合成增加，这种高雌激素、高糖环境，加上妊娠本身的免疫抑制作用，有利于霉菌生长。霉菌性阴道炎应积极治疗，分娩前有霉菌性阴道炎，产后会使病情加重。你不是不适合使用栓剂，而是你使用不正确，你可让你丈夫帮助把药物放置在阴道内。分泌物化验霉菌阴性后可停药，但在分娩前还要复查，产后还要继续治疗。

阴部湿疹

孕前3年因出差用了招待所的盆，阴部受感染很痒。3年来多次做白带检查没有滴虫和霉菌，妇科医生开了些药膏都无效。到皮肤科检查，医生说是湿疹，开了恩肤霜，使用2、3次就没有症状了。

现在我怀孕6个月了，从第2个月开始阴部又痒了，医生让前3个月不要用药，第4个月时又查白带还是没有滴虫和霉菌，开了妇肤康药水、克霉唑软膏、雪莲药垫、丽泽洗剂（聚维酮碘溶液），我很犹豫。妇科的医生不懂皮肤科的病理，而皮肤科的医生又

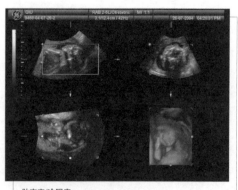

胎宝宝/冷明康
你可以在简单的提示下看懂B超吗？

不知道孕期的禁忌，我还能用恩肤霜吗，如果不治疗的话会不会对胎儿有影响？

阴部湿疹确实是很容易复发的。治疗湿疹的药膏多含激素成分，不宜长期使用。建议你使用成分单一的药膏，其副作用少，如肤轻松或肤炎净，作用可靠，成分清楚，短期症状缓解后马上停药，不是很痒就不要重复使用。阴部湿疹不易除根，孕期也不是彻底治疗的时候，等到分娩后再彻底治疗。要穿透气好的棉质内裤，宽松，不要用任何护垫。

盆骨痛

我妻子怀孕已经6个多月，自怀孕以来一直感觉到盆骨时有疼痛，不知是何原因？

妊娠中晚期，子宫逐渐增大，压迫骨盆，尤其耻骨联合部；压迫神经，影响血流，都可引起骨盆甚至下肢疼痛。不要站立时间过长，不要长时间逛街，也不能长时间保持同一坐姿，要多变换体位，适当多躺一些时间。您妻子是自怀孕以来一直感觉到盆骨疼痛，似与子宫增大没有关系，孕早期子宫还没有增大，为了慎重起见，还是看一看医生，及时发现异常情况。

豆荚中毒

上周我不慎豆荚类食物中毒，连续呕吐6-7小时，无腹泻。不知是该蔬菜没煮透还是菜上的农药所致，注射阿托品才止吐。请问上述病情和药品对胎儿有无影响？

吃豆类食物出现呕吐现象多是由于没有煮熟的缘故。扁豆中含有凝集素和溶血素，是有毒物质，遇高热后可被破坏。如果扁豆

这根漂亮的脐带就是胎宝宝与妈妈沟通的桥梁。引自 Elizabeth Fenwick著《新一代妈妈宝宝护理大全》。

类未煮熟，往往引起食物中毒。一般在食后1-5小时发病，先是恶心，继之多次呕吐。轻的不需治疗，大多数在24小时恢复健康。阿托品有缓解胃肠痉挛的作用。如果怀疑农药中毒，用阿托品解毒，用量是比较大的，用一两针不会有解毒作用。对人类，阿托品没有致畸作用。

拍足部X线片对胎儿安全性不放心

我太太怀孕24周，不慎扭伤脚踝。为了确诊是否骨折，不得不做了局部X射线透视。虽然透视时，用铅背心盖住了腹部，但我们依然心里惴惴不安。请问这样对胎儿有多大影响？

你们的心情是可以理解的。你太太透照的是脚踝，距离胎儿还有一定距离，不是直接照射胎儿。还有，已经是孕中期，胎儿各器官已经基本发育成熟，已不像孕早期那样脆弱。更重要的是，腹部穿了防X射线的铅马甲，已经采取了可靠的防护措施，尽可放心，不要再惴惴不安了。

过敏性鼻炎

孕24周。怀孕后一直很容易鼻塞，打喷嚏，流鼻涕，2周之前，由于天气变化，鼻塞很厉害，呼吸及吞咽都有困难，医生诊断为过敏性鼻炎，开了辛芩冲剂，我只吃了一包，听说中药也有副作用。我现在是否该继续吃药？

过敏性鼻炎本身不会影响胎儿，由其引起的流涕、喷嚏也不会影响胎儿，但若是合并一些病毒感染则有可能对胎儿造成影响。若不是感觉呼吸困难，也没有并发病毒和细菌感染，可暂时不用药物治疗，待分娩后再彻底治疗。因为抗过敏的药物大多是孕妇C类用药，对胎儿的安全性小。

感冒，出生后宝宝是否易患哮喘？

办公室里有好几位同事感冒，我被传染了。医生不主张用药，建议我服用板蓝根及姜汤，3天后发热鼻塞症状消失，但咳嗽持续2周。请问长时间的咳嗽对胎儿有不良影响吗？出生后的宝宝是否易患哮喘病？

感冒后久咳，应考虑有咽炎、气管炎或肺感染。建议请内科医生检查一下，可使用西瓜

霜含片、阿莫西林、甘草合剂或蜜炼川贝枇杷膏等。要勤饮水。长时间咳嗽，可增加腹压，增加早产的危险。妈妈孕期长期咳嗽不愈，不会预示未来的小宝宝易患哮喘。

使用复印机

咨询1：我现在怀孕7个月，听说孕妇不能使用复印机，会致畸，我非常担心。因工作关系，孕早期曾经常使用复印机，现在听说后很焦虑。

咨询2：我现在是孕23周+3，大概是在2周以前，单位新买了一台复印传真机，复印屏的光线是很强的绿色。因为工作的关系，我使用了几次，曾有两三次在机器前站立的时间较长（5-10分钟），不知这是否会对胎儿有影响？

使用复印机是否可增加胎儿畸形的发生率，就目前来说尚无权威性的定论，也缺乏大人群的对照研究。复印机可释放臭氧，但多在安全范围内，只要使用时室内通风，一

准妈妈/潘晓敏
准妈妈在清华大学"华语之桥"夏令营中给外国学生上民间剪纸课。

般不会对人体造成危害。有报道称，孕早期长期接触有辐射、铅污染、臭氧的环境会增加流产的机会。现在你已经怀孕7个月了，胎儿一切正常，没有发生流产、胎儿发育迟缓等问题，就说明对胎儿没有造成伤害。

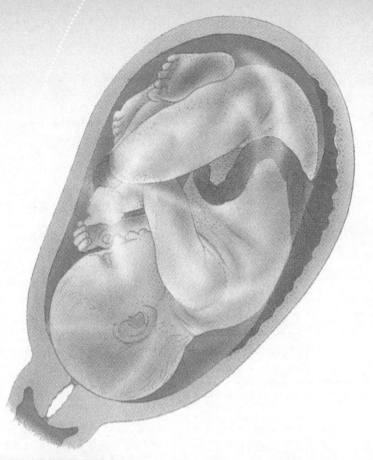

图片引自Elizabeth Fenwick著《新一代妈妈宝宝护理大全》

第八章

孕7月 （25-28周）

记录胎动、胎儿做梦、妊娠纹、进入围产期

我开始有表情了，我会张开嘴、皱眉头、眨眼睛、打哈欠、噘嘴唇、吸吮，还会做个"怪相"。我的活动能力特别强了，踢腿、挥胳膊、翻筋斗、游泳、伸懒腰样样行。——胎宝宝

第1节 7月胎儿自述
——我在妈妈的内心深处成长

155.我悄悄唤醒妈妈强烈的母爱

我在您的内心已经占据了重要的位置，无论做什么事，首先想的是我。尽管我还没有出生，还没有真正来到爸爸妈妈中间，但您们已经把我当成家庭成员。

在您的内心深处，一种强烈的母性意识已被我悄悄唤醒，没怀孕的时候，您时常感觉自己是个孩子，在丈夫面前，你常常有幼稚的表现。怀孕初期，当您还没有感受到我的存在时，只把注意力放在您自己的变化上。随着我的成长，我们母子之间有了交流，您的感受完全变了。每当我踢一下您的腹壁，您就会情不自禁地和我对话。当我在您肚子里翻筋斗的时候，您会疼爱地用您的大手抱住肚子，生怕我磕着。

我可真的长大了，已经和刚刚出生的新生儿很接近。这是我一丝不苟地自我完善的结果。我的指甲全部出现（不好意思，趾甲还没有完工），眉毛和睫毛形成。以前我一直是闭着眼睛埋头苦干，从现在开始我已经能把眼睑部分打开，因为外面的世界对我来说还不那么重要，但是我也需要提前有所关注，所以我是半睁半闭看世界。我现在的皮下脂肪很薄，所以，皮肤皱褶很多，而且我很瘦很长，恨不得像螳螂一样，是个"小老头"。爸爸妈妈不用着急，还有10多周的时间，到那时，我就是个超级漂亮的宝宝了。

156.全力增长体力，为出生做最基本的准备

爸爸妈妈，从现在起，我将把主要的精力都用在长体力上，我的肌肉、脂肪、骨骼都将迅速增长。我的大脑仍然和以前一样不断增长，功能不断完善，我的肺脏也开始发育了。已经能够呼吸，尽管还很不规律，吸入的也不是气体，而是羊水，但这对我来说是非常重要的，因为如果我现在不开始练习呼吸，当我离开妈妈的子宫后，就不能建立自己的呼吸系统。呼吸系统是我最后完成的系统，现在我还不能离开妈妈自己呼吸。所以，如果我没有长满孕28周就不幸早产，那么医学上还没有通过抢救使我成活的先例。

随着现代医学技术的进步，在一些发达国家，以及我国的高端医疗机构，已能成功地抢救妊娠20周早产的婴儿。但这样的例子并不多，机会也是非常有限的。

睡梦中的我甜甜的

我真想让妈妈看看我的表情，我的脸部也长了肌肉和脂肪，所以，我开始有表情了，我会张开嘴、皱眉头、眨眼睛、打呵欠、噘嘴唇、吸吮，还会做个"怪相"。我的活动能力特别强了，踢腿、挥胳膊、翻筋斗、游泳、伸懒腰样样行。我睡觉的时候，总是抱着小腿小手，把自己蜷缩起来，安静地睡着。当我醒来的时候，我就开始尽情地运动了。妈妈的体会最深，因为常常赶上妈妈休息，可我却刚好要做运动。慢慢我会逐渐和妈妈的作息时间一致的。我现在开始长骨头肌肉，需要妈妈多吃含钙、铁的食物。如果爸爸妈妈要对我进行胎教，可不要不分时候，打扰我的好梦。对了，我还没告诉爸爸妈妈，我已经会做梦了。我可不像大人常常做噩梦，我做的可都是香甜的梦。睡觉对我来说是非常重要的，我几乎24小时都在睡觉，为的是长自己的身体，我生长的任务太重了。所以，爸爸妈妈不要拿一些时髦的东西来教育我，我要休息生长，这对我来说比什么都重要，如果我的身体没有发育好，出生后，我怎么能生活和学习啊。爸爸妈妈不要急，揠苗助长对我的发育非常有害，以后的时间长着呢。

大脑结构几乎接近爸爸妈妈了

在这短短的4周里，我的脑沟脑回逐渐增多，脑皮质面积逐渐增大，几乎接近成人脑。但爸爸妈妈要知道，在接下来的时日里，我神经系统的发育仍在继续，直到出生也没有停滞。从外观看，我几乎有了新生婴儿的模样，五官已经很对称了，眼耳鼻嘴样样齐全，不仅耳朵复杂的外形惟妙惟肖，我的听觉已经发育很好了。醒着和睡着有一定的规律性了。细心的妈妈可以感觉到我是在安静地睡眠，还是醒着玩耍。如果早晨起来，爸爸拍着巴掌，叫我起床了，我会活跃地舞动起来。我对爸爸妈妈的触摸也有感觉了，如果妈妈用手触摸腹部，我会伸伸小手、踢踢腿和妈妈交流。

 您的胎宝宝写于孕7月

第2节 7月胎儿生长发育

157.孕7月胎儿生长发育逐周看

胎儿25周时

胎儿大脑在继续发育着。脑沟回明显增多。大脑皮质面积逐渐增加。胎儿的运动能力不断增强，开始会挥舞肢体。对外界刺激敏感了。胎儿可以通过吸吮羊水吸收水分。羊水可随着呼吸进出呼吸道。胎儿骨骼不断发育变硬，骨关节开始发育。

胎儿26周时

胎儿身体各部分比例相称。妈妈可以根据胎动来判断胎儿在宫内的活动情况。妈妈的子宫对于胎儿来说还是很大的，可以在里面翻来滚去的，所以，现在如果是臀位不要紧，明天，甚至一会儿胎儿自己就又变成头位了。

胎儿27周时

胎儿继续快速发育。除了消瘦外，从外观上看与足月儿已经没有太大区别了。胎儿皮肤比较红，毳毛明显，皮下脂肪仍然比较薄。皮肤有很多皱褶，胎儿脑在继续发育，已经具有了和成人一样的脑沟和脑回，但神经系统的发育还远远不够。到耳朵的神经网已经完成，胎儿已经正式开始练习呼吸动作。胎儿的视网膜还没有完全形成，所以在此时出生可患早产儿视网膜症。

胎儿28周时

皮下脂肪进一步增多。尽管此时肺发育还不够成熟，一旦早产通常需要呼吸器辅助呼吸，维持早产儿的生命。胎儿开始会做梦了，眼睛可以自由睁开、闭合，睡着和醒着间隔变得有规律了。

158.孕7月胎儿的外形是怎样的

胎儿身长达35～38厘米，体重达1000克左右，脸和身体呈现出新生儿出生时的外貌。因为皮下脂肪薄，皮肤皱褶比较多，面貌如同老人。头发已经长出5毫米，全身被毳毛覆盖。眼睛已经会睁开了。已经有吸吮能力，但吸吮的力量还很弱。

159.开始正规记录胎动

从第28周开始要正规地记录每天的胎动了。这给今后监护胎儿的正常发育带来很多便利。经过一段时间，你会逐渐熟悉你腹中胎儿大体上的胎动规律和特征，这是很重要的，因为每个胎儿胎动的频率、强弱、发生的时辰、持续时间、间隔时间、一次胎动的时间等都不尽相同，有时还存在比较大的个体差异。所以，你不但要认真记录，还要仔细体会，找出规律和特征。

胎动记数方法

每天早、中、晚饭前或饭后，最好选择固定的时间，在大致相同的情形下记数胎动。每次记录1小时，在这1小时里，不一定要躺着或稳稳地坐着，只要能感觉到胎动，可以在室内走动、聊天。但也要避免因注意力不集中漏数胎动。把3次记数的数值相加，再乘4，就代表12小时的胎动数。

结果判断

● 如果1小时内胎动数小于3次，就要注意了，可轻轻刺激一下，再接着记数1小时。如果仍然小

这对准父母非常幽默，正在比谁的肚子大呢。可惜这位准妈妈在邮件中没有写上姓名，我也一直没有联系到她，请这位妈妈看到本书后和我联系。

于3次，就要向医生咨询或直接去看医生。

● 如果计算出相当于12小时的胎动数小于30次，应引起注意，要继续观察。如果小于20次，就要向医生询问。

● 如果今天的胎动数和以前相比，减少了30%以上，也应视为异常。要及时与医生取得联系。

● 连续记数2小时的胎动，如果少于10次，也需要向医生咨询。

胎儿踢一脚为一次胎动吗？

一次胎动是什么概念？胎儿踢一脚就为一次吗？

一次胎动是指胎儿一次连续的动作，而不是踢一脚或打一拳就算一次胎动。

一次胎动记数不能反映胎儿的总体运动情况

有的胎儿可以很长时间处于安静状态，或运动幅度很小，孕妇不能清晰地感觉到胎动，所以，一次胎动记数不能反映胎儿的总体运动情况。但胎动仍是孕妇对胎儿进行监测的可靠指标，可在早期发现胎儿的异常情况。如果医生认为胎动或胎心不好，会建议你做胎儿电子监护。

什么是胎儿电子监护？

胎动是母体感觉到的最早的胎儿活动，也是产科医生用来观察胎儿是否良好的重要指标。伴随胎动所发生的胎心率加速是胎儿健康的表现，胎儿电子监护仪就是监护胎心率的变化，来评估胎儿在子宫内的情况。

当孕妇感到胎动时，按动一下按钮，监护仪记录子宫收缩的频率、强度和胎心率。通过对胎儿电子监护仪描记出来的图纸，分析和判断胎儿的情况。

脐绕颈是否与活动频繁有关？

从上星期六开始，我觉得宝宝胎动不如以前厉害，从昨晚到现在几乎没动，我抚摸他，他才略动，我很担心，所以提前去做检查。结果胎心听起来不清楚，有脐绕颈，大夫说没事，胎心听不清楚是和孩子的位置有关。那为什么胎动明显减少了呢？脐带绕颈怎么办，是不是因为我活动太频繁了？

正常胎动次数为每天30～40次，胎动减少表示有缺氧可能，你不放心可以做胎儿监护。妊娠24周后胎心与胎儿在子宫内的位置有关，但胎心率应该是正常的，不知胎心率如何。脐绕颈与你频繁活动没有关系。

160.记录胎心

不但丈夫和家人可以用听诊器听胎心，孕妇自己也可以使用听诊器听胎心。进入孕7月以后，记录每天所听胎心的节律、次数、强弱，可以了解胎儿的发育情况，也是孕妇对胎儿做自我监测的一项指标。胎儿在运动状态下，胎心率会增快，胎儿安静睡眠状态下，胎心率会减少。一般情况下波动在120～160次/分。有的孕妇和家人并不是每次都能把听诊器放在准确的位置。可能远离胎儿心脏，胎心音听起来比较弱，有时干脆就找不到胎心跳动的地方，胎心很弱时，就难以准确地听到胎心，加上孕妇腹部本身血管搏动音或肠鸣音，就更不易听到了，会引起孕妇和家人的不安。遇到这种情况，先不要着急，让孕妇起来活动活动，变换一下体位，过一会再仔细听。从腹部左下逐渐向上、向右慢慢移动听诊器，直到右下腹，再移动到腹部正中，会找到胎心搏动最明显的位置。

161.胎儿发育询问实例解答

胎儿肾积水是怎么回事？

我爱人怀孕7个多月了，前阶段做B超检查，发现胎儿肾脏有积液，第一次B超结果：右肾：1.4厘米×1.3厘米，左肾：1.7厘米×0.6厘米，胎儿双顶径7.1厘米，股骨长5.2厘米，羊水暗区6.0厘米，胎心好；第二次B超结果：右肾：2.0厘米×0.8厘米，左肾：1.8厘米×0.6厘米，胎儿双顶径7.3厘米，股骨长5.5厘米，羊水暗区6.5厘米。是怎么回事呢？

胎儿肾积水常由于输尿管狭窄等先天畸形所致。但B超也会出现假阳性结果，应加以鉴别。建议你过段时间再请有经验的专家会诊，或到上级医院复查。你给的B超结果没有说明确切妊娠周数，无法判断数值是否在正常范围。

胎儿股骨长是畸形吗？

我在怀孕26周时，做了B超，发现胎儿双径顶为6.3厘米，股骨长为5.4厘米，按胎儿发育的正常值来说，股骨不应这么长，是否会是畸形？

B超测量胎儿的各种径项值，并不能个个保证百分之百的准确，会受到一些因素影响，如B超显示的清晰度、B超医生扫描的熟练程度等。只凭一次B超结果，也不能判断，应做动态观察，至少要两次以上，最好不是同一个医生做的。从你以上的B超结果分析，不能说明胎儿有畸形。

羊水多是好还是坏？

现27周，医生说我羊水多，胎位不清，要我再做B超确定胎位和胎儿的发育情况，羊水多是好还是不好？

羊水多和羊水少都是不正常的，但B超检查羊水的多少也会有一定误差，如果羊水明显增多，可作为异常指标，结合其他检查，排除胎儿是否有消化道或神经管发育畸形。

B超未见胎儿手指是畸形吗？

去医院检查，做B超的医生说没看到胎儿的手指头，可能是羊水挡住了。我很害怕，请问胎儿没有手指头的概率是多少？我在9周、14周B超检查正常，但我不知道14周时是否能看到胎儿的手指，或医生是否检查胎儿的手指了。我在怀孕3～4周感冒，吃了几片中强联效片和两包999感冒充剂。怀孕50天时阴道少量流血，在医生的指导下服药10天完全止血。这会导致胎儿畸形吗？

在胎儿畸形中，缺指或短指畸形发生率非常低，9周和14周时B超均未见异常，而且B超医生认为是羊水遮挡了手指，而没有确定就是缺指或短指。你就放心吧，过一段时间再复查一次。

胎头大是否预示脑积水？

孕11周零4天和孕26周零4天两次B超结果胎头显示偏大。我在孕5周末扁桃体发炎，服用3天青霉素V钾。查病毒排除风疹、巨细胞等病毒感染。孕10周又感冒，头疼，低热3天，服用中药。请问胎儿是否有脑积水的可能？做彩超是否更为准确？

彩超主要是在需要观察血流时意义比较大，如脐带和心脏超声。做三维超声比做二维超声更清晰。

两次BPD都略大于同胎龄儿的平均值。胎儿是否有脑积水不能仅凭BPD确定，还应该做侧脑室宽度，脉络丛与侧脑室壁是否有积水暗区、头围等指标。孕30周常规做孕检时再测定胎头的双顶径、头围、腹围及胎儿股骨的长度，判断胎儿的生长发育情况。实际测量的某一胎儿数值，若低于第10百分位，或高于第90百分位，就是明显不正常了。

胎儿小需要补什么？

我爱人怀孕7个月，医生检查说胎儿很小，像4、5个月的。上个星期开的驴胶补血冲剂，这个星期检查又说要输营养液。需要补些什么？

怀孕7个月，医生认为只有4、5个月大小，是医生通过检查宫底高度，还是B超估算的？如果只是医生检查后这样认为，你应该再做B超评估一下胎龄。确定胎儿到底有多大了是很关键的。如果胎儿大小与实际胎龄不符，首先应该考虑是胎儿宫内发育迟缓（IUGR）。静脉营养是治疗胎儿宫内发育迟缓的方法之一，还要定期吸氧。要寻找引起IUGR的原因。

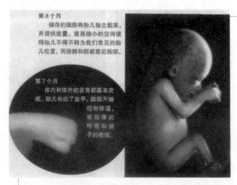

第8个月
健存的腹肌将胎儿独立起来，并提供能量。逐渐缩小的空间使得胎儿不得不转为我们常见的胎儿位置，而胳膊和腿都紧靠胸部。

第7个月
体内和体外的发育都基本完成。胎儿长出了脚甲，脑瓣开始控制体温，有规律的呼吸和摆子的收缩。

孕7个月的胎宝宝。胎儿的面部和身体覆盖着胎脂，能够保持皮肤的水分，听力发育良好，眼睑可以自由闭合张开。在电镜图下可以看到5个清晰的脚趾。图片引自国际在线网http://gb.cri.cn。

162.孕7月准妈妈的变化

妊娠纹

妊娠纹出现的时间因人而异，大多数孕妇于妊娠晚期出现妊娠纹。很多女性都知道怀孕时会有妊娠纹的可能。各种防止妊娠纹的按摩霜、按摩乳、防护霜使得女士们提早知道了妊娠纹。也有一些女士咨询防止妊娠纹的这些霜剂对胎儿是否安全？是否真的能防止妊娠纹的产生？

妊娠纹的产生，主要是由于皮肤过度扩张，使得弹力纤维断裂。如果你的皮肤弹性足够好，能抵抗皮肤张力的增大，不发生弹力纤维断裂，或你的皮肤没有过度扩张，使得皮肤没有到弹力纤维断裂的程度就不会产生妊娠纹。按摩霜或许能使你的皮肤更具弹性，但并不能保证弹力纤维不被逐渐增大的皮肤张力撑断。其实，妊娠纹并不那么可怕，新的妊娠纹发红发紫，产后颜色慢慢就变浅了，况且，并不是所有的孕妇都有妊娠纹，只有一半的孕妇会产生妊娠纹。

使用除妊娠纹霜

我从杂志上得知，妊娠纹一旦出现后，就难以消失，预防比治疗更有效。我现停经第22周，在两三个星期前我开始使用除纹按摩霜，上星期到医院体检一切正常。孕期使用除妊娠纹霜会对胎儿产生不良影响吗？

未见过除妊娠纹霜对胎儿产生不良影响的资料报道。

可能出现水肿

随着子宫的增大，肚子越来越大，身体重心移到了腹部下方，可能会出现腰酸腰痛、腿时常发麻、坐下起来不灵活、由于水钠潴留而使手脚和周身有些发胀等状况。从外观上看有些臃肿。到了傍晚或晚上用手压脚踝时，可能会出现指压痕或明显的凹陷。这是由于增大的子宫压迫了下腔静脉，使血液回流受阻所致，属孕中晚期正常现象。但如果水肿比较明显，整个小腿或眼睑、手等都有明显的水肿，则有发生妊娠高血压综合征的可能，要看医生。为了缓解水肿和下肢静脉曲张，应尽量把腿抬高，比如坐在沙发上看电视或休息时，把腿放在沙发墩上。手和胳膊也尽量放在高处。这样可减轻水肿程度。

在整个孕期一点都没有水肿的孕妇并不是很多，有的水肿很难被发现。妊娠水肿主要是水钠潴留造成的，傍晚比较明显。既然是水钠潴留引起浮肿，那就少喝水吧？不对，多喝水反而会减轻水钠潴留。

身体笨拙

有的孕妇直到临产都觉得很灵活，可有的孕妇到了孕后期就感觉到很笨拙了，坐着起来困难，躺着起来时需要丈夫帮忙，就连上卫生间都感觉费劲。每个孕妇在孕期的表现和感觉都不一样，感觉笨拙也不能证明什么，感觉还很灵活，也不能像没怀孕前想干什么就干什么，到了孕后期要注意安全。

洗澡时一定要防止滑倒，随着腹部增大，你的重心发生改变，洗澡间的地板比较滑，加上你穿着不跟脚的拖鞋，如果不注意就容易摔倒，尽管胎儿有羊水保护，也有导致早产的危险。

最好不穿拖鞋，尽管拖鞋很方便，但却存在不安全因素。无论你是否感觉笨拙，都不要登高，记住：站立时，不要让你的任何一只脚离开地板，这是最保险的。由于重心的改变，你很容易被脚下的障碍绊倒，即使是一根小树枝、一块小石子也要避开，所以，不要在光线不好的晚上逛街散步。

现在的你得到帮助是很正常的，你不要羞于启齿，勉强做你难以胜任的事情，安全是第一的，纵使胎儿没有那么娇嫩，你没有那样娇气，防患于未然总是好的。因为，预防早产仍是很重要的，如果胎儿这时出生，存活的希望非常渺茫。

163.孕7月准妈妈应注意的问题

继续补充铁和钙

随着胎儿的长大，妈妈需要摄入比平时高出1倍还要多的铁。钙的需要量也相应增加。不要忽视食物中铁和钙的摄入，因为食物中的铁和钙吸收利用率都比较高，当然仅仅通过食物补充已经不能满足胎儿和孕妇的需要了，为你做定期检查的医生会给你推荐补充铁和钙的营养药物。

无需担心身材变化

刚刚知道怀孕的消息时，似乎有些害怕体重的增长，那是因为你一时接受不了怀孕带给你的变化——眼睑肿、腰变粗、小腹凸起、臀部脂肪增多。现在你不再害怕体重的增长，如果产检时，体重较上一次增加不明显，你还会担心，是否胎儿没有生长？回到家里，你可能会重新制定饮食计划——为了孩子尽量多吃。如果医生没有对你的体重和饮食提出要求，你就不要过多摄入食物，以免造成你和胎儿都额外增加体重。

孕27周体重无增长对胎儿有影响吗？

我现在差1天孕27周。体重从24周到现在没有任何增加，腹围也只略微增加1寸。而在3、4个月的时候，体重增加非常明显，约10斤。这样体重增加忽多忽少，对孩子有影响吗？

体重没有增加，并不能够证明孩子没有生长发育，所以，要检查胎儿是否在正常地生长发育。如果胎儿发育正常，可能是孕妇本人瘦了，孕妇本人瘦的原因需要寻找，是吃得少了，还是有何疾病？如果是胎儿发育异常，如胎儿宫内发育迟缓，就要积极治疗。

舒服的孕7月

妈妈怀孕进入第7个月，胎儿各器官系统的结构和功能已经基本发育完善。对外界

准妈妈/潘晓敏

潘女士非常重视胎儿发育，从怀孕那天起就全方位关注胎儿的健康，每天都要进行日光浴，用最自然的方法防止缺钙。

有害因素刺激不那么敏感了，发生先天畸形的机会大大降低。妈妈的妊娠反应也消失了，腹部还不是很大，活动也还灵活，胃部也没有因为宫底的增高受挤，膈肌上抬也不是很明显，呼吸并不显得费力。可以说，这个月是妈妈比较舒适的。妈妈可要利用这一好时机，吃好，睡好，多做户外运动，为以后分娩塑造健康的体质。胎儿各器官功能相继建立，也是胎教的好时机。发生流产的机会也少了，性生活安全了许多，夫妻感情会得到进一步加深。

妈妈的腹部显得非常突出了，让人一眼看上去就会想到你是个孕妇，走在街上，乘坐汽车，到公园等公共场所，都会有人给你让座或避让。你就尽情地接受别人的这份关爱吧。你不要为你现在的变化而不安，更不要难为情。在人们的眼里，孕妇是美丽的，你所孕育的新生命，不但是你的子女，也是人类生命的延续。

164.关于腹带使用问题

孕24-36周时，腹围每周大约增长0.84厘米。

要不要使用腹带

有的孕妇问是否可以在孕期使用腹带。没有医学指征不可以使用腹带。过松的腹带起不到托腹的效果；过紧的腹带会影响胎儿

的发育。所以，要在医生建议下，认为你需要使用腹带时，你再使用。

<u>需使用腹带的情况</u>

● 悬垂腹：腹壁很松弛，以致形成了悬垂腹，增大的腹部就像一个大西瓜垂在腹部下方，几乎压住了耻骨联合。这时应该使用腹带，目的是兜住下垂的大肚子，减轻对耻骨的压迫，纠正悬垂腹的程度。

● 腹壁发木、发紫：腹壁被增大的子宫撑得很薄。腹壁静脉显露，皮肤发花，颜色发紫，孕妇感到腹壁发痒，发木，用手触摸都感觉不到是在摸自己的皮肤，用腹带保护腹壁。

● 双胞胎孕妇。

● 胎儿过大。

● 经产妇腹壁肌肉松弛。

● 有严重的腰背痛。

● 纠正胎位不正。

我的建议

在医生指导下使用腹带。第一次使用时，一定要让医生指导，丈夫或家人在旁边学习，学会后再回家使用。腹带的松紧要随子宫的增大而不断变化。

第4节 准妈妈进入围产期

165.儿科医生也开始管理你的胎宝宝了

到了孕28周，你就进入"围产期"了。从这个时候起，胎儿不再只属于产科医生管理，儿科医生也开始管理胎儿了，你的宝宝又多了一层保护。运用高超现代医学技术和护理手段，满7个月的胎儿早产，在产、儿科医生配合下，经过良好的护理已经能够存活。这是目前我国能够达到的早产儿成活的极限月龄。哪个妈妈都不希望宝宝早产，越小的早产儿越是需要经验丰富的专家、昂贵的监护设备、及时的抢救措施，也越容易发生各种早产儿疾病和夭折。毕竟胎儿和妈妈还没

有进入孕晚期，胎儿的身体发育只是初具规模，还有大量收尾工作没有做。按计划，还有3个月的最后工作没有完成。所以，这个月预防早产仍是很关键的。

国际上对围产期的划分有4种：

（1）从妊娠第28周至产后1周；

（2）从妊娠第28周至产后4周；

（3）从妊娠第20周至产后4周；

（4）从胚胎第1周至产后1周。

我国采取第二种划分法，即从妊娠第28周至产后4周定为围产期。近10年来，围产医学发展非常迅速。其中围产保健内容就包括了受孕、胚胎发育、胎儿生理与病理、孕产妇心理准备和各种疾病的诊断防治，以及新生儿疾病等。涉及胚胎学、遗传学、生殖医学、产科学、社会心理学、新生儿学等多学科。围产期保健的宗旨是儿童优先，母亲安全。目的是降低孕产妇、胎儿、新生儿死亡率和后遗症的发生率。

166.孕7月准妈妈咨询实例解答

是胎盘老化吗？

孕7个月，最近发现我的胎盘成熟偏早，老化，但是还没有钙化，胎盘的厚度为3.3厘米，位置在宫底部，羊水也偏少，这需要住院吗？

胎盘老化，羊水过少，都会影响胎儿，造

模特/任艺

看看婴幼儿用品书籍，为宝宝再选些用品，这是准妈妈最喜欢做的事情。把下肢抬高，有利于下肢的血液循环，避免足踝部浮肿。

成胎儿缺血缺氧，应该看医生查明原因，积极治疗。胎盘的位置也不太好。是否住院治疗，听从医生建议。

孕7月入盆会发生早产吗？

我的妻子怀孕7个月了，前两天检查时医生说胎儿已经入骨盆，请问这正常吗？是不是要早产？

一般情况下胎儿先露部大约在临产前1~2周下降入骨盆。这时孕妇大多感到腹部变得轻松，食欲增加，呼吸较前通畅，但可出现尿频、下腹坠胀、腰酸等症。是否要早产，还是要看产科医生，经过产科医生检查做出结论。

出现宫缩是什么原因？

我已怀孕28周零2天，最近感觉肚子出现硬块，约1分钟后消失，较频繁，去医院检查，医生说是宫缩现象，开了多力妈，请问这种药应服用多长时间？对胎儿有影响吗？我每天胎动较频繁，一般在60~90次，做了彩超，医生说腿有点短，请问是什么原因？

怀孕28周出现比较明显和频繁的宫缩现象，应该高度警惕早产的可能，多力妈对胎儿没有不良影响。你说的一天是指24小时还是12小时？如果是24小时，胎动不算频繁。股骨长径略小，不能就证明孩子腿短，股骨径也有一定的正常范围，不可能所有的胎儿到了28周都是一样长，相差不是很大就没有什么意义。如果现在就有宫缩，胎动也频繁，应该住院治疗，排除胎儿缺血缺氧情形，可做胎儿监护。

孕7月阴道出血3天

我妻子已怀孕7个月，未见异常。7月9日到今天11日连续几天早上她都有觉阴道有少量出血，颜色逐渐由红变暗。我们去医院检查了两次，但医生说未发现问题，我们很着急。

孕期阴道出血，一定要十分重视。你妻子处于孕中期，阴道出血可能的原因有早产、胎盘早剥、前置胎盘等。宫颈糜烂也可出现阴道出血，但大多数见于接触性出血，如同房后出血。你已经看了产科医生，并做了相应的检查，医生认为没有什么问题。但是，孕中期阴道出血，总不能认为是正常现象。你最

好到上一级医院看看，或看产科专家门诊，不可大意。不要同房，多休息，密切观察出血情况，必要时可留院观察。

有血窦意味着什么？

我怀孕7个半月，做B超检查，显示有血窦，请问，血窦是什么东西？对健康有什么影响？

胎盘内，尤其是靠近母体面附近，常见宽约0.5~2厘米的无回声区，代表血窦（内无绒毛）。血窦对健康没有影响。

尿呈橙红色是正常现象吗？

我现在怀孕26周，近来不知为什么，清晨上卫生间，发现小便呈橙红色，而且有气味。白天我喝水比较多，晚上少，临睡前再喝杯奶。平时我并没其他不良感觉，请问这与怀孕有什么关系吗？是正常现象吗？

你应该化验一下尿常规，了解尿液是否有异常，如果一切正常，可能是尿液过于浓缩，要多喝水。

喝很多茶水对胎儿有刺激吗？

我妻子已怀孕近7个月，她每天都喝很多茶水，请问这会对胎儿有刺激吗？

孕期喝咖啡、茶之类含兴奋成分的饮料，不利于胎儿的安定，亦可导致胎儿铁元素缺乏。这是因为茶叶中含有一种能成瘾的刺激性物质，即咖啡因。这种物质能使孕妇神经系统兴奋、心跳加快、血压升高，导致孕妇不能很好地休息和睡眠，造成情绪紧张。咖啡因还可通过胎盘作用于胎儿。另外，茶叶中所含的咖啡碱可以破坏维生素B1，增加孕妇脚气病的发生率，影响胎儿发育。茶叶中的鞣酸可影响铁的吸收，引起缺铁性贫血。孕妇发生贫血，不但对孕妇自身有害，还可直接影响胎儿的生长发育。由于母铁不足，导致胎儿铁储备不足，出生后发生缺铁性贫血的机会增大。孕妇最好不要每天饮用茶水，尤其是比较浓的茶水。如果非常想喝的话，可在早、中餐之间喝少许淡茶水。

孕期能补锌吗？

我听说常补锌会使小孩很聪明，请问孕期能补锌吗？

锌是微量元素，孕期或婴幼儿缺锌，可导致胎儿或婴幼儿发育落后，严重缺锌可影响孩子的智力发育。因此，如果孕妇或婴幼儿缺锌要及时补充。但不能就此认为补锌可以使孩子变得聪明，补锌过量对孕妇和孩子同样有害。孕妇是否需要补锌应由医生决定。

腿抽筋、乳房痛

我怀孕7个月了，现在晚上睡觉有时腿会抽筋，一个乳房有时会一阵一阵地痛，很厉害。有时一碰就痛，有时不碰也会痛。请问以上现象是什么原因？

孕妇腿抽筋常见的原因是血钙低，可通过补钙纠正；另外，由于子宫增大，压迫神经血管，也会引起腿抽筋；疲劳（如白天走路多了），或者一个姿势呆久了，也会出现这种情况。孕晚期有时会因乳房增大而发生疼痛，但要排除乳腺异常增生、乳腺炎症或乳腺管堵塞，要看医生，检查乳腺局部情况。

是缺乏什么元素吗？

我现在怀孕27周，吃水果时，吃甜的就会感到甜得嗓子发腻，吃酸的就会感到酸得胃不舒服，这是正常现象吗？近来晚上休息一夜后，双腿会出一层细汗，量不大，上身却一点没有，白天小便次数也增多。请问这是什么原因呢？是不是我身体里缺少什么元素？

不能就此认为你身体缺少什么元素，孕晚期会再次出现胃部不适，是因为子宫底增高，挤压胃部所致。仅仅是腿上出汗是否与你下半身盖得比较厚有关，如有感觉异常，比如麻木、酸痛等症状，要及时看医生。怀孕后子宫增大，挤压膀胱，使膀胱容量减小，排尿次数增多。这是正常现象。

带状疱疹病毒对胎儿有影响吗？

我在孕25周时得了带状疱疹，近1周通过注射青霉素、外用激光照射，病症已大有缓解，请问该病毒对胎儿有影响吗？

带状疱疹大多是幼时患过水痘，水痘-带状疱疹病毒潜伏在神经节，成人后病毒被再次激活，引起带状疱疹。在妊娠4个月内感染对胎儿有不良影响，妊娠晚期感染可引起新生儿感染。带状疱疹是病毒感染，不知为什么用青霉素？你采用的是什么激光照射？对胎儿的安全性是否有充分的考虑？建议向你就诊医院的医生详细咨询。

不同孕龄（周）胎儿标准体重(g)

孕龄	平均体重	标准差	第3	5	10	50	90	95	97百分位
28	1389	302	923	931	972	1325	1799	1957	2071
29	1475	331	963	989	1057	1453	2034	2198	2329
30	1715	400	1044	1086	1175	1605	2255	2423	2563
31	1943	512	1158	1215	1321	1775	2464	2632	2775
32	1970	438	1299	1369	1488	1957	2660	2825	2968
33	2133	434	1461	1541	1670	2147	2843	3004	3142
34	2363	449	1635	1724	1860	2340	3013	3168	3299
35	2560	414	1815	1911	2051	2530	3169	3319	3442
36	2708	401	1995	2095	2238	2712	3312	3458	3572
37	2922	368	2166	2269	2413	2882	3442	3584	3690
38	3086	376	2322	2472	2569	3034	3558	3699	3798
39	3197	371	2457	2560	2701	3162	3660	3803	3899
40	3277	392	2562	2663	2802	3263	3749	3897	3993

按胎儿出生时的标准体重为3277g计算，当体重相关指数小于或等于0.763时，则提示胎儿足月分娩时体重可能低于2500g；如果体重相关指数大于或等于1.221时，则提示胎儿足月分娩时其体重可能大于4000g。

引自程志厚等主编《胎儿电子监护学》。

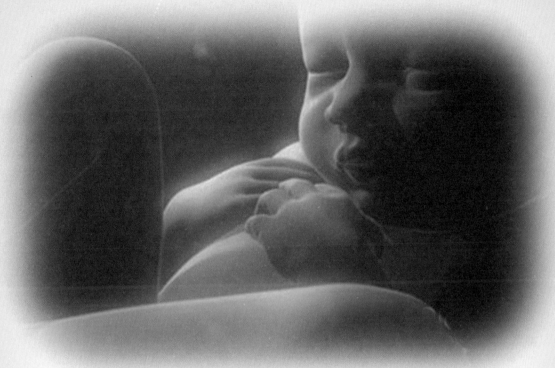

第九章

孕8月 （29-32周）

进入孕晚期、外生殖器形成、肺在成熟、胎位

我已经能感觉每天早上太阳升起，知道把头转向光源或者用我的小手去摸。不用说，我的趾甲已经完工，眉毛和睫毛长得一丝不苟，头发也出现了。——胎宝宝

本章要点

- 确定胎位，及时纠正臀位
- 预防早产很重要
- 如何理解优生筛查
- 孕晚期的准妈妈如何应对不适

第1节 8月胎儿自述
——我的主要任务是运动

167.我对妈妈的要求

妈妈,您可要少吃高热量食物哟

孕早期,我忙着细胞分化、器官形成,紧接着是系统的建立,孕中期是功能的成熟,肌肉骨骼的生长。从这个月,我进入孕晚期——忙着做怪相、做体操、看东西、听声音、用腿踢、用胳膊推、用手抓、吸吮手指等等。这个阶段,我的任务是增加体重和运动功能的成熟。从现在开始,妈妈不但要继续孕育我,还要开始为我的出生作准备:给我起名字,购买婴儿用品,为我准备一个舒适环境……爸爸妈妈一起高兴地为我的诞生准备着一切。但不要过于劳累,因为这个月如果妈妈意外地早产了,我还没有准备好,会因为不能建立自己的呼吸而夭折。现在我主要是长肌肉、脂肪和骨骼,妈妈要少吃热量高的食品,以免把我喂得又肥又大,生不出来。多吃富含蛋白质、维生素和矿物质的食物。

我的肺还没有成熟,妈妈可要预防早产呀

现在我正在合成肺泡表面活性物质,以促进肺的成熟。这个工作非常重要,如果没有足够的表面活性物质,当我离开母体的时候,肺泡就不能膨胀张开,我就不能自己呼吸,因此,也就不能进行气体交换。我的大部分肺泡瘪陷着,就会发生呼吸窘迫综合征。没有氧气,我是无论如何也活不下来的。爸爸妈妈知道为什么我不愿意早出来了吧。

168.和爸爸妈妈汇报一下我的近况

我已经能够感受晨起初升的太阳了

爸爸妈妈,我真是太高兴了,我已经具备了最基本的独立生存能力。我已经可以把眼睑完全打开,准备离开妈妈温暖舒适的小巢后,认识全新的外面世界了。我已经能感觉每天早上太阳升起,知道把头转向光源或者用我的小手去摸。不用说,我的趾甲已经完工,眉毛和睫毛长得一丝不苟,头发也出现了。因为皮下脂肪增厚,皮肤皱褶减少,变得平滑,颜色变浅。胎脂继续增厚,我面部和身上的毳毛开始脱落。

如果我是男孩,我的小睾丸就要离开湿热的腹腔了

如果我是男孩,还有一项重要工作:让生长在腹腔中的睾丸下降到体外阴囊中。因为腹腔相对睾丸来说太热了,睾丸喜欢凉快的环境。如果我是女孩,保护我的生殖器的大小阴唇也开始出现了。

我要固定在倒立姿势了

我仍然爱运动,骨骼肌肉发育,皮下脂肪继续沉积。我的劲儿更大了。可是,慢慢地,妈妈给我提供的小屋,相对于我不断增大的身体,显得就有些小了。到了这个月的最后1周,我可能不再像小鱼一样自由地游来游去了,但我仍然会转身、踢腿、伸胳膊,仍然是运动多多。妈妈可不要因为我住的地方小而难过,地方小点对我有好处,因为我就要从妈妈的子宫口出来,对于我们母子来说,我出生最好的位置是头朝下,臀朝上,由于我受到活动空间的限制,就不再来回变换体位了,我和大多数胎儿一样,选择最容易出生的体位——头位。

 你们的胎宝宝写于孕8月

第2节 8月胎儿生长发育

169.孕8月胎儿生长发育逐周看

胎儿29周时

呼吸系统发育已基本成熟,肺泡开始合成肺泡表面活性物质,以促进肺的成熟。对于胎宝宝来说,肺泡表面活性物质可是非常重要的东西,如果肺泡表面活性物质缺乏,出生后肺脏就不能张开,宝宝的肺泡瘪陷,怎么能吸进氧气呢?一些早产儿的问题就在于此。从

这个月开始，宝宝已经有了光感，透过妈妈的腹壁，能够转动头寻找明亮的光源。

胎儿30周时

男性胎儿睾丸从肾脏附近经过腹股沟下降到阴囊，从B超下可以清晰地看到男性外生殖器的轮廓。不过，在没有必要的情况下，妈妈可不要为了早知道胎儿的性别，而要求医生用B超探头长时间寻找宝宝的小睾丸，因为B超探头所产生的热效应会伤害宝宝的生殖器。女胎的大小阴唇已经显现。胎儿骨骼和关节比较发达了，胎儿的内分泌系统和免疫系统也相应地发育起来。

胎儿31周时

胎儿的肺和消化道几乎成熟，如果由于某些原因早产，经过产、儿科的密切配合和很好的护理措施，会使存活率增加。当一些疾病危及到孕妇和胎儿而必须中断妊娠时，医生会尽量延长孕妇的妊娠时间，增加存活的希望。早产儿的存活和生命质量对产、儿科的医疗护理条件要求很高。所以，避免发生早产仍是非常重要的。出生后的早产儿可以啼哭，呼吸可以建立，四肢活动。眼睛会睁开，头发毳毛发育良好，面貌似老人状。如果把明亮的光线投向腹部，胎儿会跟着光线移动他的头或者用手去摸。眉毛和睫毛已经长全。

胎儿32周时

胎儿迅速增长已告一段落，但体重仍以每周200克的速度增长。胎儿面部和身上的毳毛已经开始脱落，皮下脂肪还是比较薄。随着胎体的不断增大，胎儿在子宫中运动的空间相对小了，体位变化不大，基本是头朝下。上、下肢与头部的大小完全成比例。胎动的频率和强度减少，因为他正在为跑出这个房间作准备。

170. 孕8月胎儿的外形是怎样的

宝宝眉毛长出来了，眼睑的轮廓越发清

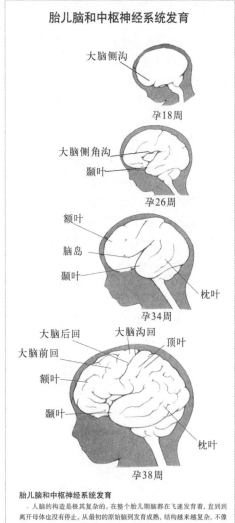

胎儿脑和中枢神经系统发育

大脑侧沟
孕18周

大脑侧角沟
颞叶
孕26周

额叶
脑岛
颞叶
枕叶
孕34周

大脑后回　　大脑沟回
大脑前回　　　　顶叶
额叶
颞叶
枕叶
孕38周

胎儿脑和中枢神经系统发育

人脑的构造是极其复杂的。在整个胎儿期脑都在飞速发育着，直到离开母体也没有停止。从最初的原始脑到发育成熟，结构越来越复杂，不像其他器官短时间就完成发育。鱼类和脂类食品对大脑的发育有好处。引自William J. Larsen著《人类胚胎学》

晰；鼻子也开始变得好看；耳朵像个小元宝；头发也长长了。宝宝在子宫内睡觉的姿势和在摇篮中差不多。

通过妈妈腹壁的凹或凸，可猜测到胎儿在子宫中的运动，小腿一踢一蹬，小手一举一伸，屁股一拱一撅，都可从妈妈的腹壁外观变化中猜想出来。但如果孕妇腹壁比较厚，就不容易观察到了。从外观上一眼可看出胎儿的性别。尽管这时的胎儿像个婴儿了，但由于皮下脂肪还不丰满，面貌就像"小老人"一样。

记得我在孕7个月时，正好出门诊，一位抱着宝宝看病的妈妈大声叫了起来："快看，你的宝宝在动呢！"可不是，我的肚子都变了形，一边鼓鼓的。可能是宝宝的头或臀部顶着我的腹部。

171.该确定胎位是否正常了

从这个月开始，就要考虑胎位是否正常了。30周前，子宫的空间相对于胎儿来说还是比较宽敞的，胎儿在子宫内可以自由变化体位，胎位还没有固定，即使胎儿是臀位或其他位置，大多能够自动转成头位。但30周以后，胎儿自动变换成头位的概率非常小。所以，到了孕满7月，如果胎位还不正常，就要在医生指导下进行干预了。胎位不正是造成难产的原因之一。对妈妈和胎儿都有很大的威胁。早期给予纠正，能增加顺产的机会。

常见的胎位异常有横位、臀位、头位异常。纠正胎位异常必须在产科医生指导下，除了依靠孕妇本人的体位（如膝胸卧位）纠正外，还有一些物理、穴位、手转位等方法。具体如何做，要听从产科医生，不要自作主张。因为在纠正胎儿体位时，可能会因为转位而引起脐带扭转、绕颈或缠绕胎儿肢体等。

只有胎儿自己知道为什么选择与众不同的臀位

当子宫还有足够的空间，允许胎儿漂浮在羊水中，来回翻滚转动身体的时候，胎儿在子宫内的位置是不固定的。随着胎龄的增加，胎儿不再能随心所欲地转来转去，位置相对固定了。为了在妈妈分娩时，能够冲出产道，胎儿的头朝向宫颈开口，就是说胎宝宝正好和妈妈的位置相反，妈妈站着时，胎宝宝是倒立着的；如果胎宝宝和妈妈的位置一样，那就是臀位了。有的胎儿为什么不像大多数胎儿那样头朝下呢？原因并不十分清楚，虽然医生们有各种猜测，但并不能证实，只有胎儿自己知道他为什么要与众不同，自己选择胎位。

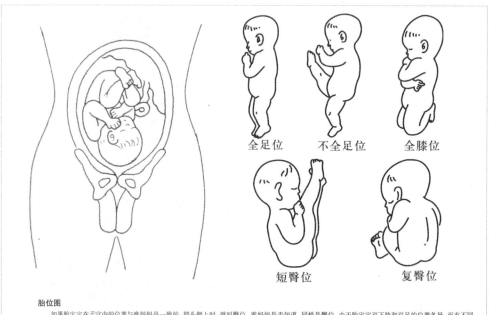

胎位图

如果胎宝宝在子宫内的位置与准妈妈是一致的，即头朝上时，就叫臀位。准妈妈是否知道，同样是臀位，由于胎宝宝双下肢和双足的位置各异，而有不同的臀位呢？引自《实用妇产科学》。

全足位　不全足位　全膝位

短臀位　复臀位

臀位是难产的原因吗？

产科学的进步，使得臀位不再是导致难产的原因了，即使是自然分娩，医生和助产士也能保证胎儿顺利娩出。但是，臀位容易引起前期破膜和早期破水，有时可能会发生脐带受压。臀位产会有出头困难的可能。所以，如果胎儿比较大，或胎头相对于妈妈的骨盆比较大时，医生可能要建议孕妇剖腹产。臀位的孕妇一定要到能做剖腹产的医院分娩。

在妊娠7~8个月之前，胎儿臀位不必担心，胎儿还有自己转过来的可能。如果8个月以后还是臀位，医生就会让孕妇采取膝胸卧位，帮助胎儿转位。但是，如果进入9个月还没有转过来，臀位产的可能性就比较大了。即使转不过来，孕妇也不要担心，在医生和助产士的帮助下会顺利分娩的。如果你感觉膝胸卧位很不舒服，不必勉强去做。

172.胎动

胎动是胎儿与妈妈最直接的交流

胎儿的运动类型和形式包括：翻滚运动（躯干运动）、单纯运动（肢体运动）、高频运动（新生儿打嗝样运动）、呼吸样运动（胸壁肌运动）。

2个月的胎儿已经出现自主运动，但妈妈能够感觉到的胎动一般要在16孕周以后。妈妈最初感觉的胎动是间断、微弱的，似小鱼穿梭，又像肠管蠕动，或许感觉像一股气体在腹中流过，可能有什么东西在腹中轻轻蹦跳……慢慢地，妈妈就能清晰地感到胎动了。胎动是胎儿与妈妈最直接的交流，也是妈妈唯一能感受到的，胎动对妈妈来说是胎儿活着的讯息。所以，妈妈格外关心胎动。

胎动的量化指标

胎动的量化标准是什么？一次胎动是多长时间？怎样算一次胎动，有时感觉很难确定，似乎胎儿一直在动，无法记次数。每天动

多少次是正常的？怎样的胎动是异常的？妈妈常常带着这样的问题咨询医生。

孕20周时的胎动可达200次/天，孕29周时的胎动可达700次/天，孕38周时的胎动又减少到200多次/天。

- 孕妇并不能感觉到所有的胎动。在安静、注意力集中的情况下，能感觉到更多的胎动；而在活动中、与人谈话、专心致志地做某件事时，就会忽视胎动，会认为胎动比较少。
- 白天周围环境比较嘈杂，孕妇感觉胎动的次数要比实际的胎动数少。晚间夜深人静，未入睡前，孕妇几乎可以感觉到所有的胎动，会感觉胎动比较多。
- 躺着时，腹壁和子宫肌肉相对松弛，孕妇能感觉更多的胎动。
- 孕妇紧张或生气时，体内儿茶酚胺分泌增多，胎儿受到过多儿茶酚胺的刺激，胎动次数会有所增多。
- 胎儿睡着时，胎动次数减少；胎儿醒着时，胎动次数增多。

所以，在记数胎动时，要充分考虑到这些因素的影响，才能客观地评价胎动正常与否。

胎动出现的时间

正常妊娠的孕妇，在妊娠18~20周开始感觉到明显的胎动。

初感胎动的情形

在胎动出现的初期，胎动是间断发生的，胎动的幅度比较小，孕妇感觉到的胎动比较弱；随着妊娠周数的增加，胎动逐渐增多、增强。

不同状况的胎动

在胎儿生长的不同时期、胎儿不同生理状况、昼夜不同时间，胎动会发生一定的变化。早期胎动频率快，时间短；随着胎龄增加，胎动频率相对减慢，每次胎动时间延长。有报告指出，在孕20周时，胎动每天可达200次左右；孕38周后由于胎儿先露部下降，胎动较前一段时间减少。

胎儿睡眠时胎动减少，甚至很长时间没有

胎动;清醒状态胎动的频率和幅度都增加。

胎动的周期性

上午8：00-12：00时胎动比较均匀；下午2：00-3：00时胎动减少到最少；晚上8：00-11：00时胎动又增至最多。

妈妈状况对胎动的影响

当孕妇休息时对胎动比较敏感,当孕妇工作或活动中对胎动感觉不敏感,所以,孕妇对胎动的判断有很大的主观性,等孕妇注意力集中地体验胎动时,会感觉更多的胎动,当孕妇忙于某些事情时,就会较少感觉到胎动,除非胎动的幅度比较大。

一般情况下正常的胎动

● 胎动的次数：每天平均是30-40次(这里所说的每天是指白天12小时)。

● 胎动的周期性：孕中期,不是很明显;孕末期,由于胎儿睡眠周期比较明显,胎动的周期性也比较明显了,上午胎动比较均匀,下午胎动最少,晚上胎动最多。

● 胎动的规律：每个孕妇记数胎动的方法、对胎动的感觉存在着差异性;每个孕妇的生活规律不同;每个胎儿的运动幅度、频率、生理周期等都不尽相同。所以,每个孕妇都应找出自己胎儿的胎动规律。

● 记录胎动的时间：从孕28周开始记录胎动,每周记数一次。从孕32周开始,每周记录胎动两次。从孕37周开始每天记数胎动一次。

● 胎动的记数方法：每天早、中、晚在固定的时间记数胎动,如每次都是在早8：00、午13：00、晚19：00时,都是在三餐前,都是采取左侧卧位,躺下休息5分钟后开始记数胎动,都是记数1小时的胎动。

判断胎动异常

● 把一天早、中、晚3个1小时的胎动数相加,再乘4,计算出的结果是12小时的平均胎动数,12小时内平均胎动数10次为最低界限,低于此数值属于胎动异常;

● 倘若1小时内胎动数少于3次,则应该继续连续记数,记数第二个1小时的胎动数。如果仍少于3次,则再继续往下记数第三个1小时的胎动数,如果连续记数6个小时,每个1小时的胎动数

都少于3次,则视为胎动异常;

● 如果第二次胎动数与前一次的胎动数相比,胎动减少了50%,则视为胎动异常;

● 胎动突然急剧,应视为胎动异常;

● 胎动比平时明显增多,而后又明显减少,应视为胎动异常;

● 胎动幅度突然显著增大,而后又变得微弱,应视为胎动异常。

值得注意的是：记数胎动没有任何客观指标可供参考,主要是根据你的主观判断,如果通过记数胎动,没有上述胎动异常指标,但凭借一种做母亲的直觉,你确实感觉到腹中的胎儿动得有些异样,你就应该相信自己,视为胎动异常,及时去看医生。在这一点上,连医生也宁愿相信孕妇对胎动的直觉,而不轻易做出"平安无事"的判断。

一个真实的不幸事例

一位29岁的孕妇,已经度过了38周的孕期,到医院做例行产前检查,一切都正常,医生只是告诉她胎儿可不小,可能是个胖小子。让她1周以后再来做产前检查。到下次产检还有4天,她似乎感觉腹中的胎儿不那么爱动了,但记数胎动时又不异常。又过了一天,她感觉胎动又多了起来,一丝担忧掠过心头,但她很快就放心了,刚做完产检不几天,不会有什么事。离下次产检还有两天,晚上,她躺到床上,试图动一动身体,感觉腹中的胎儿很沉,她开始有一种不祥的预感——胎儿可能不呼吸了,是不是胎儿已经……她开始恐惧起来,感觉自己好像是个凶手。她没敢和丈夫说,给姐姐打了个电话,姐姐建议她去医院看医生。但夜已深,算了吧,明天再说。第二天一大早,姐姐陪着她到了医院,胎心每分钟才二三十次。马上住院,医生没有把握胎儿能够存活,建议经阴道分娩,不幸是死产。医生分析原因可能是脐带打结,阻断了胎儿的血液供应。如果孕妇在感觉胎动不好的第一时间看医生,或许能避免这场灾难。

173.胎儿问题实例解答

我的胎动是正常还是异常?

我现在已经怀孕29周了,产前检查时医生告诉我要记录胎动。医生和我讲了几句,可我还是不知道怎样才能判断我的胎动是正常还是异常,你能详细告

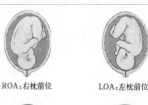

ROA：右枕前位　　LOA：左枕前位

ROP：右枕后位　　LOP：左枕后位

胎位图

如果胎宝宝的头部朝下，就叫头位；如果胎宝宝头部朝上，就是臀位。准妈妈是否知道，同样是头位，由于胎宝宝头部所处的位置与准妈妈骨盆关系不同而不同呢？引自《新一代妈妈宝宝护理大全》。

诉我吗？

胎动的次数、幅度、形式、强弱等，每个孕妇之间都存在着个体差异，每个孕妇都能找到自己宝宝的胎动规律。所以，你在记录胎动时，要考虑到上述影响胎动的一些因素。

胎儿现在是29周，胎动次数每天大约30~40次。每周记录1次胎动就可以了；到了孕32周以后每周记录两次；孕36周以后每天记录3次；分别在早、中、晚各记录1次。一般情况下每次记数1小时的胎动次数。正常情况下每小时胎动3次以上，如果少于3次应引起注意，继续记数第二个小时的胎动，如果仍然少于3次，应看医生。

你在医院做正规的产前检查，医生会根据你的具体情况指导你如何记录胎动的，如果我所讲的与给你检查的医生不同，你应该听从医生的，这是因为医生亲自面对你，对你的情况更了解。

感觉胎动不正常，是抽搐吗？

我已经怀孕30周了，以前感觉很正常，但是最近觉得胎动有些特别，有时是在一个部位非常有规则地动，好像是跳动，1分钟能动20~30次，持续2~4分钟，平均每天能这样动1~2次，胎心在夜间有125~135次，白天在130~145次之间，很害怕是抽搐或者孩子以后会得癫痫。

你描述的胎动情况不能反映出是异常还是正常的胎动，1分钟胎动达30次，可能是你记数的方法有问题，如果确实是这么快，应立即看产科医生。你认为可能是抽搐或癫痫，这种担心是没有根据的。

胎儿不凸起

我怀孕已满32周，情况正常。我听说8月胎儿的胎动特别明显，腹部偶尔会有明显的凸起。而我却仅能感觉胎儿游动，并未见明显凸起，心中焦急。何种胎动才属正常？

孕妇对胎儿在母腹内的活动感觉有很大的差异性，胎动表现也不尽相同。当胎儿臀部向着母亲腹部时，可出现腹部凸起，从腹部外可明显看到胎儿的活动，但并不是每次胎动都这样，一般情况下感到胎儿在游动或蠕动，也有的感觉好像胎儿在腹中踢腿伸胳膊，甚至踹你的肚皮。没有腹部凸起不能说明胎动不正常。胎动是否正常主要是数每天的胎动次数。

胎动频繁属于异常现象吗？

妻子怀孕第8个月，最近胎动特别频繁，24小时几乎不停地动，每小时都要动40~50次。我不知道这是否属异常现象？

胎动指的是胎儿较大幅度的动作，每次持续1~2分钟。因为胎儿以睡眠为主，正常情况下白天只动7、8次。如果你能正确理解胎动的概念并且计数方法正确，那么你所描述的情况是不正常的。建议立即去做胎心、胎动监护。

胎儿头偏大是否该终止妊娠？

我怀孕已30周，B超显示，胎儿头偏大，为7.8厘米，相当于31周的大小，股骨为5.2厘米，腹围为26.4厘米，脊椎和羊水未见异常。请问胎儿是畸形吗？为何只长头部？是否应终止怀孕？

三项值与30周胎儿平均值相差都在0.6以下，可以忽略不计，可视为正常。B超是影像学，虽然能较客观反映胎儿的大小，但却是由B超医生主观来判断和测量，是有一定误差的。另外，B超反映的是胎儿实际大小，而

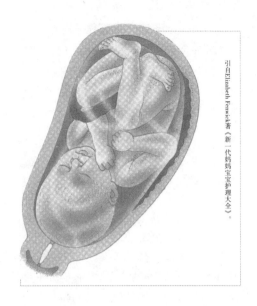

引自Elizabeth Fenwick著《新一代妈妈宝宝护理大全》。

不是根据末次月经计算出来的妊娠周数，也可能会有一定误差。没有充分的理由不要轻易做出终止妊娠的决定。

疑似胎儿脑积水

我于32孕周时做了B超，胎头双顶径为8.9厘米，相当于36孕周，头围为26.5厘米，初步怀疑胎儿脑积水。股骨长5.7厘米，偏短，是否说明胎儿发育畸形？由于采取了胸膝卧位，胎儿已经从臀位转为头位，但是B超显示脐带绕颈2周半。距我临产还有不到两月时间，我该怎么办？

B超胎儿双顶径大于孕周，但头围却小于孕周，头围与股骨径长度在一个孕周水平。不能仅根据双顶径大小来怀疑有脑积水，胎儿脑积水有特有的B超指征。你先不要担心，再请有经验的B超专家看一下，仔细观察是否有胎儿脑积水的其他征象，才有必要考虑治疗问题。脐带绕颈可占正常分娩的20%~25%，据统计，脐带绕颈3周者占0.2%。脐带绕颈较轻时，由于脐带的补偿性伸展，牵拉不到一定程度时，不会影响脐带血流，对胎儿的生长发育不会有影响。如果出现严重的脐带缠绕，脐带血流受阻会危及胎儿的生命。另外，脐带缠绕后，脐带相对过短，分

娩时可引起产程延长或胎盘早剥。B超显示脐带绕颈2周半，你所能够做的就是听从产科医生的建议和处理，认真监护胎动、胎心的变化，精神上不要紧张，有产科医生为你保驾，你会平安的。

胎儿肾盂积水

怀孕8个月，发现胎儿双肾肾盂中度积水。胎儿右肾测4.6厘米×2.3厘米×3.6厘米，肾盂扩张1.0厘米。左肾测4.1厘米×1.7厘米×2.8厘米，肾盂扩张0.9厘米。胎儿单胎头位，颈部见"U"形压迹。胎心、胎动等都正常。我非常希望知道肾积水对胎儿有什么影响和危害？

胎儿双肾肾盂积水，肾盂扩张，应排除先天性肾脏输尿管疾患，如先天性输尿管狭窄，输尿管囊肿，后尿道瓣膜等，建议你请小儿肾脏外科医生会诊，明确诊断，及时治疗，避免肾功能损害。另外，胎儿肾盂输尿管连接部的生理性狭窄也可出现肾盂积水的影像，孕8个月，生理性的可能性不大了。掌握尖端医疗技术的医院，可以在胎儿期进行有关方面的治疗。一般认为"U"型压迹多由脐带饶颈1周形成。

黑白或彩色B超哪个好？

黑白B超准确吗？是否要医生仔细观察才会发现胎儿异常？

做胎儿B超，黑白与彩色没什么大的区别，彩超对观察胎儿脐带血流信号有很大帮助。

担心胎儿巨大

我妻子孕30周，现有4个问题请教：（1）是否可用蚊香片？有一种儿童型蚊香片据说无毒（成分是丙烯菊酯），可以用吗？（2）据说孕妇吃蛇（特别是毒蛇）可去胎毒，小孩生后皮肤更好，不知是否有这回事？孕妇能吃蛇吗？　（3）上周检查时，发现体重已增重12.5公斤，超过正常范围，不控制饮食担心胎儿巨大，控制饮食又怕营养不足，应该怎么办好？（4）近期音乐胎教时，胎儿好像很安静，不知是否听不到音乐？

（1）最好不用蚊香片，使用蚊帐最好。但使用安全的驱蚊方法不会影响胎儿健康。

现在有专门为孕妇准备的驱蚊工具。

（2）没有看过这方面的研究和资料。吃蛇肉应该没有问题。

（3）孕妇不能控制饮食，更不能减肥，如果按正常饮食，孕妇也没有疾病等异常情况，不会出生巨大儿的。饮食结构要合理，不要过多摄入高热量的食物，多吃蔬菜、水果，适当吃些粗粮、杂粮，少吃油脂食物，如肉、油、坚果、动物内脏等。不要嘴不离食，尤其是边看电视，边吃零食，即摄入了热量高的食物，如瓜子、开心果、干荔枝等，又不运动，最容易造成肥胖。

（4）听一首胎儿不熟悉的音乐，胎儿会动得欢，随着对音乐的熟悉，胎儿就会变得安静起来。听噪音也会使胎儿变得躁动，听到他喜欢的音乐声，胎儿会有节奏地运动，或安静地享受。所以，胎儿听音乐时安静并不能证明胎儿听力有问题。早晨起床，爸爸贴着妈妈的腹壁有节律地击掌，并对着胎儿大声说话，胎儿会有回应，如胎动增加，胎儿肢体踢妈妈的腹壁。以此可证明胎儿的听力是正常的。

羊水过少胎儿有危险吗？

孕30周了，B超诊断羊水过少，让我问产科大夫。产科大夫说现在还不好说，羊水平段2.6厘米，只是轻度减少，不一定有什么问题，等下次产检时再做B超看看。我和老公都非常担心，真怕我们的孩子有什么问题，我已经32岁，我老公已经36岁了，这是我们的第一个孩子。为什么会羊水少？宝宝会有危险吗？

目前B超还不能对羊水做定量测量，妊娠中晚期B超对羊水的测量主要是测量羊水池内径，小于3厘米时考虑羊水过少，2厘米以上为轻度，1厘米以上为中度，小于1厘米为重度。你属于轻度羊水过少，根据羊水平段估算并不是百分之百的准确，医生让你继续观察是对的。在临床上，羊水过少常见的原因有以下几种：

泌尿系统发育异常：由于中期妊娠以后胎儿尿液是羊水的主要来源，影响胎儿尿液形成和排出的因素均可导致羊水过少，如胎儿肾缺失、肾脏发育不全、输尿管或尿道梗阻等。

胎儿宫内发育迟缓：常伴有羊水过少，这是由于胎儿体内的血液重新分配，肾脏血流量下降、尿量减少所致。

羊膜病变：在部分原因不明的羊水过少病例中，发现有羊膜上皮层变薄等异常变化，可能与羊水过少有关。

早破膜：在妊娠任何时期胎膜早破、羊水持续流失均可引起羊水过少。

脐带绕颈怎么办？

我陪妻子去做怀孕7个半月的检查，负责检查的产科医生说，当她的手刚刚几次挤压我妻子的小腹时，胎位是正常的，然而，当她检查胎心的时候，胎儿转了个身，胎位就变得不正了，医生说是我妻子的肚皮太松，彩超的结果脐带绕颈周。我以前听说过，因为脐带绕颈实施剖腹产，我很担心，医生却说这种情况很常见，她也没有办法，请问我该怎么办？

B超显示胎位是头位，还是臀位？脐带

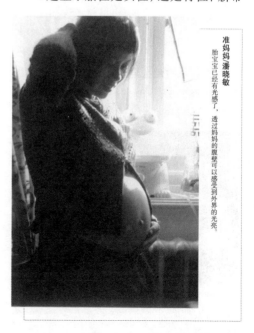

准妈妈潘晓敏

胎宝宝已经有光感了，透过妈妈的腹壁可以感受到外界的光亮。

绕颈1周，绕的程度如何？这都要由B超医生提供详细的资料，协助产科医生判断对胎儿的影响到底有多大，是否需要处理。

第3节 孕8月的准妈妈

174.孕8月准妈妈常见问题

体重增长过快怎么办？

我是一名怀孕近8个月的孕妇，最近体重增加太快，第7个月增重5公斤，第7个月至7个半月增重3公斤，其他一切均正常，没有水肿、胸闷等现象。您看该注意些什么？

到了孕晚期，体重的增长均匀稳定，每周可增加0.5公斤。妊娠后期体重增长相对较快，为慎重起见，建议你还是做一次B超，了解胎儿生长情况和羊水量，查血糖，排除妊娠期糖尿病（妊娠期糖尿病可导致巨大儿），摄入热量过多也可使体重增长迅速。

长时间站立与下肢水肿

增大的子宫压迫下腔静脉，阻碍下肢静脉的血液回流，如果长时间站立会导致下肢静脉或会阴静脉曲张，也可使下肢和腹部会阴等下部身体水肿。基于以上原因，孕晚期的孕妇不要长时间站立，也不要久坐。

水肿水泡怎么治？

我老婆现在怀孕8个月，因为腿部的水肿令她很不舒服，而且有水泡出现。该如何治疗？

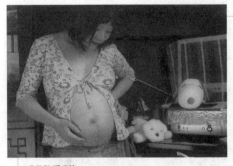

准妈妈/潘晓敏
潘女士怀孕32周。

孕晚期出现下肢水肿，应首先查血压、尿蛋白，排除并发妊娠高血压综合征。查血蛋白质，是否有低蛋白质血症。水肿伴有水泡是很少见的情况，应及时看医生，是否有其他情况，如妊娠糖尿病等。单纯妊娠水肿，不用特殊治疗，注意休息，少食盐，多进食高蛋白质食物。孕晚期并发妊娠高血压综合征则需要住院治疗。

腰背及四肢痛

进入孕晚期，胎儿身体增长迅速，孕妇肚子明显增大。站立时，腹部向前突出，身体重心前移，为了保持身体平衡，孕妇上身就会后仰，以平衡向前膨隆的腹部。这样一来，孕妇的背部肌肉就会紧张，引起腰背痛。长时间站立，长时间行走，如逛街也使腿和背部肌肉疲劳，产生腰背痛、四肢痛。

手腕痛服钙无效

我现怀孕31周，自29周开始至今双手的手腕一弯到某一角度时就会疼痛，有时痛得拿东西都拿不住，我以为是缺钙，这2周每天服500毫克钙，仍没改善，请问是什么原因？

妊娠晚期可出现双侧手腕疼痛、麻木、针刺或烧灼样感觉。这是由于妊娠期筋膜、肌腱及结缔组织的变化，使腕管的软组织变紧而压迫正中神经，引起上述症状。

此症状无其他严重后果，一般不需要治疗，分娩后症状逐渐减轻、消失。如果疼痛严重，可抬高手臂，应用手腕部小夹板固定，适当休息，局部封闭有效。

手指僵直，小腿蚁行感是缺钙吗？

我的手指从上个月起变得十分僵直，尤其是夜间或卧床休息时更严重，甚至不能弯曲，又胀又疼，我问了很多孕妇，她们都没有这一征兆。另外，我的小腿肚总像有小虫在爬，很难受，是否都属缺钙？我从上星期才开始服用乐力，是否太晚了？

根据你说的情况，像是水肿所致。由于水肿血运不畅，可出现皮肤爬虫感。如果每天喝鲜奶，饮食结构合理，不一定都需要额

准妈妈·王漫
你也可以做一个如此美丽的孕妇。

外补充钙片。

腹围与宫高的变化

到了8月末，宫高可达剑突下5指。

为什么3、4周没增腹围？

体重，宫高增长都正常，但腹围却已有3、4周没长了，请问这是什么原因引起的？可能有什么后果？

腹围没长，不能说明胎儿没长。但应该了解胎儿是否生长发育正常。如果胎儿发育缓慢，就要寻找原因并给予处理。

腹部大是羊水过多吗？

我妻子还有2个月就要临产了，她的肚子比一般人的都要大，请问是否羊水过多？羊水过多对小孩是否不好？由于她骨盆太小，准备剖腹产，妻子想用横剖的方法，请问这种方法好吗？

是否羊水过多，不能从腹部大小来判断，要通过B超检查来评定。以下情况常伴有羊水过多：大约有20%～50%的病例合并有胎儿畸形，以中枢神经系统和消化道畸形常见；多胎妊娠；妊娠合并糖尿病、妊高征、急性肝炎、严重贫血、胎儿水肿等。大约有30%的羊水过多不能发现任何原因。

横切口的优点是拆线时间短，一般纵切口需要7天，而横切口5天拆线；另外切口隐蔽，比较美观。

出现无痛性子宫收缩

到了孕晚期，你会感觉到肚子一阵阵发紧、发硬，有时像被束带束着一样，但并没有疼痛感觉，而且发生的时间是不确定的，或许1小时一次，也许是1小时两次，总之，你找不到规律，这就是不规律的无痛性子宫收缩。为什么会出现这一现象呢？原来你已经开始做分娩的准备啦，在激素的作用下，子宫肌开始做分娩前的训练，胎儿为了做出生的准备，也开始向子宫出口移动，刺激子宫收缩。这些都是在为即将到来的分娩作准备。

为何气短

增大的子宫使膈肌抬高，孕妇会感觉气短，有的孕妇会担心胎儿缺氧：因为她自己都感觉氧不够用，胎儿那么弱小，肯定比妈妈更缺氧。这个担心是不必要的，妈妈有一套保护胎儿的完整系统，会竭尽全力保证胎儿的氧气供应，胎儿也同样具有自我保护能力，会尽量获取氧气。如果你感觉气短比较严重，就需要看医生了。躺下时会使气短加重，垫高头胸部可减轻症状。尽量不要仰卧位躺着，采取左侧卧位可增加胎盘的血氧供应。孕妇都有自我保护能力，采取你感觉舒服的体位是最好的选择。

175.给准妈妈的安全提示

孕妇要注意安全啦

由于腹部越来越大，孕妇可能会感觉不那么灵活了。所以，走路、下楼、骑单车、坐下、起来时都要小心，动作幅度不要过大，尤其在雨雪天气更要格外小心。最好不要自己开车，即使坐车，也要注意安全，在急刹车时，可能会发生早产，这时的孕妇最好不要坐在副驾驶座位上，坐在后座位时，最好系上安全带。我常常看到大月份的孕妇乘坐公交车时，不坐在座位上，而是用手抓着吊环，或扶着椅背，或扶着他人的胳膊，这样是不安全的。孕妇应该得到社会的照顾，如果没有人让座，孕妇本人要争取乘务员的帮助。

仍应预防早产

● 节制及采取安全的性生活方式。

● 避免动作过快、过急、过大。有的孕妇性格急，做什么都是风风火火，到了孕晚期，可要改变一下，比如起床时，听到叫声回头时等都要放慢速度。

● 缺乏维生素E、维生素B1、镁可引起早产。

白带增多并有血丝及下坠感会发生早产吗？

孕31周，今天早晨起床后感觉阴道分泌物增加很多，且伴有血丝，昨天下午肚子发胀，总放屁，走起路来感觉阴道有物体下坠，这些症状与书上说的临产先兆很相似。今天我去医院检查，医生进行了内诊，说没有发现出血，可能是宫颈有炎症，注意休息就行了，但我很担心早产。

产科医生会很关心你现在是否有早产可能的，这是大问题。如果医生告诉你不是早产先兆，是有一定根据和把握的。如果你担心，可以再看一位医生，或看高危产科门诊，以避免某个医生失误。

腹部较强的下坠感

孕30周，最近在电脑前时间较长，近几天感觉腹部较强的下坠感，肚子很紧，尤其是晚上，腰感觉直不起来。现每天服1片乐力、善存和维生素E，是否可以继续服用这些药？

下腹有较强的下坠感，腹部还感觉很紧，应该确认是不是子宫收缩。如果有宫缩现象，要警惕是否有发生早产的可能，所以应该到医院看医生。孕晚期服用维生素E不是预防早产的首选药，若有早产预兆，应卧床休息，静脉输硫酸镁。

腿抽筋不会是早产吧？

我妻子怀孕快8个月了，这两天小腿痉挛，有疼痛感，而且下腹伴有胀痛。我听说缺钙会引起痉挛，应怎样处理？不会是早产吧？

妊娠晚期出现小腿抽筋，不能排除低钙所致，建议化验静脉血钙，如果血钙低，可静脉输钙，能够很快缓解症状。如果血钙不低，

准妈妈李梅

李梅在美国家中的照片。因为她们在美国有固定的社区医生，回国后很不适应国内的就医方式，看到了我的书以后，认为我的一些医学理念和她在美国所接受的很相似，就托朋友找到了我，从此宝宝所有的健康问题都找我。

应该寻找其他引起小腿抽筋和疼痛的原因。早产的可能性不大。

176.受到睡眠困扰了吗

孕早期睡眠很好的孕妇，到了孕后期因为腹部逐渐隆起，睡眠时难以找到一个合适的姿势，出现难以睡眠的问题。

除此之外，孕妇的肾脏负担增加，比孕前多过滤30%~50%的血液，尿液多了起来；随着胎儿的生长，孕妇的子宫变大，对膀胱的压力也会增大。使得孕妇小便次数增多。频繁的起夜，不可避免地影响孕妇的睡眠。如果胎儿夜间活动频繁，睡觉轻的孕妇会经常醒来，影响睡眠；腿抽筋、后背痛、心率加快、气短、胃灼热及多便、多梦、精神压力大等都会影响孕妇睡眠。

医生大多建议孕妇左侧卧位睡眠，这是因为肝脏在腹部的右侧，左侧卧位使子宫远离肝脏。左右侧交替，可缓解背部的压力。在孕7~9个月时，孕妇很难做到仰卧睡眠。这是因为胎儿的重量会压到孕妇的大静脉，阻止了血液从腿和脚流向心脏，使孕妇从睡梦中醒

来。医生会建议你借助于枕头保持侧卧位睡眠。有的孕妇发现，将枕头放在腹部下方或夹在两腿中间比较舒服。将摞起来的枕头、叠起来的被子或毛毯垫在背后也会减轻腹部的压力，事实上，市场上有不少孕妇用的枕头，请向医生咨询，应该选购哪种类型的。

朝何方向睡都不舒服

我现已怀孕30周，近1个月来晚上睡觉总觉双腿绵软无力，起夜3～4次，无论朝何方向睡都不舒服，以前没有这种状况，是何原因呢？

随着子宫的增大，可压迫膀胱、神经、血管等，引起下肢麻木、无力、疼痛等及排尿次数增加，属正常情况。注意休息，少站立，不要长时间步行，坐或躺着时尽量把下肢抬高超过心脏水平。如果症状比较严重要排除疾病所致，如低血钾、维生素B、维生素C缺乏等。如伴有尿量增多，建议化验血钾和尿钾，排除妊娠期尿崩症所致的低钾性下肢无力绵软。

轻松入眠建议

● 尽量避免饮用含咖啡因和碳酸饮料，如汽水、咖啡、茶，如果实在想喝，也请在早晨或下午午睡后饮用。

● 临睡前不要喝过多的水或汤，有的孕妇会发现早饭和午饭多吃点，晚饭少吃，有利于睡眠。

● 养成有规律的睡眠习惯，晚上在同一时间睡眠，早晨在同一时间起床。不要躺在床上看书、看电视，除了睡觉和休息躺在床上以外，其余时间尽量不要留恋床铺。

● 睡觉前不要做剧烈运动。应该放松一下神经，比如泡15分钟的温水澡，喝一杯热的、不含咖啡因的饮料（加了蜂蜜的牛奶等）。

● 如果腿抽筋使你从睡梦中醒来，请用力将脚蹬到墙上或下床站立片刻，这会有助于缓解抽筋。当然还要保证膳食中有足够的钙。

● 参加孕妇学习班，学习一些心情放松的办法。

● 如果恐惧和焦虑使你不能入睡，就要考虑参加分娩学习班或新父母学习班。

● 如果辗转反侧不能入睡，请做如下事情：看书、听音乐、看电视、上网、阅读信件或电子邮件，经过这么一折腾，也许会感觉疲劳而容易入

睡了。如果可能的话，午间睡上30～60分钟，可以弥补晚上失眠所造成的睡眠不足。

177.宫内感染与优生检查

宫内感染

什么是胎儿宫内感染？

宫内感染又称先天性感染或母婴传播疾病，是指孕妇在妊娠期间受到感染而引起胎儿在子宫内受感染。

宫内感染主要的传播途径有哪些？

主要通过3个途径：①胎盘的垂直传播；②下生殖道感染的上行性扩散；③围产期感染。围产期感染又包括分娩、哺乳、与新生儿直接接触传染3个途径。

宫内感染的危害到底有多大？

宫内感染可以引起一系列不良后果，其危害程度与宫内感染发生的时间、病原体的种类、母亲的身体状况有关。孕早期感染多造成流产、先天性畸形；孕晚期感染多导致早产、胎膜早破、新生儿感染等。孕妇抵抗力低下时一些潜在感染被激活，成为活动性感染，可以说整个孕期发生宫内感染对胎儿都是不利的。

宫内感染的后果是什么？

不同病原体导致的宫内感染对胎儿造成的不良后果也不尽相同。巨细胞病毒感染可造成胎儿脏器损害，影响胎儿的正常发育，导致先天畸形和智力发育障碍，这是令父母最为悲痛的事情。

优生筛查

孕妇感染了巨细胞病毒、单纯疱疹病毒、风疹病毒、弓形虫、乙肝病毒、人乳头瘤病毒、解脲支原体、沙眼衣原体、淋球菌、梅毒、艾滋病毒等病原体，就有可能造成胎儿宫内感染。胎儿感染后可能会导致流产、死胎、畸形及一些先天性疾病。对这些病原体的筛查称为优生筛查。

解读优生筛查报告单

目前主要通过对病毒抗体水平的检测进行优生筛查，检测报告单上常常是这样报告的。

抗体IgG阴性：说明没有感染过这类病毒。或感染过，但没有产生抗体；

抗体IgM阴性：说明没有活动性感染，但不排除潜在感染；

抗体IgG阳性：说明孕妇有过这种病毒感染，或接种过疫苗；

抗体IgM阳性：说明孕妇近期有这种病毒的活动性感染。

一般认为，孕妇的活动性感染与胎儿宫内感染有关，所谓的活动性感染就是孕妇体内有病毒复制，处于患病阶段，是相对于单纯的病毒携带而言的。

通常情况下，抗体IgG阳性提示既往感染过此类病毒，但现在未处于活动期；抗体IgM阳性提示新近感染了病毒，或过去曾经感染过，现在复发了，处于活动期。因约40%的活动性感染容易引起胎儿的宫内感染，所以，孕期检查主要检查孕妇血中的IgM抗体。但也有一些IgM抗体不高的孕妇可能有潜在感染，也可能造成胎儿的宫内感染。

我国育龄女性巨细胞病毒的感染率比较高，据调查，孕妇中各种病原体的活动性感染在3%-8%。

经过以上的分析，你可能清楚了，在化验单上，不是一看到有（+）或阳性，就认为会造成胎儿的宫内感染。

IgG抗体阳性，仅仅说明既往感染过这种病毒，或许对这种病毒有免疫力了。

IgG抗体阴性，说明孕妇也许没有感染过这种病原体，对其缺乏免疫力，应该接种疫苗，待产生免疫抗体后再怀孕。

接种过一些病毒疫苗的妇女会出现IgG抗体阳性，所以，要分清哪个是保护性抗体，哪个是非保护性抗体。

是否孕妇感染了以上病原体，就一定造成胎儿宫内感染呢？并不是说所有感染的孕妇都会造成胎儿宫内感染，但毕竟造成胎儿宫内感染的机会很大。因此，一旦确定有上述病原体感染就应该积极治疗。及时发现和处理孕期的宫内感染是母婴保健工作的重要内容。

建议：

（1）孕妇要进行早期宫内感染筛查，如果血清IgM抗体检测结果阳性，就要进行重复测定。

（2）对已经确定有感染的孕妇，无论有无宫内感染证据，都要积极治疗。

（3）经治疗未见明显效果者，要做胎儿宫内产前感染诊断，以确定是否有胎儿宫内感染。

（4）确定有宫内感染者，可采取宫内给药治疗或建议终止妊娠。

178.孕8月咨询问题

乙肝问题

乙肝大三阳对胎儿有什么影响？

我太太患有大三阳，肝功能正常，现在已有8个多月身孕，每月打1支乙肝疫苗，不知她的病情是否会对宝宝有直接或间接的影响？

准妈妈/朱金凤
快乐的准妈妈。

准妈妈/李梅
这是她怀第一胎时候的照片。前面还出现过怀第二胎时的照片。

你太太是从妊娠哪个月开始每月接种1支乙肝疫苗的？截止到孕8月一共用了几支？乙肝大三阳造成母婴垂直传播的几率比较大，推荐的最佳预防方法是，立即给出生后的新生儿打高效价乙肝免疫球蛋白（生后6小时以内），出生24小时内接种乙肝疫苗第一针（15微克基因重组疫苗，5微克/支，3支/次），出生后1个月再注射第二针高效价乙肝免疫球蛋白，于出生后1个月、6个月再分别接种乙肝疫苗10微克（基因重组疫苗2支/次），对婴儿的保护率可达97%以上。但近来由于血液制品的安全性受到质疑，有的医院停止了高效价乙肝免疫球蛋白的使用。

乙肝大三阳能否母乳喂养？

我是怀孕32周的准妈妈，但很不幸，我同时也是乙肝大三阳患者。肝功能正常。我是否属活动性肝炎？我该怎样保护宝宝？能否母乳喂养？

乙肝大三阳的临床意义：乙肝病毒感染后的慢性肝病或是乙肝病毒携带者，肝功能正常，大多不属于活动性肝炎，但是，要最终确定是否有肝脏损害，还要做进一步检查如肝活检。乙肝大三阳孕妇，发生母婴垂直传播的可能性大。只要你到正规的妇产

医院或有产科的综合医院，产科医生都会采取相应的阻断预防方案。因孕妇本人不能自行判定，具体办法就不在这里赘述了。乙肝大三阳最好不要母乳喂养，如果乙肝病毒DNA（HBV DNA）或乙肝病毒DNA颗粒(HBV DNA-P)阳性，说明有乙肝病毒复制，就更不宜母乳喂养了。

乙肝三抗体阳性对母子会有影响吗？

乙肝两对半检查中三项抗体均为阳性，抗体阳性对母子会有何影响？是否会传染给胎儿？有何处理和预防措施？能否母乳喂养？

乙肝两对半检查中，3个抗体都是阳性，而抗原都是阴性，可能是急性乙肝恢复后期，不知肝功能是否正常。可造成母婴垂直传播。新生儿出生后可注射乙肝免疫球蛋白和乙肝疫苗进行被动主动免疫。如果有病毒复制不能母乳喂养，可通过HBV DNA或HBV DNA-P检查，确定是否有乙肝病毒复制。

关于阻断母婴传播方法，国家有法定的免疫程序，对新生儿的保护率可达80%以上。阻断母婴乙肝传播主要是新生儿出生后在规定时间内注射高效价乙肝免疫球蛋白，并按照接种程序接种乙肝疫苗。出生后母婴的密切接触也是造成母婴传播的途径之一，孕期注射乙肝疫苗对母婴传播的预防效果未见过报道，是否会产生抗体难以确定。

感染巨细胞病毒的后果如何？

我已怀孕32周，一直以来比较顺利。可最近的一件事让我心如刀绞。我怀胎5个月时（8月13日），曾做5张验血单，有一张是验弓形体和巨细胞病毒的，其结果：巨细胞病毒IgM可疑阳性。当时我对5张验血单并未详看，只是非常急切地问医生这些报告是否正常，医生答复说一切正常。此后由另外一位医生每两周检查一次胎心及尿常规，直到本月9日做完检查，她突然告诉我下次到高危门诊检查，我问为什么？回答是我巨细胞病毒阳性，需到高危组检查。问题就在8月13日的验血报告上。我在两家医院又重新验血以确诊是否感染巨细胞病毒，但报告还需等10天以后才知道结果。可到那时小孩已满34周。请问：如果

我被确诊为巨细胞病毒感染，后果到底会严重到什么程度？我不知道是接受引产，还是选择一个可能有缺陷的孩子？

你的心情我非常理解，但你切莫过度忧伤，这对你的身体和胎儿的健康都是不利的。正视现实是遇到困难应有的选择，冷静地处理这个问题。医学不能解决你的所有问题，越是在有困难的时候，越是需要亲人的帮助。建议你把真情告诉你的丈夫，以及能够帮助你的亲人和朋友，这会减轻你的压力，这是很重要的一点。

你需要耐心等待各种化验结果，只有靠临床检验结果，才能确定你和胎儿的情况，如果你确实感染了巨细胞病毒，就应该做胎儿宫内感染的产前诊断，一旦证实胎儿受感染，就应该果断中止妊娠。

孕8月嘴唇疱疹，要选择分娩方式吗？

上次我询问过孕8个月时嘴唇上方生单纯疱疹是否会影响胎儿，你说致畸的可能性几乎没有，但如果有生殖器疱疹则可能会造成胎儿宫内感染或新生儿感染。我当时未用过药，因为疱疹很快（2天）就出了水，之后就结痂了，1周就好了。我不知道是否感染了胎儿？现在孩子还有1个月就要生了，我很担心，在分娩方式上要做选择吗？

当孕妇有生殖器疱疹时，胎儿感染单纯疱疹病毒（HSV）的几率增高。所以，首先要确定孕妇是否有生殖器疱疹。孕晚期感染生

准妈妈/田甜
有些准妈妈到了孕晚期是不敢趴着的，不必这么小心。胎儿外面还有羊水、胎膜、腹壁保护着，准妈妈也会用肢体支撑起身体，胎儿不会被压坏的。

殖器疱疹主要是引起新生儿HSV感染。阴道分泌物分离病毒难度较大，临床多采用免疫荧光技术（IFA）、ELISA技术和PCR技术测定抗体确定孕妇是否感染HSV。若孕妇有生殖器疱疹，应在分娩前仔细检查生殖器部位有无活动性皮损，决定是否需要在胎膜未破之前选择剖腹产，以免经阴道分娩感染新生儿。你患的是口唇疱疹，并不一定有生殖器HSV感染，如果没有生殖器疱疹，就不会感染胎儿和新生儿，也就不需要为此选择分娩方式了。

妊高征对胎儿有影响吗？

我怀孕32周了，被医生确定为妊娠高血压综合征。请问：这病对胎儿有不好的影响吗？我该怎么办呢？

妊高征是严重威胁母婴安全的疾病之一。其胎盘功能减退可使胎儿窘迫、发育迟缓、死胎、死产或新生儿死亡。你应该重视起来，及时看医生，听取医生的建议。如果需要住院，一定不能擅自回家。但也不要紧张，紧张的情绪会使妊高征病情加重。妊高征可分为轻度、中度、重度。中度以上妊高征对母婴安全威胁较大，应住院接受治疗。妊高征必须由医生根据每个孕妇的具体病情制定不同的治疗方案。不能自己服药治疗。

●保证充足的睡眠，避免过劳；
●减少盐的摄入量，保证充足的维生素和优质蛋白质的摄入，补充足够的铁、钙；
●不要错过躺着休息的机会，在可能的情况下，尽量采取左侧卧位；
●要有一颗平静的心，精神紧张和情绪波动是使妊高征加重的诱发因素；
●定期接受产前检查，及时发现妊高征引发的脏器损害。早期干预可减轻妊高征程度。

孕期发热对胎儿是否有影响？

我妻子怀孕已31周，今天开始发热37.8℃（13：00测）、38℃（19：20测），到医院检查，化验血结果白细胞多，但我妻子没有炎症症状。医生建议口服清热解毒液和注射青霉素。我担心对胎儿有影响，请告知我和妻子该如何做。上一周我妻子到医院检查身

体发现贫血，后口服肝精补血素、维生素C、叶酸、硫酸铁等药物，不知是否和此有关系。

你妻子发热的原因可能是感染所致，感染病原菌是细菌还是病毒或是其他病原菌，难以确定，但可通过体检和其他辅助检查协助判断，孕晚期发热还应排除肾盂肾炎，建议做尿检。妊娠晚期使用上述药物。对胎儿没有不良影响，但如果不使用药物治疗，感染本身对胎儿却会造成影响，在药物使用和疾病方面，应权衡利弊。如果疾病对胎儿的危害大于药物时，就要使用药物治疗；如果药物对胎儿的危害大于疾病时，就要选择其他安全用药或不用药。白细胞高并不都预示有细菌性炎症，病毒感染及发热本身也可使白细胞偏高。你妻子发热与服用抗贫血药没有关系。

孕期血糖高饮食上应注意什么?

我太太怀孕已经29周，最近做了一次血糖检查，数值为8.2mmol/L（毫摩尔/升），大夫讲正常情况下应该低于7.8mmol/L。随后我太太又做了糖耐量的检查（即口服75克葡萄糖，共抽静脉血4次），不过结果要3天以后才能知道。如果我太太确实血糖高的话，在怀孕的最后这2个多月中，在饮食及其他方面有什么注意事项？今后还需要做哪些定期的检查？

妊娠合并糖尿病有两种情况：一种是糖尿病合并妊娠，就是孕前已经患有糖尿病；另一种是妊娠期糖尿病，是妊娠期间合并的糖尿病。这两种情况都需要治疗。如果确诊了你太太有糖尿病，就应在医生指导下进行正规的治疗。妊娠期糖尿病的饮食不能完全按普通糖尿病饮食要求。具体计算方法是：每日每公斤体重供给热量为130-150kJ（千卡），每增长一孕周，热量增加3%-10%。饮食成分比例为糖类30%-45%；蛋白质20%-25%；脂肪30%-40%。并补充维生素、钙、铁等。最好分餐，每餐所占热量比例为：早餐10%，午餐30%，晚餐30%，睡前10%。在四餐之间各加一小餐，分别为全天总热量的5%、10%、5%。多食优质动物蛋白及适当的

准妈妈饶军
孕晚期不要长期采取一个姿势，也不要长时间坐着，一走，到空气清新的地方换心情，经常活动活动肢体，走

含纤维素的食物。定期做空腹、各餐前、餐后血糖检查和尿糖测定。

是否需要做糖尿病筛查?

我现怀孕近28周，医生让我做糖尿病筛查，我们家里没有得糖尿病的，我也不胖，平时不爱吃糖。我想问一下，我现在有必要做糖尿病筛查吗？如果有妊娠糖尿病，都有何症状？有无必要查尿糖，产前检查的医生未要求我做尿样检查，影响孩子健康吗？

妊娠期糖尿病对母婴影响是很大的。当合并妊娠期糖尿病后，母婴健康都受到影响。

（1）增加孕期并发症。如妊高征的发生率；感染增多，如肾盂肾炎、无症状菌尿、皮肤疖肿、伤口感染、产褥感染、乳腺炎等。

（2）羊水过多。比非糖尿病孕妇高10倍，可造成胎膜早破和早产。

（3）产程延长。可出现产程停滞和产后出血等。

（4）剖腹产率增加。

（5）巨大儿发生率增加。使难产、产伤和胎儿死亡发生率增加。

（6）胎儿畸形率增加。

（7）胎儿宫内发育迟缓。引起胎儿宫内窘迫，使窒息率增加，严重的发生缺血缺氧性脑病，遗留神经系统后遗症。

准妈妈/蒋新燕
怀孕时也像明星一样光彩照人。

（8）增加胎儿死亡率。

（9）发生新生儿低血糖。可达50%-70%，低血糖对新生儿脑细胞可造成不可逆转的损害，还可造成低钙血症、呼吸窘迫综合征、高胆红素血症、红细胞增多症、静脉血栓形成、心肌病。另外，对子代可造成后期的影响，如可使智力低下发生率增高。由于妊娠期糖尿病大多数患者无症状，空腹血糖多正常，所以，孕期做糖尿病筛查是至关重要的。

餐后2小时尿糖++。肯定不是妊娠期糖尿病吗？

我妻子怀孕32周，空腹尿糖阴性。她吃了午饭后2小时，查尿糖为++到+++，饭后4个小时后再查尿糖就没有了。问了我们这儿的医生，她说孕妇饭后尿糖都会阳性，肯定不是妊娠期糖尿病，也不需要做糖耐量测试。真是这样吗？

这个结论是错误的。尽管尿糖不能完全反映血糖水平，也不能证明有糖尿病，但认

为孕妇饭后尿糖阳性是正常的概念不完全正确。如果尿糖呈阳性，无论是饭前还是饭后，都应做进一步检查。饭后尿糖阳性达++到+++不能视为正常。你妻子应该进一步做血糖检查，也可做妊娠期糖尿病筛查或糖耐量试验。确定是否合并了妊娠期糖尿病。

孕期胆汁淤积症与肝炎的区别

胆汁淤积症，治疗无好转。会是孕期肝炎吗？

我妻子现在孕30周，双胎。在怀孕3个多月时发生全身瘙痒，检查发现谷丙、谷草转氨酶升高（乙肝、甲肝、丙肝检查正常），经医生诊断，认为是胆汁淤积，目前治疗为静脉输注低分子右旋糖苷、丹参、维生素C、氨基酸等。胆汁问题未能好转，请问胆汁淤积如何治疗？有何良策？上述症状有可能是孕期肝炎吗？

妊娠期肝内胆汁淤积主要特征是皮肤瘙痒和黄疸，容易被误诊为肝炎或胆石症。实验室检查为血清胆汁酸增高，为正常妊娠的10-100倍，随病情严重而上升，重度>10微摩尔/升。血清总胆红素升高，平均为34微摩尔/升，谷丙转氨酶和谷草转氨酶正常或轻度升高，血清碱性磷酸酶增高。

你妻子转氨酶水平超过正常的近10倍，胆汁酸超过正常值100倍以上。未检测胆红素定量和碱性磷酸酶，你妻子是否有皮肤和眼巩膜黄疸？可测定胆红素定量。根据你所提供的资料，诊断妊娠期胆汁淤积综合征是支持的。

治疗药物包括苯巴比妥、地塞米松、S-腺苷基、L-蛋氨酸、消胆胺等。没有非常特效的治疗。

你妻子已经做了甲、乙、丙肝炎标志物检查，均为阴性，但也不能完全排除有病毒性肝炎并存，还有丁型和戊型肝炎。

另外，还应与妊娠期脂肪肝鉴别。要监测胎儿情况，发现问题及时处理，孕妇如果发生急性肝坏死，或极重症妊娠期胆汁淤积，严重

影响了孕妇健康,就应果断中止妊娠。

当然,这都是纸上谈兵,在医院里,有专门的医生给你的妻子诊治,还有科内的主任和院内有关专家会诊,医生们会对你的妻子和腹内的胎儿负责。你不要担心,相信医院和医生的诊断和治疗,治好病人是他们的天职。我也是做临床医生的,我知道他们比你更着急。就让你妻子在医院里安心接受治疗吧,如果他们不能治,会为你请专家或建议你转入上级医院的。你的沉着冷静对你妻子是极大的安慰。

孕期胆汁酸、转氨酶高可不住院治疗吗?

我怀孕已有8个多月了,是5月21日的预产期。但是现在我到医院检查,我的化验报告如下:谷丙转氨酶78单位/升,总蛋白70.3克/升,白蛋白37.8克/升,球蛋白32.5克/升,白蛋白/球蛋白比值1.16,总胆红素18.4毫微摩尔/升,直接胆红素9.2毫微摩尔/升,胆汁酸103毫微摩尔/升。医生说要住院治疗,但我不太喜欢医院的环境,并且还要上班。能否拿药在家吃?不去住院会有什么后果?有何办法能把胆汁酸和谷丙转氨酶降下来?

关键要诊断清楚,转氨酶和胆汁酸增高是肝胆系统原发疾病所致,还是妊娠所致的肝损害,还是妊娠期胆汁淤积症?病情的轻重程度如何?然后才能决定是住院治疗,还是门诊治疗。治疗方案也要依据诊断和病情选择,若是传染性肝炎,应及时住院治疗,若是妊娠期肝内胆汁淤积症也应积极治疗,监测胎儿情况。我认为你还是应按照产科医生的意见去做。你现在转氨酶、胆红素、胆汁酸都不正常,即使不住院,也应该在家接受治疗,不能再上班了。

其他问题咨询

附件囊肿对胎儿有影响吗?必须剖腹产吗?

我现在已怀孕28周,曾在怀孕9周时右下腹剧痛,经检查是右附件囊肿所致,打了3天的吊针和休息后症状消失,到21周时又出现同样情形,而且痛得更厉害,再到医院检查,怀疑胎儿发育增大,挤压囊肿引起(该囊肿已压至变形),休息3天症状消失。想问:以上情况对胎儿健康有没有影响?是否必须剖腹产?

附件囊肿对胎儿健康没有直接影响。不会因为有囊肿就不能顺产,但如果囊肿需要摘除,可与剖腹产同时进行,起到一举两得作用。但同时做两种手术,时间比较长,损伤也比较大,对产妇的恢复可能不是很好,所以,能顺产一定要争取经阴道分娩,待产后身体完全恢复再择期做囊肿摘除术。如果囊肿发生蒂扭转,或发生囊肿坏死,出现剧烈腹痛,这时就需要行急症手术了。

孕28周血小板偏低有何影响?

我现在怀孕28周,医生诊断为血小板偏低,但不知是什么原因?建议我1个月后复查,我想问一下,血小板偏低是否对胎儿有影响?对我有什么影响?该如何改善这种状况?

血小板偏低对胎儿有何影响,要根据引起血小板减低的原发病而定,也与血小板低的程度有关。所以,现在的问题是你的血小板到底是否真的低于正常,因为血小板化验误差比较大,受一些因素影响,尤其是冬季,影响更大。医生让你1个月后复查,说明目前还不能确定检验结果的可靠性。

孕期腹泻怎么办?

我现在是孕第32周,最近几天有些泻肚,总是排便如水状,我该怎么办?

首先应化验大便常规,如果正常,就服用思密达,每次6克,每日3次,腹泻好转后停药。同时频繁饮用口服补液盐。如果大便化验有异常,就根据化验结果作出诊断,采取相应治疗措施,要在医生指导下用药。发生腹泻一定要及时纠正,以免刺激子宫,造成早产。

胎儿心率和胎动记录

孕龄		胎心率		胎动		备注
周数W	月数M	次/分	时间	次/小时	时间	
20W	5M					
21W	5M+1W					
22W	5M+2W					
23W	5M+3W					
24W	6M					
25W	6M+1W					
26W	6M+2W					
27W	6M+3W					
28W	7M					
29W	7M+1W					
30W	7M+2W					
31W	7M+3W					
32W	8M					
33W	8M+1W					
34W	8M+2W					
35W	8M+3W					
36W	9M					
37W	9M+1W					
38W	9M+2W					
39W	9M+3W					
40W	10M					
举例						
23W	5M+3W	142	7：50	5	8：00～9：00	自行测量，未发现异常
		138	12：05	6	12：30～13：30	医生测量，在正常范围
		148	18：40	8	19：00～20：00	自行测量，感觉胎动弱

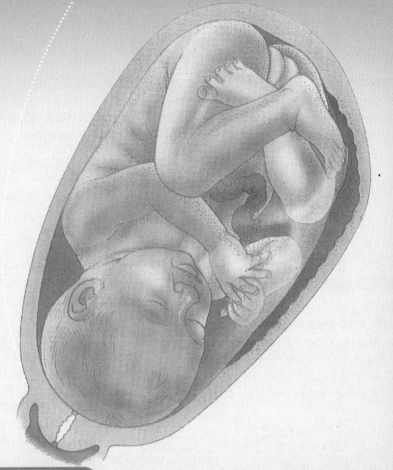

图片引自Elizabeth Fenwick著《新一代妈宝护理大全》

第十章

孕9月 （33-36周）

快速增重、预防早产、妊高征、婴儿用品准备

　　我开始把精力用在体重的增加上。随着我的长大，我与妈妈之间的物质交换越来越多，胎母之间的血液循环也越来越快，我皮肤的颜色开始变得红润起来。——胎宝宝

本章要点

● 为胎宝宝的出生作准备
● 不要过多进食高热量食物，避免巨大儿
● 增加产前检查次数

第1节 9个月胎儿自述
——妈妈不要一个人吃两个人的饭

179.我的体重在飞快增长

从这个月开始，直到出生，在短短的6、7周里，我增加的体重是出生体重的一半还多。我开始把精力用在体重的增加上。因为出生体重决定新生儿的生命质量。随着我的长大，我与妈妈之间的物质交换越来越多，胎母之间的血液循环也越来越快，我皮肤的颜色开始变得红润起来。我的内分泌系统和免疫系统功能已初步建立。

我的增大可能让妈妈感觉不适

这个月妈妈的腹部可能增加得相当显著，站立时，如果妈妈试图看到脚面，可不那么容易，感觉肚子巨大。随之而来的是活动不便，呼吸不畅快，胃好像有些堵塞，背也有些不舒服，如果个子不高，增大的子宫可能会把妈妈的肋骨顶得有些痛。所有这些不适，都是过大的子宫引起的，不必烦恼，很快就会过去了。如果妈妈感觉有些吃不下饭，不要紧，这时过多摄入热量，不但会使妈妈的体重过度增加，也会造成我超重，所以，这时的食物，要求的不是量大，而是质好。千万不要相信一个人吃两个人饭的说法，只需吃富含蛋白质、维生素和矿物质的食物。还是那句话，什么都吃最好。这个时期预防早产仍是头等大事。妈妈不要长时间站立或行走。坐着或躺着时，可以适当把脚抬高，以减轻下肢浮肿。如果浮肿比较明显，但并没有合并妊高征，妈妈也要多加注意，少吃盐，多休息。

我不愿意早早离开妈妈的子宫

尽管我具有了在宫外生存的能力，早产存活率大大提高，但如果这时出生，还是比较危险的，可能会患上早产儿特有的疾病，比如前面所说的呼吸窘迫，所以我现在还通过吸入羊水来进行肺功能训练。还有低血糖，这个病可不好，它会引起我智力低下。还有脑出血、严重的黄疸等都对我的大脑有危害。所以，只要我能再长成熟一点，妈妈就一定要预防早产，毕竟自然成熟是最健康的。

180.我会自由地睁眼闭眼了

我的四肢会自由地活动，手碰到嘴唇时，会吸吮自己的小手，已经有了比较好的吸吮能力，会自由地把眼睛睁开或闭上，把尿排到羊水中，还会用小嘴不时地吸几口羊水，并能吞咽到胃中，有微弱的呼吸，但并没有气体交换，我的肺中仍然充满液体。我的骨骼已经很坚硬了，但妈妈可不要害怕，为了能够顺利地通过产道，我的头骨保持着很好的变形能力。我会根据需要调整我的头形。

我的睡眠规律可能和妈妈的不一样

我现在已经有了很好的睡眠规律，睡着时，我会非常安静，可能一动不动，妈妈可不要因为害怕，就用手拍我，打扰我的睡眠。我现在仍然在长大脑，需要很好地休息。我醒来后，会比较淘气，因为我不一定和妈妈的睡眠周期协调，所以，可能会在妈妈熟睡时，剧烈地活动。妈妈睡觉比较沉，就不易被我的运动惊醒，那可是我所希望的。

我变得越发漂亮起来

爸爸妈妈，在这个月里我要让自己的皮下脂肪还要再长厚一些，以便出生后能够抵御外面的寒冷。我的指甲和趾甲已经长到和指（趾）尖齐平，皮肤粉红光滑，毳毛基本消失，已经不像皱皱巴巴的干瘪小老头，非常漂亮。手会张开和握起，脚趾头也开始会屈了，我的四肢是屈曲的。到这个月末，如果我是男孩的话，睾丸已经完全下降到阴囊，如果我是女孩，大阴唇已经完全合拢并覆盖生殖器，标志着外生殖器发育彻底完成。我已经是满头的胎发了，如果我出生后，头发没有你们想象的那么好，也不要难过，即使我只长出一点绒毛，也不能说明我的营养不好。

 你们的胎宝宝写于孕9月

230

第2节 胎儿过大、入盆、胎位

181.胎儿体重

从这个月开始，胎儿的体重增加非常明显，从33周到40周的7周里，胎儿体重的增长几乎是出生时体重的一半。所以，妈妈的肚子会从这个月开始迅速增大。

胎儿肚子是否会越来越大？

孕周为36周，双顶径98mm；股骨69mm；腹径100mm,羊水也多，主任医生说是胎儿过大，要控制饮食。我担心胎儿的肚子是否越来越大，整体比例越来越不协调？

B超也有一定的局限性和误差，尤其是在测量各种径线时，也会因B超探头放置的位置而有误差。胎儿双顶径和腹径数值差不多，98毫米和100毫米的差别可忽略不计，不能说是比例失调。随着月龄的增加，胎儿是整体增长，不会只有腹部越来越大。你的孩子较大，各值都比正常值偏大，若胎儿过大须剖腹产。以后几周注意饮食结构调整，多吃蔬菜，少吃高热量食品。另外，还应化验血糖，妊娠期糖尿病可出生巨大儿。

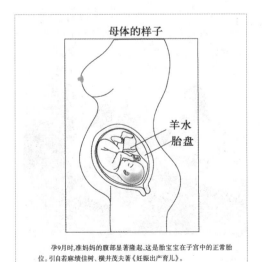

母体的样子

羊水
胎盘

孕9月时,准妈妈的腹部显著隆起,这是胎宝宝在子宫中的正常胎位。引自若麻绩佳树、横井茂夫著《妊娠出产育儿》。

B超与妊周不符

孕34+2天到医院B超检查,双顶径9.4,股骨长7.3,羊水中可见细微光点。B超医生说胎头大不知是否正常?按摩乳房时有微量乳液溢出,需要做什么处理吗?我体重偏轻,很担心生孩子后没奶。

双顶径略大于34周胎儿平均值,股骨长径符合34周胎儿平均值,但也在高限值上。胎宝宝发育是均衡的,不是单纯头大。医生没有告诉你有问题,是根据你的具体情况,你尽管放心。

妊娠晚期可有少量溢乳,不用挤,注意乳头清洁,如果有溢乳,用清水洗净,以免堵塞乳头。不要刺激乳房和乳头,以免增加乳汁分泌和早产的危险。体重偏轻并不能预示着没有母乳。

182.胎动、胎心

胎动减少

这个月的胎儿活动频率和强度都有所减少,这不是因为胎儿变得懒惰或有什么问题了,胎儿开始忙正经事了:下个月就要从妈妈的子宫中出来,这段旅程虽然不长,对胎儿来说却是至关重要的,如果不作好充分的准备,就有难产的可能,难产对妈妈和胎儿来说都是灾难性的,所以,为了让妈妈能顺利分娩,胎儿从现在开始就要作准备了:胎位要正确,头部要朝下,当向外冲的时候,头顶要正好对准出口,如果是面部、前额等处对准出口,就不能顺利出来;开始缓慢地向骨盆入口挺进——入盆,尽管一旦入盆胎儿就不能很自由的活动了,但胎宝宝也要这样做;如果等到分娩时再急忙入盆,可能会撞坏头颅,这可不是好玩的,胎儿的头可是比较脆弱的。尽管胎动的频率和强度变化是正常的,妈妈也不要就此过于放松,如果胎动频率和强度减少过于明显,要想到胎儿异常的可能。还要认真记数胎动,发现异常及时看医生。

胎心率下降

如果你自己或丈夫学会了听胎心,到了

这个月听胎心就更容易了。随着胎儿不断向骨盆方向移动，胎心最清晰的位置也逐渐靠下了。仰卧位时听得比较清楚，胎心率还是140-160次/分，如果小于120次/分，或大于180次/分，要注意观察，如果今天一天都是这样的话，就应该看医生了，胎心率慢比胎心率快更应引起重视。胎心音是强而有力，像座钟的钟摆一样"嗒、嗒"地跳，音调高低和声音强弱差不多，不像成人"咚、嗒"地跳，一声高一声低，一下强一下弱。胎儿醒着时心率相对快些，睡眠状态时，心率减慢；胎儿活动时心率明显增快，安静时心率慢，这是胎心率变异，是正常现象，如果缺乏这种变异性就不正常了。所以，在听胎心率时，不要因为心率的忽快忽慢而着急。只有过快或过慢才是异常。

胎位
臀位还有机会吗?

孕34周，臀位，胎儿脐带缠颈，现时还有机会转过来吗?

34周臀位转为头位的机会已大大减少，采取膝胸卧位法慢慢调转胎位，对胎儿没有什么影响，但有脐带绕颈，对转胎位有些不利，可能会使脐带绕的圈数增加，但也可能会使脐带绕颈消失。建议你做一下彩超，确定脐带绕颈的程度，如果绕颈明显，甚至绕两圈，就不要转胎位了，以免发生危险。

第3节 全方位呵护准妈妈

183.体重、腹围和宫高

每周都长出500克的体重

到了妊娠后期，腹部增大的速度比较快，体重平均每周可增长500克。到了第九月末，如果你的体重比孕前增长了15千克，说明你和胎儿的营养状况不错。不要试图再增加食量，

体重增长过多，不但会给你带来很大负担，比如活动不便、喘气费劲、腰背酸痛、下肢静脉曲张、睡眠障碍等，也会使胎儿巨大，给分娩带来困难。孕妇不能限食，更不能减肥，但如果体重增长过快，适当控制热量的摄入是非常必要的。吃高蛋白质，低热量，富含维生素矿物质的饮食，不但可避免孕期过胖和胎儿巨大，还不会导致胎儿营养不足。含热量高的饮食包括含糖、高脂饮食，如甜点、巧克力、蛋糕、油炸主食、奶油、奶酪、黄油及快餐食品。蔬菜是含维生素丰富且低热量的食品。如果你感觉体重增长过多，又很难从饮食上调节，可找医院的营养师或保健医师，根据具体情况为你制定一套饮食方案。

宫高

孕36-40周时，宫高每周增长0.4厘米；子宫底的高度可达剑突下2-3厘米，开始挤压心脏和胃，有的孕妇可能会因此而感到心慌、气短、胃部发胀，食量可能会有所下降。不要紧，可以少食多餐，就是一次少吃点，多吃几餐，这样既保证了母子营养供应，又不使孕妇难受，如果一次吃得过多，扩张的胃会挤压心肺，导致孕妇呼吸不畅、心悸、气短。

由于不断增大的子宫压迫，孕妇小便的次数更加频繁，大便秘结。子宫压迫输尿管引起肾盂积水，所以，不要憋尿。仰卧位时，下腔静脉、腹主动脉、输尿管会受到子宫的

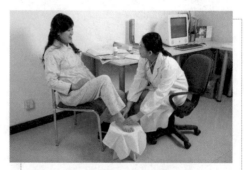

模特/任艺(左) 王惠子(右)
孕晚期的产前检查越来越频繁，这是检查下肢是否有水肿。

232

压迫、影响静脉血回流、胎盘血供应、尿液的排泄，因此，孕晚期最好不仰卧位，坐着时也不要向后倾斜。尽量抬高下肢，减轻下肢浮肿程度，避免下肢静脉曲张，有的孕妇一直到分娩都没有浮肿，这是很好的。

腹围

孕36周以后，腹围增长速度减慢，每周增长0.25厘米。

孕33周。别人都说我的肚子看上去很小，别人怀孕24周的肚子都比我的大。产前检查，只是胎位不正。肚子小意味着胎儿发育缓慢吗？

从腹部外形上，不能确定胎儿的大小。应根据宫高测量、B超测量胎儿双顶径、股骨长、身长等来估算胎儿大小是否与孕龄相符。医生没有说胎儿发育迟缓，你就不必担心。

184.重视产前检查

每次产检时，医生都会为你测量血压，化验尿蛋白及浮肿情况，这是非常重要的。在正常妊娠女性中，妊娠高血压综合征（妊高征）的发生率是5%～9%，妊高征是比较严重的妊娠并发症，对母子健康有极大的危害。对血压、尿蛋白、浮肿的监测就是为了及时发现妊高征。有的孕妇测量血压时不是很在意，尤其是冬季，不愿意脱衣服，只是把袖子捋上去，结果不能把上臂充分暴露出来，血压袖带无法放置在正常位置；如果衣袖过紧，就会挤压血管，如此测得的血压值不准确，就失去了测量血压的意义。有的孕妇认为每次都化验尿没什么必要。其实上次尿检正常不能说明尿检一直是正常的。如果某一次没有化验尿液，就有遗漏尿检异常的可能而延误妊高征的诊治。如果尿蛋白阳性就需要另外做一次尿检，这次尿检同时包括7个项目：尿蛋白、尿糖、尿胆素、尿胆原、尿酸盐、尿PH值、尿镜检（红、白细胞及其他有形物）。这7项都有实际意义，如尿糖阳性提示有妊娠期糖尿病的可能，需进一步做糖耐量

试验；尿胆素阳性提示可能有胆汁淤积；有白细胞或红细胞提示有尿路感染的可能。

预防早产办法

早产儿需要很好的护理和比较高的医疗技术支持，才能健康地成长起来，如果医疗条件差，死亡率还是比较高的。无论如何，早产儿总不如足月儿，早产儿的生命质量会受到不同程度的威胁。前面介绍过了，胎儿的大脑是最早分化发育起来的，但一直到足月，大脑仍没有完成发育的全过程，不但如此，胎儿的大脑也是最脆弱，最容易受到伤害的器官，多在子宫内生长一天，胎儿的大脑就发育完善一点，如果提前出来，就意味着让胎儿过早地独立生存，没有了妈妈的帮助，尚不成熟的早产儿在接下来的生长过程中会遇到更大的挑战，需要拿出更多的精力对付外界不利因素的干扰，不再能一心一意地发育大脑。所以，预防早产是重要的，妈妈不要忽视这个问题。

● 调整性生活；不要动怒；洗澡时间不要过长，以免劳累；

● 不要过劳，保证充足的睡眠和休息；有职业的孕妇，可能会一直等到动产时才能休假，要注意工作强度，如果感觉累，就提前休假；

● 长时间逛街是不明智的；不适合长途旅行或远足郊游；

● 不要异常扭动身体；不要做从来没有做过的运动；不要突然改变体位，如突然从座位上起来，或听到电话铃声就突然跑去接听；

● 家里刚拖完地时，不要走动；拖地时不要使用肥皂水或其他能使地板打滑的东西；木地板也最好停止打蜡；穿非常合适的鞋子，即使在家也不要穿拖鞋；

● 下楼梯，或走凹凸不平的路时，要注意重心；雨雪天气不要外出；

● 如果产前检查时，医生告诉需要休息，一定要听从医生的劝告。

到外地分娩

做好分娩的准备，如果打算到外地（娘家或婆家）分娩，要提前做好准备，根据路

途远近选择交通工具和时间。

选择交通工具的原则是：能乘坐火车最好不乘坐汽车，能乘坐汽车，最好不乘坐飞机，能乘坐飞机，最好不乘坐轮船，能乘坐江轮，最好不乘坐海轮。最好不选择夜车。

时间：最晚要在距离预产期四周前赶到准备分娩的目的地，这样不但避免途中可能动产的危险，还能为在异地分娩做好充分的准备。到了目的地，应尽快去准备分娩的医院，把产前检查记录拿给医生看，让医生了解你的整个妊娠过程，检查你目前的情况，制定未来的分娩计划。

即使是比较近的旅途，也要作好充分准备，带全途中所需物品。尤其不要忘记母子健康手册、产前检查记录册以及所有与妊娠有关的医疗文件和记录。

185.孕9月可能遇到的问题

阴道分泌物增多

随着临产的到来，阴道分泌物可能会增多，要注意局部清洁，每天用清水冲洗外阴是不错的选择。如果用洗液最好有医生的推荐，有些洗液会改变局部环境的酸碱度，反而增加局部感染的机会。孕期易患霉菌性阴道炎，霉菌是机会菌，如果长期使用具有杀灭细菌的洗液，霉菌就会乘机感染，成为致病菌。所以，用中性的清水或洗液洗是比较安全的。

疲劳感

到了这个月孕妇可能会时常有疲劳的感觉，要注意休息，不要等到异常疲劳时才想到休息，要有规律生活，保证足够的睡眠，尤其不要熬夜，熬夜是最不利胎儿生长发育的，况且，如果妈妈在孕期没有养成良好的生活习惯，会影响到胎儿，甚至影响到出生后新生儿的睡眠习惯。

腰背痛

孕后期，随着子宫增大，孕妇可能会出现腰背部酸痛，这是由于肚子向前膨隆，为了保持稳定的直立位，不得不拉紧腰背部肌肉以保持重心平衡，腰背部肌肉长期处于紧张状态，势必导致腰背肌疲劳，腰背就出现疼痛了。另外，胎儿的头部开始进入骨盆，压迫腰骶脊椎骨，也是腰背痛的原因之一。有的孕妇腰背痛很显著，不排除有疾病的可能。如腰椎间盘突出、腰肌损伤、孕前经常穿很高的高跟鞋等，已经使腰背肌处于疼痛的临界点，怀孕后就显现了。有的孕妇从始至终都没有很明显的腰背痛，有的孕妇很早就感觉到腰酸背痛，这与孕妇的身体状况、子宫在腹中的位置、胎儿的大小等有关。

减轻腰背痛的方法：减少站立时间；站立时最好把一只脚放在凳子上或任何稳固的高处，如台阶；不要睡过软的床垫，如果睡的床垫过软，躺下就深深地陷进去，可在床垫下垫一块木板。如果不能通过一般方法缓解，要寻求医生帮助，或找理疗师及运动专家，制定适合本人的护理和锻炼腰背肌的方法。在水中慢慢地游动或在热水中泡上10分钟，对缓解腰背痛有一定的帮助。

不要忘记：一阵阵的腰痛可能是子宫收缩造成的，如果感觉与平时的疼痛不一样或忽然加重，要去看医生，确定是否有临产的可能。

呼吸不畅

增大的子宫把膈肌（胸腔与腹腔之间相隔的肌肉，是辅助呼吸肌肉）顶高，使得胸腔体积减小，肺脏膨胀受到一定限制。进入肺泡的氧气减少了，氧供应不足，你当然感觉呼吸不畅，有的孕妇会告诉医生她感觉气不够用——气短。如果不是忍受不了的气短，不用担心胎儿会缺氧，胎儿会从妈妈那里获取足够的氧来满足生长的需要。

营养供应匮乏时，谁最先受益？

氧气、营养素这些必须的物资供应，一旦出现匮乏，是妈妈优先使用还是胎儿优先使用？在营养素紧俏时，首先是满足胎儿需要，如果铁的摄入不足，妈妈即使出现贫血，胎儿也要做最大努力，不但要从妈妈那里获取足够他生长的铁，还要在肝脏中储存足够的铁，以便出生后利用。只有当妈妈极度缺乏时，才会殃及到胎儿。这充分体现了人类的自我保护能力，也体现了母亲的无私和伟大。妈妈可不要因为胎儿有这样的能力而不顾自己的身体健康，妈妈失去健康，即使没有严重到威胁宝宝健康的程度，也会给孕育、分娩和哺育宝宝带来不利。从这个角度说，妈妈也必须保证健康。

第4节 为宝宝准备用品

现在是作分娩前准备的时候了，宝宝出生后所有的用品应该在这个月末准备齐全，随着胎儿的增大，你的活动越来越不方便了，不能长时间行走或站立，所以，你应该从这个月开始为你的分娩做准备。亲朋好友可能会为你的宝宝购买一些物品，但一般情况下，都会在你的宝宝出生后送给你。所以，你和丈夫应该准备你住院分娩及分娩后所需要的东西。

186.婴儿寝具

婴儿房间
我到过许多家庭，大多数家庭喜欢选择比较小的房间做婴儿房，或选择窗户朝北的房间做婴儿房，这都是不好的。小房间因为空间小不易保持良好的空气，朝北的房间很少能见到太阳。应该把宝宝放在阳光充足的房间，白天不要挂遮光的窗帘。

木地板要比地毯好得多，不但容易清扫，还不易藏污纳垢。有的家庭使用儿童塑料拼图铺在婴儿房中，使用前一定要彻底清洗、通风至无味，使用中定时清洗。

很多妈妈把电视放在婴儿房，而且离床很近。这样不好，宝宝睡了，妈妈应该抓紧时间休息，这样会增加奶的产出；妈妈和宝宝进行交流，对宝宝的智力发育有极大的好处。妈妈长时间看电视，光声电污染时刻干扰宝宝的睡眠和发育，对妈妈和宝宝的健康都不利。宝宝醒来时，可放优美的音乐。

房间里一定要挂温度计和湿度计，有暖气、电扇、空调设备，可以摆放绿色植物（无有害物质释放的品种）和加湿器，保证适宜的温度和湿度（具体要求详见《婴儿卷》）。

婴儿床
母婴用品商店及一些商场有非常漂亮的婴儿床供你选择，有的父母会想得久远一些，购买比较大的床，以便孩子长大后也能睡在里面。这看起来是一步到位了，但有一点不好，这样的床放在父母房间里很挤。而新生儿，甚至到1岁时，在未断奶前，离开妈妈独睡都是很困难的。所以，买一个能放在父母床旁的小婴儿床并不是多余的。小婴儿床

婴儿产品图
产品图由北京丽家宝贝公司提供。

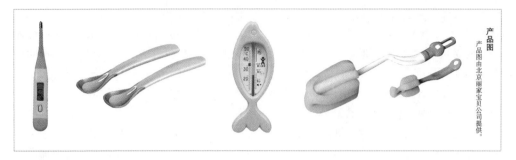

产品图
产品图由北京丽家宝贝公司提供。

至少能睡到3岁，3岁以后再给宝宝买一张儿童床并不浪费，当然，如果你的亲戚朋友家里有使用过的小婴儿床，拿来使用也不错。老人们认为使用其他孩子用过的东西更好。

不是越贵越好，一定要购买质量可靠的婴儿床。木质的床不错，冬天不凉。床四周必须有护垫保护。床的一面围栏应该是活动的，晚上睡觉时，把围栏放下来，与父母的大床对接好，这样，晚上护理宝宝就比较方便了。最好买与父母床高低相同的婴儿床。

床四周栏杆缝隙宽窄要适合婴儿，如果栏杆缝隙过宽，婴儿的头部有被卡的危险，如果栏杆过窄，婴儿手脚有被卡的危险，当婴儿醒着时，也影响宝宝的视觉。婴儿到8、9个月就能扶着床栏杆站起来，如果床栏杆高度不能达到婴儿腋下，就有"倒栽葱"的危险。所以，床栏杆至少要在50厘米以上。

配有蚊帐，蚊帐质量好，轻薄透气。不宜选择有图案和色彩花哨的，要给宝宝营造一个安静平和的休息睡眠空间。

床上用品

现在商场上有很多现成的宝宝被褥，不再像过去，需要妈妈一针一线地缝制了。但是，家里有老人的，还是喜欢为即将出生的孙子孙女做小被子和小褥子。无论是买现成的，还是自己缝制的，都应选择纯棉的面料。化纤面料容易让刚刚出生的小婴儿过敏。如果使用布尿布，容易尿湿被褥，所以，要多准备几套，至少也要准备4套。不要选择色泽深的布料，色泽浅的比较适合婴儿使用。刚出生的婴儿不需要枕头，最好不买化纤小毛毯，化纤毛毯脱落的飞毛易使宝宝过敏。可以选择纯棉毛巾被、纯棉面料套的小毛毯。婴儿用品必须可以水洗，至少是面料可以拆洗的。不可以水洗的部分必须常常暴晒。

187.尿布、哺乳和出行用品

婴儿车

带有遮阳伞的婴儿车比较好，在炎热的夏天把遮阳伞打开，比给宝宝戴遮阳帽好，遮阳帽会影响婴儿的视野，还容易被风刮落。有蚊帐不但可以防止蚊叮虫咬，而且大风天气可以防风沙，放在树荫下可以防止鸟虫粪便甚至毛毛虫掉到宝宝脸上、手上。

能改变车身角度的最好，如果孩子睡觉了，可以放平让宝宝躺下，如果宝宝醒着就折叠起来，让宝宝坐着。无论什么式样的婴儿车，质量保证都是第一重要的。

能够把车身从车座上拆卸下来的婴儿车是一车多用型，可以把婴儿车上半部分当婴儿提篮使用，当婴儿在车里睡熟后，可以把婴儿连人带筐提走，防止挪动婴儿时受风感冒。同样，也方便把婴儿挪到婴儿车上、汽车上或家里。但注意这样的产品对连接部位质量要求较高。

婴儿汽车座椅

现在有私家汽车的家庭越来越多，但使用婴儿座椅的却不多,我曾问过一些妈妈，为什么不给宝宝购买座椅？妈妈的回答是自己抱着最安全。这很容易被理解，妈妈喜欢把宝宝抱在怀里，宝宝在妈妈的怀里感觉也是最安全的。但是，妈妈们要明白，在乘坐汽车时，把宝宝抱在怀里并不是最安全的，而放在专门为婴儿准备的汽车座椅上才是安全的。小婴儿无论是抱着，还是放在座椅上，都要让婴儿背对着汽车行进的方向。放置婴儿汽车座椅最安全的地方是汽车后排座司机后面的位置。

婴儿浴盆、浴床

不要选择金属盆，一是过凉、过沉，二是薄薄的金属边有磕到宝宝的可能。无毒无味的塑料盆或自然的木盆都可以选用，为了防止宝宝滑脱或牵拉宝宝时太用力，最好给宝宝同时配一只小浴床。至于沐浴液倒是不着急，等宝宝出生后再买。

婴儿服

婴儿服不需要时髦，而是实用，为宝宝准备3、4套和尚领或开肩的套头宝宝服，两套宽松的婴儿睡衣，几双小棉袜，小软鞋，一件小斗篷就差不多了。不需要买太多，你的亲朋好友会送给你一些。买衣服的诀窍是买质地、功能、实用。

婴儿尿布

这可是必不可少的婴儿用品，而且其用量是惊人的。所以，在宝宝出生前，你和丈夫应该商量一下，你们准备给将要出生的宝宝使用什么尿布，是一次性纸尿布，还是纸尿裤，还是布尿布？还是几种穿插着用？如果选择布尿布，是自己用棉织品消毒制作，还是购买现成的？这些都需要事先想一想。纸尿裤一个月下来大约要数百元。如果你们家里有足够的人手洗尿布，选用布尿布并不是件坏事。

哺乳用具

即使是母乳喂养，准备两套婴儿用的餐具也是很有必要的，包括奶瓶、奶锅、水杯、小勺、榨汁器、暖瓶、滤网（滤菜汁和果汁用，也可使用纱布）。我还是要再次提醒准父母，给婴儿使用的任何餐具都不能是铝制餐具。塑料奶瓶透明度低，有污渍时不易被发现，也不如玻璃奶瓶容易清洗。但塑料奶瓶轻巧不易碎，当小婴儿会自己拿着奶瓶喝水时，最好选择塑料奶瓶。现在很多奶瓶都带测奶温的温度计，这确实很方便，但也有弊端，如果温度计出了毛病，而妈妈又不知道，会带来麻烦。用传统的方法，滴几滴奶或水在妈妈的手腕内侧，妈妈有天生的敏感，这样虽不够现代化，但是更保险。

关于婴儿用品的购买、选择原则和使用方法，我在《婴儿卷》中有更多更详细的论述，准妈妈如果有时间，可以提前看一下。这样将来用起来更得心应手，也会买得更实在，更有的放矢，而不是凭兴趣。

188.孕9月常见咨询实例解答

血压高是什么原因？

孕35周，以前每次检查都挺正常的（110/70mmHg），这次突然血压升高（135/90mmHg），隔了20分钟再测，还是这个数值，有何危害？

应进一步化验尿常规，确定是否有尿蛋白，确定是否有妊娠高血压综合征。现在是否有浮肿？典型的妊娠高血压综合征有三高一低现象：高血压、高度浮肿、高蛋白尿和低蛋白血症。如确诊为妊高征，应住院治疗。要休息，左侧卧位，低盐饮食，多吃水果蔬菜，少摄入动物脂肪和油，避免精神紧张。在医生指导下选用降压药。

鼻出血不知为何？

春天气候干燥，如果有鼻出血史在这个季节容易发生。孕期鼻黏膜充血水肿，也容易出鼻血。如果出血不多，用冷水敷一下就可以了。如果出血严重要看五官科医生。

手指关节和腕关节痛

我现已怀孕36周,但我从孕中期开始就一直觉得手指关节,尤其是手腕关节疼痛,好像筋扭伤一样,一直在补钙,但未见好转,是否需要继续补钙?补钙过多对生产是否有影响?最近我的睡眠一直不好,不知有何解决方法?

妊娠期可出现指腕关节疼痛,即所谓的"腕管综合征"。这是由于妊娠期筋膜、肌腱及结缔组织的变化使腕管的软组织变紧而压迫神经,引起上述症状。一般不用治疗,分娩后症状逐渐减轻。可通过抬高手臂减轻疼痛。孕期睡眠障碍不提倡使用药物,白天减少睡眠,适当活动,晚上不要吃得太多,睡前可喝一杯热牛奶,不要看刺激性的电视片和书籍。

腹部皮肤痒

每天晚上腹部十分痒,有时整晚不能睡觉,精神十分疲惫。有什么办法可以缓解?

皮肤表面有异常表现吗?腹部皮肤是否被增大的子宫撑得很紧?如果是妊娠纹明显,说明皮肤表面张力比较大,部分肌纤维断裂,局部血运欠佳,可造成痒感。妊娠期胆汁淤积综合征,也可引起皮肤瘙痒,但大多表现全身性。如果是妊娠纹造成的,可涂抹防止妊娠纹的药膏。尽量少站立,减轻皮肤张力,增加血运。如果是胆汁淤积所致,则应去医院治疗。

羊水少该提前分娩吗?

孕34周,从32周体检时发现羊水暗区是380毫升。今天检查,羊水暗区只有360毫升。胎儿发育情况良好,成熟度为II级。医生说是羊水不够,提前生育为佳。我该怎么办好?

你应该先接受治疗,如果治疗没效,再考虑是否提前分娩。如果情况允许,最好在孕37周后分娩,提高新生儿存活率。

防护乳皮肤过敏对胎儿有影响吗?

我怀孕已33周,前两天,我为了避免夏天皮肤晒黑,购买了欧柏莱美白防护乳(SPF12),以前我用此牌子的护肤品从未不适,但此次用过后脸上出现明显的过敏反应,起了许多小红疙瘩,还有微痒,停用后不痒了,但脸上的小疙瘩仍未消失,请问这对胎儿有无影响?

孕期不宜使用含有特殊化学成分的化妆品。美白防晒霜属于特殊用途化妆品,可能含有致敏成分,可使用一些安全成分的护肤品。一旦有过敏反应,应立即停止使用。你对所选用的防晒霜发生过敏反应,停止使用后减轻,不再需要其他治疗。你已经妊娠33周,胎儿各器官发育基本完成,对胎儿不会造成不良影响。

接种乙肝疫苗胎儿会产生乙肝抗体吗?

太太在怀孕6个月时就开始打乙肝疫苗至今,现在已经36周,比较担心宝贝会受她的影响,到时长大后,对日后的生活和工作都会造成不便,采取这样预防措施,宝贝是否会产生抗体?我本人有抗体。

你妻子可再查一次乙肝两对半和肝功能,了解目前情况。关于阻断母婴传播的方法,国家有法定的免疫程序,对新生儿的保护率可达90%以上。阻断母婴乙肝传播主要是新生儿出生后在规定的时间内注射高效价乙肝免疫球蛋白,并按接种程序接种乙肝疫苗。出生后母婴的密切接触也是造成母婴传播的途径之一。孕期注射乙肝疫苗对母婴传播的预防效果未见过报道,是否会产生抗体难以确定。

准妈妈/何霁绯
准妈妈即将要生出个小天使来,小天使的妈妈也一定是天使。

图片引自国际在线网http://gb.cri.cn

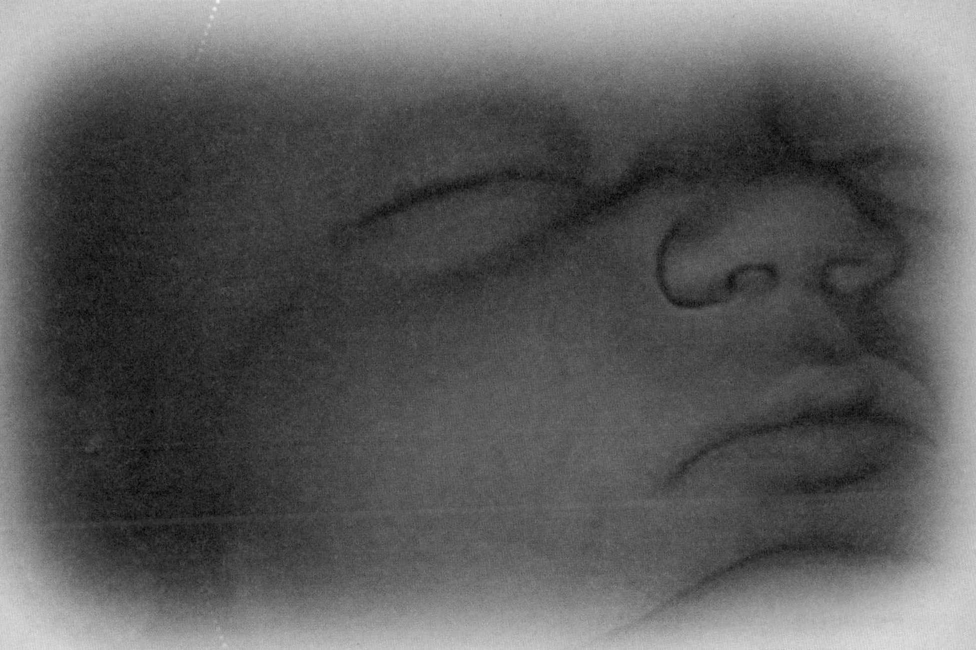

第十一章

孕10月（37-40周）

足月儿、胎头衔接分娩准备、迎接预产期、过期产

在这个月，我会经常学习用肺呼吸，做呼吸功能的调试和练习，完全作好准备，随时待命，一旦出生就立即启用我自己独立的肺循环，终止依赖妈妈的胎儿循环。妈妈就等着我第一声骄傲的啼哭吧。——胎宝宝

- 学习辨别真、假临产
- 胎头衔接和分娩前的检查
- 准备好去医院分娩和出院时所需物品
- 发现胎动异常及时看医生

第1节 10月胎儿自述
——我要出来和妈妈见面啦

189.我仍在马不停蹄地成长着

在接下来的3、4周里，我还要不断成长，做到离开妈妈的子宫后能够独立生存。我的皮下脂肪还要进一步增厚，我知道，妈妈的子宫非常温暖，离开妈妈的子宫后，温度要比这里低得多，厚厚的脂肪不但能够保存我体内的热量，棕色脂肪还能够释放热量，以保持我的体温。在妈妈的子宫里，我已经体会到什么是生命的温暖。妈妈总是给我更多的营养，让我长出更多的肌肉骨骼和脂肪，让我尽量强壮，送我开始独自踏上漫漫人生旅途。当然，妈妈也要适可而止，我要带得太多，负重出行，成了巨大儿，胖得连家门都挤不出去，还谈什么未来的旅途?

我的肺脏已经具备了呼吸功能

爸爸妈妈不用再担心我不会呼吸了，我的肺脏功能已经成熟，已经有了充足的表面活性物质，肺是我最后发育完善的器官，尽管如此，还没有启用。在这个月，我会经常学习用肺呼吸，做呼吸功能的调试和练习，完全作好准备，随时待命，一旦出生就立即启用我自己独立的肺循环，终止依赖妈妈的胎儿循环。妈妈就等着我的第一声骄傲的啼哭吧。肺的成熟标志着我已经完全长成，能够在妈妈体外存活。如果我和妈妈有任何不适宜继续妊娠的疾病或征兆，当我结束第37周进入第38周的第一天，就是可以用人工方式启动分娩的时刻，我将告别我的第一间最温暖的小巢，我可以启程了。

190.我就要出来见爸爸妈妈了

和爸妈见面前，我先描述一下我的长相吧

我已经比较丰满了，面部皱纹消失，表情越发丰富，时而眨眼，时而吞咽羊水，时而张嘴，时而打嗝。如果手指碰到嘴唇，还会津津有味地吸吮几下。动作也更加多样化，肢体活动也多样化了，小手时而张开，时而握住，时而抱着自己，时而挥舞，小腿时而蜷起，时而伸开，踢一踢，踹一踹，无所不能。简单地说：这时的我和足月新生儿一样。

小足印是我的第一张身份证

妈妈不要担心，很快我就会适应外界的温度，尽管离开妈妈的子宫，但妈妈的怀抱也是非常温暖的。因为脂肪增厚，我的四肢和身体变得圆滚滚的，是惹人疼爱的漂亮婴儿，小老头般的皮肤皱褶消失，出现美丽的光泽。我的指甲和趾甲已经超过指(趾)尖，肺部发育完好，乳头略微隆起。毳毛几乎脱落，大部分厚厚的胎脂也脱落，头发浓密，长2-3厘米。指趾掌出现较多的纹理，足底纹理越多标志着我越成熟。每个胎儿的指趾掌纹都不同，可以作为身份识别的标志。你看，我会在最后给自己打印上条形码，表明我已经完成所有工序，可以出厂了。我一出生医生就会给我印手足印，它的意义并不是艺术品，而是我的第一张身份证。

我说不定哪天出生

我并不是一定等到妈妈孕40周才出生，也不是一到40周都必须出生。在前面曾讲过，分娩的日期是根据妈妈最后一次月经推算的。所以，我并不都是在预产期那一天出生。生命就是如此神秘。既没有人能准确知道我在哪一天来到妈妈的身体里，也没有人知道我在哪一天离开妈妈温暖的子宫。但通常情况下，妈妈末次月经来潮2周左右，是卵子排出的时间。因此预产期前后2周(孕第38周后，42周前)分娩都属于正常的。亲爱的妈妈，再过1周，只要进入孕38周第一天，我就被称为足月儿了。

总调度出了问题

医学上超过42周才出生的胎儿就叫过期产儿了。如果超过预产期两周我还没出来，我就成了过期产儿了。如果我真的不舍得妈妈温暖的子宫，想在里面多待了些时日，妈妈也不要心急。该出来时，我一定会出来的。如果过了预产期我还没有要出来的征兆，几乎没有医生让我等到过期，就会想办法发动分娩，除非医生确信我还没有过期，或没有成熟，只是计算失误。你看，总调度虽然权力很大，但出了问题，也有人来监管，妈妈不用心焦。如果过期，妈妈一定要到可以信赖的医院去就诊。

我一定能健健康康地出来见爸爸妈妈

我要和爸爸妈妈见面了，这将是何等的令我们激动的时刻啊。我一定不辜负妈妈十月怀胎的辛苦，健健康康地出来见爸爸妈妈。现在我不再像原来那样爱运动了，妈妈会感觉到胎动少了，不是我懒，我要为出生作准备了，妈妈可能感到我已经在下降了，我要把我的头降到妈妈的盆腔中，离出口更近些。这样一来，妈妈可能会感觉呼吸畅快了，胃也不胀满了，一下子能吃了，可盆骨却出现疼痛，腰骶部也被我压得酸酸的。如果不小心压到妈妈的坐骨神经，妈妈可能会感觉腿痛。到了后来，妈妈可能会一次又一次地跑卫生间，那也是我的大脑袋压迫造成的。不过妈妈不要着急，或许下个星期，或许再过两三周我就出来了。妈妈一定要静下心来，继续吃好、喝好、休息好，继续和我交流、和我说话。这最后的时刻对我的成长更重要，别忘了新生儿有的能耐我都有。如果妈妈过于焦虑，出生后的我可能会特别爱哭。如果妈妈自始至终都高高兴兴的，我一定是个性格开朗的孩子。

191.我感动着爸爸妈妈对我的那份牵挂

十月怀胎，瓜熟蒂落。临近预产期的日子，妈妈和爸爸日夜等待着临产征兆的到来，那份痴情和牵挂让我感动。因为我已经给爸爸妈妈发了电报："我可能在×月×日到达人间。你们的小天使。"所以这个日子的前前后后，老爸老妈总是到车站望啊望，希望接到我。那么，分娩机制到底是怎样发动的？爸爸妈妈多想知道，我乘坐的列车何时启动？医学家进行了很长时间的科学探索：是妈妈还是我举起发车的信号牌？答案大大出乎你的意料，这是个脑筋急转弯！是胎盘举牌发的信号！你终于明白了吧：为什么列车启动前，站台上和车厢里的双方总是依依不舍，必须由列车员打断他们没完没了的握手和拥抱。胎盘释放一种叫作CRH的激素，这种激素在孕14周以后胎盘就开始制造，产量一直稳定增加，直到最后足以发动分娩。前面我提到，我通知妈妈怀孕消息的激素叫绒毛膜促性腺激素(HCG)，这种激素也是由胎盘制造的。所以胎盘是启动怀孕和分娩的总调度。

成语瓜熟蒂落的意思我们可以理解为：瓜秧妈妈搂着她的瓜宝宝，瓜宝宝吸着妈妈的养料，谁都不愿意分开。到瓜熟的时候，瓜蒂啪嗒断落，对瓜宝宝说：你要开始新的一生。胎盘就是人类的瓜蒂。发明这个成语的人，应该得诺贝尔医学奖。

192.和焦灼等待中的妈妈说说心里话

到了这个月，面临着分娩，您可能会有很多的想象，会听到很多周围的人和您讲一些关于分娩、坐月子和喂养新生儿的事，她们或者给您一些建议，或者给您一些忠告，不管怎么说，您的心可能始终都悬着。如果您从现在开始就有很多的担心，那就提前看一看分娩一章，当您对分娩有了更多了解的时候，你就没有那么多害怕的想象了。

这个月您要做的事情还真不少，要把您准备分娩的东西收拾好，放在您和家人都能够拿得到的地方，把您在孕期做的所有检查结果以及母子手册放在随手可拿到的地方，因为在接下来的几周里，您随时都会有动产的可能。住院需要带的东西，出院需要拿的东西分两个包裹，当您出院的时候，让爸爸把您准备好的包裹带到医院就可以了，以免东西拿不全。把产后的事情也要安排一下，您准备请谁帮助度过产后4周的月子时光。这很重要，月子里陪伴在您身边的人应该是您信赖的人，如果爸爸能在我们身边是最幸福的事了，可爸爸没有产假，那您就找我的外婆或祖母吧。

在月子里您可能会因我的到来而手忙脚乱，产后体质可能会有些虚弱，哺乳、换尿布、洗澡、换衣服，很多的事情都需要您去做，因为我不能像妈妈一样昼醒夜眠，而是睡一会儿，醒一会儿，把您拖累得很疲劳，所以，我劝妈妈不要再遵守昼醒夜眠的习惯，尽量抓紧时间多睡觉，这不但对您的康复有利，还能增加我的食粮。有问题不要紧，《郑玉巧育儿经·婴儿卷》是专门给新手妈妈写的，会帮助您轻松哺育我成长，您可在案头上放一本，有问题随手翻一翻，您就少了很多困惑。您也可以再备一本《斯波克育儿经》，了解一下西方人是如何养育孩子的。

 你们的胎宝宝写于出发前

第2节 分娩前的胎儿异常与胎头衔接

193.密切监测胎儿情况

胎动异常

当胎儿头部与妈妈的骨盆"衔接"后，胎动的频率、幅度和强度就开始减弱了，这是显而易见的，胎儿的头已经钻入妈妈产道的入口，并继续努力向产道出口移动，这个任务对于胎儿来说是最重要的，妈妈可能会感觉胎动少了，就在腹壁外刺激胎儿，让宝宝还像以前那样活跃，这会干扰胎儿的工作。

如果胎动次数明显减少，12小时内小于10次，或胎动较前减少了50%，或凭借你这几个月的经验，预感胎儿有异样，不要犹豫，马上看医生。

胎动异常就要提前剖腹产吗？

我妻子怀孕37周了。最近几天胎动不太正常，有

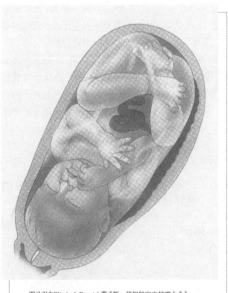

图片引自Elizabeth Fenwick著《新一代妈妈宝宝护理大全》。

时动的时间很长，连续动几分钟。有时很长时间不动。在医院测胎心120～130次/分。彩超报告：未发现脐带绕颈，羊水正常，胎盘Ⅱ级。医生认为可能是胎儿缺氧，原因不明。建议住院输氧输液保胎，待38周足月后行剖腹产。请教郑医生有何看法或建议。

分析检查结果：胎心率偏低，但仍在正常范围。胎盘已经达到Ⅱ度，不能排除有胎盘供血不足，导致胎儿宫内窘迫的可能。因此，医生建议你妻子输液、输氧是积极的。如果确实有胎儿宫内窘迫，应尽快使胎儿娩出。是否必须剖腹产，到时候根据孕妇和胎儿情况再决定。

胎心异常

胎儿开始向子宫颈口移动，子宫底下降。所以，胎心最明显的位置比原来低了。进入临产期，会有无痛性子宫收缩，当子宫收缩时，胎心率减慢，如果恰好在这时听胎心，心率可能会接近120次/分，这不是异常情况，宫缩停止后，胎心率会恢复到原来的水平，如果胎心率持续不恢复，或胎心率低于120次/分，或高于180次/分时，要与医生取得联系。

胎心为122次/分意味着胎儿心脏发育不好吗？

由于工作忙一直没有上医院检查，只是在孕30周的时候做了B超检查，一切正常。前几天发现胎心偏低为122次/分，这是不是意味着孩子心脏发育不好？胎儿已经入盆，不知道还有多久孩子会出世？

胎心率慢，并不一定是胎儿心脏本身的问题，可能是胎儿缺血缺氧，胎盘供血不足等原因造成。只听了一次，不能就此认为胎心偏低，可做胎心监护。正常胎心率波动于120～160次/分。入盆并不意味着临产，临产的症状有阵发性腹痛（子宫收缩所致）、阴道少量出血（见红）、破水（需要紧急去医院）、腰痛（有的产妇宫缩表现为腰痛而非腹痛）、下腹坠胀感、便意或尿频（胎头压迫直肠或膀胱）。出现上述症状中的任何一项，都可认为

是临产征兆。不要等到临产时再到医院，这2周要勤检查，至少也要1周一次。

胎心率慢影响胎儿大脑发育吗?

我孕38周了。胎心率只有122次／分，这会不会影响胎儿大脑的发育? 医生估计孩子不到6斤，我很着急，现在多吃些，胎儿还会再长重些吗? 我现在该怎么办?

胎心率122次／分不能认为过慢，不会因此影响胎儿大脑发育。最好做胎儿监测，观察胎心率和节律的变异性，胎儿活动后或有其他刺激，会引起胎心率增快，胎儿睡眠休息后胎心率会减慢。如果胎心率缺乏变异性预示着不正常。体重近6斤，不能认为胎儿偏小，不用多吃。

胎心变异性差对胎儿有何影响?

我妻子怀孕37周多了，几次产检医生都注明胎心变异性差，胎动有点少（平均每小时少于3次），这对胎儿有何影响?

做胎儿监护时可观察到胎心率的细微变异，胎心率细变异减少或消失一般说明胎儿中枢神经系统的调节受到缺氧的抑制。其原因有几个方面: 胎儿窘迫; 胎儿未成熟或胎儿部分无脑; 胎儿睡眠状态; 母体应用了各种麻醉药、镇静安眠药、硫酸镁、阿托品等; 胎儿心脏房室传导阻滞。妊娠36周以后记数胎动的方法是: 每天早、中、晚记数3次，每天3次胎动的记数时间都应该在固定时间。记数胎动时要求孕妇卧床，把3次记数之和乘4，即为12小时胎动数。如果1小时胎动小于3次，应连续记录6～12小时胎动。胎动减少表示胎儿有缺氧可能，应考虑胎儿宫内窘迫。在妊高征、过期妊娠、胎儿宫内发育迟缓等高危妊娠时，可引起胎动减少。孕妇自己记数胎动，可因为对胎动感觉不敏感而出现误差。建议你每次做产前检查时，都要向医生提供上次检查时出现的问题和疑问，并询问此次检查结果，以及下次做产前检查是否需要提前。

194.胎头衔接

胎头衔接是描述胎儿向妈妈的骨盆方向下降的过程。不言而喻，骨盆是骨性结构，是胎儿自然娩出时的必经之道——骨产道。对于初产妇来说，衔接通常在分娩前的2-4周开始; 经产妇则通常在临近分娩时开始。但这只是一般规律，每个孕妇之间存在着个体差异。

有的孕妇曾向我咨询: 还差2天就到预产期了，可医生告诉她胎头还没有衔接，为此非常担心，是否不能自然分娩了。

不必有这样的担心，有的初产妇宫口已经开全了，胎头还浮得很高，破水后，胎头才开始入盆，但生产过程仍然很顺利。如果医生没有告诉你有什么问题，你就尽管放心，这时的担忧会影响你的情绪，阻碍顺利分娩。现在对你来说最重要的是精神放松。

尚未入盆还能自然分娩吗?

我怀孕37周了，医生测算胎儿只有5斤多，我有些忐忑不安，不知是否正常? 现在还未入盆是否难以自然分娩? 晚上有时腿抽筋，有人说临产前不能补钙，怕孩子头部过硬，难以分娩，不知这种说法有无科学根据?

B超估算胎儿体重是大概的，5斤以上都是正常的。况且你刚刚妊娠37周，后3周里胎儿体重增长是迅速的。现在尚未入盆，不说明不能自然分娩，临产前胎头才入盆的也有。如果腿抽筋是低钙所致，就应该补充钙剂，不会因为纠正低钙造成胎儿头硬而难产。

第3节 密集的产检和准妈妈的变化

195.分娩前的产前检查

从这个月开始，你就需要每个星期做一次产前检查了，除了例行的常规检查以外，接近预产期的时候，医生会给你做"内诊"或"肛诊"检查，了解子宫颈口情况，大多数孕妇不愿意接受内诊或肛诊检查，因为有些不舒服。如果医生认为非常有必要，而不是可做可不做的，那你就欣然接受检查吧。

医生通过肛诊检查，主要了解产妇子宫颈口是否如期扩张，以及胎头衔接、产位、宫颈顺应情况等，宫颈如期扩张与否，更能客观反映分娩是否正常，所以，产科医生和助产士都很重视。我国的产科医生和助产士多采用肛诊检查法，当肛诊摸不清时，再采取内诊（阴道检查）。

已经接近妊娠尾声，对血压的监测显得更加重要，血压的突然增高可能是妊高征的显现，医生会高度怀疑有发生子痫（妊高征危重表现）的可能，会让你住院。不要忽视血压的测量。还要重视尿检，认真地留取尿液，通过尿检可以发现妊高征、糖尿病和尿路感染。

整个孕期该增加多少体重

整个孕期体重增加多少是正常的？通常情况下是12.5~17.5公斤，平均15公斤。具体到每个孕妇，体重的增长程度存在不小的差异：有的孕妇只增加10公斤，或许还低于这个数值；有的孕妇增加25公斤，甚至比这个数值还高。孕期体重增加过少或过多都应引起重视，寻找可能的原因。

现在已进入最后的妊娠阶段。这个月里，大多数孕妇的体重不会有显著的增加，即使没有增加也是正常的，如果增加多了，应该注意饮食结构，少吃高热量的食物。这时控制一下体重是有好处的，除了脑和肺，胎儿的各个器官都发育成熟了，如果摄入过多的热量，胎儿就开始"长肉"了，可能会成为一个巨大儿，给分娩带来困难。

子宫高度下降不奇怪

和未孕前比，子宫可能增大了1000倍，这个月并没有停止增大，但子宫的高度却开始下降了，这不奇怪，胎儿的头开始钻进妈妈的骨盆，当然会把子宫也往下拽了。子宫高度下降对于孕妇可是好事，气短明显减轻，胃部也不那么饱胀了，感觉轻松多了。人类的确聪明，胎儿让妈妈在最后这一个月里好好休息，好好吃，养精蓄锐，等待分娩——完成最后的冲刺。

但有些孕妇即使到了这个月，仍然感到气短，子宫底顶着膈肌，不但胸部被增大的子宫顶得难受，甚至肋胁疼痛，耻骨、腰部和骶部也开始酸酸的，还一阵阵地疼痛，这在身材比较矮，或胎儿比较大的情况下更易发生。如果两肋胁痛，尽量少坐。如果耻骨和腰骶痛，就尽量少站、少走，多采取侧卧位，适当使用腹带，可减轻疼痛。

感觉身体多处疼痛是缺钙吗？

我下月底将分娩，最近感觉身体多处疼痛：手指、小腿及腰背部，未出现抽筋现象。请问是不是缺钙而引起的？小孩将来是否也缺钙？

应化验一下血钙和血沉，若是血钙低则补充治疗量钙剂，若不低，则常规补充钙剂和维生素D，既对产妇有利，也对新生儿有利。化验血沉是要初步了解你的症状是否有

准妈妈/朱金凤

要离开妈妈的子宫，胎头开始往子宫颈口移动，这在医学上叫胎头衔接。

从这个月的图片可以看出来，准妈妈的腹部最膨隆部开始下移，这是因为胎宝宝就

风湿或其他疾病。

196.可能出现的问题

再次尿频

由于胎儿向骨盆下降，压迫膀胱，使得你再次出现尿频。这会让你想起，在刚刚怀孕时，你总是上卫生间，总像有尿没有尿完。现在又开始了，而且比那时还明显，不要紧，把精神放松，不要老是想着它，有尿意就去坐便盆，身体略微向前倾斜或许会帮助你尽量排空膀胱里的尿液，但如果发现并没有尿就应该马上起来，千万不要老是坐在便盆上，这会使你的子宫颈出现水肿。你可千万不要因为"尿频"而不敢喝水，你的身体需要大量的液体来维持胎儿的生长发育。

痔疮

在前面的章节中已经讨论过孕期合并痔疮的问题了，如果你怀孕后不久就患了痔疮，这个月可能会因为胎儿入盆，增加了对腹腔和直肠的压迫而使痔疮加重，如果没有怀孕，就可放心地使用药物或其他治疗方法，但现在你还不敢随便用药，这或许给你带来不小的苦恼。用湿热的毛巾敷一敷可能会减轻疼痛；尽量侧卧位；如果痔疮比较严重要看肛肠科医生。有一点尽管放心，不会因为有痔疮而影响分娩，也不会因此而增加分娩时的疼痛，医生会妥善解决这个问题的。

坐骨神经痛

到妊娠末期，胎头入盆，压迫一侧或双侧坐骨神经，可引起孕妇坐骨神经痛。妊娠期，孕妇体内产生一种松弛激素，可使韧带松弛，由此引起腰椎韧带松弛，容易发生腰椎间盘突出，引起坐骨神经痛。妊娠后期孕妇手提或肩扛重物时，可诱发腰椎间盘突出引起坐骨神经痛。

治疗：卧床休息，卧硬板床更好，至少需卧床休息4周。产后多能恢复，不需要药物或

准妈妈蒋新燕

针灸治疗，也不宜手术治疗。

不宜坐浴

妊娠后，胎盘产生大量雌激素和孕激素，致使阴道上皮细胞通透性增强，脱落细胞增多，宫颈腺体分泌功能增强，使阴道分泌物增多，改变了阴道的正常酸碱度，易引起病原菌感染。到了妊娠晚期，宫颈短而松，一旦发生生殖道感染，很容易通过松弛的宫颈感染到宫内。生殖道感染增加软产道裂伤的机会，宫内感染可引起胎儿感染。因此，防止生殖道感染对孕妇来说是非常重要的。

第4节 迎接预产期

197.临产

不要急着上医院和进产房

有了临产先兆，并不预示着就要分娩了，离分娩还差得远呢，这时不要急着往医院跑。尤其是第一次怀孕的孕妇，急急忙忙地来到医院，还大多是半夜三更，可到了医院，孕妇什么事也没有了，如果1、2天内分娩那是很正常的，有的住院3、4天都没有分娩

的迹象。有的孕妇肚子痛得不得了，丈夫强烈要求让孕妇进产房，怕把孩子生在待产室中，这样进进出出好几次，弄得孕妇和家人都筋疲力尽。这对顺产是不利的。

我在这里要告诉孕妇，尤其是初产妇，临产时保持镇静，精神放松，相信医生护士的判断和处理，冷静地对待临产前出现的、你从未有过的体验，切莫惊慌。如果你说"我受不了了"，你的丈夫和亲人就会因为你和你腹中的胎儿而加倍紧张。周围亲人的紧张又反过来影响你。出现这样的情形对你的顺利分娩没有一点好处，有很多难产都是这样发生的。你应该有充分的思想准备，如果你选择了自然分娩，就要勇敢去面对，这是做母亲的开端。

真临产先兆

● 上腹部变得轻松；

● 阴道分泌物呈现褐色或血色；

● 耻骨处或腰骶部一阵阵地疼痛，似乎比较有规律；

● 肚子一阵阵地发硬、发紧或隐隐作痛；

● 忽然有较多的液体从阴道中流出；

● 没有大便，却有非常明显的便意；

● 感觉到很有精神，想彻底打扫房间，想把宝宝出生后的东西再清点一下，这可能预示着你已经进入临产状态，一些孕妇有这种预感。

假临产先兆

让我来提几个问题：如果你对以下的问题回答都是否定的，说明你离真正的分娩还有一段距离，是假临产。

● 子宫收缩的强度增加了吗？

● 子宫收缩时间恒定吗？间歇时间规律吗？

恒定和规律：比如每次子宫收缩的时间大约持续1分钟，每4分钟收缩一次；

不恒定和不规律：比如这次子宫收缩1分钟，下次收缩10秒钟。这回两次收缩时间间隔20分钟，下回间隔8分钟，再下回又间隔4分钟。

● 你的腰背痛（好像"痛经"）而不仅仅是下腹部疼痛吗？

● 子宫收缩不因为你移动或改变身体而停止吗？

● 子宫收缩开始时，你不能和周围的人谈话吗？

● 已经破水了吗？

注意：如果你对以上问题的回答都是肯定的，真正的分娩可能马上就要开始了。

发动分娩的预测

按照末次月经计算的预产期准确率并不高，只有5%的胎儿是按时出生的。胎儿比预产期早一两周或晚一两周出生都被认为是正常的。如果超过预产期2周（42周）以后被视为过期产，和早产一样，过期产对胎儿也不利，所以，如果超过预产期2周还没有分娩迹象，医生就要采取措施让胎儿尽快出来。

有的孕妇无论如何也记不清停经的确切时间，有的孕妇平时月经周期就不准确，甚至有隔月的现象，会给预产期的预测带来麻烦。在这种情况下，大多根据胎儿在子宫内的发育情况通过B超来评估胎龄，如果胎儿发育正常，医生的技术也过关，评估的准确性还是很高的，如果胎儿有宫内发育迟缓，或发育过快，就会使胎龄评估出现误差。这会给孕妇带来不安，一般情况下，胎儿都会正常发育，到时候会自然促使妈妈动产。

198.准爸爸进入临产准备状态

妻子就要进入预产期了，准爸爸开始准备迎接妻子分娩时刻的到来，把到外地开会出差等事情推掉，尽量离妻子近一些，以便随时听从妻子的召唤。这时的准爸爸可能比准妈妈更心急，准妈妈主要担心宝宝能否顺利出生，准爸爸不但担心宝宝是否顺利出生，更担心妻子是否能平安度过分娩难关。

医生护士对此有更深的感受：在分娩前就决定自然分娩的孕妇多是比较坚强的，她们会咬紧牙关坚持着，等宫缩来临的时候，她们常常是双唇紧闭，或拉着床栏，或攥着亲人的手，汗流浃背，满脸通红，却一声不吭，每当这时往往是丈夫心神不定，一次次问医生到底还要让妻子坚持到什么时候。

分娩前准爸爸的心理准备

如果孕妇在分娩前没有充分的心理准备，或一直对分娩充满了恐惧，或对疼痛的耐受性比较差，等进入产程第一阶段时，往往被一阵阵突如其来的宫缩痛打倒，不是哭就是喊，不断地重复她受不了了，甚至说她要死了。这个时候，反应最强烈的就是丈夫，坐卧不宁，抱着头痛苦不堪，一遍遍地请求医生给他的妻子剖腹产。遇到性格暴烈的，会很不客气地指责医生、护士。

丈夫没有身体上的疼痛，丈夫所承受的是心理上的压力，所以，更加难以释怀，做医生、护士的都能理解他们。理解归理解，这样情形大多会给顺利分娩带来障碍，最终发生难产或不得不行剖腹产。所以，分娩前丈夫的心理准备是非常重要的。现在大多数医院都帮助孕妇制定分娩计划，不但针对孕妇，还要针对准爸爸，这样做会增加顺产的机会。

准备好去医院分娩的物品

● 母子健康手册及孕期保健和产前检查时的医学资料；

● 一套洗漱用品：医院会提供所需的洗漱用品，但你不一定喜欢，如果你有特殊要求，最好自己准备好。

● 衣服鞋：产院会为你准备消毒的住院服，但只限于外套，其他所有的衣服和鞋子都需要你自己带好，提前包好包裹，待你住院时由丈夫拿来。你的分娩，婴儿的出生已经让他晕头转向了，你最好在去医院前准备好。

值得提醒的是：不要认为分娩后你就可以穿以前的衣服了，你不会那么快瘦回去，孕妇形仍是产后1个月内最适合你的；分娩后要喂哺你的宝宝，套头衣服不适合哺乳，要准备方便的开襟上衣，方便哺乳的内衣和胸罩；带一两套睡衣；带一双保暖性好、柔软舒适、穿脱方便的平跟鞋；如果天气冷，不要

忘了带上帽子、围巾、手套和保暖的外衣。

● 准备好必要的化妆品，在分娩后和新生宝宝合影时，让你看起来更漂亮。

● 准备几个奶垫和纯棉柔软、松紧适中的乳罩。

● 如果你喜欢分娩后听一听轻松的音乐，带随身听和你喜欢的音乐光盘。

● 带上妊娠日记本或胎儿成长日记，在分娩后把你分娩育儿的感受和经历记录下来。

● 不要忘记带上宝宝所需要的一切：衣服、被褥、帽子、尿布、奶具等，这些你一定早已准备好，包一个包裹，回家前让丈夫拿来就可以，如果你不放心，和你的东西一起拿来，放在为母子准备的衣柜中。

宝宝即将出生。应该做何准备？

我们的宝宝即将出生。我们应该做好哪些准备工作。在选奶粉上，应注意哪些问题。国产奶粉与进口奶粉有哪些区别，哪种品牌比较好？

准备工作包括知识、思想、物质三方面。

（1）知道护理新生儿的基本常识，如新生儿的喂养，大小便的次数和性质，房间的布置，环境的温湿度，婴儿床及床上用品，婴儿使用的餐具，婴儿衣物被褥等。

（2）了解新生儿的正常生理反应和病理情

准妈妈：王艾婷

妈妈和胎宝宝交流的日子要格外珍惜，这样的日子不能重来。

况, 如新生儿呕吐、打嗝、睡眠、运动能力等。

(3) 从思想上认识到自己已经为人父母, 应学会控制自己的感情, 愉快地度过月子, 任何的不愉快都会影响乳汁的分泌, 不但把孩子的"粮仓"弄没了, 还影响产后的康复。

(4) 婴儿尿布、奶瓶奶嘴、婴儿专用的洗盆 (洗澡、洗臀、洗脸分开)。毛巾 (至少10块) 擦嘴、擦脸、擦臀都要分开。垫奶的要每次换一块新的。

(5) 婴儿服、被、尿布等一定要纯棉、无毒染料、柔软的。

(6) 母乳是婴儿最好的食物, 一定要争取母乳喂养。有母乳不要给孩子喂牛奶。实在没有母乳或有不适于母乳喂养的情形, 要选择母乳化配方奶, 品牌要选择大厂家, 有信誉的。

宝宝要出生了, 需要准备的还有很多, 在月子里, 爸爸妈妈可能会遇到这样或那样的问题, 在《郑玉巧育儿经·婴儿卷》中有比较详细的叙述, 这里就不赘述了。

最热的夏季如何坐月子?

我的预产期在8月9日, 正是最热的时候, 我想请问怎样做月子才对母子都好, 还有, 我怀孕的前3个月我一直在忙家里的装修, 这会对孩子有影响吗?

装修期间未使用有毒有害材料, 使用的都是环保建筑材料, 就不会对胎儿有什么影响。在炎热的夏天如何使母子顺利度过月子期, 需要注意的事情有很多。

(1) 居室通风: 通风时要避免穿堂风或凉风直接吹到产妇和婴儿。不要让电风扇或空调的冷风直接吹到母子身上。室内温度与室外温度相差不要大于7℃。

(2) 如果给孩子睡凉席, 上面最好铺一层布单。不要使用"蜡烛包"包裹孩子, 不要盖棉被或太厚的东西。

(3) 注意保护皮肤: 新生儿容易出痱子, 要保持皮肤清洁, 每天用温水洗浴1~2次, 尿布要勤换, 大便后要用清水洗再涂些

护臀软膏, 避免尿布疹。

(4) 注意喂养卫生: 母乳是最好的食品, 可避免胃肠道疾病。要补充足够的水分。若是人工喂养, 一定要现吃现配。餐具要每天用水煮沸, 奶瓶中不要有剩水剩奶, 喝不了一定要倒掉, 洗净奶瓶, 干燥保存。

(5) 预防产褥热、产褥中暑: 室内通风, 产妇不要穿得太多, 顺产后3天就可冲热水澡, 但时间要短, 不要泡澡或洗盆浴。剖腹产后一两周可冲热水澡, 最好让亲人协助冲洗, 时间也要短, 一般不要超过10分钟, 洗澡时不要开窗开门, 也不要开通风机, 洗完后要用毛巾裹严, 不要受凉, 待干后再开窗。不要有对流风, 洗澡后略感身体微微有汗最好。

(6) 注意外阴清洁: 产褥热、产褥中暑可危及产妇的生命, 一定要屏除旧的风俗习惯, 不要"捂月子"。要补充足够的水分, 保证充足的睡眠, 注意营养。

《婴儿卷》中有关于新生儿不同季节护理的详细内容。

199.缘何瓜熟蒂不落——过期产

妈妈妊娠42周以后才出生的胎儿称为过期产儿, 为什么瓜熟蒂不落呢?

● 妈妈的月经周期不准确, 按照末次月经计算的预产期当然也不那么可靠了, 尽管到了"预产期"可还没到瓜熟的时候;

● 妈妈没有清晰地记住末次月经来潮的确切时间, 经B超评估的胎龄, 这"预产期"就打了折扣;

● 什么都正常, 可怀孕的那个月, 恰好卵子的排出时间向后推迟了, 受精卵的诞生晚了半拍, 胎儿在子宫内生活时间还没满期;

● 不知是什么原因, 不能启动分娩, 是真的过期了, 这时胎盘可能会老化, 胎儿不能得到充足的氧气和营养素, 再待在子宫中只有坏处了。所以, 医生会想办法让超过预产期的胎儿尽量分娩, 一般不会等到42周, 超过1周就开始想办法了。孕妇也不要抱着"瓜熟蒂落"的观念不放, 到

了预产期不动产应该看医生。有时宝宝不能该出来时就出来，需要医生的帮助。

孕41周加3，但B超估算37周

我最后一次来月经是11月9日，我的预产期是8月15日，但是到今天（8月24日）已过10天了，B超结果却只37周，胎儿是臀位，超过预产期了吗？要腹痛才进院吗？

按预产期你已经是妊娠41周加3天了，超过42周就属于过期产，过期产对胎儿不利。所以，确定你目前的确切孕周非常重要。如果你的月经周期很准，末次月经记得也非常清楚，就不要轻易以B超估算的胎龄为准，有胎儿宫内发育迟缓的可能。足月小样儿如果过期分娩，会发生胎儿宫内窘迫和产时窒息。

应该了解胎盘功能，如果胎盘功能已经是2级以上了，应尽快分娩。如果确实是孕龄只有37周，胎盘和胎儿还尚未成熟，可以继续等待，但一定要密切观察胎儿情况。

200.临产前的胎母问题实例解答

脐带绕颈、胎儿胃扩张

孕39周。彩超报告:晚孕，脐绕颈，不排除胎儿胃扩张。请问专家能否正常生产？孩子生下来有异常怎么办？

B超结果尚不能确定胎儿有幽门梗阻、巨肠结或肾囊肿，还不能确定是否为胃扩张，只是不排除这种情况。建议到上级医院再做一次B超，请产科专家看一下。就要分娩了，不要有太多的顾虑，把孩子生下来，再给新生儿做检查也不迟。

股骨过短

孕39周+4天，B超检查，胎儿的双顶径9.3厘米，股骨长6.8厘米，请问胎儿的股骨是否过短？会影响孩子将来的身高吗？

股骨长6.8厘米，对应的是胎龄35周，双顶径9.3厘米，对应的胎龄是39-40周。孩子股骨长度不够，分析有几种可能：

①不能排除B超误差；②身材的遗传性，父母一方有下肢短的，宝宝可能会出现肢体相对短；③胎儿异常，如短肢畸形等，发生率非常低。建议你再到比较权威的医院检查，确定是真的短，还是误差。

胎心监护减速不好

我妻子孕39周，彩超胎儿绕脐带，胎心监护的结果为减速不好，医院建议自然分娩，我们都有些担心，不知成功概率有多大？胎心监护减速不好意味着什么？

绕脐带的部位是在什么地方？是绕在颈部还是肢体上？若是脐绕颈，分娩过程中有发生胎儿窒息的危险，但若是绕得比较松，或只绕半圈，就没什么危险。你应该相信产科医生的判断。自然分娩的成功概率取决于多方面的因素，有胎儿本身的因素、母体产力、产道、宫缩情况、宫口条件等等，这些都需要在分娩过程中进行综合分析。现在只是初步分析，认为你具备自然分娩的条件。

胎心监护减速主要指伴随宫缩而出现的暂时性的胎心率减慢，胎心率减速不好并不意味着胎儿心脏不好，是短暂的胎心率下降。妊娠期发生减速的主要原因是母体仰卧位低血压综合征，因子宫压迫腹腔内大血管，影响了母体血压及子宫胎盘血流量所致，绝大多数与胎儿无关。所以，对胎心率减速的判断要结合孕妇及胎儿的其他具体情况综合分析。产科医生仍建议你妻子自然分娩是综合考虑了产妇目前情况做出的决定，是

准妈妈/饶军

准妈妈/杨百香

有临床根据的。产妇身在其中，本来就害怕分娩，你要给妻子鼓励和信心。

接触风疹患儿需提前剖腹产吗？

我妻子孕37周，在不知情下，有12岁的孩子正在出风疹，我与同桌吃饭两三次，但没有直接皮肤接触过，是否需提前剖腹产？

孕妇感染风疹，使胎儿受感染的几率随孕期的延长而减低，到了孕晚期，胎儿感染率降至最低，几乎不被感染。早期感染对胎儿影响极大，可出现心脏、眼、耳及中枢系统发育异常；而到了孕晚期，胎儿各器官已基本发育成熟，影响会大大降低。孕37周刚足月，不如40周胎儿成熟，提前剖腹产利少弊多。况且，目前没有证据表明你有风疹病毒感染。

胎儿缺氧需住院吗？

怀孕39周加1天，胎心监护检查缺氧，是否需住院观察，对胎儿有什么影响？

胎心监护检查提示胎儿缺氧就应积极治疗，胎儿缺氧对胎儿是不利的。住院或在门诊治疗要根据医生制订的治疗方案。

胎心监护胎心率加速不够预示胎儿不正常？

我怀孕满37周，开始做胎心监护。大夫说胎动时胎心率加速不够（在160/分左右），做了两次结果都

差不多（前一天下午和第二天下午），这会是什么原因造成的？胎儿会有什么不正常吗？

妊娠期胎心率加速主要是由自然的胎动刺激引起的，系胎儿良好的标志。反之，长时间缺乏加速的胎心率是胎儿缺氧的征兆。对于缺乏加速的病例，可施以一定刺激，观察是否出现加速。在较强刺激下也不出现加速，说明胎儿缺氧较重。胎心率有一定的变异性，当胎儿运动时，胎心率增快，当胎儿睡眠或不活动时胎心率降低，如果胎儿没有胎心率的变异是不正常的，如果变异性过大，也是不正常的，一般不低于100次/分，不高于180次/分，但也有个体差异，就像我们成年人一样，跑步时心跳加快，睡眠时心跳减慢，但每个人都有个体差异，一般运动员心脏储备能力强，即使在剧烈运动时心跳加快也不是很明显，而不经常运动的人，当剧烈运动时心跳加快就很明显。胎心率的变异性也并不都是一样的，但如果超过了正常范围，可能是由于胎盘供血不足等原因引起，具体情况要根据当时检查时胎儿监护图数据来分析。

胎儿抽搐还是打嗝？

我已怀孕38周。胎儿有时有节律地全身抖动，状似抽搐，常持续数分钟。我也看到有的书上讲，胎儿会打嗝，我的宝宝是在打嗝，还是在抽搐？现在胎头仍未入盆，这对自然分娩会有多大的阻碍？

胎动有4种形式：翻滚运动；单纯运动；高频运动；呼吸样运动。一般情况下母体能感受到的胎动主要是翻滚运动和单纯运动，而高频运动和呼吸样运动母体多不能感受到。你所感觉到的胎儿有节律性的全身抖动，可能就是胎儿的高频运动。

不会因为胎头尚未入盆就不能顺产。但决定分娩方式的因素有很多，能否自然生产，需要产科医生在产前和产中根据孕妇和胎儿的情况做出综合判断。

准妈妈／何霁绯

第十二章

分　娩

真假临产先兆、分娩方式、
产程、新生儿诞生

　　为什么人们很少细致地描述这
个幸福的时刻呢？

　　可能是描述幸福的语言太贫乏
了，不知怎么说……总之，我看记者
现场采访世界冠军的时候，总能感
受到有一种幸福是无法用言语表达
的。

第1节 进入临产状态

201.分娩前可能忽视的问题

容易忽视的预备事项

怀孕40周前后胎儿就会"瓜熟蒂落"，但究竟是哪一天却难以预测。等待宝宝诞生的日子既令你兴奋又让你着急。不必着急和担忧，做好准备，耐心等待那一刻的到来吧。

就要生孩子了，这不但对孕妇来说是重大时刻，对就要做爸爸、爷爷、奶奶、外公、外婆的人来说也是一件重要的事情，他们会为宝宝的诞生做许多准备。准备越充分越有利于你的分娩和生后的生活。下面这些不起眼的准备工作你做了吗？

- 应该什么时候给医生打电话，什么时候去医院；

- 是先给医生打电话询问，还是直接去医院；如果在夜间或节假日，如何和他们联系；

- 从家到医院的路途，一天24小时是否都能畅通无阻；在上下班交通高峰期间，从你家或单位到医院大约需多长时间；

- 寻找一条备用路，以便当道路堵塞时能有另外一条路供你选择，尽快到达医院；

- 准备乘什么交通工具去医院，是私家车、出租车、单位的车，还是朋友的车；

- 住院用品准备好了吗，包括医疗手册、换洗衣物、洗沐用品、身份证、钱、通讯录、待产期间的休闲食品及读物音乐（包括陪护人的）、个人卫生用品、婴儿用品等等。是否放在一个包里，可以随时拿走；

- 你分娩时谁负责陪护，如果他临时有什么特殊情况，谁可以替补；

- 工作的事情是否安排好了，是否把你的预产期和休假计划告诉你的老板，如果你自己就是老板，公司的工作安排好了吗？把公司交由谁打理；

- 分娩后谁帮助照顾宝宝，一旦发生特殊情况如何联系医院和医生。

容易忽视的产前征兆

你早已知道你的预产期是哪一天，但没有任何人知道宝宝会在什么时刻要出生。见红、腹痛是最常见的产前征兆，除此之外，你还知道哪些临产先兆呢？下面这些你听说过吗？

- 感觉好像胎儿要从你的下部掉下来，这是因为胎儿的头部已经降到骨盆。这种情形多发生在分娩前的1周或数小时。

- 阴道流出物增加，这是你在孕期累积在子宫颈口的黏稠分泌物，当临产时，子宫颈胀大，这些像塞子一样的黏稠物就到了阴道，使得阴道分泌物多了起来。这种现象多在分娩前数日或即将分娩时发生。

- 水样但发黄的液体从阴道涓涓流出，也许呈喷射状流出，使你的内裤，甚至外裤湿透，这是羊膜破裂，称为破水。这种现象多发生在分娩前数小时或临近分娩时。

- 宝宝出生前会有破水现象，这你可能早就知道。但你知道吗？有的破水并不是真的，只是前膜囊破了，包裹胎儿的胎膜并没有破，所以，流出一股羊水后就没有了。

- 有规律的腹肌痉挛，后背、腰、肚子、骶尾（尾巴骨）或耻骨（腹部下的骨头）痛或酸胀。这是子宫交替收缩和松弛所致，随着分娩的临近，这种收缩会加剧。

- 胎儿要出来，子宫颈就要张开，阴道也被扩张，骨盆入口和出口也要扩张到足够让胎头出来的程度，疼痛是必然的。如果你是初产，不要着急，只有宝宝真的要出来，也就是动产时，真正的阵痛才会开始。你的腹痛刚刚发生，仅仅是预演，离胎儿娩出还早着呢，你不会把孩子生到家里或路上的。

出现下列情况，请马上去医院或请医生

- 即便在没有发生宫缩的情况下，羊膜破裂，羊水流出；

252

真假临产先兆的辨别

鉴别要点	假临产先兆	真临产先兆
宫缩时间	无规律，时间间隔不会越来越小	有固定时间间隔，随着时间推移，间隔越来越小，每次宫缩持续30~70秒
宫缩强度	通常比较弱，不会越来越强 有时会增强，而后又会转弱	宫缩强度稳定增加
宫缩疼痛部位	通常只在前方疼痛	先从后背开始疼痛，而后转移至前方
运动后的反应	产妇行走或休息片刻后，有时甚至换一下体位后都会停止宫缩	不管如何运动，宫缩照常进行

注意：如果你对以上问题的回答都是肯定的，真正的分娩可能马上就要开始了。

- 阴道流出的是血，而非血样黏液；
- 宫缩稳定而持续地加剧；
- 产妇感觉胎儿活动明显减少或停止。

真假临产先兆的辨别

对于初次怀孕的你，真假临产是难以辨别的，通常是急迫地到医院。家里的人更是着急，因为他们不知道你到底有什么感觉。如果你不能辨别真假临产，给医生打个电话，事情就会变得简单，分娩前千万不要焦虑。我用下面这个表来阐述真假临产先兆的表现。

表现各异的临产先兆

并不是所有的孕妇都按一定的顺序出现临产先兆；也并非每个孕妇都出现所有的临产先兆；对于每一孕妇来说，临产先兆的表现、感觉也不尽相同。

- 有的产妇直到宫口开全，也不破水，胎头还高高地浮着，助产士有些紧张，担心不能顺产，可一阵剧烈的宫缩来临，胎头下来了，紧接着破水，几乎在破水的同时胎儿娩出。
- 有的产妇先见红，后出现有痛宫缩；有的产妇先有少量羊水流出，直到上产床分娩时才真正破水，先前的只是前膜囊破了。
- 有的产妇一出现有痛性宫缩，很快进入规律宫缩状态，宫口较快打开，整个产程紧锣密鼓。
- 有的产妇开始像暴风骤雨，腹痛强烈，宫缩频繁，闹得很厉害，进入产房等待分娩了。可到了产房后，就开始和风细雨，腹痛减轻，宫缩间隔延长，强度减弱，产妇也安静了，做胎儿监护一切正常，又回到产前房待产。

202.临产信号

宫缩——推挤胎儿通过产道

并不是所有的宫缩都预示着胎儿就要娩出。

有的孕妇在很早就出现无痛性子宫收缩：就是感觉肚子一阵阵发硬、发紧，这是胎

准妈妈/郭女士
　这位漂亮的妈妈娴静端庄，给我寄来许多美丽的照片，不过邮件中的信息很不全面，除了知道姓郭，其他就不知道了，请你看到书后和我联系。

253

儿向骨盆方向下降时出现的宫缩；有的在预产期前后出现不规律的宫缩——前期宫缩，可能是一个小时出现一次，也可能是40分钟一次，有时20分钟一次，宫缩持续几秒钟，或转瞬即逝，孕妇还能悠闲自得地活动。出现前期宫缩不要急着上医院，离生还远着呢。

一旦出现规律宫缩，就是去医院的时候了：初产妇每10-15分钟宫缩一次；经产妇每15-20分钟宫缩一次。宫缩程度一阵比一阵强；或间隔时间逐渐缩短；或每次持续时间逐渐延长；或腹痛比较剧烈，即使不是很规律的，也要与医院取得联系，随时准备住院。每个孕妇对疼痛的感觉不同，对宫缩的耐受性也不同，根据自己的实际情况决定何时住院。如果你已经坐卧不安了，就干脆到医院去。

见红——胎儿发出了离开母体的信号

见红是临近分娩的先兆，为什么会"见红"呢？胎儿要离开母体，胎头不断向子宫颈口移动，包着胎儿的包膜与子宫开始有小的

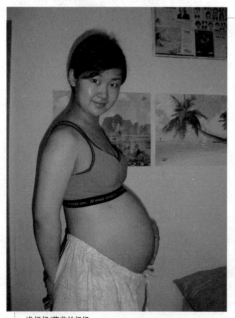

准妈妈/莫非的妈妈
没几天宝宝就要出生了，留下珍贵的照片给就要出生的女儿。

剥落而流出血液，混有血液的阴道分泌物呈现血色。"见红"后就要分娩吗？不是的，但一般情况下，见红后不久就要开始真正的宫缩（有规律的，促使胎儿娩出的子宫收缩），一旦出现规律的宫缩就离分娩不远了，也是该到产院去的时候了。

破水——你要立即住院

破水就是包裹胎儿的胎膜破裂了，羊水流了出来，破水多是在子宫口开到能通过胎儿头的大小时发生，有的在胎儿娩出的一刹那才发生，有的是临产的第一个先兆。记住：

● 一旦破水，无论有无宫缩，有无其他临产先兆，都要马上住院；

● 破水后尽量减少去卫生间的次数，如果能躺着排小便是最好的；

● 垫上干净的卫生巾或卫生棉；

● 停止活动，最好躺下，更不能洗澡；

● 去医院的途中最好能躺在车上，而不是坐着；

● 即使破水了也不要慌张，离分娩还有一段时间；

● 有时会出现假破水的现象，或是尿液，或是前膜囊破裂，并非是包裹胎儿的胎膜破裂。如果是这样的话，液体流出的量比较少，或很快就停止了。有一种试纸能很快鉴别流出的是尿液还是羊水。

第2节　分娩痛

203.阵阵腹痛——胎儿的最后冲刺

有过自然分娩史的女性，对阵阵腹痛可能仍记忆犹新。但不管当时如何疼痛难忍，几乎没有孕妇因为惧怕疼痛而拒绝生育第二胎，而经产妇大多不要求无痛分娩。这确实令人难以置信，有过生育经历的女性比没有生育经历的女性更能勇敢地面对分娩，把分娩看作是灾难的大多是没有自然分娩经历的女性。

我想告诉这样的女性：不要听过来人

的经验。如果过来人告诉你生孩子很容易，你会抱着这样的轻信迎接分娩，这比有思想准备还要糟糕，你会把疼痛放大一百倍一千倍，会担心你不正常或者是不是有意外；如果过来人告诉你生孩子是一场灾难，不是常人所能忍受的，你会对疼痛变得异常敏感。这些都会使你恐惧，没有自信，不能很好和医生配合，丧失坚持正常分娩的勇气。你一定能够感到，告诉你生孩子时痛死了的人，现在活得好好的，没有任何痛苦表情；而一个经历过重大车祸的人，回忆是恐怖和不堪回首的。因为生育的痛苦是自然的、健康孕妇是可以承受的，分娩的疼痛之后就是喜悦；而灾难的痛苦是反人性的，正常人不能承受的。生孩子是人生中一次美好的体验，是属于你和孩子的，如果你健康，就完全能够忍受自然分娩带给你的疼痛。

对分娩的恐惧直接影响分娩的结果。瑞典医学家研究发现，明显对生产怀有恐惧的孕妇最终可能采取剖腹产，而且这些孕妇在产后较容易产生情绪困扰。疼痛是一种奇怪的现象，它具有很大的心理层面，愈是相信自己能承受分娩的母亲，分娩时愈是经历较少的疼痛。

对分娩的恐惧不单单发生在产妇身上，等待妻子分娩的丈夫也常常会陷入极度的恐慌之中，有时比产妇表现得更强烈。有趣的是准爸爸与准妈妈恐惧的原因并不相同。研究报告发现：孕妇担心的问题依次是胎儿是否畸形与受伤、是否需要重大医疗介入、医院里陌生的环境、自己是否做错了什么、不知道孩子将怎样生出来。准爸爸担心的问题依次是妻子受疼痛之苦、重大医疗介入的可能、胎儿畸形或受伤、自己的无力感、妻子会不会有生命危险。

在这个报告中，有一个奇怪的现象，孕妇对分娩的恐惧不是害怕疼痛，而是疼痛加剧了她们对不良结局的恐惧。所以医生和助产士在疏导产妇心理压力和恐惧感的时候要有的放矢。丈夫陪护分娩并不一定能帮助妻子缓解压力，因为丈夫本身面临的心理压力一点不比妻子差。如果丈夫不能保证镇静自若地面对妻子分娩，丈夫倒不如不在妻子身边。

不会在产床上生好几天！

有的产妇来来回回几次进产房，同室的产妇都产后出院了，她又迎来了第二批第三批。这样的产妇就是沉不住气，出现假临产时急急忙忙住进了产院，面对产院的场景，精神紧张。

常有人说起自己在医院生了十天八天才把孩子生出来，这种描述让没有经验的产妇很恐惧。事实上，真正动产到胎儿娩出一般是24～48小时，如果发生滞产，产科医生会立即采取干预措施，没有生十天八天的，几进产房的都是假临产。

有一点是肯定的，妈妈有保护胎儿的本能，只有你感觉要生了，才去医院，这是最保险的。如果你对分娩怀有恐惧，或有些神经质，距离分娩还有很长时间就住院待产，反而会受到产院气氛和某些又喊又叫的孕妇的刺激，更加紧张。如果医生认为你还不需要住院，你就大胆地回家，消除紧张情绪是你现在最应该做的。生孩子是个很自然的过程，加上现在的医疗保障水平，你的宝宝会平安地在医院里出生的。

生孩子时的不同体验和感受

尽管同是顺产，并不是所有的产妇都有相同的分娩过程，也并不是所有的产妇都有一样的分娩感受和体验。有的产妇自始至终都没有感觉腹痛，而仅仅是腰痛；有的产妇始终述说自己的骶尾部痛得像被劈裂；有的产妇感觉耻骨部剧痛；有的产妇只感觉最强烈的是肛门和阴道处被死死地堵塞着。

缓解疼痛的办法也存在差异。有的产妇

采取仰卧位，两手上举，紧紧抓住床栏；有的产妇跪在床上，上肢支撑身体；有的站在地板上，一手托着腹部，一手放在床上或墙壁上；有的需要丈夫搀扶着来回走动；大多数产妇侧卧位时更舒服一些。这些只是在腹痛开始不久管用，到宫缩变得强烈时，什么样的姿势也难以缓解疼痛。有一点是肯定的，无论怎样疼痛都不会要了产妇的命，虽然产妇都会说痛得活不了啦。

204.决定分娩顺利进行的四要素

要素一：胎宝宝顺娩的必经之路——产道

胎儿离开母体所经过的道路称为产道，由软产道和骨产道两部分构成。骨盆构成了骨产道；子宫口、阴道、外阴构成了软产道。胎儿在母体子宫中生长的时候，骨产道和软产道都严密封锁着，以阻止胎儿出来。当分娩被启动后，软产道周围的肌肉和韧带变得柔软易伸展。软产道和骨产道都努力扩张以使胎儿通过。

骨产道

常有孕妇问我：医生说我的骨盆窄，经阴道分娩会有困难，可能需要剖腹产。我的胯部并不窄，比一般人还宽呢，为何连孩子都生不了？

其实，医生说骨盆窄，并不都能从外观看出来，医生测量的是体内看不见的骨盆入口和出口，其尺寸与胎儿头颅大小相比较，决定胎儿是否能够顺利通过。这两个口小了，胎儿出头时就会受阻。

骨盆入口：近乎圆形，但前后径略比横径小。入口后半部宽大，前半部呈圆形。中骨盆侧壁垂直，坐骨棘不显露。第一骶椎前上缘是骨盆内测量的一个重要标志。

骨盆出口：左右耻骨下端相连形成70-100度圆拱形角。有的孕妇骨盆呈男性型、扁平型、类人猿型或混合型，可能会因骨盆入口或出口狭窄而影响胎头通过。胎儿首先扩张并经过骨产道，骨产道打开的过程是比较疼的。

软产道

软产道是否影响胎儿顺利娩出，有时并不能提前预测。如：

● 在分娩过程中，可能因会阴坚韧使第二产程受阻；

会阴坚韧：多见于初产，年龄比较大的孕妇。会阴伸展性比较差，当胎头下降到会阴部时受阻，这时助产士或医生多会为产妇做会阴侧切。

● 有的产妇有比较严重的外阴水肿，也会影响胎头的下降，有严重的外阴水肿时，医生多会让产妇用50%的硫酸镁热敷；

外阴水肿：有重症妊高征、严重贫血、心脏病及慢性肾脏病时，在有全身水肿的同时可有外阴水肿。

● 有的产妇子宫颈比较坚韧，扩张不好，医生可能会给产妇做局部封闭以使紧张的宫颈松弛；

● 有的产妇在孕前因宫颈疾病接受过治疗，如宫颈糜烂时的激光治疗，尖锐湿疣时的电灼等，可能会影响子宫颈顺应性（分娩时子宫颈扩张能力），但妊娠后多能软化不影响分娩。

● 胎头位置不正，宫缩不协调，产程过长等都可引起宫颈水肿而使宫颈扩张阻滞，出现这种情况，医生多会给产妇进行宫颈封闭，以减轻水肿。

有两种宫颈水肿是产妇可以通过自己努力避免的：有的产妇因有排便感总是坐盆或蹲着，这样也可引起宫颈水肿；还有的产妇距离分娩还早时，就频繁屏气，也会引起宫颈水肿。知道这两点，就要注意了，总是有排便感是胎头压迫盆腔造成的，不要老是蹲卫生间。医生没有告诉你屏气时，不要过早屏气。

● 悬垂腹：由于腹壁松弛、驼背、身高不足、骨盆倾斜度过大等原因，可使孕妇子宫过度前倾，称为悬垂腹，可妨碍胎头入盆。所以在孕期医生多会建议用腹带包裹腹部加以纠正。

从以上几点可以看出，软产道即使对

胎儿娩出有影响，通常情况下都是可以解决的。所以，即使医生无法预测你的软产道是否能够使胎儿顺利娩出，你也不必担心，在分娩过程中医生会妥善解决出现的问题。

要素二：推动胎宝宝的原动力——宫缩

当分娩机制启动后，子宫会发生有规律的收缩，呈阵发性，从宫底开始向宫颈口推进，似波浪状，使宫口逐渐打开，并挤压胎儿向宫颈口前行，同时压迫胎囊，使胎膜从子宫壁开始脱落，被挤压的胎囊不能承受压力而破裂——破水，胎儿伴随着羊水的流出通过产道。

子宫阵缩持续时间：子宫一次收缩分"加强"、"顶峰"、"减弱"三步。完成这三步就是子宫一次阵缩时间。如果医生问你宫缩一次持续多长时间，指的就是这三步完成的时间。

子宫阵缩间隔时间：子宫经过一次阵缩后，进入休止时间，等待下一次阵缩的开始，从一次阵缩结束，到下次阵缩开始这一段时间是阵缩间隔时间。如果医生问你多长时间宫缩一次，指的就是这段休止的时间。

宫缩来临：绝大多数孕妇都能明确地感受宫缩来临的时刻，因为宫缩会引起孕妇腹痛，宫缩停止，腹痛就会消失。可以说宫缩引起的腹痛具有戏剧性，说来就来，痛得很，可说不痛，一点也不痛了，可以说话吃东西，甚至谈笑风生。但如果接近分娩时的腹痛就没有这么轻松了，宫缩间歇时间更短。有的孕妇不能明确地告诉医生宫缩持续时间和间隔时间。多半是由于宫缩时不伴有典型的腹痛，而是腹部酸胀感，或耻骨痛、腰痛、骶尾痛，或哪里也不痛，说不出哪难受。这是很少见的，但确实有这样情况。不要紧，这样的孕妇可以用手摸着腹部，肚子硬硬的，紧紧的，腹肌非常紧张，就是宫缩来临了，肚子变软变松，宫缩就停止了。

准妈妈/曲英
曲英体育素质非常好，曾获得部里的乒乓球业余比赛冠军。她在孕期还经常参加体育运动，她的孩子现在体育也非常好。

当临产开始时，每次子宫收缩持续约30秒，间隔时间约10分钟。随着产程的进展，宫缩变强，每次可持续30~90秒，一般持续1分钟。直到分娩，每次宫缩时间大多不超过1分钟。宫缩间隔时间也逐渐缩短，从不规律宫缩到每10分钟一次，直至2~3分钟一次，但不管间隔时间多短，都有一定的间隔时间，这对胎儿是极其重要的，如果宫缩不休止，子宫肌纤维就不能休息，子宫和胎盘循环就不能恢复，胎儿就会缺血缺氧。所以，如果你的宫缩持续不断，没有间歇，就要及时告诉医生。但这种情况并不多见，比如你正在滴注催产素。子宫收缩有其一定的自主性，会正常地阵缩和休止。如果宫缩间隔时间过短，1~2分钟，你可能感觉不到间歇，但只要你感觉不对劲，就要告诉医生，由医生来帮助你判断。

不规律宫缩：每次持续时间不等，间隔

时间长短不一，宫缩强度轻重不等的宫缩。

滴注催产素：是医生为你催产的一种方法。

要素三：胎宝宝自己的努力

胎儿在子宫中的位置对于能否顺利分娩至关重要。通常情况下，胎头朝下。为了顺利通过产道，胎儿的头骨发生变形，使胎头尽量变长变小；同时，为了适应弯曲迂回的产道，胎儿在向前推进的同时旋转头和身体。

B超提示胎儿双顶径大，医生说胎儿头比较大，孕妇就开始担心起来，胎儿大肯定不容易出来，或许会难产，能不能顺产呢？

如何理解胎头与分娩的关系是很必要的。其实，胎头是否能够顺利娩出，并不单单取决于胎头的大小，胎头是大是小，是相对于妈妈的骨产道而言的。胎儿的头不大，但妈妈的骨产道窄，不足以使胎儿的头通过，这时胎头相对于妈妈的产道来说就大了。胎儿头比较大，但妈妈的骨产道足以使胎头通过，这时胎头相对于妈妈的产道来说就不大了。

有的孕妇问会不会因为在孕期补钙，而使胎儿的头颅骨过硬，给分娩带来困难呢？

孕期正常补充钙剂和维生素D是必要的，怀孕后比非孕期需要摄入更多的钙剂，通过食物不能摄入足够的钙时，就要通过其他方法补充。不会使胎儿颅骨变得异常坚硬或骨缝闭合。

胎头确实是胎儿身体最大的部分，也是受产道挤压后缩小最少的部分，所以，是最难娩出的部分。但决定胎头是否能顺利娩出的因素并不是颅骨的硬度，而是分娩时胎头的位置（胎先露）、颅骨的变形、骨产道的宽窄和胎头大小，还有其他因素。

颅骨的变形：颅骨与颅骨之间有一些缝隙，在胎儿和婴儿期是分开的，由膜相连接，骨与骨之间有少许重叠，在压力下有一定覆盖度，为胎头的变形能力。

要素四：产妇的状态——自然分娩的

准妈妈/邬丽娜

勇气

孕妇的状态对是否能顺利分娩起着非常重要的作用，分娩时刻的到来，不但给孕妇带来喜悦和期盼，还可能带来恐惧和担忧，宫缩可能会影响孕妇的休息和饮食，使孕妇变得焦躁，加上对周围环境的不适应，很容易引起大脑皮层功能紊乱，导致宫缩无力，产程延长，使本来可以顺利的分娩，变成了难产，甚至实施手术产。所以，孕妇本人、丈夫、周围的亲人都应认识到这一点，从思想上解除恐惧和担忧，以轻松愉快的心情对待分娩。

如果你决定了自然分娩，就要正视宫缩带给你的不适和疼痛，把它视为你一生中最难得，也许是唯一的一次分娩体验，相信自己能把宝宝顺利生出来，以母亲特有的坚强迎接宝宝的到来。如果你对自己没有信心，可事先和医生商量，是否采取无痛分娩。分娩前抱着试试看的态度是不可取的。你应该告诉自己：我选择了自然分娩，疼痛是不可避免的，是对我做母亲的第一个考验，我一定会战胜疼痛。抱有这样的心态，你就成功了一大半，宫缩来临时，你就数着宫缩时间，因为宝宝在向终点冲刺，正在用他的头拱开妈妈的骨盆和宫颈口。你满脑都充满了宝宝的样子，为宝宝加油助威，会减轻疼痛的感觉。如果宫缩停止了，宝宝正在暂停休息，你也要抓紧时间休息，尽量让自己吃些东西，保证有足够的能量把宝宝生出来。

第3节 无痛分娩

205.不使用药物的无痛分娩

精神预防性无痛分娩

英国的林顿博士认为，产妇对分娩往往存在不安和恐惧，由此导致分娩时的精神和身体紧张，使疼痛加剧。随着不安-紧张-恐惧-痛苦-不安的恶性循环反复进行，使分娩变得痛苦。精神预防性无痛分娩法是俄罗斯的尼古拉耶夫博士提倡的，是应用巴甫洛夫条件反射理论而采取的方法。要让孕妇接受产前辅导，掌握分娩知识，消除不安和恐惧，孕期做孕妇体操，进行分娩前辅助动作训练。

拉马兹法

拉马兹法是法国拉马兹博士提倡使用的方法，其原理也是应用巴甫洛夫的条件反射，此法是建立在使分娩更自然，夫妻共同努力使孩子顺利娩出的基础上。

催眠暗示法

对产妇施行催眠术，使产妇感觉不到疼痛。但这对于一般人来说是很难做到的，因为医院很少有能够做催眠术的医生或助产士。

针刺麻醉法

使用针灸穴位缓解疼痛的方法。但要施行这样的方法，必须由通晓针灸麻醉的针灸医生施行。这在一般医院也是很难做到的。

206.借助药物的无痛分娩

不少孕妇都要参加分娩学习班，以期了解分娩时如何止痛。至于选择哪种止痛方法，还要视分娩时的具体情况而定，医生很难预料。止痛药最好不用或者少用，但如果

要用的话，都有哪些种类的止痛药可供选择？这些药有什么利与弊？该如何使用呢？

● **使痛觉缺失的止痛药**：痛觉缺失是指在感觉并未完全消失的情况下达到止痛的效果。失去痛觉的人仍保持头脑清醒，但不能完全使疼痛感消失，只是缓解疼痛。

全身痛觉缺失：是通过肌注或静脉滴注麻醉药物，使其作用于整个神经系统的办法来止痛。它可以缓解疼痛，但不使你失去知觉。这种止痛药也同其他药物一样具有副作用，如注意力不能集中、嗜睡等。这种药不可在分娩开始前使用，因为它会减缓胎儿反射和生下来后的呼吸。

局部痛觉缺失：像牙科医生使用药物使你口腔局部麻醉一样，产科医生可以用局部麻醉法减轻产妇在分娩过程中的痛苦。比如医生为了防止产妇在分娩时会阴撕裂，有时要给产妇做外阴切开术，这时就要用到局部麻醉剂。局部麻醉剂不会对新生儿造成影响，麻醉剂药效消失后，无任何副作用。

● **使感觉缺失的止痛药**：感觉缺失是指感觉完全丧失的情况下的止痛法。接受这种止痛法的人，有的会完全失去知觉，有的只是局部失去痛感。

产科常用的麻醉方法

阴部麻醉：是在即将分娩前往阴部附近注射麻醉剂。这种办法对麻醉会阴很有效，它可以在婴儿通过生殖道时减缓阴道与肛门间区域的疼痛感。这是最安全的麻醉方法之一，截止到目前为止，尚未发现有严重的副作用。

硬膜外麻醉：是一种区域麻醉，它使身体的下半部丧失知觉。麻醉的程度取决于所使用的药物和剂量。行剖腹产术时，可往硬膜外使用大剂量的麻醉药物。给药后片刻见效，但仍会感到宫缩。硬膜外麻醉的副作用是可能会使产妇血压暂时降低，因而出现胎心率降低。如果刺穿脊髓，产妇会感到剧烈

头痛。如果药物进入脊髓液中，会影响到产妇的呼吸，使产妇感到呼吸困难。如果药物进入静脉，产妇会感到眩晕。

全麻：是通过药物令产妇入睡。如果产妇接受了全麻术，就会在整个分娩过程中保持睡眠状态，感觉不到疼痛。但全麻也能让胎儿处于睡眠，因此一般不用这种麻醉方法，除非紧急需要时。

207.影响分娩的痛感因素

● 孤独。在分娩过程中你会希望有人陪伴在你的身边，从精神上给你支持，这样会减轻你的疼痛感。

现在产院都有这样的条件，如果你希望丈夫或亲人陪伴在你身边，医生会让你的亲人陪伴的，但只能允许一名。首先选择让你的丈夫陪伴。在分娩前你要和丈夫商量好，因为有的丈夫没有这样的勇气。

● 过于疲劳。应该注意休息，冷静地对待从未感受过的宫缩带来的疼痛和说不出来的不适，千万不要喊叫或哭闹。

● 心情紧张或急躁。宫缩来临时不要紧张，学会深而慢地呼吸，沉着冷静，疼痛就会减轻；宫缩间歇期间尽量精神放松，不要想宫缩带给你的疼痛和不适。

想一想宝宝出生后该是什么样子的，像妈妈还是像爸爸，如果是女孩，你会给她打扮得很漂亮吗？如果是男孩，你会让他成为一名足球健将吗？想令你高兴的事情。

● 怕痛。如果你选择了自然分娩，愿意体验宝宝出生带给你的感受，你就应该欣然承受宫缩带来的疼痛。

如果你只生一个孩子，这将是你一生仅有的一次体验，把痛当做一种特殊的感受，起码你的丈夫没有这个机会，当孩子长大时，你可以骄傲地向他讲述你的勇敢和耐力。想到这些你还怕痛吗？

● 对分娩的无知。分娩前应阅读这方面的书籍，可以参加分娩学习班。当你快要分娩时，周围

准妈妈蒋新燕

的人可能会告诉你很多关于生孩子的事情。有过分娩经历的人所说的话对你的影响最大，但你要知道，同样是生孩子，每个人的感受都是不同的。

如果有人告诉你生孩子很痛，简直不是人能忍受的，你千万不要让她的话吓着，事实并没有她说的那么严重。

如果有人告诉你生孩子一点也不痛，就像排便一样，你可不要这样认为，当疼痛来临时，会因为你没有充分的思想准备而惊慌失措。如果你不想使用任何止痛剂，疼痛是必然的，但你已经做好准备。

如果有人建议你干脆剖腹产，不然的话可能要受两回罪，因为她自然分娩失败了，半途做了剖腹产。你可不要借鉴她的经验，如果医生允许产妇采取自然分娩，那么这位产妇一定具备自然分娩的条件，失败的原因有很多，但其中很大一部分原因是产妇不能很好地配合。你要知道剖腹产并不是最佳选择。

如果有人建议你选择借助药物的无痛分娩，你要问一问自己的内心，你期望体验一次

自然分娩吗？你是否怕药物对宝宝可能造成的影响？

自我舒缓疼痛的方法

- 心情放松，深呼吸。
- 让别人按摩或使劲挤压后背部。
- 频繁变换体位。
- 后背部放个冰袋。
- 含块冰，使口腔保持湿润。
- 借聊天、看电视、玩游戏、听音乐等来分散注意力。
- 当宫缩越来越频，越来越强烈时，放慢呼吸节律或做深呼吸。
- 宫缩间歇期间小睡片刻或静静地休息或吃些你喜欢的食品。
- 感到热或已经出汗，用微凉的湿毛巾擦一擦脸。

第4节 剖腹产

208.都市白领青睐剖腹产

选择什么样的方式分娩，已成为孕妇热切关心的问题。近年来随着剖腹产（专业名称叫选择性剖宫产）率的提高，医学专家对剖腹产的安全性提出了种种质疑。为此，医疗机构采取了一些措施，努力控制剖腹产率，但结果并不乐观，剖腹产率仍在悄然上升。

我要说的是：

如果你认为剖腹产会使你的宝宝聪明，会使你保持苗条的体形，会使今后的性生活不受影响，这是不明智的，更是我所不赞许的。因为没有证据表明，剖腹产有上述好处，相反，有研究证明，剖腹产的婴儿在运动协调能力方面不如自然分娩的婴儿，易患新生儿湿肺；剖腹产的孕妇产后复元的过程要比自然分娩更慢，更伤元气。

如果你为了避免难产而要求剖腹产，剖腹产本身就是创伤性分娩方式，是一次腹部外科手术。是否需要剖腹产来避免可能的难产应由

医生决定而不是由你或丈夫来决定，只有医生掌握剖腹产的手术指征。如果你为了避免分娩的疼痛而选择剖腹产，是最不划算的，手术麻醉过后，刀口开始疼痛，大多需要注射杜冷丁等药物来止痛，还有很多术后带来的不便。剖腹产是一次创伤性手术，手术就存在一定的风险系数，如可能发生麻醉意外、感染、肠粘连等。顺娩后48小时就可带着宝宝安全出院，剖腹产要在医院至少住上8天。

你选择剖腹产以前，是否明确知道

- 现有的资料表明：剖宫产与自然阴道产相比，前者死亡率增加3倍。
- 剖腹产术后并发症是自然分娩的2~3倍。
- 剖腹产儿未经阴道挤压，湿肺的发生率高于自然分娩儿。
- 剖腹产儿发生运动不协调的几率高于自然分娩儿。
- 中枢神经系统抑制、喂养困难、机械通气等，在选择性剖宫产中比自然分娩更常见。
- 应最大限度减少分娩时的医疗干预。
- 自然分娩是人类繁衍的自然生理过程，是目前人类生育最合适最安全的方式。

209.剖腹产指征和注意事项

剖腹产的医学指征

剖腹产就是不经过产道分娩，而是医生打开腹部和子宫，直接把胎儿取出。剖腹产的产科指征有以下几种情况。

提前预知自然分娩会对胎儿或产妇有危险

常见的有：头盆不称（胎儿头部与妈妈骨盆不相称）；妈妈骨盆狭窄；胎儿过大；胎儿异常，最常见的是臀位；高龄初产妇，检查发现软产道坚韧，估计胎儿难以通过；前置胎盘；脐带绕颈，估计自然分娩对胎儿有危险。

在自然分娩过程中发生了异常，必须紧急取出胎儿。

产道、胎儿、宫缩、产妇状态等分娩四因素中的任何一个出了问题，必须经剖腹产

取出胎儿。

孕妇在某一孕期出现某些异常情况，必须经剖腹产取出胎儿。

胎盘早期剥离出血；脐带脱出；因妊娠并发症危及胎儿和妈妈生命，如子宫破裂。

剖腹产注意事项

签手术同意书：无论因哪种情况行剖腹产，医生和护士都会告诉你应该注意什么，也会向你的丈夫（如果你的丈夫不在身边，会由你选择一位亲属或你最信赖的朋友）交代手术的相关问题，会让你的丈夫在手术协议上签字。

出现临产先兆，立即去医院：如果你是预知要行剖腹产的孕妇，当阵痛发生时，应立即到医院。如果胎儿已经进入产道，就很难再行剖腹产了。经产妇尤其要注意这一点。

术前禁食：术前应该禁食，一般要在术前6～8小时禁食。如果决定第二天早晨剖腹产，你就不要吃早餐了。如果决定午后剖腹产，午餐就不要吃了。

克服刀口痛，母乳喂养：剖腹产后不能马上喂母乳，也不能让宝宝出生后趴在妈妈的怀里。但当医生允许你喂母乳时，一定要克服手术刀口的疼痛，给宝宝哺乳，这时你可能还没有多少乳汁，不要紧，宝宝越吸吮，乳汁分泌得越多。

术后早活动：剖腹产后，医生会鼓励你早活动，通常情况下术后24小时就可在床边走动。有排气后就可进食了。

一定要避孕：剖腹产后避孕很重要。如果你还准备生孩子，要比自然分娩等待更长的时间，最好距本次剖腹产1年以上，如果希望下次自然分娩则最好等2年后再孕。一旦意外怀孕，会因你曾剖腹产而使人工流产变得危险，至少要等到术后半年才不会让医生担心。

仍需做盆底肌锻炼：因为胎儿没有经过产道，你就认为你的骨盆底肌肉和韧带不会松弛，所以不需要做骨盆底肌肉和韧带的产后锻炼，那就错了。你仍然需要锻炼。

第5节　难产

210.不同情形下的难产

怎样理解难产

难产一词是最令孕妇和正在分娩的产妇畏惧的，听到这个词，孕妇周围的亲人也非常紧张。关于难产，孕妇和医生的认识不尽相同，对于医生来说，难产就意味着产妇或胎儿面临着危险，如果不能在短时间内处理，就要紧急施行剖腹产。而对于孕妇和周围的亲人朋友来说，他们不知道难产的医学指征。如果产妇很长时间都不能把孩子生出来，就会认为难产；如果产妇疼痛得很厉害，常常用死去活来形容，也会认为是难产；有的产妇对假临产表现异常敏感，还没有进

准妈妈潘晓敏

入临产，就开始紧张，甚至开始折腾，结果把分娩的过程拉得很长，这也会让产妇和周围的亲人认为是难产；有的产妇对分娩认识不足，精神异常紧张，使本来可顺利分娩的过程难以进行，也进入难产的行列。

产前预知的难产

产科医学的进步已经使分娩变得相当安全，大多数可能出现的难产都已经能提前预知，在产妇还没有进入分娩状态时，就告知产妇和亲属。当产妇和亲属听到这样的消息时，多不会坚持自然分娩。他们不敢冒这样的风险，他们不但怕失去孩子，也怕孩子伤残，尤其是难产后可能带来的智力伤害。所以，他们别无选择，会痛痛快快地剖腹产。这就是医生认为的难产，是具有严格的医学指征的。医学意义上的难产，产科医生会帮助你妥善解决，即使产前没有预知，在分娩过程出现的诸如胎头旋转异常、宫缩乏力、宫缩过强以及胎儿异常等导致产中难产的情况，医生都能很好地处理，这些产妇都不必担心。

孕妇及亲属"导致"的难产

孕妇认为的难产却不同。有些孕妇对自然分娩带来的疼痛有一种本能的恐惧，在剖腹产手术很容易实施的今天，虽然从内心和潜意识里崇尚自然分娩，但却更信服在她们看来"安全系数高"的剖腹产，从理智上愿意剖腹产。有这样认识的产妇们，即使选择了自然分娩，一旦真正启动分娩，强烈的宫缩引起的阵痛一开始，她们就开始慌乱紧张，对前面的路望而却步，强烈要求剖腹产，这时，她们会大呼小叫，亲属也不能保持冷静，不能配合医生和助产士的要求。由此使得决定分娩顺利进行的四要素（产道-宫缩-胎儿-产妇状态）不能很好地协调配合，最终导致人为的难产发生。这是最让医生头痛的，因为医生难以预料产妇分娩时是否能保持良好的精神心理状态，如果进入第二产程出现这

种情况，就更让医生棘手，因为这时胎儿可能已经进入产道，已经不能行剖腹产了。

导致人为难产的另一个重要因素是丈夫。是否能够顺利度过分娩，丈夫的作用不容忽视。过去不是这样，现在不同了，当妻子处于分娩的"痛苦"中时，守候在身旁的丈夫常常比妻子更加焦虑。从蜜月走向怀孕分娩的这段时间，丈夫对妻子一直是疼爱有加，没做妈妈的妻子常常像孩子般和丈夫"撒娇"，在整个孕期受到全方位的呵护，就连公婆父母也是百般照顾。在幸福中度过的孕妇，尽管对即将来临的分娩痛有所准备，但一旦真的降临，常常让产妇始料不及。痛苦、要闹、哭喊、挣扎，把分娩带来的不适和疼痛扩大化。这时守候在身旁的丈夫可谓是焦急万分，丈夫们不但心疼妻子，更担心母子的安危。他们普遍有这样的错误认识：剖腹产是解除妻子疼痛，保证母子平安的好办法。所以，当产妇宫缩变得强烈，离胎儿的娩出越来越近的最紧要关头，在妻子最需要丈夫鼓励的时候，丈夫却全线崩溃了，只要能不让妻子难受，孩子快快出来，做什么都可以，比妻子有更强烈的选择剖腹产愿望，而他们又是能在手术协议上签字的人。结果有些自然分娩宣告"失败"。现在这种"难产"越来越多，这也是剖腹产率居高不下的原因之一。

真实的一幕

萍萍是爸爸的掌上明珠，生孩子时年方23岁。产前检查一切正常，具备自然分娩的条件。可当宫口开到五六指时，一阵紧似一阵的宫缩，使萍萍再也无法在亲人面前保持镇静，当爸爸来到面前时，她哭着对爸爸说："爸爸，我要死了，我不要生孩子。"老岳父开始训斥姑爷："怎么还不去找大夫，非要等到出人命啊！赶快剖腹产。"已经很担心的丈夫马上下定决心，强烈要求剖腹产。大夫说产程进展很顺利，顺产没问题。"我们就是要剖！"丈夫在手术协议上签了字，剖出一男婴，3050克。

处于宫缩阵痛中的产妇需要周围人的鼓

励和支持。当产妇喊着要剖腹产、受不了了、痛得要死的时候，都是不由自主的，并非是理智的判断。有医生在为她的安全把关，如果有难产情况，医生会比任何人都着急。周围的亲人，尤其是丈夫和父母公婆，面对分娩中的产妇一定要保持镇静，给予产妇关怀和支持，不要代医生决定是否要剖腹产，更不能因为产妇喊着要剖腹产就认为一定需要这样做。有的人并不忌讳"死"这个词，平时也会说"气死我了"、"累死我了"，不会引起人们的注意，人们也不会真的认为说话的人会死。可处在分娩中的产妇却不同了，"疼死我了"，一个死字会让周围的亲人异常害怕。丈夫和周围的亲人一定要清楚，判断分娩情况的既不是产妇本人，也不是你们，而是医生和助产士。如果医生需要你们做决定的时候，你们再做也不迟。

关于"干生"

有的产妇对早破水（胎膜早破）的理解有误，认为只要没上产床前破水了，就是早破水。并认为早破水会给分娩带来困难和过度疼痛，是"干生"。

所谓早破水是指在分娩开始前发生破水。一旦分娩开始发动，无论是在哪一期破水，都不能诊断为胎膜早破，不会因为破水而使分娩更困难。

211.生产过程中的难产

在分娩的过程中可能会出现异常情况，但就现代的产科技术而言，大多能得到很好的处理，引起不良后果的可能性已经降得很低了。为了避免分娩中异常情况的出现，产妇在分娩过程中的身体和心理状态也是很关键的。等待分娩的孕妇，最好不要过多考虑异常问题。

可以预知的难产，在产前医生都会给予积极的处理，为你制定安全的分娩计划，所以，分娩中的难产发生率是很低的。不可预知的难产主要是在分娩过程中发生，但产妇也不要担心，医生会密切观察产程的进展，加上对胎儿和产妇的监护，能够更及时地发现异常情况，发生危险的几率非常小。如果你在分娩中听到下面这些专业名词，不要紧张，医生会尽力帮助你，给予母子最大的安全保障。

我本不想写这些异常，怕引起孕妇的担心，但又一想，我即使不写，孕妇也会在其他书籍中看到或听周围人说起，或生产过程中在自己身上发生，孕妇会非常不安。所以，我还是把它们写出来，或许能够帮助孕妇明白是怎么回事。记住，就现在的医疗水平和产科技术，很多在过去看来难以解决的难产，已经不成问题了。医生也会提前和你及你的丈夫说明，会征求你们的意见，并拿出医生的看法或决定，你自己不必过分担心这些问题。

宫缩乏力

当分娩发动后，子宫收缩推出胎儿的力量很微弱时称为宫缩乏力。宫缩乏力可发生在分娩的不同阶段，有的是从一开始宫缩就微弱；有的是在分娩过程中变弱。在分娩过程中变弱的，多是由于产程过长或用力方法不得当，导致产妇疲劳。出现这种情形，医生多会使用促进宫缩增强的药物，如催产素。

如果宫缩不是太弱，医生会给产妇打一

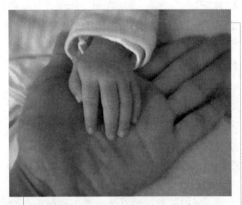

宝宝/余晨
宝宝余晨的小手。

分娩中的子宫颈变化

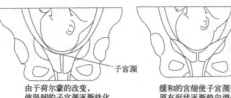
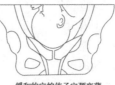

由于荷尔蒙的改变，使坚韧的子宫颈逐渐软化。

缓和的宫缩使子宫颈变薄，原有形状逐渐趋向消失。

一旦子宫颈原有形状完全消失，强烈的收缩使之膨胀开。

张开7厘米，助产士可以触摸到子宫颈环绕着胎头向外扩展得很好。

当助产士触摸不到子宫颈时（大约10公分），表示它已全开。

引自Elizabeth Fenwick著《新一代妈妈宝宝护理大全》。

针睡觉的药，让产妇休息一段时间，解除疲劳后再分娩。如果不能使宫缩恢复或有其他情况，医生认为比较严重时，会采用剖腹产。所有这些处理和决定，都不需要你来担心，更不要紧张害怕，你的担心和害怕不但对恢复宫缩力没有帮助，还会导致其他问题。这时，最好的选择是安心地休息。

宫缩过强

子宫收缩过强也不行。引起子宫收缩过强的原因有不恰当使用促进子宫收缩的药物、早破水等。

当子宫收缩过强时，产妇大都不能很好地承受，因为过强的宫缩会引发剧烈的疼痛。如果产妇能够承受过强的宫缩，产道和胎儿又没有异常，多能急速分娩，急速分娩可能会发生产道裂伤或产后出血，胎儿头部也可能会受到伤害。所以，如果宫缩过强，腹痛过于强烈时，要及时告诉医生。

软产道坚韧

软产道坚韧大多发生在高龄孕妇，医生会使用子宫颈软化的药物，使产道变得柔软易于胎儿娩出。

实际上，高龄孕妇并不是剖腹产的指征，除非是年龄过高（大于40岁），现在人从

生理上，普遍比过去年轻，在40岁以下的孕妇，即使是初产，经产道顺利分娩的可能性也是很大的。如果你是30多岁的孕妇，不要放弃自然分娩的机会，只要没有经阴道分娩的禁忌情况，在医生和助产士的帮助下，你会像其他年龄段的孕妇一样自然分娩。

胎头旋转异常

胎儿在产道中通过时，为了适应产道的曲线，会不断转换方向，这些都是自然进行的，一般无需助产士协助。但有时会发生胎头旋转异常，给胎儿的顺利娩出设置障碍。遇到这种情况，医生或助产士可能会协助胎儿改变不正常的位置。总之，这不是你要做的事情，你也不要过多地去想它，医生会妥善解决的。你的任务就是镇静地配合医生，把孩子生下来，这种心理对你顺利分娩具有神奇的力量。

胎盘早剥

正常情况下，胎盘是在胎儿娩出后才开始剥离娩出的。当胎儿还没有娩出的时候，胎盘就开始剥离，会发生阴道出血现象。遇到这种情况，医生会立即行剖腹产的。

子宫颈管裂伤

急产或产力比较大，可能会发生子宫颈

管裂伤。有经验和负责的助产士或医生会在产妇娩出胎儿后，对产妇的产道和宫颈进行检查，如果发现有裂伤，会及时缝合。但有时并不能及时发现。如果产后宫缩很好，阴道和外阴也没有伤口，但却有鲜血流出，这时医生会考虑是否有宫颈裂伤的可能，如果是，马上就会进行缝合术。

曾经有位产妇，是急产，但整个分娩过程都很顺利，于分娩第2天就出院了。可回到家后，有很多的鲜血流出，她并未认识到是异常情况，既没到医院看医生，也没向医生咨询。一直认为是恶露，持续了40多天。在产后42天的产后检查时，才发现宫颈有三处裂伤。这时再做缝合已经晚了，如果要缝合就需要做新的创口。产前血色素是110克/升，产后42天血色素是69克/升，发生了失血性贫血。记住：产后发现阴道鲜血流出，必须立即就医。

胎盘滞留

随着胎儿的娩出，胎盘也就随之娩出，如果胎盘长时间没有娩出，就称为胎盘滞留。如果你在产床上听到这个词，可不要害怕，更不要着急，医生和助产士有办法让滞留的胎盘娩出来的。

准妈妈潘晓敏
潘晓敏的这款孕妇装非常别致。

产后出血

产后出血问题是医生很重视的，也是医生产后对产妇进行观察和监护的主要项目。产后出血几乎都发生在医院，所以，你不要担心，一旦发生产后出血医生会立即进行处理的。

第6节　最激动人心的时刻
——分娩

212. 第一产程（6-12小时）：养精蓄锐、休息、进食

经历时间：第一期是从子宫规律收缩开始到子宫颈口开全的一段时间。如果你是第一次生孩子（初产妇）约需要12小时；如果你曾经有过分娩的经历（经产妇）约需6小时。

表现：刚开始进入规律宫缩时，大约每6、7分钟发动一次宫缩，每次可持续半分钟。随着产程的进展，宫缩间隔时间逐渐缩短，每次宫缩持续时间逐渐延长，强度逐渐增加，子宫颈口会缓慢打开。

你的感受：当宫口开到约5厘米时，宫缩变得强烈起来，刚才还很镇静的你，这时可能会变得紧张和恐惧，这时可能是感觉疼痛最剧烈的时候，你可能会担心孩子生不下来，可能会认为你已经无法坚持，会强烈要求医生为你做剖腹产。坚持下去就会柳暗花明，周围的人都会这样对你说：坚持一下，孩子马上就要生出来了。这句话说起来容易，放在你的身上，就要付出很大的努力，你该怎么办好呢？

顺利度过第一期的方法

宫缩间歇时休息、睡觉、吃喝、聊天或听音乐。

这一时期，子宫收缩是间断的，而且不

第1产程的呼吸

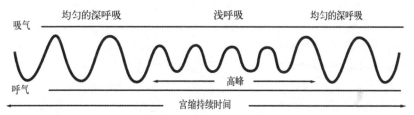

吸气

均匀的深呼吸　　　　浅呼吸　　　　均匀的深呼吸

呼气

高峰

宫缩持续时间

在一阵宫缩的开始和结束时，要用深而均匀的呼吸，经鼻吸入并从口呼出，在宫缩高峰时，试用轻微而浅的呼吸，吸入或呼出都应经过口腔，这种呼吸不要时间太长，因为你将会感到头晕。

过渡产程的呼吸

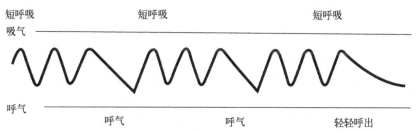

短呼吸　　　　短呼吸　　　　短呼吸

吸气

呼气

呼气　　　　呼气　　　　轻轻呼出

如果还没有到要推婴儿的时候，就要采取"ha!ha!hu!"的呼吸方式，即两次短的呼吸，跟着一次较长的呼气。当向外推的动作已受控制时，做一次缓慢而均匀的呼气。

第2产程的呼吸

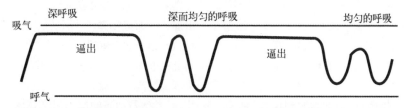

深呼吸　　　　深而均匀的呼吸　　　　均匀的呼吸

吸气

逼出　　　　逼出

呼气

当你想用力时(在宫缩期间会发生数次想用力推出胎儿的情况)，如果觉得会有所帮助，就做一次深呼吸并在你能够忍受的时间范围内屏息一会儿。在两次推出动作之间，做几次平稳的可帮助镇静的深呼吸。在宫缩消失时慢慢地放松，这样才能保持体力等待胎儿娩出的进程。

引自Elizabeth Fenwick著《新一代妈妈宝宝护理大全》。

收缩的时候长，收缩的时候短，所以，你能有大部分时间得到休息，尽管这种休息常常被突如其来的疼痛所打断，你也要努力使自己放松，抓紧时间休息或吃东西，如果你睡不着，也可听听音乐，和人聊聊天。

宫缩来临时腹式呼吸，采取随意、喜欢的姿势。

在宫缩来临时，你可采取腹式呼吸，可使腹部放松。采取你感觉喜欢的姿势，只要你感觉舒服就行，不要刻意按照书本上或医生指点你的姿势，那种姿势或许不适合你。但一般来说侧卧位要好些。

需要注意的

有些产妇在分娩真正发动后，对宫缩带来的疼痛表现出不安和恐惧，闹得很厉害，即使在宫缩间歇期也不好好地休息，不用说

第十二章

分娩

267

吃东西,就连水都不喝,对下一次宫缩到来引起的疼痛进行预测,时刻想着无法忍受的疼痛即将来临,甚至感觉自己会死掉。这是最不好的,这使得产妇身体非常疲劳和困倦,等到需要产妇用力,宝宝需要妈妈帮忙时,却一点也使不上劲儿,帮不上忙。

在你还没有进入分娩过程时,可千万要想清楚,分娩是你和宝宝的事,十月怀胎已经走完了万里长征,就要到达目的地了,只要你们母子紧密配合,就能顺利到达终点。疼痛来临时,你咬紧牙关坚持住;疼痛缓解时,你抓紧时间休息、进食。你就要做母亲了,坚定信心吧。

需立即告诉医生的4种情况

- 宫缩间隔时间2~3分钟;
- 破水了;
- 无法控制的用力排便的感觉;
- 阴道出血增多。

213. 第二产程(1~2小时):极限冲刺、配合用力、可见胎头

破水、用力和呼吸

经历时间:第二期是子宫口开全到胎儿娩出的这段时间。初产妇约需2小时,经产妇约需1小时。

表现:宫缩间隔时间缩短到1~2分钟,每次可持续50秒,对你来说,可能已经感觉不到间歇,似乎一直有宫缩,肚子持续疼痛。告诉你:这时宝宝的头部逐渐脱出骨盆,一边回旋,一边随着子宫收缩(引起你疼痛的宫缩)向产道出口进发。作为妈妈的你,只有努力、努力、再努力。

破水大多发生在这一期(适时破水),助产士已经可以看到胎儿的头发,阴道口扩展到最大限度,你会感到有个很大的东西撑着(着冠),这是胎儿就要娩出前的阶段。从着冠开始,助产士就会让你停止用力,让你"哈、哈"地喘气,这时腹壁开始放松。很快,宝宝的头、肩就出来,紧接着,整个胎儿娩出。

"哇——"清澈响亮的婴儿第一声啼哭传到你的耳边。一切的艰难险阻都过去了,你的心中被幸福和喜悦填得满满的,真正体验了母爱,这是你一生中最幸福的顶点。就像在奥运会上第一个冲过终点的世界冠军,你会喜极而泣。这就是为什么曾经经历过分娩阵痛的妈妈,当再次怀孕时,仍然选择自然分娩的原因吧。有许多准妈妈听过来人描述过宫缩的疼痛,却没有听她们描述过胎儿娩出那一刻的舒畅和幸福。这是不公平的。生育就是这样一个值得去体验、回味,甚至再重复的过程,有痛苦有欢乐,有付出有收获,生和死、苦与乐就这样戏剧性地降临和转化,让你懂得活着的道理,让你敬畏生命、珍惜生命。

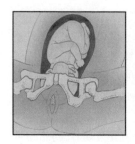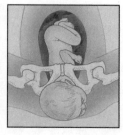

分娩的过程

引自Elizabeth Fenwick著《新一代妈妈宝宝护理大全》。

我也做了母亲，亲身体会过自然分娩后成为母亲的幸福时刻。20年来，我陪护过太多产妇分娩，体会到她们的幸福和满足。为什么人们很少细致地描述这个幸福的时刻呢？可能是太圆满了，一切尽在不言；也可能是全部心思转到宝宝身上，顾不上了；也可能是描述幸福的语言太贫乏了，不知怎么说……总之，我看记者现场采访世界冠军的时候，总能感受到有一种幸福是无法用言语表达的，和第二产程中冲刺并娩出婴儿的妈妈完全一样。

你的感受

进入此期后，你的疼痛有所减轻，但因胎头压迫，你会感到有一团很硬的东西堵在肛门和会阴处，你可能会使劲憋气，助产士也会告诉你如何用力，你已经忘记恐惧和疼痛。到了这一期，已经是开弓没有回头箭，胎儿就要娩出，妈妈别无选择，现在你能做的就是全力以赴把宝宝生出来。有助产士在你身边指导你如何用力，如何呼吸，你会顺利度过这一期的。

你在产前学习的分娩方法，这时你可能已经忘得一干二净，因为在真正的分娩到来前，你是无论如何也想象不出分娩是什么滋味的，当你从未体验过的感觉袭来时，你变得不再那么冷静，脑子可能一片空白，这时你可能全然不顾，坚决要剖腹产，因为你已经无法忍受你从未感受过的这一切。你已经顾不得你的宝宝。你的这些表现，并不都是因为疼痛，分娩的疼痛不会这样的剧烈，只是你不曾有过这样的经历。你没有了安全感，不知道以后还会发生什么。

告诉你即将发生的是，等你感觉不能忍受的时候，就是你要完成分娩时候，宝宝正在冲过终点，你就要听到宝宝响亮的哭声。

如果你选择了自然分娩，希望你记住这段文字。当你在分娩中有无法忍受、不能再坚持下去的感觉时，我告诉你，宝宝正在通

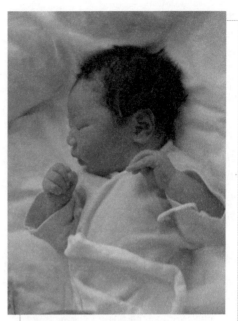

宝宝/方梓睿。
刚刚诞生的新生儿。

过最窄最后的关口，你马上就要成功了。

顺利度过第二产程的方法

宫缩用力，无宫缩放松

按照宫缩的节奏用力，有宫缩时用力，宫缩停止后一定要放松，如果一直用力，会使你感觉异常疲劳。如果宫缩来临时，你不能正确用力，就不能很好地配合宫缩和胎儿完成分娩过程。

正确用力方法

当宫缩开始，阵痛到来时，你要深深地吸一口气，然后紧闭双唇，憋住气，开始使劲儿。注意，一定要把劲儿使在下面，就像拉干硬的大便。

该停就停

如果助产士让你不要再用力，要"哈、哈"地大喘气，你一定不要再用力了，否则可能会导致会阴裂伤。

需要注意的

有的产妇不把劲儿使在下面，而是使在

脸上和胸部；有的产妇不是紧紧闭住双唇，不能很好憋气；有的产妇喊叫，这是最不好的，喊叫不但不能很好配合宫缩和胎儿，还消耗了体力；有的产妇使劲时间太短，呼吸频率很快，这也不能很好配合宫缩和胎儿分娩。

希望你记住：当助产士让你深吸气后憋住气使劲儿时，一定要尽量拉长时间；默默使劲儿，要比出声有力量，所以，最好不要出声；千万不要喊叫。当助产士不让你用力时，你一定要配合，浅而快地呼吸，并发出"哈、哈"的声音，同时放松腹壁和全身所有的肌肉。

214. 第三产程（3～30分）：胎盘娩出、比较轻松

第三期是从胎儿娩出后到胎盘娩出这一段时间。这一段时间是比较容易度过的。产妇不但没有了阵痛，还听到了新生儿的第一声啼哭，妈妈终于见到盼望已久的宝宝，把分娩带来的疼痛都一股脑地忘到脑后。

三个产程小结

整个产程所需时间

初产妇一般最长不超过24小时，经产妇不超过18小时。最短也需要4小时以上，如果整个产程短于4小时称为急产，整个产程超过24小时称为滞产。

三个产程难以界定

但事实上，这三个产程之间的界限难以准确划分，尤其是从第一产程进入第二产程的时间。另外，每个产妇的感受不同，住院时间各异，产科医生和助产士并不都能准确判断产妇第一产程开始的真正时间。有的产妇对疼痛耐受性比较差，在分娩前期，也就是

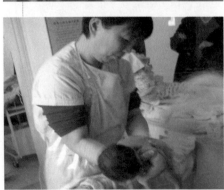

宝宝/美美
宝宝终于诞生了。

说还没有真正发动分娩前，已经是"痛不欲生"的样子，这会给产科医生和助产士带来判断上的困难，也使得丈夫和陪伴的家属紧张，认为产妇一定是难产，因为已经痛了好几天，孩子还没有生下来。其实，产妇根本没有真正动产。

曾经有位产妇，几进几出产房，产妇的丈夫是我中学时代的同学，恰好我也住院分娩，同学对我说，他妻子已经生了8天！绝不会有这样的事，如果真正动产，不用说8天，超过20小时，医生就会想办法。这位产妇实在是太紧张了，把分娩发动前，子宫不规律收缩导致的腹部不适当做分娩阵痛，闹得很厉害，到真正分娩时已经是筋疲力尽了，到头来只能接受剖腹产术。

相信自己能闯过自然分娩关

当你的产程相对比较长时，你一定不要着急，更不能烦躁不安，这时的你应该充满信心，在宫缩间歇期，争取时间休息，能吃就吃，能喝就喝，你要记住，此时此刻最能够帮助你的是你自己，只要你失去信心，不能勇敢地面对子宫收缩带给你的阵痛，你的分娩过程就不能顺利。你闹得越厉害，耗费的精力越大，顺娩的机会就越小。你越是拒绝进食进水，越感到体力不支，就越没有力气对付宫缩带来的阵痛。你越是害怕阵痛的来临，不能抓紧宫缩间歇期休息，你就越不能忍受阵阵袭来的阵痛。你就这样想，反正分娩不会要你的命，也不会痛死。咬紧牙关，相信自己一定能闯过这一关。

现身说法：我要自己生！

我从动产到分娩用了11小时，真正经历疼痛难忍的时间不到1小时，同事们对我说，痛得忍不了就喊出来，同事们越是这样说，我越是一声不吭，也不睁眼看同事们，我要守住这块阵地。我在想，我的孩子正在考验着妈妈的毅力，我一定要表现出坚强的意志，我不喊叫，不言痛，就表明我不会向"痛"低头，孩子会为妈妈的勇敢而骄傲，一定会默默地配合妈妈走出黑暗，迎接光明。当时的我，只用心和我的孩子交流，全然不理会周围，包括我的丈夫。我是10月2日凌晨2点多开始出现腹部隐隐作痛，并见红的，上午11点住院，下午3点40分结束分娩，10月3日12点就回到了家里。实际上，在我孕8个月时，医生就告诉我，我很可能要剖腹产，原因是我呈"悬垂腹"，孩子又相对比较大。可我当时想，我的胯骨比较宽，我不能白白浪费了我这非常女性化的胯骨，应该尝试一下，结果，我成功了，还如此顺利。

最关键的时刻

到了你不能忍受的时候，也就是离孩子出生不远的时候了，坚持下去，你很快就会尝到分娩后的喜悦。

危险防范

如果你在产院分娩，有产科医生和助产士的密切观察，还有产程监护仪、胎儿监护仪等监护措施，你是很安全的。需要注意的是：你不要擅自上卫生间，一定要有人陪护，如果你感觉有大便，可能就是要分娩的时候，所以，无论你要做什么，都要向医生说明，医生会做出判断。

夜间动产

有很多孕妇都是在夜间动产的，初产妇缺乏经验，一旦出现临产先兆，大多数孕妇不敢呆在家里，丈夫和亲属更是着急，怕把孩子生到家里。所以，即使医生告诉孕妇什么时候该来医院，即使孕妇看了很多书，到了真需要拿主意的时候，也大多没了主见，半夜三更急急忙忙到医院生孩子的并不少见。这并没有什么错，也没有什么坏处，由孕妇本人或丈夫亲属决定何时需要住院，确实是不切实际的。如果孕妇认为自己应该住院，就去住好了；如果孕妇认为还不需要住院，但又有些担心，就给你的产科医生打个电话咨询一下。如果你拿不准主意，带着东西去住院，而医生告诉你暂时不需要，你就安心地回家，不要怕费事，提早住院并不好。

夜间分娩

宝宝并不会因为现在是半夜三更就憋在子宫中不出来，不管什么时候，宝宝该出来时就会出来，所以，半夜分娩并不稀罕，宝宝的健康和聪明才智与出生时间并没有因果关系。你也不要担心夜间分娩会让陪伴你的丈夫犯困，就要做爸爸了，只有激动和兴奋，根本不会困倦。

215.第一声啼哭——献给母亲的赞歌

过去，对母子来说，分娩的过程一直是危机四伏，人类的演化过程给了人一个聪明的头脑，但同时也给人类的繁衍制造了危险：对于妈妈的产道来说，胎儿的头颅可谓是巨大的，在没有产科医生和助产士以前，妈妈每次分娩都面临着2%死亡的可能，胎儿就在出生一刹那死亡率高达5%。现在医学科学的进步使得母子的生命得到了保障，分娩的痛苦在不断降低，现在的母子是幸运的。

对于胎儿来说，在子宫里确实是非常舒适的。分娩是胎儿离开母体走上独立生存道路的第一次，也是最严峻的考验。在这个过程中，胎儿并不能掌控自己的命运，胎儿最大的伙伴是孕育他十月之久的妈妈，胎儿和母亲之间共同配合是分娩成功的关键。如果母亲把这一任务交由产科医生和助产士，你就输了80%。在分娩过程中，如果没有胎儿竭尽全力地向外冲，且保持正确的冲刺姿势和方向，妈妈的巨大努力将会付之东流。如果胎儿在娩出后的一刹那没有建立有效的呼吸——发出第一声响亮的哭声，就可能带来一次失败的分娩。新生儿第一声啼哭是新生命诞生的象征，也是献给母亲的赞歌。

216.第一口吸吮妈妈的乳头

在胎儿娩出的一刹那，助产士就立即为宝宝进行呼吸道清理，让宝宝的第一声啼哭清脆响亮，肺脏充分张开，不让羊水吸到肺中，这一点是很重要的。为宝宝结扎脐带的时间要恰到好处，未结扎脐带前，宝宝应与妈妈呈水平的位置。结扎早了和晚了，比妈妈的位置高或低都会发生母-胎或胎-母输血现象，导致宝宝失血或多血。胎儿娩出后30秒宝宝的脐带就被钳夹，从此宝宝就开始建立了自己独立的呼吸和循环，开始独立生存。

离开妈妈子宫的宝宝，突然暴露在寒冷、陌生、嘈杂的环境中，会产生不适和不安全感。把刚刚出生的宝宝放在妈妈的怀里，新生宝宝会有最安全、最幸福的感受。当宝宝趴在妈妈的怀里时，你会惊奇地发现，宝宝会用小嘴寻找妈妈的乳头，会用小手抓妈妈的肌肤，会用小脸紧紧贴着妈妈，当宝宝再次聆听到妈妈的心跳，闻到妈妈的气味，感受到妈妈的气息时，宝宝离开母体后所有的不安和恐惧都完全消失了。

新生儿娩出后，第一时间与妈妈接触，通常是俯卧在妈妈胸部，嘴对着妈妈的乳头。与妈妈的早接触，不但有利于妈妈乳汁分泌，刺激新生儿吸吮反射，使新生儿更早地体验到吸吮的乐趣，还能增进新生儿情感发育，刺激妈妈子宫收缩，好处多多，所以，现在的产院都会让刚刚出生的新生儿与妈妈进行半小时的皮肤接触，让宝宝吸吮妈妈的乳头。

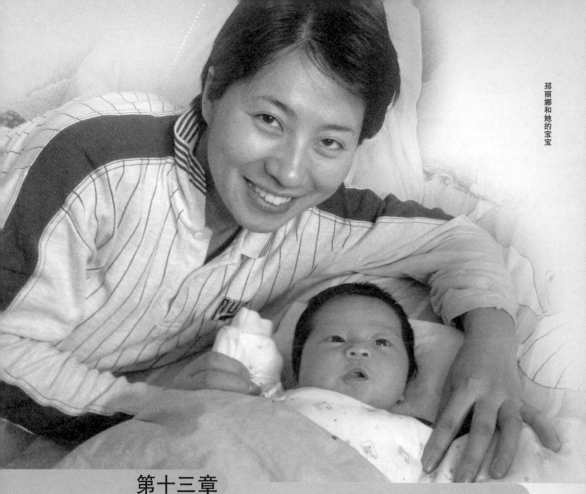

邴丽娜和她的宝宝

第十三章

产　后

产后复原、恶露、坐月子、
避孕、哺乳、围产期结束

　　到底是采取中国式的坐月子方
法好，还是采取国外的一些做法，不
坐月子好？
　　方式本身并不重要，也没有更
好或更坏，重要的是产妇喜欢怎样度
过产后这4周的时光，怎样才能让产
妇心情愉快。

本章要点

● 坐月子
● 及时发现产后抑郁症
● 哺乳、产后复原和避孕
● 预防产褥热

第1节 坐月子

217.对月子妈妈的几点建议

现代女性要不要坐月子？接受现代教育的年轻人开始摒弃沿袭下来的月子习俗，但又有些踌躇，怕落下月子病。东西方女性体质、生活习惯、饮食结构等存在着一定差异。我国产妇坐月子有久远的历史，西方坐月子的方法并不都能让中国产妇接受，也不一定适合中国产妇的生活方式。

坐月子不能废弃，但应该提倡科学坐月子。道理很简单，新妈妈十月怀胎，各个系统发生一系列变化。子宫肌细胞肥大、增殖、变长，重量增加20倍，容量增加1000倍。心脏负担增大，膈肌逐渐上升，使心脏发生移位。肺脏负担也随之加重，肺通气量增加达40%，鼻、咽、气管黏膜充血水肿。肾脏也略有增大，输尿管增粗，肌张力减低，肠蠕动减弱。其他如肠胃内分泌、皮肤、骨、关节、韧带等都会发生相应的改变。产后胎儿娩出，

妈妈/潘晓敏 宝宝/美美

上述变化的复原，取决于新妈妈坐月子时的调养保健。若养护得当，则恢复较快，反之，则恢复较慢，甚至罹患产后疾病。

欧洲的大部分地区都倡导母亲在产后应该尽早下床走动，认为产后卧床有副作用，甚至有害。长时间卧床会造成很多不适，甚至导致疾病的发生，尤其可能发生静脉栓塞。

穿戴

北方冬季天气寒冷，但室内有很好的取暖设施，尽管室外寒风凛冽，室内却温暖如春；南方气候温和，室内外温差不是很大，室内温度可能比北方还低。按照不同室温标准选择衣服的厚薄，应该选择宽松舒适的款式或家居服。

不同的室温选择不同厚薄的衣服。室温在12℃以下，穿薄棉衣厚毛裤；室温在12-15℃，穿厚毛衣薄毛裤；室温在15-18℃，穿薄毛衣棉质单裤；室温在18-22℃，穿薄羊毛衫棉质单裤；室温在22-24℃，穿棉质单衣裤。

不要穿过紧的衣服，以免影响乳房血液循环和乳腺管的通畅，引发乳腺炎。产后出汗多，应该穿吸水性好的纯棉质地的内衣，外衣也要柔软、散热性好。母乳喂养的新妈妈，乳汁常常沾湿衣服，产后最初几天阴道分泌物比较多，乳罩、内裤应每天换洗。

多数人认为鞋子对新妈妈不重要，大多数产妇月子期间不出门，只是在家走走，穿双拖鞋就可以了。这是不对的，应该穿柔软舒适的鞋子，如果穿拖鞋，最好要带脚后跟的，以免脚受凉引发足跟或腹部不适。活动或做产后体操时，应该穿柔软的运动鞋或休闲鞋，不要穿着拖鞋运动。建议产后不要马上穿高跟鞋，可以穿半高跟鞋，2.5厘米左右的比较合适。

吃喝

产妇不宜吃滚烫的饭菜。饭菜太热会伤

害新妈妈的牙齿。如果烫坏了口腔黏膜，可能导致口腔感染。我国习俗让产妇喝热汤，尤其是冬季，喜欢喝很热的汤，吃滚开的火锅。这对孕妇的牙齿是不利的。坐月子，科学饮食很重要。我们不能像西方人那样，月子里还照样喝冰水，但我们也不能吃过热的饭食。产妇身体消耗大，还要给婴儿喂奶，油炸、油腻食物及辛辣饮食不易消化，容易加重便秘，也会影响乳汁分泌，或通过乳汁刺激婴儿诱发湿疹、腹泻等疾病。让产妇喝红糖水、水煮蛋、炖母鸡汤、鱼汤、小米粥的习俗都是好的，如果再配以适量的新鲜蔬菜、水果，就更有益于产妇身体复原和哺乳。

睡觉

产后子宫韧带松弛，需经常变换躺卧体位，即仰卧与侧卧交替。从产后第2天开始俯卧，每天1~2次，每次15~20分钟。产后2周可胸膝卧位，利于子宫复位并防止子宫后倾。每天保证8~9小时的睡眠，这样有助于子宫复位，并可促进食欲，避免排便困难。一些器官需要复原，产后子宫韧带松弛，极易移位，产后阴道分泌物中有血液、坏死的蜕膜组织及黏液，局部抵抗力比较低，如不注意休息，会导致感染。

产妇夜间要频繁喂奶，照顾婴儿，缺乏整块时间休息睡眠，要抓紧一切可能的时间休息。最好是孩子睡妈妈就休息或睡觉。

运动

健康的产妇在产后6~8个小时可以坐起来，12小时便可坐起进餐，下床排便。产后第一次下床入厕或散步时，要有人陪伴，以防因体虚而晕倒。24小时后可站起来为婴儿换尿布。产后第二天可以下床活动。起床的第一天早晚各在床边坐半小时。第二天起在室内走走，每天2~3次，每天半小时，以后逐渐增加活动次数和时间。早活动有利于子宫恢复和分泌物排出；减少感染机会和下肢静脉

妈妈/潘晓敏 宝宝/美美

血栓形成；加快排尿功能恢复，减少泌尿系统感染发生；加快胃肠道恢复，增进食欲，减少便秘；促进骨盆底肌肉恢复，防止小便失禁和子宫脱垂发生。

休息

冬季是呼吸道感染多发季节，产妇要注意休息。避免接触患有感冒的人。婴儿虽然在母体中获得了免疫能力，但刚刚离开妈妈子宫保护的新生儿抵抗力仍然比较低，成人呼吸道中的微生物，可能成为婴儿的致病菌导致呼吸道感染。

休息不好，乳汁分泌就减少，会给母乳喂养带来困难，并易导致产妇焦虑、疲倦、精神抑郁。要礼貌地拒绝探视，不要打乱进餐、睡眠规律。

职业女性，平时工作和家务十分紧张，很少有空余的时间，就在产前准备很多书籍，想充分利用这难得的休息时间看看书。看书需要长时间盯着书本，很少变换姿势，会使眼睛和颈、腰、背部肌肉过于疲劳，要注意把握尺度。看上二三十分钟就要休息。

洗沐

冬季洗澡应做到防寒。浴室温度应在22~24℃。浴水温度在37℃左右。浴室不要太封闭，不能让产妇大汗淋漓，以免头昏、恶心。

不要空腹或饱食后洗澡。浴后要及时用暖风吹干头发。喝杯温开水或果汁，吃些小食品。产妇不宜坐浴，时间不宜过长，每次5～10分钟即可。如果是会阴切口、剖腹等异常分娩，需待创口愈合后。如果分娩过程不顺利，出血过多，或平时体质较差，不宜勉强过早淋浴，可改为擦浴。

其他注意事项

每次如厕后，都要用温水冲洗阴部，洗时注意要从会阴向肛门洗，以免将肛门的细菌带到会阴伤口和阴道内。

月子中进食较多的糖类和高蛋白食物，易损牙齿，应做到早晚刷牙、饭后漱口，防止口腔感染。

指甲要定期修剪，以免划伤婴儿幼嫩的皮肤。

保持衣着整洁，梳理好头发。蓬头垢面会影响你的心情。认为月子梳头会留下头皮痛的说法是不科学的。

给母婴创造健康的月子环境

给母婴创造一个舒适温馨的环境，不但对母婴的身体健康有利，对产妇的心理健康也是非常重要的。一定要摒弃过去"捂月子"的习惯，让产妇和婴儿在空气新鲜、环境优雅、干净明亮的室内度过月子。

白天不要挂窗帘。尤其是比较厚、颜色比较深、花色比较暗的窗帘。如果没黑没白地挂着窗帘，会影响产妇心情，也不利于婴儿视觉发育；不能及时发现宝宝皮肤黄疸和其他情况。晚上不开正常照明灯，室内光线昏暗，反而对宝宝视觉发育不利，产妇也会感到视觉疲劳。

218.国外专家对坐月子的建议

休息

一天当中，要不断休息，可以喝杯茶、看看报，或将脚垫得高高的。将窗帘挂上，拔掉

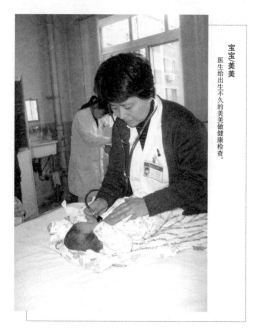

宝宝美美
医生给出生不久的美美做健康检查。

电话，搂着小宝宝甜甜地睡上一觉，醒来后会感觉精力充沛。

接待来访者

不要让来访者打乱了自己的休息时间。对你来说是不方便的时间，一概明确回绝来访者。接待不要陪得时间太长，以免身体疲劳。

找人帮忙，不要客气

让朋友或邻居帮助取牛奶，带着宠物去散步，或带上小孩去公园，让家人或兄弟姐妹帮助买菜做饭等。他们都非常乐意帮助你，明确告诉他们你有什么要求、喜欢什么，不必客气。

干家务

干一些适合你的事，别的妈妈做的事并不一定完全适合你。

制定时间表

不管是傍晚散步，还是在浴盆里泡澡，在这个时间表中所安排的一切活动，都是为了精神愉快。

寻找"课间操"

婴儿约1周后，你应至少每周一次到其

他地方去轻松一下，当然应将婴儿放到家中，可陪朋友吃顿午餐，追寻孕前的个人爱好，与别人交谈一些孩子以外的话题，这种放松就如同课间操休息10分钟一样，也算是做妈妈期间的精神休息。

充当志愿者

多与外界接触，使生活更加充实，心情愉快。考虑一些你关心的问题，寻找一些担当志愿者的机会。比如，做志愿教师；志愿为血库接电话，以你的职业特长为非赢利性机构工作等。为社会工作可以使你感觉精力充沛。

外国妇女的孕前孕后

边医生家在北京，所住的公寓中住着几位德国专家。当她看到以一位怀孕的德国妇女在网球场和丈夫打网球时，感到非常惊奇，一直替这位孕妇担心，我国的孕妇哪里敢做这样的运动！可更让她惊奇的是，前两天还是大腹翩翩的孕妇，今天已经穿着漂亮的衣服，推着婴儿车在草坪上散步了，除了微微有些发胖，几乎和怀孕前没有什么变化，还是那样精神抖擞，步态轻盈。边医生的弟弟常常去德国公干，说德国妇女就是这样的。她们生孩子后不会待在家里一个月不出来，会参加朋友的生日宴会和一些舞宴。而且她们也不会一个月不洗澡，生完孩子不久就淋浴，梳洗得干干净净。

我国的女性，尤其是城市女性，也改变了一些传统的认识，开始改变坐月子的方式，也会在产后把自己梳洗得干干净净，打扮得漂漂亮亮。

219.月子问题实例解答

姐姐不让开空调

我姐姐于前几日生下了我的小外甥女，虽然天气炎热，却不敢在空调房里坐月子，因为听说产妇在空调房呆久了会影响今后的身体，可炎热的天气使母女俩苦不堪言，恳请你的帮助，我们全家不胜感激！

产妇确实不宜在过凉的房间内坐月子，但是，也不能在太热的房间内坐月子。天气太炎热，也会发生产妇中暑和产褥热，出痱子，食欲也差。如果室内温度太高，空调是调

宝宝/马诗童

节室内温度的不错选择，比吹风扇更优越。使用空调时孕妇和宝宝的床，一定要远离空调机，不要把床放在通风口处，空调温度调到24-28℃，与外界温度的温差要小于7℃。产妇和孩子穿长袖薄纯棉单衣，尽管开空调，每天也要定时开窗换气。产妇要保证充足的水分。

满月后浑身痛

我坐月子时由于家里暖气太热，穿得衣服少，以致满月后就感觉全身关节疼，而且只要身体的任何部位暴露在空气中，就觉得有风往里钻，特别难受。

你的这种感觉不一定与你在月子中穿的衣服少有关，你穿的少是因为室内温度高，你没有受凉，也没有受风，所以不能就认为是患了月子病，你要注意休息，适当补充钙剂。如果无效，可化验血沉，抗链"O"，类风湿因子等。排除风湿、类风湿等症。不要过于担心，随着产后体力的恢复会逐渐改善的。

月子不能碰冷水

我即将生小孩，听老人说坐月子不能碰冷水、不能洗澡、不能洗头、不能剪指甲、不能吃水果，我应该听他们的吗？

做月子不能用冷水是对的。但不能洗澡、洗头、剪指甲是错的，至于水果问题，为了乳儿不发生腹泻，最好吃常温储存的水果。顺产的产妇，于产后3、4天就可以洗澡，但不能洗盆浴，以免不洁净的水进入阴道，

导致盆腔炎症，洗澡时注意避风。时间要短，不要超过15分钟，10分钟左右就可以了，洗头也一样。

月子里病很难治

孩子还没满月时，我用冷水洗手，导致每天起床后感到手痛，已经有2个多月了。听说月子病很难治，你能帮帮我吗？

产后用冷水洗手，确实可造成产妇关节疼痛甚至红肿，类似无菌性关节炎的症状。一般都认为月子病难治，或月子病必须月子养，其实这并没有科学根据。老人、孩子和产妇体质都比较弱，对外界不利因素都比较敏感，使用冷水洗手都会出现关节痛。只要避免再用冷水，手痛慢慢就会好的。即使在夏季，也不要用冷水洗手。手痛严重时，可短期服用芬必得，也可用风湿膏外贴。

第2节 产后

220.产后时间表

产后总体时间安排

如果你是顺产，产妇和新生儿都没有什么问题，产后2天，医生就会允许你带着宝宝出院了。如果你做了会阴切开，或有阴道裂伤做了缝合，就要等到伤口愈合后才能出院，通常情况下，于产后5天，医生就允许你带着宝宝回家。如果你做了剖腹产，则需要在医院住8天，但如果你要求提前出院，医生也认为你可以出院，于剖腹产后5天左右允许你回到家里，到时候派一位医生到家里拆线，并检查术后恢复情况。现在剖腹产大多采取横切口，5天就可以拆线。如果使用能吸收的线缝合，不需要拆线，术后3天左右就可以出院。但你最好一周以后出院，有什么问题，可以及时得到医生护士的帮助，你和家人都比较放心，如果提前回到家里，你可能会因为出现某

些情况而担心，再找医生到家里出诊，或你自己到医院去，都是比较麻烦的。如果你或新生儿有其他情况，医生会根据具体情况决定你什么时候可以离开医院。

产后不可母子分离

过去，如果妈妈不能出院，而新生儿没有什么问题，医生会允许家里的人把宝宝接回家，现在基本上不这样做了，因为刚刚出生的新生儿不但需要吃妈妈的奶，还需要时刻刻在妈妈身边，这是非常重要的，如果母子被隔离开，将在以后的2年中产生各种各样的问题。在宝宝出生后最初的时日里，母爱将发挥强烈的作用，新生儿离开妈妈时的哭闹要比饥饿时的哭闹强烈得多。宝宝一哭妈妈马上抱起宝宝，把宝宝搂在怀里，用妈妈特有的疼爱的眼神望着宝宝，对宝宝来说比马上让他吃奶还重要。如果让新生儿离开妈妈，即使有再好的护理和喂养，也不能满足新生儿的需要，体重增长情况并不理想，新生儿会显得不安。和宝宝在一起不但对新生儿非常重要，对妈妈也异常重要，有宝宝在身边，产妇子宫和盆腔的复原要快，产后出血、抑郁症的发生率也低。所以，如果妈妈或宝宝暂时不能出院，不要把宝宝或妈妈单独留在医院。产后母子分离是对宝宝和妈妈最

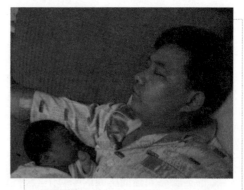

宝宝/张惠超
爸爸的怀抱好温暖。

大的伤害。

如果是剖腹产或会阴侧切

如果你是剖腹产，从手术室回到母婴之家后，医生会让你去枕平卧6小时，护士会不时过来看看手术切口是否有渗血，腹部是否胀，子宫回缩如何，阴道出血多不多。在排气前不让你吃东西，如果有口渴感，也不要大口喝，咽一点，或用水漱漱口。6个小时以后，你可以枕上枕头，也可以让丈夫帮助翻一翻身。医生会告诉你可以活动的时间。有一点你要记住，只要医生允许你活动，你一定要尽量活动，越早越好，能够避免术后肠道粘连。因为有进食限制，你下奶的时间可能会向后推迟，你一定要克服刀口带给你的疼痛，尽早给宝宝喂母乳，这样不但可刺激乳汁分泌，对你子宫的恢复也有好处。如果因刀口痛不敢抱宝宝，可以让宝宝的头部朝另一只乳房，脚和身体朝外，宝宝就不会压到你的刀口了。

如果做了会阴切开，可能会因为缝针，使你感到会阴处疼痛，尤其是坐着时更明显。不要紧，过几天就会好的。你可采取半坐位，或在疼痛的那一侧垫上一个小软枕，使切口不被挤压。

如果分娩过程中，阴道有可见的擦伤，助产士或医生会在有损伤的阴道黏膜部位缝上几针，用的是能够吸收的线，不需要拆线。如果你的痛感比较强，也会感到疼痛，但不会很剧烈，一两天后就会缓解。

221.产后第一天

重要的2小时

完成了整个产程，和宝宝的皮肤接触也结束了，但你暂时还不能离开产房。为你接产的助产士或医生会对你继续观察，2个小时以后才会把你送回产后母婴之家。这是为什么呢？主要是为了观察子宫的收缩情况。尽管产后出血等异常情况很少发生，但密切观察

仍是很重要的。你要耐心等待，如果你感觉渴了，就喝点水，感觉饿了，也可以吃些易于消化的食物，最好能睡上一觉。有护士和亲人在你身边，你一定要充分放松，这样你才能够快速恢复体力，争取早下奶。接下来就要哺育你的宝宝了，这时休息对你很重要。

回到母婴之家

2小时过后，你回到了母婴之家，也就是产后病房。从这时起，你就会和宝宝在一起。产院为新生儿专门设置一张能够推动的婴儿床。哺乳后就把宝宝放在小婴儿床上，你则躺在大床上休息。刚刚出生的新生儿离开母亲，可能会有不安全感，喜欢躺在妈妈的身边，闻着妈妈的气味，更喜欢妈妈抱着，聆听妈妈的心跳。如果你的宝宝喜欢这样，除了喂奶，让宝宝更多躺在你身边。分娩后前3天，除了喂母乳，你尽量不要老是坐着抱你的宝宝。在产院中可能会比较吵，探视的人也比较多，该休息的时候，你就告诉周围的人，你要休息，这对你和宝宝都好，只有保持好良好的睡眠和充足的营养才能为宝宝准备充足的乳汁。

睡觉、食欲与排尿

产后当天，你可能会感到有些疲惫，当睡意向你袭来时，要毫不犹豫地闭上眼睛睡觉，这对你产后恢复是非常有帮助的。有的产妇，产程比较顺利，没有经过太大的体力消耗；有的产妇尽管体力消耗比较大，但凭借身体好，耐力很大；有的产妇产后心情激动，异常兴奋。这些都会使产妇没有一点疲劳感，也没有睡意，像没有生过孩子一样，和周围的人谈笑风生，面对刚刚出生的可爱宝宝更是不舍得闭眼，直到感到疲劳，可能已经过去大半天了。你可不要这样做，即使你没有一丝的疲劳感和睡意，也要注意休息，不要让你的身体透支。产后是否要马上吃东西？没有硬性规定，要看你当时的情况。如

果你在产前吃得很好，没有呕吐，产后没有马上要吃东西的感觉，也不必非吃不可。如果产后你有很好的食欲，想马上吃些东西，要吃容易消化的食物。产后进食不要一次吃得太饱，以免消化不了。一定要争取在产后当天顺利自然排尿，不要超过产后8小时，这对你来说是很重要的。无论你在什么时候有尿意，都要马上行动，产后不到8小时，你还不能自行如厕，这并不影响你排尿，如果需要你在床上或床边排尿，你一定要这样做，如果你的会阴比较痛，要勇敢些。如果你能争取在产后8小时内自然排尿，你就免除了导尿的可能。

缓解产后疼痛

当产后的疲劳过去后，你开始感觉腹部一阵阵的疼痛，这是子宫收缩引起的。如果你是自然顺产，子宫收缩引起的腹痛，对你来说不算什么，只是轻微的疼痛。如果你是无痛分娩，或在子宫阵缩发动前就做了剖腹产，产后子宫收缩引起的腹痛，对你来说可能就明显。但无论哪种情况，产后子宫收缩引起的腹痛，都不会很剧烈，通常情况下像比较显著的痛经那样。如果你做了会阴切开或会阴撕裂缝合，产后会阴疼痛会让你感到难受，试着变换一下体位，如仰卧躺着，双膝屈曲并拢是否能使疼痛缓解。如果你感觉疼痛有所减轻，就这样做，采取能缓解你疼痛的体位。如果疼痛让你难以忍受，就告诉医生，医生会为你想一些办法。总之，产后无论出现什么情况，都要努力寻求解决办法，任何不愉快的心情对你产后恢复都没有好处。多睡觉对你来说是很好的，一觉醒来，你会感觉身体轻松了很多，疼痛也缓解了很多。精力充沛，心情就会随之快乐。

没有不会吸吮的宝宝，也没有不会喂奶的妈妈

产后24小时了，这时的你看起来很有精神，身体上所有的疼痛都会减轻，甚至消失得无影无踪。不但能自行如厕，走起路来也轻盈了很多。

乳房开始发胀，宝宝已经能很好地吸吮妈妈的乳头，如果你有乳头凹陷或其他影响宝宝吸吮的问题，医生和护士会教你纠正方法，指导你如何正确给宝宝哺乳。

在这里我要告诉新妈妈们，在刚刚给宝宝哺乳的时候，你可能会遇到这样或那样的问题，这是很正常的，一定不要着急，没有不会吸吮的宝宝，也没有不会喂奶的妈妈，你要充满信心。

用母乳喂养你的宝宝是最佳的选择，关于这个问题，我在《婴儿卷》里作过详细的讨论。不妨在分娩前看一看，对你产后的哺乳会有很大帮助。

当宝宝吸吮乳头时，你可能会感觉有些腹痛，排出的分泌物也多了起来，这是好消息，宝宝通过吸吮妈妈的乳头，帮助妈妈子宫收缩复原，清除残留在妈妈子宫内没用的东西，宝宝得到了营养，妈妈也获益。

是否开始做腹肌和盆底肌锻炼？什么时候开始做产后体操？要视情况而定，医生会根据你的情况给你一个很好的建议。如果你是什么问题也没有的自然分娩，现在就可以做轻微活动和腹肌锻炼了。

"吃"对现在的你非常重要

新生儿要吸吮妈妈的乳汁，妈妈不吃好，哪来充足的乳汁？所以，对你来说，产后最重要的事情是睡好、吃好。

关于产后吃什么的问题，似乎已成定律，如面条、米粥、鸡蛋，喝鸡汤，喝鱼汤。产后吃什么并没有严格的规定和限制，营养丰富、容易消化、安全的食物都适合产妇吃，最主要的是要让产妇喜欢吃。

少吃盐并不是不吃盐，如果鱼汤、猪蹄汤、肉汤、鸡汤中不放盐，产妇怎么吃得下？

宝宝/美美
左边这位是妈妈的同事，听说我出生了起来看我，还给我买了很漂亮的抱被衣，谢谢喂。

只吃面条、米粥，怎么能保证营养？一个月都不让产妇吃味道鲜美的炒菜和各种味道的菜肴，产妇的食欲怎么能好？产后消化功能虽有所减低，但并不像过去想象的那样。产妇不是病人，产妇是健康的人，不但需要为自己进食营养丰富的食物，补充分娩时的消耗，还要为宝宝进食营养，分泌充足的乳汁，同时还要担负起护理新生儿的任务。这一切，都需要产妇吃好，而产妇食欲的好坏，直接影响产后营养的摄入。只要不是月子中禁忌的食物，产妇完全可以根据自己的喜好选择饭食。强迫产妇吃她厌烦的食物是错误的做法。

常常听到这样的说法：为了孩子，你再不爱吃的东西也要吃，这对产妇是不公平的，会让产妇异常苦闷。这样并不利于产妇的康复和乳汁的分泌。

心情好，食欲好，才能更好地吸收营养。所以，不要有太多的禁忌，老一辈传下来的月子饮食习惯和禁忌，有它好的一面，但有些也该改变了。膳食结构合理对产妇同样重要，饮食要合理搭配，不但品种要丰富，味道也要适合产妇，烹饪手法上也要多种多样。

"为了宝宝有充足的乳汁，再难吃的我也要吃下去。""现在是坐月子，我只能吃我不喜欢吃的。"产妇这样好吗？我认为不好，

不但对产妇自身不利，对宝宝也不利，宝宝需要妈妈充足的乳汁，更需要快乐的妈妈。

在分娩前，你最好根据你的饮食习惯，结合产后饮食要求，分析一下，什么样的食物，怎样的烹饪方法，什么样的滋味，不但是你喜欢吃的，还符合产后饮食要求，也能满足宝宝需求。这样，当你分娩后，为你做饭的人也就不会犯愁，你也不会不知道吃什么好。如果你是剖腹产，在没有排气前是不宜进食的。一般要在术后24~36小时开始正常进食。

222.产后第二天

喂宝宝一顿奶，你可能会汗流浃背

产后36小时了，分娩带给你的疲劳消除，你看起来更有精神。不管你是采取怎样的分娩方式，你都能自由地下床走动，自己洗漱，自行如厕，乳汁分泌增加，食欲也开始增加。

你是否可以洗个温水浴，这要看当时的情况，如果你住的房间里带有洗浴间，室内温度也比较适宜，没有会阴切开或撕裂，也不是剖腹产，是非常顺利的自然分娩，也没有任何孕期和产后并发症，可以淋浴，但时间一定要短，5分钟左右就可以了。如果你感觉还比较疲劳，体力恢复得不是很好，阴道中的分泌物也比较多，在房间走几步就感觉有些头晕或其他不适，一定不要急着淋浴。让护士或家人帮你擦一擦容易出汗的部位就可以了，用稍热一点的水洗洗脚可以帮助你解除疲劳感。

在产后的最初几天，给宝宝哺乳可能是让你最劳累的事情，这时的宝宝还不能很好地把乳头乳晕含入口中，你的乳头可能还不适宜宝宝的小嘴，或者比较大，或者比较小，或者比较凹陷。你抱宝宝喂奶的姿势还不是很协调，抱一会儿，你就会感觉腰酸胳膊沉，

汗水会顺着你的脸颊流下来，身上也会因为被汗水浸透让你感到不舒服。这时你可千万不要急，急会让你面露难色，写在你脸上的不满情绪，嘴里说出的不满词句，新生儿都会感觉得到，你要相信这一点，在宝宝最初的时日内，妈妈的爱抚对宝宝的健康成长是非常重要的。

喂奶中的问题，我在《婴儿卷》里有比较详细的讨论，在这里就不多讲了，你可以提前看一看，知道可能会出现的问题，并掌握一些解决的技巧和办法，对你会有帮助的。当然，你身边的医生和护士会给你提供更具体的指导，你的家人也会给予你帮助。

如果你还住在医院，护士会为你清洁外阴部，观察阴道分泌物的情况。有什么问题都可以向医生护士询问，你的担心会少些。如果你已经回家了，要观察分泌物的情况，如分泌物比在医院时明显增多，或变成鲜血样或有血块，要打电话向医生咨询，也可请医生到家中访视。

223.产后第三天

精神的你要适时休息

产后72小时了。这时的你看起来真的非常精神，起床、洗漱、上卫生间、洗脚、吃

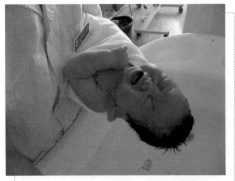

宝宝/张兵
出生刚刚一天，护士正在为宝宝洗澡，宝宝哪里习惯，大声啼哭起来。

饭、抱孩子喂奶，样样你都能自己完成。你现在已经忘记分娩带给你的不适，把全部的精力都倾注给你的孩子。母爱让你忘记了疲劳和疼痛，喂奶、换尿布、抱孩子，你都想亲自去做，你开始不太放心丈夫的粗手粗脚，生怕伤及宝宝。你的两眼总是盯着孩子。如果孩子的目光恰好落在你的眼中，你的内心会异常激动，对宝宝的疼爱更加强烈。这是非常好的。但在这里提醒产妇：不要过于疲劳，休息好对你来说仍然是非常重要的，丈夫和家人能代劳的事，你要学会放手，让丈夫和家人给你更多的帮助。他们也会像你一样照顾好宝宝，该睡觉的时候，该吃饭的时候，该躺下来休息的时候，你一定要暂时放下宝宝，安心地做你应该做的。

224.产后第四天

你的首要任务是保证充足的乳汁

你的身体变得轻松起来，即使是剖腹产，也不再捧着肚子走路。走路时腰板开始挺起来。脚步也大了，脚抬得也高了。把头发梳理得整整齐齐，穿上合体的衣服，你会感觉精神倍增，心情更好。出生已4天的宝宝吸吮有力，能很好地吸住乳头。如果分娩时医生为你做了会阴切开，或在分娩时会阴发生了裂伤，今天，医生会给你拆线。拆线后，会阴疼痛明显减轻。即使是坐着喂奶也不再觉得那么疼了。你这时的任务就是休息好，睡足，吃饱，喂养你的宝宝。

225.产后第五天

发现你认为不正常的情况，要及时咨询，切莫着急

这时的你看起来一切都好。如果你是剖腹产，又是横切口，到了拆线的时间；如果是竖切口，要等到7天才能拆线。拆线后，你就可以像顺娩的产妇一样进行腹肌和盆底肌锻

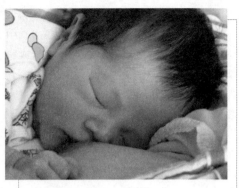

宝宝/美美
含着妈妈的乳头睡觉是新生宝宝的最爱。

炼，做产褥体操了。这时对你来说，首要的问题就是如何喂养新生宝宝。你可能会有很多问题，对新生儿养护，在《婴儿卷》中和新手妈妈进行了详细的讨论。你可以提前了解一下，也可以遇到问题时查阅。但不要忘记，发现什么异常情况，首先要向医生咨询。

226.产后第六天

该做出院前的准备工作了

无论你采取什么分娩方式，大部分产妇都开始做出院准备了。让丈夫把出院时需要的东西带到医院来。向医生详细询问出院后的注意事项，这是很重要的，因为每个产妇的情况都不同，新生儿的情况也各异，你一定要从医生那里了解到你的情况。如你在孕前有并发症，分娩后会有怎样的预后？是否需要继续用药或定期检查？有什么情况需要看医生？医生护士什么时候会到家里访视？如果有需要电话咨询的问题，打哪个电话号码？夜间和节假日打哪个电话号码？总之，把你想问的都问清楚，并记在本子上。

227.产后第七天

你的宝宝已经度过最早的新生儿期了

或许你还住在医院里，但明天你可能就

要回家，或许你已经回家几天了。产后1周，不但产妇恢复得很好，新生儿也度过了关键的时刻，进入新生儿晚期。开始逐渐适应外界环境。母子配合得非常默契。妈妈把乳头往宝宝嘴边一放，宝宝就会用小嘴去含。不但妈妈的乳汁增加，宝宝吸吮能力也增强了。宝宝体重开始恢复。宝宝开始稳步生长，体重开始持续增长。产妇阴道分泌物减少，颜色变淡。如果分泌物仍比较多，甚至比原来还有所增加，颜色不但不变淡，还变得鲜红或发黑，要及时看医生。这时，如果你还感觉腹部痛得厉害，或者会阴切开处还比较痛，不敢坐着哺乳，也要看医生，是否切口长得不理想？是否有一针线没有拆干净？是否子宫中有残留的胎膜？总之，这时的你不应该有疼痛和不适的感觉。如果有的话，就要向医生询问或请医生到家里访视。

228.产后2周

这一周大部分产妇都回到家里

对于产妇和丈夫来说，真正的忙碌是从回到家里开始的，新生儿完全由爸爸妈妈喂养了，爸爸妈妈会感到手足无措。尽管在怀孕阶段读了很多关于育儿的书，也参加了新爸爸妈妈学校。但遇到实际问题，仍有许多疑惑。如果产妇的父母在身边，产妇会比较安心。现在也有专门经过训练的产后陪护人员（月嫂），如果你愿意请月嫂来帮忙也未尝不可，但有的产妇更愿意由她的丈夫和父母来照顾，这个问题应该在分娩前安排好。除了丈夫再请一位帮手是很有必要的。现在产院也设月子房了。没有人照顾，或愿意选择在医院度过月子期的产妇可能会选择在产院坐月子。有医生护士在身边，会让新手爸爸妈妈比较放心。但有一点不好，新爸爸妈妈没有了那份紧张，也就缺少了许多以后值得回忆的东西。做父母的那份责任感以及母性的爱来得不那么强烈。没有回到自己的家，不易体现小家庭的温暖和天伦之乐。

不能一夜睡到天明，只好宝宝睡你也睡

产后2周，休息仍然很重要，产妇主要任务是喂养新生宝宝，还有换尿布，为宝宝洗脸洗澡，宝宝哭闹时抱一抱宝宝，还要和宝宝说说话。总之，几乎是24小时都要围绕着宝宝做事。如果这些事都由产妇承担，事事都有产妇参与，产妇会比较劳累。劳累不但影响产妇恢复，也会影响乳汁分泌。所以，产妇要根据自己的情况调节好，不要让自己感到劳累。有了宝宝，你不再能一夜睡到天明，即使在后半夜也要醒几次。所以，妈妈要根据宝宝的睡眠吃奶时间适当调整。宝宝睡了，妈妈就抓紧时间休息。这样当宝宝醒来时，妈妈就有充足的乳汁喂养宝宝，也有精力护理宝宝，妈妈不劳累，心情就好，妈妈的心情对宝宝有很大的影响。如果妈妈整天愁容满面，不安或抱怨，宝宝就会从妈妈那里得到不良的信息，生长发育和智力发展会受到影响。产妇一定要保持愉快的心情。

预防产褥热

如果你做了会阴缝合，回到家里仍然要注意局部清洁，如果又感觉有些疼痛，可用高锰酸钾水坐浴。阴道分泌物的量比上周明显减少，色泽也变得更淡，如果分泌物还很

宝宝/美美（左）宝宝/李嘉怡（右）
美美同年同月同日生的小朋友，当然也是在同一家产院出生的。

多，或还有鲜血和血块，要打电话向医生咨询一下，是否需要处理。你还不能坐在浴缸中洗澡，只能淋浴几分钟。如果会阴切口或腹部刀口还没有长好，不要让肥皂或浴液流到那里。乳房护理仍然很重要，在医院中护士教给你的护理方法，你要继续做下去，不要因为忙而忽视了乳房护理。如果有发热、腹痛、阴道分泌物增多或新的出血，一定要及时看医生，不要认为是感冒或肠炎而自行服药，这样可能会遗漏产褥热。

229.产后3周

就要出满月了

这时的产妇会有更多的时间下床活动或干些力所能及的事，可不要因为感觉不累而不上床休息。现在你仍然不要把床收拾得干干净净，把被子叠起来，直到晚上睡觉。你还是要随时躺下来休息。有困意就睡，因为晚上宝宝要吃奶，你要为宝宝换尿布，宝宝或许还会要求妈妈抱一会儿，否则的话他就大声地哭。你可不要因为太累太困而拒绝宝宝的要求，或用不愉快的心情对待和你交流的宝宝。早在胎儿期，宝宝就能感到妈妈的态度和心情了，这时的宝宝更明白。对宝宝的培养和开发是在日常的生活中，点点滴滴，每时每刻的，如果妈妈把对宝宝的培养开发当做公事，到时候才去做，那就错了。妈妈的每个眼神，每句话，每个动作，每时的心情都对宝宝产生着影响，而这点点滴滴的影响，要比一天抽出一两个小时专门开发重要得多。

丈夫也要体贴妻子，多为妻子做事是很好的，但如果丈夫仅仅在事务上帮助妻子是不够的，丈夫应该是妻子精神上的支柱，是母子可以乘凉的大树。以男人的宽广胸怀和幽默给妻子以安慰，让妻子顺利度过这一特殊时刻，不使用批评式的语言。对妻子多加

赞赏，对宝宝多加疼爱。作为丈夫和爸爸的你，无需多说，也并非需要你做更多的事情，但你要学会调节气氛，掌控大局，让母子体会到欢乐和温馨。

产妇的基本功课

产妇仍要保护好自己的乳房，照常做好乳房的养护。如果出现乳核，要及时用硫酸镁湿敷，并做乳房按摩，让乳核散开。如果出现了乳头皲裂，可要抓紧处理，以免发生乳腺炎。一旦发现乳房局部发红或疼痛，要及时看医生。如果发热，除了要排除产褥热外，还要想到是否患了乳腺炎。

有的产妇可能基本上没有阴道分泌物。但有的产妇可能还会有不少的分泌物，无论是多是少，都不应该有很多的鲜血，如果还有，可要告诉医生，是否有其他问题需要医生处理。即使会有会阴切口或裂伤，产妇也不会因为疼痛而不敢坐着喂奶或蹲着解手，如果还有疼痛，也需要看医生。

如果你产前就有痔疮，大多不会因为生完了孩子，痔疮就自行消失。如果吃得过于精细，或因为会阴部疼痛，或因为忙乱忘记定时排便，痔疮可能会更严重。如果有很严重的痔疮会影响产妇的情绪，所以，要想办法让痔疮的症状轻些。因为这时产妇刚刚生产，正在哺乳和护理新生宝宝，暂时没有时间接受痔疮手术。可以使用痔疮药膏，调整饮食结构，防止便秘，进行腹部按摩，局部热敷等方法缓解疼痛。

230.产后4周

在春光明媚的日子里，可以带着宝宝散步了

按照我国传统，就差1周就要出满月了。这可是产妇最感高兴的事情，因为出了满月就可以到户外去。有一些国家没有坐月子这一说，产后几天就推着新生儿到户外晒太阳，甚至产后还不到1个月就去跑马拉松。这对我们来说简直是不可思议。到底是采取中国式的坐月子方法好？还是采取国外的一些做法，不坐月子好？常会在母婴类杂志上见到这样的讨论。我觉得，方式本身并不重要，也没有更好或更坏，重要的是产妇喜欢怎样度过产后这4周的时光，怎样才能让产妇心情愉快。在什么样的环境中产妇的情绪是最好的。

不能否认，无论在生理上，还是在心理上，对于产妇和新生宝宝来说，产后4周的确是关键时刻。产妇面临着分娩后体内的生理变化，以及激素的急剧变化带给产妇的情绪波动。新生儿则面临着离开母体后，适应外界环境，独立生存的挑战。所以，我不同意因为追捧西式月子，而否定产妇和新生儿的特殊性，无论坐月子还是不坐月子，产妇都应得到丈夫和亲人的关怀和照顾。新生儿更是如此，不但需要妈妈无微不至的呵护，也需要来自爸爸和亲人的爱护。作为丈夫，此时是你一生中最应献出爱心的时刻。你纵使有再辉煌的事业，也应该抽出更多的时间陪伴母子。

妈妈的心理情绪

值得和产妇说的是，你不要把自己看作是你们家里的功臣，对丈夫和你周围的亲人处处挑剔，总是不满足周围人对你做的一切，这会使你变得心胸狭隘，过于敏感，甚至神经质，不但影响你自己的情绪，也会给周围人带来烦恼和不安。最重要的是对新生儿的影响，你的心情可能会影响孩子今后的性格，这种不良的刺激可能会一直延续到孩子成年以后。养儿育女是你的选择，是你的荣耀，你的丈夫和家人可以把你看作是功臣，但你自己不能这样认为。要从心底热爱妈妈的角色。因为你和丈夫是孩子最亲、最值得信赖的抚养人，你应该感到幸运，应该任劳任

妈妈/潘晓敏　宝宝/美美

我特别喜欢妈妈抱着我睡觉，因为妈妈会给我哼摇篮曲，我听着听着就睡着了。瞧，我睡得多香啊。

怨。有这样的思想基础，产后的烦恼和纠纷就会少些，产后抑郁症的发生也会少些。

阴道血性分泌物少了，或者一点也没有了，但白带还没有恢复正常。如果还有少量的血性分泌物，只要是越来越少，颜色越来越淡就是正常的。但一般来说顺产42天后，剖腹产56天后阴道分泌物就基本恢复正常了。这一周还要注意乳核、乳头皲裂、乳腺炎、产褥热的发生。有异常症状要及时看医生。

马上就要出满月了，可不是出了满月就可以随意到任何地方，要计算好时间，到时候才要及时回家给宝宝喂奶。长时间离开宝宝，会使宝宝有不安全的感觉。如果你去参加一次聚会或与同伴逛街，可要限制一下时间。一定要自己能够控制时间。如果你的朋友还没有做妈妈，她可能会极力挽留你，不要因为朋友的挽留而不好意思离开。

现在在浴盆中洗澡还有些不安全，最好还是淋浴。外出时，如果为了漂亮穿比较高的高跟鞋，比较紧的胸罩不是好的做法。你已经积累了一定的经验，护理起宝宝来更加得心应手了，这是好事，但不要因为熟练了就疏忽某些细节，这时的宝宝还需要妈妈精心的呵护。

妈妈可能注意到，我在这一节中，从头至尾，都没有提及喂养和护理宝宝的事情。其实，在月子里爸爸妈妈遇到的最大问题就是宝宝的问题。那为什么不把笔墨放在这里？原因是这样：我在《婴儿卷》里，用了将近10万字，写了爸爸妈妈在新生儿养育中遇到的方方面面的问题，在这一节中只写了产妇的有关问题。关于乳房的问题也只是提纲挈领地提及一点。同样是因为在《婴儿卷》中也就乳房问题写了不少的内容，乳房是新生儿的粮仓。

231.出院准备

在你还没有来院分娩前，你已经准备好了所有物品，包括出院时需要的物品。但你一般不会把出院需要的物品提前带来，而是把它们收拾好，放在一个包裹或旅行箱中，放在你和丈夫都知道的地方，当医生通知你可以出院时，你的丈夫会在出院的前一天把它们带到医院。这些在前面的章节中都详细地说过，你一定已经看过了。

产后最佳的住院时间是多长？这可没有统一的标准，因为每个产妇的分娩过程、分娩方式不尽相同，要视情况而定。但是，最短的出院时间是：产妇所有需要立即治疗的紧急状况都不可能再出现。通常情况下，分娩过程顺利的自然分娩，留在医院观察72个小时比较合理；会阴侧切要留住5天左右；剖腹产术后要留院6-8天。到底需要在产院住多长时间，要由你的主管医生决定。

回到家里

你们离开家到医院去的时候，还是你和丈夫的两人世界。几天过去了，回来时，已经是三口之家，新来的小成员，带来的不是数的概念，他会带给你们无尽的喜悦和欢乐，带给你们惊奇和希望，也带给你们忙乱和紧张，带给你们烦恼和麻烦，如喂奶、换尿布、洗澡、哄觉。还有你们从没见过的，不知道是异常还是正常的，宝宝呈现给你们的各种身体和生理现象。当宝宝哭时，你们不知道他为什么哭，当宝宝伸懒腰把小脸憋得通红时，你们会以为宝宝不舒服了。总之，你们有太多的问题和疑虑。不要紧，在《婴儿卷》的新生儿一章中，几乎有你所面临的所有问题的答案。

我剖腹产手术后已经23天了，14天时恶露又呈血性，过了3、4天呈白色，可是一直反复到现在，有时呈血性，不知是否正常？

剖腹产产褥期恶露时间比较长，可持续3~4周，但出血量应逐渐减少。如果血量多应及时看医生。

第3节 产后康复、营养、避孕

232.产后康复

不要忘记产后健康检查

产妇应该在产后42天进行健康检查，以便医生了解产妇的恢复情况，及时发现异常，防止延误治疗和遗留病症，有的产妇因为初为人母，忙得头昏脑胀，抽不出时间做产后检查。这是不应该的。要爱护自己的身体，如果妈妈有病了，宝宝就会失去妈妈的呵护，抽出一点时间做检查是很有必要的。如果你有妊娠期并发症，如妊娠高血压和妊娠期糖尿病，要定期检查，积极治疗，以免发展成高血压病和糖尿病。

子宫复原

到了孕足月，子宫与孕前比，增加了近1000倍，胎儿和胎盘娩出后，子宫立即回缩，但不是立即回缩到孕前的水平，而是渐进性的，完全恢复到孕前大小大约需要6周的时间。胎儿娩出后，子宫缩到脐下4、5厘米，但产后24小时，又增大到脐上，以后开始逐渐缩小。所以，分娩后产妇的肚子不会马上缩小，除了增厚而又松弛的腹壁外，子宫仍占据着一定的空间。子宫在恢复过程中仍有不规律的收缩，所以，产妇会有腹痛，尤其是宝宝

吸吮乳房时更明显，这是由于新生儿吸吮刺激子宫收缩所致。

性器官复原

分娩时胎儿经过产道，使产妇的阴道和阴唇极度扩张，阴道壁还可出现许多微细的伤口，所以，排尿时会感到疼痛，如果没有会阴撕裂或行会阴切开术，一般在产后两三天就没有排尿痛了。被扩张的阴道在产后一天就能回缩。如果做了会阴切开术，可能会引起产妇会阴疼痛，不敢坐，排尿时疼痛难忍，4、5天拆线（如果用肠线缝合不需要拆线）后会有所减轻，为了预防伤口处感染，应每天用4%的高锰酸钾水坐浴。

产后阴道分泌物

人们习惯把产后阴道分泌物叫作恶露。恶露这个词听起来不太好听，就像人们认为月经是脏的东西。把分娩后如同月经的、从阴道流出的液体称为"恶露"，是对女性的一种歧视。其实，分娩后持续几周的流出物既没有恶臭味，也不是可恶的东西。不应把产后这些必然的分泌物看作是不洁净的。

产后阴道分泌物是分娩造成产道伤口的分泌物、胎盘剥离后的血液、细胞组织碎片及脱落的细胞等物。胎儿不能孤立地生活在子宫中，需要诸如羊膜、羊水、胎盘、脐带等附属物。胎儿出生时，也不可能只是孤零零的胎儿娩出，羊水、胎盘、血液等都会随着胎儿离开母体。这是再自然不过的了。

通常情况下，产后分泌物的排出可持续3周左右。第一周量比较多，大多呈血色，但不应有血块，如果有血块，应及时通知医生。第二周后，分泌物逐渐变成褐色浆液性，慢慢就变成黄白色，最后就像平时的阴道分泌物了。此段时间你应该使用卫生巾。

产后注意局部清洗，保持局部卫生，是防止产道感染的关键。产后子宫内膜和阴道壁有无数个小伤口，胎盘剥脱的地方有很大

的创面，加上血性分泌物有利于细菌繁殖，如果不注意产后护理，很容易发生感染。

住院期间护士会帮助你处理分泌物，并进行局部消毒，你只需要向护士医生提供情况就可以了。

回家后，就需要产妇自己做好这些工作了。出院时，医生可能会给你开消毒的药或中药成分的卫生垫处方，市场上也有出售专门供产妇使用的卫生巾。你也可自己制作：把脱脂棉剪成合适大小，用高压锅蒸约5分钟，然后浸泡在2%的硼酸水或4%的来苏水（脱脂棉、硼酸和来苏水药店有售）中约5分钟，分装在带盖的干净容器中以备使用。最好每次排尿后清洗外阴，并更换护垫，一定要从前向后洗或擦，以防把肛门附近的细菌带到外阴的伤口处。

在发达和富裕国家，由于卫生问题引起的产后生殖系统感染微乎其微，现在我国也不多了。

哺乳期能否治疗宫颈炎？

我产后有近3个月了，恶露是在将近2个月才干净的，而后就出现隔几天一次的阴道出血，是有规律性的，隔一个多星期来一次，色是淡红色，量不多，有的是一个星期，有的是2天，在生小孩时，医生说我宫颈有炎症，我还有阴道炎，我正在哺乳期，能不能治疗？

宫颈炎可以引起阴道出血，尤其是血性白带多见，产后月经也可不规律。阴道炎就是阴道中有炎症，引起阴道炎的病原菌应该查明，以便选择有效的抗生素，可通过阴道分泌物检查来判断。在哺乳期也能够治疗。

233.产后营养

关于营养问题，在第十九章有比较详细的讨论，就不在这里重复了。下面只针对产后特别需要注意的几个问题提出来讨论一下。

有的产妇可能会认为，宝宝生出来了，不再需要一人吃两人的营养，饭量应该减少。这样认为可就错了。产后不但不能减，还

要比孕期增加营养的摄入。这是因为，产后恢复需要营养，最主要的是宝宝需要吃妈妈的奶，你需要分泌大量的乳汁来满足宝宝生长发育的需要，宝宝需要的营养和热量比胎儿期要多得多。如果完全母乳喂养，妈妈比孕期要多摄入30%的饮食量。妈妈这时可不要减肥，如果你没有充足的乳汁供应宝宝，不但对宝宝的健康不利，对你体形的恢复也没有什么好处。当你的乳汁很充足时，你吃的东西大多产生乳汁了，你不会发胖的。但有一点要注意，饮食结构要合理，如果吃很多高热量食品，如巧克力、奶酪、油、带有脂肪的肉类，你可能会发胖。要吃富含蛋白质、维生素、矿物质、纤维素的食物。关于饮食搭配问题，你一定在孕期的营养中了解了很多。你只需记住，生完孩子，不是要减饭量，而是要增饭量。

便秘和痔疮问题可能仍然困扰着你，不要发愁，从饮食上注意调节，高纤维素食品可缓解便秘，如果你为了多吃蛋白质，而少吃粮食，你的便秘会严重，适当增加粮食，尤其是粗粮，对缓解大便也有好处。注意运动和定时排便，不要因为忙而忘记。

你的父母可能会给你做一些传统的下奶食品，如不放盐的猪蹄汤、鲫鱼汤，这会让你的胃口大大减低，你要请求他们适当放些盐，不会因为有些咸味而影响乳汁分泌的。

如果你有妊娠合并症或产后并发症，如妊高征、贫血、产后出血、在饮食方面有特殊要求，你要向医生问清楚，听取医生的建议。多饮水对于母乳喂养的妈妈来说非常重要。

234.产后避孕

丈夫的谅解

产后生殖器官恢复到非妊娠状态，需要8周以上时间，产后2个月内最好避免同房，过早同房会增加产褥感染的机会。产后避孕是

很重要的。夫妇双方都要格外注意。一旦怀孕会直接影响产妇的身体健康，孩子也因此而没了母乳。产后不来月经并不意味着没有受孕的可能。约有20%的哺乳者月经虽未恢复，表现为闭经，但却可以排卵，甚至妊娠。

关于产后性生活，我的意见是出满月后，到产院做产后检查时，向你的医生询问一下，是否适合过性生活。这样是比较安全的做法，医生会对你的生殖器官做全面的检查。如果你不愿意向医生询问此事，那最好在产后2个月恢复性生活。但对于年轻的夫妇来说往往不易做到。至少也要等到血性分泌物完全没有后才能进行。

说到这里，有一个非常重要的问题要告诉你们，产后避孕对你们一家三口都是非常重要的事情。一旦在产后不久怀孕，产妇就会面临着人流的问题，这会给分娩不久的产妇带来恐惧、不安，甚至对丈夫的怨气。产妇一旦怀孕，乳汁就会消失，宝宝最好的食源被卡断了。产妇或许由此而产生性恐惧或性冷淡，做丈夫的可就麻烦了。所以，夫妇俩要同心协力做好产后避孕。

性生活阴道剧烈疼痛

我是剖腹产，恶露持续到近两个月，但无异味，子宫也不疼痛。两个多月时我和先生曾尝试同房，我的阴道不干涩也不疼，只是里面剧烈疼痛，只能进去不到一半，而无法继续，不知何故，盼专家解答！

剖腹产恶露排尽的正常时间是56天。女性产后出现性交痛的原因主要是：宫颈炎和宫颈糜烂。建议去医院做宫颈及分泌物检查。

产后2个月有怀孕的可能吗?

我剖宫产后两个月有一次性生活，但未进入，在外部磨擦射精。我于1个月时断奶，恶露35天干净，但月经一直未来，请问有怀孕的可能吗？我非常担心。

体外射精不是避孕的可靠方法，你还是要采取安全有效的避孕措施。剖腹产短期内怀孕是比较麻烦的。不来月经不能证实没恢复排卵，就目前的情况分析，你怀孕的可能性不大，在你做例行产后检查时做尿HCG和盆腔B超检查除外怀孕。

剖腹产后多长时间可以恢复性生活?

请问剖宫产后多长时间可以恢复性生活,如果提前开有什么影响? 哺乳的妈妈什么时候来月经? 谢谢!

最早是产后2个月，剖腹产应适当延长，但一定要在无异常分泌物的情况下。提前可能会造成出血、感染、阴道损伤等。哺乳期产后什么时候来月经，有个体差异，有的可早至产后一个多月，有的可晚至产后一年。普遍的是产后两个月。

同房后再次出血

我老婆现在是产后第46天,下身干净已半个月左右了,前天同房后昨天起下身又出现少许鲜红色血,并伴下腹部不适及腰痛,不知是否异常？

产后46天子宫复原还不是很好，同房后对子宫的刺激会引起宫缩，导致下腹部不适及腰痛，有时引起少量阴道出血，但如果出血量多，就要到医院看看，有的产后一个月就可来月经，如果是正常月经，就没有必要看医

宝宝/美美

瞧我穿上这套衣服好看吗？姥姥直接叫我"潘晓敏"（这是我妈妈的名字）。原来这衣服是我妈妈小时候穿的。姥姥一直保留到现在，都30多年了，是很有价值的古董。

生了。

避孕

在临床工作中，遇到越来越多的产妇在产后2~3个月的时间内即再次受孕。从理论到实践，传统的观念已受到现实的挑战。

产后避孕确已成为不可忽视的问题，其原因是显而易见的。越来越多的产妇尚处于产后恢复阶段，就再次受到人工流产的打击，这无异于雪上加霜。产妇在产后身体的各器官功能尚未恢复至孕前水平，子宫内膜尚待恢复，有的产妇产后焦虑不安，尤其是剖腹产术后的产妇，手术的损伤、子宫的创伤都需要相当长的一段时间才能康复。若过早再次受孕，不但会带来人工流产的苦恼，还会增加人工流产术的难度，甚至会出现子宫破裂危及生命。所以，剖腹产术后的产妇避孕显得更加重要。

长期以来，人们普遍认为哺乳有助于避孕，也就是说，只要你不断母乳，就不可能怀孕，并认为即使不喂母乳，产后短时间内也不易受孕。随着生活水平的不断提高，妇女孕期营养好，保健好，产后身体恢复快，产后恢复排卵的时间也逐渐缩短。

国内有关专家曾做过这方面的研究，研究结果显示，大约有50%的妇女于产后60天内即恢复了排卵功能。最早的可于产后14天即可恢复排卵。平均恢复排卵时间为产后100天左右。专家的研究结果解释了为什么在临床工作中发现越来越多的产妇于产后几个月内就再次受孕的问题。研究结果还显示，母乳喂养的产妇排卵恢复时间平均为59天，混合喂养(母乳喂养+人工喂养)的产妇排卵恢复时间平均为50天，人工喂养的产妇排卵恢复时间平均为36天。哺乳的产妇其平均排卵恢复时间只比不哺乳的产妇推迟23天。由此可见，哺乳并不能长时间地阻止排卵，也就是说，不能靠哺乳达到避孕的目的。

影响排卵恢复时间的其他因素也无太大差异。如体重指数大于24者，其排卵恢复时间仅略长于体重指数小于24者；初潮年龄大的(大于15岁)其排卵恢复时间略长于初潮年龄小的(小于15岁)。另外，还有营养状况、生育年龄、职业类别、文化程度等因素对排卵恢复时间也有一定影响，但影响都不是太大。

不要寄希望于通过哺乳延迟排卵恢复时间，从而达到避孕的目的。一定要采取积极的避孕措施，主动避孕，以免忍受人工流产的痛苦。避孕的方法有很多，你可以在妇产科医生的指导下，选择适合自己的避孕措施。

需要取出节育环吗？

我生小孩已经有5个多月。3个多月时因为居委会的要求，我在月经还没有来时到医院去上了环，现在阴道老是出血。到现在我的月经还没来，因为我还在哺乳期。我到医院检查了两次医生都说没关系，我现在吃"玉清抗宫炎片"，有时不出血，若稍微运动如抱孩子抱久了，还有骑自行车阴道就会出血。而且出血时小腹有点痛，原先我还没结婚时痛经很厉害，麻烦你帮助我一下，不知要不要把环取出？我现在吃的药对小孩子有没有副作用？

在月经未来潮时或哺乳期也有受孕的可能，因此，采取积极的避孕措施是很必要的。但是在哺乳期，子宫颈口松弛，可能会使环丢失，尤其是月经来潮后容易被月经血冲出，产后子宫内膜若恢复不好，上环后也可出现阴道出血，有子宫内膜炎或宫颈炎、阴道炎也易造成阴道出血。另外即使没有任何问题，上环的前半年也可出现阴道少量出血、月经紊乱等症。你不妨再等一等，是否需要把环取出，要由妇产科医生决定。你吃的药物如果没有标注哺乳期慎服或忌服，对你的宝宝就没有影响。

上环后月经时间长了

我自生小孩后9个月才来月经，10个月上环，11个月做B超检查环正常。上环后，来月经开始2天量多，而后少量要拖十来天，经期前2天伴有腹痛及腰、腿酸。15天之后，还会小来一次（经期1-3天），稍有腹胀一天后就好。平常白带多，白带常规化验也正常。到妇保检查，医生说可能是子宫稍有炎症造成的，开了一些消炎药和桂枝茯苓胶囊，可吃后也不见效果。这是什么原因？

上环是有一定条件的，若是子宫、阴道、宫颈、附件等有炎症，应治疗后再上环，若未治疗好而上环可出现上环后出血，经血淋漓不断，也可出现月经中期出血，另外，有的人可有排卵期阴道出血，你的情况考虑是上环后不耐受，若出血量较多，造成了贫血，则应取环治疗，待月经正常后再重新上环，若仍然不耐受则只好采取其他避孕措施了。

剖腹产后短期怀孕怎么办？

10月份剖腹产下我的儿子。在今年1月份发觉我再次怀孕，听说剖腹产后不能在短时间内再怀孕，我想要这个孩子，我应该怎么办？

一般情况下，应该在剖腹产手术后2年再第二次怀孕生产，你是在手术后3个月就再次怀孕，是有一定危险的，能否顺利生下这个孩子，是个未知数，但剖腹产后3个月做人工流产也同样不安全，建议你到比较大的权威医院找妇产科专家做仔细检查，分析你的情况，决定是继续妊娠，还是做人工流产，我个人的建议是做人工流产。不但出于对你健康的考虑，也考虑你对现在这个宝宝的哺育，一旦决定继续妊娠你就不能母乳喂养了，宝宝还在婴儿期，需要你的呵护，可处于孕期的你精力有限，这样势必要影响你对这个宝宝的哺育，你也会感到养育宝宝的压力。

月经后3天又会有血性分泌物

我剖宫产生完孩子已经10个多月了，一直没有上环，因为现在我每次月经结束后的第3天又会有血排出，排出物的量很少很少，先是红色，后来是咖啡色，持续3-5天，以至总是错过上环的时机，其实生孩子之前我就是这样了，只是那时持续的时间短，才1天，而现在持续时间长了，这是什么原因呢？该怎么做才不影响上环呢？

若不伴有腹痛、腰酸、白带异常等症，像你说的情况不一定是异常现象，产后有一段

邝丽娜一家

时间的月经不调，你这种情况属月经"回头"，与女性内分泌有关，一般慢慢会好的，若血量多，要排除疾病情况，因为你要上环，还应排除有无生殖道炎症，因为有炎症是上环的禁忌症，需治愈后再上环。子宫内膜异位症也会有阴道不规则出血。建议看妇科医生。

白带炎症可以上环吗？

小孩6个多月了，我一直没上环。近日验了一下白带，清洁度Ⅲ级，白细胞++，医生说有点炎症。这种情况可以上环吗？我是子宫后位，适合上环吗？

放环前应检查是否有下列情况：①急慢性盆腔炎；②各种阴道炎、子宫颈炎、重度子宫糜烂；③月经过多，次数不准，或阴道有不规则出血；④子宫口过松，子宫腔过大或过小。⑤子宫颈重度裂伤；⑥生殖器肿瘤；⑦全身性疾病。根据你的检查情况，不能排除生殖道炎症，目前不宜上环，待炎症控制后再考虑。

正常情况下，月经干净后第3天就可上环。上环后休息3天。1周内避免重体力活；2周内禁止性生活和盆浴；若1周后出血，或1周内出血较多时，应及时就医；放环后注意观察是否丢失，定期复查。

妻子日渐消瘦

爱人自从生了小孩子上环以后，一天比一天瘦，爱人今年不到30岁，什么胃口都没有，心口下面有时痛，月经量大，并且一般半个月就一次。为此我一直

比较忧虑。

经血比较多，月经周期短，食欲差，精神不好，应该检查是否由于经血量过多，导致贫血所致。需化验血常规。另外，一定要做妇科检查，明确经血多的原因，及时处理。是否有其他问题，如产后抑郁症、内分泌失调等，都要经过医生的检查来确定，因此，要到医院就诊。

产后月经频繁

我是一位哺乳妈妈，产后42天检查很正常。在产后一个月就来月经了，时间是12月7日，来了5天。在同月27日，又来了5天。1月11日，又来了。量很正常，肚子也不痛。这种情况正常吗？

产后月经可出现紊乱，月经周期不准，但你的月经周期似乎有些太短了。建议你还是看妇科医生，检查是否有其他情况。

第4节 产后锻炼与体形恢复

妊娠期子宫增大，子宫肌、腹肌、骨盆底肌、子宫韧带、骨盆底筋膜、肛门筋膜、阴道等都变得松弛，缺乏弹性。尽管这些会随着产后时间的推移慢慢得到恢复，但被动地等待，需要比较长的时间，有的甚至不能完全恢复。所以，建议产妇采取积极的办法，加快身体复原。下面就介绍几种产后复原锻炼方法。有一点要提醒产妇，什么时候开始锻炼以及锻炼的强度和方法，要根据产后的具体情况决定，最好由医生或专业辅导人员给你制定产后锻炼计划，这样既能保证锻炼效果，又相对安全，也有督促作用，让你把产后锻炼坚持下去。

235.产后锻炼项目

预防尿失禁的锻炼

生过孩子的女性，发生尿失禁的比例很大。如果骨盆底的肌肉受损，强度削弱，就会导致尿失禁。通过骨盆底锻炼可增强这些肌肉的强度，并使受损的肌肉康复。锻炼盆底肌的方法，国外称"KEGELS"锻炼法。这种锻炼简便易行，但要确保锻炼效果，应该学会如何准确使你要锻炼的肌肉发生收缩。这些骨盆底肌肉在尿道、阴道及肛门周围区形成一个8字形，你可以通过将手指放到会阴部(阴道与直肠间的区域)，或在排尿过程中，收缩尿道口而使尿流停止，你就会感到这些肌肉的收缩。有以下两种方法可供选用。

方法1：慢慢收缩骨盆底肌肉，保持10秒钟，然后缓缓松弛下来，如此重复锻炼。

方法2：反复快速地收缩与放松骨盆底肌肉。

无论采取以上哪种方法，每天都应做5～10次，每次至少重复20遍。尽量养成在做其他事情的同时，做这种锻炼的习惯。如在给婴儿喂奶、沐浴、刷牙等的时候，使盆底肌肉得到锻炼，这样你就不会忘记锻炼。在产后4～8周时，当你咳嗽、大笑或用力时，会有少量的尿液流出。这是正常现象。如果持续流尿，应去看医生。

预防腹壁松弛的锻炼（Sahrmann法）

方法A：仰卧在地板上，屈膝的同时使肚脐向脊柱方向收缩（收腹），上身起坐，令腹肌紧绷，同时深吸一口气憋住片刻，开始缓慢呼出气体，同时慢慢伸开一条腿，直至完全伸直，贴于地板上，然后屈腿至原来的位

模特/王惠子
预防腹部松弛的锻炼。

模特/王惠子
背部肌肉锻炼方法的分解示意图。

置,伸开另一条腿,再屈伸到原来的位置,放松腹肌,此为一个循环,下次收腹时再使另一条腿伸屈,反复进行,每条腿来回拉动20次,如果不感觉累,开始下面的锻炼。

方法B:仰卧在地板上,屈膝的同时收腹,令腹肌紧绷,并抬起一条腿并保持屈膝,同时深吸一口气憋住片刻,开始缓慢呼气,同时慢慢将腿伸直,使与地板平行,但不与地板接触,恢复到原体位,放松腹肌,此为一个循环,下次更换另一条腿,重复上述动作,每条腿如此活动20次。

增强背部肌的锻炼

方法A:采取俯卧位(趴下),两上肢放到肩部两侧,胳膊肘弯曲,手置于肩头位置,手心向下,然后手臂用力撑起身体,但髋关节部要保持不动,仍与地板接触,待你感觉到腰背部受阻时,再让身体重新回到地板上,

重复锻炼3~5次。

方法B:站立,两脚分开,与肩宽相同,两手放在后背部下方。慢慢呼气,同时腰背部向后弯曲,脸朝上,眼望天花板。腰背后弯的程度以感觉舒适为宜,不要过于弯曲以防摔倒。给婴儿喂奶或换尿布后做这个锻炼更好。

236.产后体形恢复

产后体形恢复与膳食结构

产妇要想甩掉孕期体内储存的多余脂肪,缩食减肥是不可取的。缩食减肥不仅会影响乳汁的分泌,也不利于产后复原。调整膳食结构是比较科学的,既照顾了喂养婴儿,又保证了产妇健康,同时达到不增肥或减肥的目的。

更换厨房摆放的食品种类

将柜厨和冰箱内某些高脂肪的食品撤下来,换上新鲜的水果、蔬菜、全麦粉面包、其他谷类食品、低脂奶制品、低脂、低热量的零食或加餐。外出购买食品时,应注意选择购买杂粮面包、面食、豆类及蔬菜类中的豆类,如豆角、青豆等。

推荐的配餐方法

● 早餐喝一杯100%的果汁或蔬菜汁或吃一份新鲜水果;

● 选择脱脂奶制品,不喝全脂奶,如果喝鲜奶,可以煮开后把上面的奶皮去掉;

● 番茄、黄瓜、菠菜、甜椒、白菜、葱头等能生吃的蔬菜瓜果切成片加在面包、馒头或饼中;

● 午餐多吃些胡萝卜块或芹菜梗,用大盘上蔬菜,但不要加太多的酱油或其他调料;

● 烹调禽肉时,最好将皮、内脏和油脂去掉,把瘦肉中带脂肪的部分去掉;

● 做菜时用无油肉汤替代食用油,用水或番茄酱煮鱼和肉,少吃油炸食品。

产后体形恢复与体育锻炼

体育锻炼是增强体质、强壮筋骨、燃烧脂肪的好办法,例如:游泳、蹬脚踏车,参加舞蹈班等,都能达到锻炼身体、恢复体形的

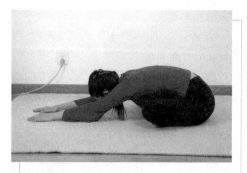

模特/王惠子
伸臂：在盘坐的基础上将身体前屈，双臂向前伸直，放松髋部，减轻坐骨神经痛。

模特/王惠子
伸展：双膝跪立在瑜伽垫上，双手撑地，抬起头目视前方，挺直后背，呼吸均匀，减少腰围脂肪，对骨盆区域有益，消除背痛和防止疝气。

模特/王惠子
放松：平躺在瑜伽垫上，双手自然放在身体两侧，屈膝将双腿抬起，保持正常的呼吸，放松膝关节，加强腹部与大腿肌肉的力量。

目的，但产妇难以抽出很多的时间锻炼，可以利用生活中一些简便易行的运动方式，同样有助于体形的恢复。

● 上楼不乘电梯而是自己走楼梯，短距离出门不乘车而是步行；

● 推着婴儿车带宝宝到户外，选择爬坡路，快速行走，抱着宝宝也是不错的锻炼；

● 在刷牙、洗澡、做饭、收拾屋子时随时随地做收腹运动，锻炼腹部肌肉；

● 可以利用一两分钟的空闲做这样的运动。面朝墙壁，两手臂水平置于胸前水平，支撑于墙壁上，两脚离墙壁稍远些，上身向墙壁前倾。然后，两臂用力推墙，使上身远离墙壁，反复几次。

● 当接电话或做其他事情时，可抬起脚后跟，收紧腹肌并提臀；也可将一条腿屈膝抬起，使之尽量贴近上身，然后放下，两腿交换进行；也可将一条腿最大限度地侧向抬起，然后放下，两

腿交换进行；还有一种办法是一条腿向后伸出、抬起，同时稍微屈膝，然后慢慢回到原位置。这些运动都可以锻炼腿部和臀部肌肉，减少脂肪。

● 背着墙壁，后背、肩、脚后跟、臀部全部贴到墙上，然后两臂伸开，沿墙壁缓缓举至头部上方，反复进行数次。

锻炼时需注意以下几方面：

● 产后锻炼要适度，运动量的增加要循序渐进，开始锻炼的时间不宜过早，最好等到产后4周开始锻炼，至少也要等到阴道分泌物干净后。剖腹产或有并发症的产妇，应该推迟锻炼。如果进行正式的锻炼项目，应征得医生同意和指导。

● 如果出现以下情形之一，应终止锻炼：任何部位的疼痛或隐痛；阴道出血或有排泄物；头晕、恶心、呕吐；呼吸短促；极端疲劳或感觉无力。

● 鞋应合脚，孕期和产后脚的尺寸变大，如果感觉孕前的鞋尺码小，要更换大号的；乳罩应有支撑能力，避免摩擦乳房或受到重力牵拉；运动后要饮水；锻炼前1小时最好吃点高蛋白和碳水化合物类食物；运动前要做身体预热运动，不要上来就进入正规运动；运动即将结束时，应缓慢停下来；运动中感觉不舒适，应及时停下来。

正确认识产后体形变化

剖腹产的产妇，什么时候可以进行减肥运动？

剖腹产的产妇，产后56天基本脱离产褥期。经产后常规健康检查，没有运动禁忌症的，可进行主要针对小腹部脂肪、肌肉的运动，如仰卧起坐、游泳，以及锻炼盆底肌肉的

运动。

你也许会发现生完宝宝后，体形比孕前变了不少。体重增加了，小腹显得有些膨隆，身体的各部位显得有些比例失调。站在镜子前的你可能会有些焦急，恨不得一下子将体形恢复至孕前状态。但那是不现实的，十月怀胎体重的增加和体形的变化，哪能在几周之内就恢复？只要你注意产后锻炼和膳食结构，你会在接下来育儿的劳累中慢慢瘦下来的，如果产后3个月你的体形还没有恢复，产后6个月可能就恢复了，大多数妈妈在宝宝1岁以后，多能恢复到孕前的体重和体形。即使没有恢复，你也不要着急和沮丧。如果你的妈妈生孩子后发胖了，你可能会像你的妈妈。但如果你是位职业女性，上班后就会瘦下来了。如果你是全职太太，可能会恢复得慢些。你不妨给自己制定一些计划，让自己忙碌起来。但要保证你的心情愉快，不要给自己找麻烦。

如果产后你的体形恢复不理想，看一看，你是否注意了以下这些事：

● 是否急于减重？

产后体重增加是正常现象，哺乳期后，体重会逐渐恢复到孕前水平。但有的产妇却不能达到理想体重。如果你的体重增加显著，要想恢复到孕前体重水平、减掉多余脂肪应采取循序渐进、稳步降低的办法。操之过急，不但你的身体受不了，还会使你的计划落空。如果你的体重每周降低250克，已经是很不错了。放慢减重速度，会使你变得轻松起来，达到更好的减肥效果。

● 是否科学地估算了摄入食品的热卡数？

你所估算每日摄入的热量，既不能影响乳汁的分泌量，又要保持继续减重。如果你是活动量中等的新妈妈，要达到每周体重降低0.25公斤，在估算出的热卡数中减掉250卡热量就可以了。

大多数食品都标有每100克所释放的热

量，如果没有标出，或自己用原产品制作，可按下列标准大概简易计算（食物量为100克时所释放的热量）：粮食释放4卡；豆类约释放6卡；肥肉和油类约释放9卡；瘦肉类释放6卡；水果释放4卡；蔬菜释放的热卡可忽略不计。

非孕期的女性每日所需热量约1800卡。孕初期每日所需热量无明显增加。所需要的是各种营养素。孕中晚期每日所需热量比非孕期增加300~500卡。

● 制定健康饮食计划了吗？

平衡膳食同样重要，尽管每日摄入的食物量减少，但种类不得减少。少食那些只含热量，营养少或不含营养的食品，如脂肪、糖、酒等。母乳喂养的妈妈应该注意膳食的营养结构，决不能骤然大幅度实行减肥计划。

● 是否能持之以恒坚持锻炼？

每周应至少锻炼几次。如推着婴儿车散步；参加社区组织的新妈妈体育训练班；游泳、骑自行车等。

● 你的生活丰富吗？

照料新生儿确实比较累，但劳累并不能达到减轻体重的目的，劳累会使你食入过多食物。丰富多彩的生活不但让你消除疲劳，心情愉快，还有利于你的体形恢复。

下面这个表是美国人统计出来的身高、体重对照表(P298)，把同一身高的女性，按照不同的体重范围把体形分为3个等级，偏瘦、中等、偏胖体形。你对照一下，看看自己属于哪一级别。

第5节 产后防病

237.尿潴留

多数产妇于分娩后5小时左右就可自行排尿了，但有的产妇会出现排尿时间延长，甚至不能自行排尿，发生尿潴留。

有的产妇产后1~2天有尿意但却排不出

根据身高体重估算体形对照表

身高(米)	体重(公斤)		
	偏瘦	中等	偏胖
1.47	46~49	50~54	55~60
1.5	47~50	51~55	56~61
1.52	47~51	52~56	57~62
1.55	48~52	53~57	58~64
1.57	49~54	55~58	59~65
1.6	50~55	56~60	61~67
1.63	52~56	57~61	62~69
1.65	53~58	59~62	63~70
1.67	55~59	60~64	65~72
1.70	56~60	61~65	66~74
1.72	57~62	63~66	67~76
1.75	58~63	64~68	69~77
1.78	60~65	66~69	70~79
1.80	61~66	67~70	71~80
1.83	63~67	68~72	73~81

来，这时，产妇就一定要争取早下床排尿，越早排尿越不容易发生尿潴留。会阴有裂伤，或在分娩中做了会阴侧切术，排尿时会引起疼痛。这时，你一定要克服怕痛心理，勇敢地下床排尿，争取不用护士导尿。如果膀胱中积存过多的尿，不仅影响子宫收缩，还会诱发尿路感染。如果分娩后8小时以上还没有自行排尿时，护士就会给你采取措施，常见的就是导尿，就是从尿道口插一根软的导尿管，让膀胱中的尿自然流出。这看起来是很简单的事，但导尿本身就存在着尿路感染或尿路损伤的潜在危险，而且，有的产妇拔出导尿管后，仍不能自行排尿，可能还会由于导尿管对尿道口的刺激，加重排尿疼。所以，最好争取自行排尿。

尿潴留最常见的情形

●膀胱充盈，产妇自觉小腹发胀，有尿意，总想排尿，可就是排不出来；

●也有的产妇膀胱胀满却没有尿意；

●还有的产妇有尿意，也能排出来，但只排出一部分，感觉尿不少，可就是只尿一点，刚上床，又想排尿。

为什么会这样呢？

最常见的原因是产程延长，膀胱长时间受压，膀胱和尿道黏膜水肿、充血，膀胱肌肉收缩功能降低；其次是因为膀胱对排尿反射的敏感性降低。还有会阴切开、撕裂疼痛不敢排尿。另外，精神过度紧张，剖腹产术，卧床等都可导致尿潴留。

发生尿潴留对产妇有危害吗？

当然有。最常见的有尿路感染、膀胱麻痹，代谢废物在体内堆积，影响子宫恢复，影响产妇休息。所以，要预防产后尿潴留，一旦发生须及时处理。

防止产后尿潴留的医生忠告

● 产妇生产后要每4个小时排小便一次，不必等到有尿意时。

● 剖腹产后要尽早下床活动，尽量不在床上排尿。有的产妇卧位时，无论如何也排不尿来，不得已接受导尿。所以一定要尽早下床活动。

● 自然分娩的产妇尽最大可能争取在产后第一时间自行下床排尿。

● 分娩前后多饮水，尤其是不要怕排尿而不敢饮水，饮水越多，排尿越通畅。

● 采取自己习惯的姿势排尿，不要因为分娩而刻意改变排尿习惯。

● 精神放松，分娩是很自然的事情，不要过度紧张，如临大敌，这是导致分娩后并发症的原因之一。

● 最后，希望未分娩或已经分娩的女性记住很简单的两句话："放松放松再放松。自然自然再自然。"

如何免除尿管导尿？

顺产后一直不能自己排尿，憋了一天之后医生给她插入了一根导尿管。现在她的小便全靠这根导尿管，请问郑大夫有什么办法能让我妻子免受这种痛苦？

顺产的产妇出现这种情况的并不多。①让产妇精神放松，树立信心，采取产妇自己喜欢习惯的排尿体位。②用热水袋热敷膀胱部位。③用温水冲洗外阴，让其听流水声诱导排尿。④刺激利尿穴，逆时针方向按摩利尿穴（脐与耻骨联合中点处）并间歇向耻骨联合方向推压，每次10分钟。⑤药物治疗。放置导尿管时间不宜过长，最好不超过48小时。争取自行排尿，信心是很重要的。

238.产褥热

当产妇出现发热时，不要以为感冒而忽略，首先要想到产褥感染的可能。一旦发生产褥感染，一定要及时、彻底地进行治疗，以防炎症扩大蔓延和留下后遗症，甚至危及生命。产妇发热，一定要及时看医生。

为防止产褥感染，分娩时，尽量多吃新鲜水果，多饮水，充分休息。产后42天中，一定要禁止性生活、盆浴。平时应注意合理饮食，早下床活动，及时小便，以避免膀胱内尿液潴留，影响子宫的收缩及恶露的排出。注意产后会阴部的清洁卫生，最好使用消毒过的卫生纸和卫生棉。

哺乳的妈妈，如果因为健康原因需要服药，一定要告诉医生开不影响妈妈哺乳的药物。

防止产褥热的医生忠告

● 室内空气流通，室温不要过高，保持在24℃左右。

● 春季气候干燥，室内放置加湿器，室内湿度保持在45%–50%。

● 有恶露时一定要禁止性交。

● 不要盆浴。要用淋浴，最好用流动水冲洗外阴。

● 合理饮食，早下床活动，及时小便，以避免

膀胱内尿液滞留，影响子宫的收缩及恶露的排出。

● 最好使用消毒过的卫生纸和卫生棉。

产褥热讯号

● 发热：产妇发热时，不要简单地认为是受凉感冒，首先要想到产褥感染的可能。

● 出汗过多：如果产妇出汗突然过多，感到不适，也要想到产褥热的可能。

● 恶露异常改变时，要想到产褥热的可能。

● 小腹、阴道、骶尾部出现疼痛。

239.会阴肿痛

造成会阴胀疼的原因很多，应及时看医生，根据不同的原因进行处理。

家中可使用的方法：用1∶1 000新洁尔灭溶液或1∶1 500高锰酸钾液进行会阴擦洗，每天2次。如果会阴严重水肿，可用50%硫酸镁湿热敷，每天2次，每次15–20分钟，以促进水肿消失。

排出血性分泌物

我刚刚产下婴儿50天，在生产过程中给我使用了产钳，并实行了会阴侧切术。我有些问题想咨询一下你：为什么到现在我还不能长时间站立？如果超过10分钟，阴道部位就有强烈的坠痛感，而且几乎不能忍受，但慢慢散步还可以，躺着时感觉更好些。我的恶露在月子里基本已经排干净了，但从昨天（第49天）开始，又排出了血样分泌物，而且是当我感觉很痛时，排得就更多些（有平常白带的量），我不知为什么？

会阴侧切术后可出现产后外阴疼痛，尤其是坐位和站立时。但你的时间比较长了，应考虑是否有问题。侧切处是否有炎症，是否有需要拆的线未拆干净，是否缝线过紧牵拉所致。外阴不适需要一段时间的恢复，你可用PP粉坐浴，出血的原因首先应排除是正常月经来潮。这是很可能的。另外，应排除盆腔感染和其他妇科病，如果没有按月经周期停止阴道出血，应看妇科医生。

会阴撕裂

自然分娩下一女婴，会阴撕裂缝了2针，现在已产后70天了，伤口还很硬，夫妻生活无法进行，这正

常吗?

会阴撕裂缝合后确实容易造成疼痛和性交痛,需要一段时间的恢复,但如果疼痛很严重,应该看医生,是否有残留缝合线,是否有感染。

240.产后腰腿痛

产后受风需再次坐月子吗?

我坐月子时受风了,现在腿疼,听人说,必须再坐一次月子才能治好,对吗?

产妇腿疼的常见原因有:骨质疏松;腰椎病变;骶髂关节紊乱;腰肌劳损;风湿性关节炎或骨关节病变。不知你产后多长时间了?腿痛的部位、性质,局部有无红肿?活动是否受限?建议你到骨科看医生。"月子里的病,月子里医"是民间说法,没有科学依据。

产后腰痛

我是去年8月生的孩子,月子里其他都还好,就是喂奶时需要经常弯腰抱小孩子从小床上起来(那时候奶不太好,孩子吃得不饱,我又想坚持纯母乳喂养,所以就喂得挺勤),自己都明显感到腰累得很。5个月恢复上班后,发现有时腰部有点疼,但不严重。7个月时由于工作调整,我现在的工作是每天坐在计算机前6-7个小时。我一下子就感到腰痛得厉害,坐久了或是蹲一会儿就痛得难受,像火烤着一样。晚上睡觉时仰着也难受,只有趴着睡。我生完小孩子100天时检查过,医生说是子宫后置,让我多趴一下。我想请问:像我这种情况,腰痛能不能治愈?我平时爱好体育锻炼,特别是游泳,请问需要注意什么?

产后出现腰骶酸痛是比较常见的现象,尤其是有子宫后倾的,更容易出现腰骶酸痛的症状,造成腰骶酸痛的原因还有腰肌劳损、骶髂关节紊乱、盆底肌恢复不良等,这些都需要注意休息,有子宫后倾的尽量少仰卧位,少在比较低的沙发上仰颏靠背坐着,尽量坐高椅身体挺直或略向前倾,腰肌劳损要注意休息,骶髂关节紊乱可请骨科医生按摩。另外,要排除腰间盘突出症,若有此症应及时治疗。

产后浑身痛

我妻子产后一直全身疼痛,现在孩子40天了,又出现腿关节疼痛,能用阿司匹林吗?天气已经很冷,晚上起来喂奶时可能经常着凉,是否和此有关?另外到现在我妻子的分泌物还没有干净,时多时少,分泌物为红色,是否正常?

产后一直全身疼痛,应该到医院做检查,建议化验血沉、抗链"0"、血钙等。诊断明确后再给予相应治疗。阿司匹林是解热镇痛药,可缓解周身疼痛,但在没有做出诊断之前不要使用,产后40天恶露仍为血色,应该看医生。

产后手腕痛

在产后2个月,发现双手的手腕处,在双手活动或用力时有疼痛感,至今仍然如此,不见好转,期间我曾用红花油之类的药擦过,但没有效果,请问有什么方法可以治好?

产后2个月出现手腕疼痛,而且与活动和用力有关,不一定是与妊娠生产有关,建议你到骨科看医生。

产后肩、腰痛

我现在正在坐月子(25天),感觉身体有如下不适:①两眉之间感觉痛,如何缓解?鸽子加天麻炖汤可否?②两肩膀和腰都有酸痛感,请问可有解决方法?

两眉之间感觉痛,首先应该找出原因,比如眼睛视力不好造成的,还是感冒了,找到了原因才能对症处理。产后护理孩子比较辛苦,经过分娩,身体比较虚弱,出现腰酸腿痛是很常见的,初次抱孩子,动作不是很协调,尤其是喂奶时,两肩膀用力较大,会出现肩背痛,严重还可造成肩周炎,主要是要休息好。少坐多躺,两上肢伸直上举,每天锻炼一次,每次坚持5分钟。

产后髋骨痛

顺产一女,右腿髋骨在躺下时不疼,但在坐起时感觉有一根神经吊着,而且很酸痛,不知何因?

孕晚期可出现腿痛,分娩后一般就消失了。若仍有腿痛应检查一下是否有骶髂关节紊乱(与分娩或外伤有关)。另外,应到骨科看一下是否有腰椎间盘突出致坐骨神经痛。

产后耻骨痛?

刚生完孩子时,我的耻骨和左腿骨连接处一使劲儿就痛,现在腿不痛了,只有耻骨还时常感到疼痛,请问是什么原因?

你是顺产,还是剖腹产?产前有疼痛吗?产后几天开始痛的?现在是产后多长时间了?阴道分泌物多吗?是否还是有较多的血性分泌物?你再仔细感觉一下,是不是小腹痛。产后子宫复原时,可因子宫收缩出现小腹痛。

241.产后腹痛、腹胀与便秘

有些产妇产后初期会出现阵发性下腹痛,称为产后宫缩痛。哺乳时尤为显著。产后宫缩是子宫复原的表现,并有止血和排出宫腔内积血和胎膜的作用。在宫缩时,于下腹部可摸到隆起变硬的子宫,这是生理现象,一般持续3-4天自然消失,不需做特殊护理。疼痛严重的产妇可做下腹部热敷、按摩。但

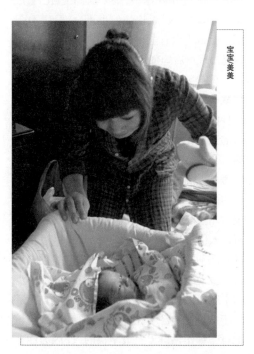

宝宝美美

必须排除胎盘、胎膜在子宫内的残留,这种原因引起的宫缩痛往往较重,常伴有较多的阴道出血。当疼痛剧烈时,应及时请医生检查。

有些产妇会发生3-5天或更长时间不解一次大便的情况,这会造成排便愈加困难,肛裂、痔及腹胀等多种不良后果。产后便秘几乎是所有产妇遇到的麻烦。由于产后腹压下降,排便时使不上劲;而且在分娩前后有些产妇进食比较少,如果是剖腹产,还要在术前术后禁食;肠道内没有一定容量的食物残渣,不足以刺激排便;如果有会阴裂伤或会阴切开,蹲下排便时可引起疼痛,产妇不敢排便;如果怀孕时就有痔疮,不会在产后马上就好,仍然是便秘的原因;剖腹产后不能马上下床,但大多数人不习惯在床上躺着排便排尿。其实,除非产妇还有其他产后并发症,医生需要产妇卧床休息,通常情况下,剖腹产后24小时就可以下床大小便。为防止产后便秘,产妇应适当增加活动量,加强腹肌与盆底肌的锻炼,做产褥期保健操;正确搭配饮食,多吃新鲜蔬菜、水果;也可睡前饮蜂蜜水1杯,如果情况比较严重,要看医生。

242.产后泌尿系统感染

产前或产后导尿或留置导尿管,可把前尿道的细菌带入膀胱,同时导尿本身也可造成尿道和膀胱黏膜的损伤,增加了尿路感染的危险。统计资料:分娩前常规导尿,产褥期发生尿路感染者占9%。留置尿管72小时以上,几乎全部病例发生菌尿,细菌沿尿道与导尿管之间的黏膜上升而进入膀胱,引起膀胱炎,甚至肾盂肾炎。产后注意会阴局部清洁,处理好分泌物,不要憋尿,多饮水可预防泌尿系感染的发生。一旦出现尿频、尿急、尿痛、排尿不畅、腰痛等症状要及时看医生。

产后排尿不净感?

刚做了妈妈,但产后一直有排小便不尽的感觉,经常刚尿完一会儿,又有尿意,再上卫生间时也能再尿一点,其间也曾看过医生,吃了医生开的津源灵及3包中药,但情况却依然如此,给生活带来诸多不便。另外,因为我没有哺乳,产后2个多月便来月经,此次月经干净后便去放环(即4月中旬),但放环后月经就非常紊乱,9月初B超结果发现环已经掉了,不知为何?

产后出现排尿问题,发生率并不低,分娩后阴道壁松弛,甚至有膨出,造成压力性尿失禁,要注意锻炼,如做仰卧起坐,跳绳,盆底肌锻炼。如果有较严重的阴道壁松弛或膨出,可考虑手术治疗。另外,还应排除无症状性菌尿造成的排尿不尽感。产后月经不规律是很正常的,如果没有其他不适,慢慢会恢复。产后子宫颈口松弛,容易使环丢掉,来月经时应注意观察,及时发现环随着月经血一同出来。要注意避孕,不要存侥幸心理。

孕期感染性疾病产后转归

感染疾病可引起产褥热和败血症。患淋病的产妇,产后因淋球菌上行性感染可引起产褥热,严重时可导致败血症。

分娩前发现有念珠菌感染,产后念珠菌性阴道炎会加重,所以产后还要积极治疗。

阴道带有B组链球菌的产妇,产后B组链球菌可通过阴道上行,引起子宫内膜炎。

沙眼衣原体感染的孕妇,产后也可发生子宫内膜感染。

243.产后抑郁症

孕妇在怀孕期间,胎盘会分泌出很多激素,其中的雌激素就要比一般的女性高出1 000倍,随着分娩的结束,胎盘离开孕妇,激素水平急速下降。产妇体内激素的急剧变化,势必要影响产妇的身体和心境。在产后一两周,产妇非常敏感,一点点小的刺激都可能引起大的情绪波动。常常焦躁不安,稍有不如意的事情,就会陷入郁闷之中。乳汁的分泌也会受到影响,本来已经下奶了,乳汁也比较充足,但只要产妇心情不佳,乳汁就会减少,真是立竿见影。所以,在月子里,周围的人都怕惹着产妇,丈夫、父母和公婆都会殷勤地伺候着。即使这样,有些产妇可能还是动不动就流泪。做丈夫的要理解妻子,但做妻子的也要宽容些,如果产妇把自己看成是一个功臣,那无论如何也不会满足,总是感觉委屈。抱有这种心态的产妇,可能会更容易出现产后抑郁。

生育宝宝是你和丈夫共同的责任,上天把繁衍下一代的重任交给母亲,由母亲承担十月怀胎,一定有他的道理。你应该为能肩负起这样的重任而骄傲,爸爸没有孕育胎儿的机会,而你却拥有,你提前品尝到了做母亲的滋味,胎儿的每一次运动,都会引起你母性的爱。这是何等的幸福,经过十月的孕育,宝宝出生了,你真正实现了做母亲的愿望。还有什么比这更令你激动的呢?没有做过母亲的女人不是完美的女人,做了母亲,会使你变得更加宽厚。想到这些,即使有一些身体上的不适,你也应淡化它,而不是无限地放大。你不应该把自己看作是最大的功臣,而应该把自己看作是世界上最幸福的人,因为你有

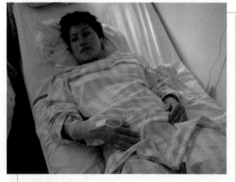

妈妈/霍女士
妈妈刚生完孩子。

了最可爱的宝宝,你做了母亲。你有的应该是感动。如果你能这么想,你就少了许多烦恼,在产后的日子里,家里就会充满着温馨和快乐。因为你这时是全家的中心,你的情绪影响着周围人的心境。你高兴,大家都会高兴;你难过,大家都会紧张。当人们紧张得不知如何是好时,你会更加生气,以为他们不心疼你,其实,你不高兴,你周围的人哪还敢高兴。产后抑郁是有因可循的,有生理问题,但如果你能用健康的心理去对待它,就不会患严重的产后抑郁症了。

产后失眠

我的妻子在18号生了个女孩,这两天总是失眠,老是担心孩子睡不好,而且出汗多,常常把衣服浸湿。现在她的精神特别紧张,常对我说她不行了之类的话,让我非常着急。我想请问:她这是不是产后抑郁?

不能排除产后抑郁,应该请心理医生诊治。

244.妊高征产后遗留高血压

在孕期并发了妊高征的产妇,产后大多会遗留一段时间的高血压和蛋白尿,有一部分在产后不同时期得到治愈,还有一小部分可能会持续遗留高血压,严重的会引起肾功能衰退。我曾因担任《妊高征产后血压变化及相关因素探讨》和《围产期干预对妊高征血压转归远期观察》两项科研课题主研人,查阅了大量关于妊娠高血压的资料。

过去普遍认为妊高征因妊娠而出现,随分娩而消失,是与生育有关的高血压,故名妊高征。人们极少考虑到妊高征与女性,尤其是年轻女性高血压发病的关系。

我们对2116例被诊断为妊高征的产妇进行随机筛查和抗高血压对照治疗。

得出的结论是:

首先,在有妊高征史的年轻女性中,高血压的发病率高达36%;

(左)妈妈/潘晓敏　宝宝/美美　　(右)妈妈/申秀敏　宝宝/灿灿

右边这个阿姨是妈妈的同学申秀敏,是卡通漫画家,她的宝宝灿灿比我大53天。瞧,我们这两对幸福的母子。

其次,在抗高血压对照试验中,未接受治疗组,妊高征产后一年遗留高血压达30%;在治疗组,一年后遗留高血压为6%。

结论提示:

年轻女性高血压发病与妊高征相关。妊高征的重要病理改变是一种急性血管病变,使血管痉挛,如果这种痉挛持续数周得不到缓解,血管壁长期缺血缺氧,就会造成永久性病变,遗留持久高血压。当然,这种理论上的解释还有待于进一步研究证实。

妊高征产妇处于空白点

产科非常重视妊高征,内科也很重视高血压,但为什么并发妊高征的产妇得不到及时治疗,而遗留高血压呢?这不难理解,妊高征产后遗留高血压问题正好处于产科和内科边缘地带,容易被遗漏。

妊高征是产科危重症,是导致母婴死亡的重要原因之一,在孕产妇中发病率高达10%左右,近年来有上升趋势。分娩后2周以内的妊高征产妇多还在医院住院期间,仍然接受着抗高血压治疗,到了出院,有90%的产妇血压基本维持在正常范围。所以,人们普遍认为妊高征随分娩而消失,高血压自然也就不治而愈了。当这些产妇出院后停止服用抗高血压药,在维持一段正常血压以后,有一部分产妇血压会有再次升高的可能。产妇出院后面临抚养新生宝宝的喜悦和忙乱，往往无暇顾及监控自己的血压状况。产后高血压的遗留问题同时也成了产科和内科医生忽视的空白点。

进行这项课题的出发点是缘于两个高血压患者的遭遇。

一位38岁女士，28岁时剖腹产下一女婴，妊娠期合并重度妊高征，产后她不曾关注过自己的血压，也未曾治疗过高血压。产后10年，她因高血压危象，慢性肾衰，眼底出血住进心血管急救中心。这位女士痛苦地说：我真不知道高血压会引起这么严重的后果，我在怀孕的时候血压就开始升高，后来常常感到头晕，头痛，偶尔测量血压，知道血压比其他人高，但不曾重视。根据她的肾脏功能，如果不换肾，最长能存活四五年，可那时她的孩子才刚刚十几岁！

还有一位女士，32岁，6年前曾因妊娠并发妊高征出现子痫（妊高征一种严重表现，突然扑倒，昏迷，四肢搐搦，牙关紧闭，口吐白沫）而在妊娠7个月做了剖腹产，新生儿出生后不久就夭折。可就是这样严重的妊高征，产后她也没有充分重视对血压的监测，没有认真而正规地服用抗高血压药，也没有医生追踪她。6年后，她战战兢兢地再次怀孕了，可妊娠不到3个月，血压就达到了220/170毫米汞柱。问起她这6年来的血压情况，她竟然说不清楚！她不知道第一次妊高征与现在的高血压有什么关系，认为把孩子剖出去就没事了。这次劝她终止妊娠，她坚决不同意，到妊娠6个月时，她因子痫伴脑出血和眼底出血，胎死宫内被抬进手术室。

易患妊高征的高危人群
- 母亲有妊高征史；
- 父母一方或双方有高血压史；
- 孕妇小于20岁或大于35岁；
- 孕前患有慢性高血压、糖尿病、慢性肾病；
- 双胎和多胎；
- 水肿明显、血脂异常、钙异常、尿蛋白阳性、体重异常；

如何干预
- 限盐；
- 孕中晚期采取左侧卧位；
- 增加新鲜水果蔬菜；
- 避免精神紧张；
- 按需要控制血糖；
- 控制体重；
- 由保健医、医生或营养师指导饮食；
- 补充维生素和钙剂；
- 产后高血压治疗；
- 产后定期随访，密切监测血压。

第6节 产后哺乳

245.月子中怎么喂奶？

冬季妈妈穿得相对多，母乳喂养的妈妈每天要多次露出乳房，最好不要穿套头衣服，穿开襟比较好，以免胸腹部受凉。现在有漂亮的喂奶服和哺乳胸罩，也有专为哺乳妈妈准备的服装和乳罩可供选择。

宝宝夜间也要喂奶，妈妈如果每次都穿脱衣服，很麻烦。所以，妈妈就索性穿着衬衣或披着睡衣喂奶，妈妈要注意不要让肩关节受凉。有的产妇月子后，由于受凉导致肩关节疼痛，严重的连胳膊都抬不起来，不能梳头，也不敢侧身睡觉。

妈妈体内要有足够的水分来制造奶水，所以每天至少要喝1200-1600毫升水。刚开始喂奶的新妈妈，往往是累得一身汗，胳膊酸了，脖子僵了，宝宝却因不能舒服地吃奶而哭闹。这是由于喂奶姿势不正确所致。正确的喂奶姿势是：胸贴胸、腹贴腹、下颌贴乳房。妈妈用手托住宝宝的臀部，妈妈的肘部托住宝宝的头颈部，宝宝的上身躺在妈妈的前臂上，这是宝宝吃奶最感舒服的姿势。有的妈妈恰恰相反，宝宝越是衔不住乳头，妈妈越是把宝宝的头部往乳房上靠，结果宝宝鼻子被堵住了，不能出气，就无法吃奶。一定要让宝宝仰着头吃奶（就是让宝宝下颌贴乳房，前额和鼻部尽量远离乳房），这样宝宝食道伸直了，不但容易吸吮，也有利于呼吸，还有利于牙颌骨的发育。

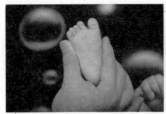

宝宝/马诗童
宝宝马诗童的小手和小脚丫。

左右乳房不一样大什么原因？

我的右乳房分泌乳汁正常，但左乳房乳汁很少。满月前左乳还有一些，后来基本没有了。现在我的乳房左右明显不一样大，这是什么原因？

你的左乳房很有可能是乳腺管堵塞了。由于左乳房没有奶，孩子总是吸吮右侧的乳房，时间长了就会使两侧乳房不对称。应看乳腺科医生，明确诊断后再给以处理。有的产妇就是一侧乳房奶多，找不出什么原因。你可以多按摩左侧乳房，即使奶少也要让孩子吸吮，而且还要先吸左侧，尽量延长吸吮时间，刺激乳汁分泌。

乳母吸收功能与乳汁质量

我是一位准妈妈，有关于哺乳的问题：乳汁质量与乳母吸收功能的关系，如果乳母本身的吸收功能差，是否会影响乳汁质量？

乳汁的质量主要与乳母产后时间有关，初乳的质量最高，含有较高的抗病抗体和较高的蛋白质和乳糖，前乳含有较高的蛋白质，后乳含有较高的脂肪，产后4个月后，母乳的营养成分和量渐渐不能够满足孩子的需要，所以，到了4个月以后，即使是纯母乳喂养儿，也要添加辅食，以满足孩子所需的营养。乳母乳汁的分泌与乳母的身体状况、体内泌乳素水平等有关。

246.预防乳腺炎和乳头护理

每次喂奶后，挤少许奶水涂于乳头上，保护乳头，不要马上把乳头盖上，让乳头风干。也不要用毛巾用力擦乳头，以免擦伤。不要穿太紧或质地太硬的内衣。戴比较宽松的乳罩。

预防乳腺炎的几点建议：

● 避免乳头皲裂；不要压迫乳房，乳汁过于充足时，睡觉时要仰卧；

● 一定要定时排空乳房，不要攒奶；

● 有乳核时要及时揉开，也可用硫酸镁湿敷或热敷；

● 保持心情愉快，不要着急上火；

● 奶胀了就喂，宝宝吃不了，就要挤出；

● 夜间宝宝如果较长时间不吃奶而引起乳胀，要及时吸出，否则一夜之间就可能患上乳腺炎；

● 乳房出现疼痛要及时看医生，乳腺炎是引起新妈妈发热的常见原因。

乳头有白色脓头

我妻刚生小孩后第9天，发现乳头有白色脓头，小孩吃奶时，大人疼痛。到现在为止已有27天，其间有大约一个星期不疼痛。今天宝宝吃奶时，发现脓头面积扩大，比以往更疼些。

你说的情况可能是乳头皲裂，局部形成水疱，继发感染。除了哺乳时疼痛外，还可引起乳腺炎，应及时处理：①哺乳前产妇先洗手，然后将乳头和乳晕清洗干净，如有污垢不易洗掉，不要强擦，应先用棉棒蘸植物油浸湿乳头，使污垢软化，再用肥皂水、热水清洗干净，用软毛巾擦干。②哺乳后，乳头局部涂上复方香酸酊或其他抗炎药膏，哺乳前将药物洗掉，也可于哺乳后在乳头上涂少许乳汁，晾干，要待乳头晾干后再盖上，不要戴不透气的乳罩。③严重者停止哺乳几天。④喂

303

产后子宫、骨盆的恢复时间表

名称	恢复时间(周)	名称	恢复时间(周)
子宫大小	6	子宫内膜壁蜕膜	1-1.5
子宫重量	8	子宫内膜下层蜕膜	6-8
子宫肌长度	2	宫颈阴道部	3
子宫肌细胞及结缔组织	6	宫颈管	4-6
宫颈内口	10-12	盆底肌群	2-3
宫颈外口	3	盆底结缔组织	2-3

奶时一定要把乳头和乳晕都放到宝宝嘴中，只把乳头放到宝宝嘴中是造成乳头皲裂的原因之一。⑤先喂没有皲裂的一侧乳头，再喂患侧。⑥也可佩戴上乳头罩喂奶。

左乳靠近腋窝的地方出现硬块

我爱人刚刚生产4天，从昨天起，开始大量分泌乳汁，但由于左乳乳头皲裂，未给婴儿哺乳。我爱人一直坚持用吸奶器吸取分泌的乳汁。今天早上，发现左乳靠近腋窝的地方出现了乒乓球大小的硬块，并有疼痛感。我们急切地想知道，这是什么？该怎么办？

有3种可能：①乳核。由于分泌的乳汁不能及时排出，造成乳汁淤积，出现乳核，用吸奶器难以把乳房中的乳汁吸空，一定要积极治疗乳头皲裂，争取早喂奶，就可解决乳核问题，可用湿毛巾热敷。②乳腺炎。如果是乳腺炎，乳房疼痛明显，可有发热、乳房局部红肿等症状。要及时抗炎治疗。③副乳。

乳房硬结并有触痛为哪般

妻子剖宫产后现已8天，感觉乳房部分区域一直有硬块，可能是乳腺管堵塞。热水敷、按摩、吸奶器吸都收效不大，其中的一块今天还开始发红并有触

妈妈/杨百香 宝宝/马诗童

痛，恳请专家紧急援助，为我们排忧。

乳腺管堵塞后，很容易患乳腺炎，乳腺局部发红并有触痛，不能排除乳腺炎，应该积极控制感染，每次吃奶都要排空乳房乳汁，如果孩子吃不了，丈夫帮助吸净。建议到医院静脉输抗菌素，局部湿敷。

247.母乳喂养宝宝的妈妈不能随意吃喝

母乳喂养的新妈妈要避免"妈妈乱吃，宝宝受害"的现象。冷饮少喝，过于油腻的少吃，不易消化的煎炸食品少吃，凉拌拼盘不多吃，妈妈胃口出了毛病，宝宝可就苦啦，奶水不够吃，还要拉稀、呕吐，跑医院是月子里最麻烦的事。要防患于未然。营养合理、平衡，不要专吃高蛋白、高脂肪饮食，要搭配蔬菜、水果等。营养不良会导致精神紧张、身体疲劳，影响母乳供应。如果在哺乳期摄入过多脂肪类食物，易致使锌不足；不重视豆制品和胡萝卜素的摄入，可造成母乳中对有利视力发育的各类营养的不足，对孩子将来视力发育带来影响。蛋白质含量应高于正常饮食的50%，我国营养学会推荐新妈妈每天蛋白质供给量为95克，充足、高质量的蛋白质才能保证母乳分泌充沛，使宝宝健康生长。尽管在冬季，也要吃丰富的蔬菜水果。

产后我想吃零食，可不可以？如果可以，有没有哪些不能吃？

若不是母乳喂养的话，产妇的饮食没有太严格的限制，除了凉的和太酸的外，没有什么忌口的。若是母乳喂养，则要注意饮食，如

不能吃过咸、过辣、过腻、过冷等食物，以免影响婴儿的胃肠道功能。

哺乳期请莫从嘴上减肥

生下孩子后，新妈妈就开始想将孕期的体重降下来，假如是母乳喂养的妈妈，请慎重。不要忘了，尽管孩子不在你腹中了，但他仍然需要从你身上吸取营养。所以，这时的你仍需要健康饮食。为确保能分泌出足够的奶汁，每日照样还要摄入足够的热量和充足的水分。

每日摄入多少卡热量才能满足喂奶需要呢？在孕期每日摄入的热卡基础上，还要再增加500卡，即：如果你孕期每日摄入2200卡热量，现在哺乳期应每日摄入2 700卡热量，但是若孩子个头偏大或多胞胎，需乳量自然增多，每日需摄入的热量也应随之增加。

母乳喂养的妈妈至少应该在婴儿6周以后，才能考虑减肥问题。而且，减肥速度要缓慢，以每月体重降低不超过900克为宜。

如果你开始减肥，减少每日摄入的热卡数，那么，为了泌乳就会动用你身体内原来储存的营养素，限食的结果就是感觉疲劳、母乳中免疫因子下降。因此，婴儿对感染和传染性疾病的抵抗力减弱。更可怕的是奶汁的分泌量可能不足。如果你已经开始外出工作或体育锻炼等活动量加大，你就会需要更多的能量。

在婴儿4-6个月时，对奶量的需求量最大，新妈妈在这时期的饮食更加重要。不仅热量要足够，而且营养物质也要保证。为满足泌乳期对每日增加500卡热量的要求，应该选吃营养丰富的食品。例如：为了每日增加摄入500卡热量，可选择如下配餐：

- 加吃3份碳水化合物食品；
- 加吃100克瘦肉或禽肉；
- 加吃1份水果或蔬菜；
- 加吃1份低脂奶制品。

随着婴儿一天天地长大，就可逐渐添加

妈妈/潘晓敏 宝宝/美美

辅食，你也就无需分泌那么多的乳汁了。当然，也就无需摄入那么多的热量了，这时，你就可以关注体重，减少热卡的摄入了。

为了分泌出足够的奶水，你应该饮足够的液体食品。每日以2.2-3.5升为宜。这些液体食品可包括水、牛奶（脱脂奶）、水果汁或蔬菜汁。但不要喝碳酸类饮料，甜水或加香料的水。

哺乳期减肥的一个重要措施就是锻炼身体。如果你真的想减肥，请每天挤出几分钟做锻炼，或推着婴儿车、将婴儿挂在胸前布袋中散步，也可以播放健身录像带，在电视机前，随着录像锻炼身体。另外，快走、游泳、骑自行车也有利于燃烧体内热量。所以，哺乳期减肥莫从嘴上减，可采取其他辅助办法。

孕期感染性疾病的产后哺乳

活动性肺结核、慢性纤维空洞型肺结核、传染性肝炎、巨细胞病毒感染、单纯疱疹病毒感染、艾滋病病毒感染、未经治疗的梅毒、急性淋病、乳头状瘤、柯萨奇B组病毒、弓形虫感染，以及怀疑患梅毒的新生儿，均应实行严格隔离，停止母乳喂养。

关于哺乳的问题

请问产后多久可以玩电脑，对眼睛有刺激吗？

产后1个月以内，产妇不宜看书，更不宜玩电脑。玩电脑会使眼肌疲劳，日后出现用眼疼痛。而且由于长时间坐位，会影响颈项、

妈妈/崔琳

腰背肌的恢复和休息，引起腰背肌酸痛。

苦不堪言产后出汗？

我妻子剖腹产后已经10多天了，每天都虚汗淋漓，一天要换4、5套睡衣。吃了北芪精后，有些好转，但仍然有许多盗汗，产妇苦不堪言。请问有什么方子可减少盗汗？

无论气温高低，天热与否，产褥期产妇出汗总是很多，尤其是在睡眠时和初睡时，常见产妇衣服、被褥被汗水浸湿，这是"褥汗"现象，是生理现象，不是身体虚弱的表现，而是排泄体内多余水分的方式之一，只要注意卫生，预防感冒，注意补充电解质即可，不需特殊处理。当天气热时，更易出汗，不要"捂月子"以免中暑。

扑尔敏对哺乳有无影响？

我这两天得了急性荨麻疹，服用了扑尔敏，不知对哺乳有无影响？

目前缺乏服用扑尔敏对乳儿是否有影响的研究，此药是否入乳不详。假如入乳，除了可引起婴儿睡眠外，不会有其他影响。

补品对哺乳有无影响？

妻子已到医院检查过，医生说主要是产后体弱所致，要好好调养，日后会好转。问题：所有补品都带有燥热性，这对孩子的喂食有没有影响？

产妇适度进补对乳儿不会造成不好的影响，只是即使体质虚弱也要慢慢地补养，不要一下给予大补，这对产妇也不好，可出现过度肥胖，出现高血脂、高血糖、高血压等问题。适度是最重要的，最好是通过饮食调理，比药补更好，食物是最好的天然补养物。目前市场上的补品质量参差不齐，妇科中医师对产后虚弱的诊治有独到之处，你不妨让妻子试一试。

准妈妈／胡晏

检　查

优生六项、常规检查、
筛查、产前诊断

一些传统的检查方法逐渐被新
的、先进的检查手段所代替。

孕期检查并不是多多益善，每个
孕妇具体情况不同，对有些孕妇来说
是必需的检查，对其他孕妇来说也许
没有必要。

本章要点

● 孕期常规检查项目
● 优生筛查的项目
● 关于母婴传播疾病
● 如何面对结果异常的检查报告
● 胎儿疾病的产前诊断

第1节 孕期检查项目

248.优生筛查与STORCH筛查

孕期检查和保健的意义

尽管怀孕是一个正常的生理过程，但在整个孕期，孕妇的身体发生了很大的变化，以保证身体内部的平衡。例如：

● 心脏负担增加，血容量增加40%-50%，即增加血浆2000毫升左右；

● 心率加快，每分钟增加10-15次；

● 肾血流量及肾小球滤过率增加；

● 有些孕妇在怀孕早期肝功能就有轻度异常；

● 有的孕妇，在早期就感觉呼吸不再那么通畅；

● 还有孕期特有妊娠期高血压综合征、孕期糖尿病、胆汁淤积综合征、缺铁性贫血、高凝状态等都需要在孕期保健下减少其发生，一旦发生也能及早发现；

● 如果在孕前就有慢性疾病，如心脏病、肾炎、糖尿病、肝炎等，更要早期做产前检查；

● 有遗传病家族史或生育史，要进行早期干预；

● 孕晚期，可以早期确定分娩方案，如骨盆异常、胎位不正等，可通过孕期检查发现并纠正；

● 早期发现胎儿宫内感染的可能，并给予积极处理。

优生筛查的内容

巨细胞病毒、单纯疱疹病毒、风疹病毒、弓形虫、乙肝病毒、人乳头瘤病毒、解脲支原体、沙眼衣原体、淋球菌、梅毒、艾滋病毒等等。

目前临床中常做的有优生四项检查，包括巨细胞病毒、单纯疱疹病毒、风疹病毒、弓形虫。

优生六项检查，包括巨细胞病毒、单纯疱疹病毒、风疹病毒、弓形虫、人乳头瘤病毒、解脲支原体。

尽管各家医院所做的项目都不尽相同，但都是临床中最容易感染的病原体。如果孕妇感染了这些病原体中的一种，就有可能造成胎儿宫内感染，胎儿感染后可能会导致流产、死胎、畸形及一些先天性疾病。

对优生筛查如何判断

目前判断孕妇感染主要通过病毒抗体水平的检测，检测报告单上常常是这样报告的：某某病毒抗体IgG、IgM阴性或阳性。

抗体IgG阴性：说明没有感染过这类病毒或感染过但没有产生抗体。

抗体IgM阴性：说明没有活动性感染，但不排除潜在感染。

抗体IgG阳性：表明孕妇既往有过这种病毒感染或接种过疫苗。

抗体IgM阳性：表明孕妇近期有这种病毒的活动性感染。

一般认为，孕妇的活动性感染与胎儿宫内感染有关，约40%的活动性感染容易引起胎儿的宫内感染，所以，孕前和孕期主要检查孕妇血中的IgM抗体。我国女性中巨细胞病毒、单纯疱疹病毒、风疹病毒、人乳头瘤病毒的感染率很高，既往感染率高达90%。据调查，孕妇中各种病原体的活动性感染在3%-8%，但也有一些IgM抗体不高的孕妇可能有潜在感染，也可能造成胎儿的宫内感染。

所以在化验单上，不要一看到有加号（+）或阳性结果，就认为有胎儿的宫内感染。IgG抗体阳性，仅仅说明既往感染过这

《围产儿重度窒息病因探讨及预防》和《新生儿重度窒息并多脏器功能衰竭的防治》收录于《第四届全国围产新生儿研究学术会议论文汇编》，1994年4月出版

我国新生儿科起步比较晚，围产医学也相对落后。新生儿重度窒息可导致多脏器损伤，可遗留永久的神经损伤，九十年代出这个问题还很严重。现在产科学有很大进步，新生儿学进步更快，标志着我国医疗水平和卫生状况进入高发展阶段。

种病毒，或许对这种病毒有了免疫力。接种过一些病毒疫苗的妇女，也会出现IgG抗体阳性。如接种过风疹疫苗的妇女会出现风疹病毒IgG抗体阳性；接种过乙肝疫苗的妇女会出现乙肝表面抗体阳性。所以要分清哪个是保护性抗体，哪个是非保护性抗体。

STORCH筛查

Storch是什么？S是Syphilis（梅毒）的缩写；T是Toxoplasmosis（弓形虫）的缩写；O是Other（其他）的缩写；R是Rubella（风疹）的缩写；C是Cytomegalic Virus（巨细胞病毒）的缩写；H是Herpes Simplex（单纯疱疹）的缩写；若孕妇感染了这些病毒可导致胎儿流产、死胎、畸形、早产等。而育龄妇女感染这些病毒的机会并不低。

孕检时为孕妇做病毒感染检测，当出现阳性结果时，夫妇双方极其恐慌，到目前为止还没有更好的办法阻止病毒对胎儿的感染。常有准备怀孕或已经怀孕的女性询问：检查出上述某种病毒感染的证据该怎么办？怎样知道是否已经感染了胎儿？胎儿是否有畸形的可能？孕前注射什么针可预防孕期感染？怎样才能知道是否有抵抗病毒感染的能力？等等。

尽管一些病毒感染对胎儿会造成伤害，但孕妇的自然感染率还是比较低的，通过提高机体抵抗力，改变生活方式，少去公共场所如桑拿等，是能够减少感染机会的。新生儿感染病毒的途径有两个，一是宫内感染，也就是先天性感染；二是后天感染，经产道直接感染或生后吸入带病毒的乳汁、输血、手污染、新生儿接触的物品等途径。

249.甲胎蛋白

当你怀孕16周时，医生可能建议做甲胎蛋白（AFP）筛查。甲胎蛋白筛查是一种简单的血样检验，用来测定母体血液中甲胎蛋白的水平。

高水平的AFP，可能是双胞胎；可能是你怀孕的时间比你认为的要长；可能意味着胎儿神经管缺陷。

低水平的AFP，可能是你实际怀孕的时间比你认为的要短；也可能是胎儿患有先天愚型（亦称21-三体综合征）。

做这项筛查孕妇没有痛苦，对胎儿也没有伤害。但筛查的结果常常引起孕妇极大的担忧和恐惧。如果这项筛查结果异常，孕妇可能面临着双重困境，因为接下来的诊断学检查是损伤性的，孕妇会担心对胎儿有损伤，又会担心流产。但不接受检查，又担心胎儿真的有先天缺陷。

如果筛查结果异常，不要紧张。最好再次复查，因为AFP水平提高的原因很多，对结果的判断应慎重。应有多次的阳性检验结果或其他附加检验结果作佐证。如果你更害怕诊断学检查对胎儿可能会造成损伤和流产，不要强迫自己接受你从心里不想做的检查，让自己安下心来，一切顺其自然。有一点让你宽心，大多数得到异常筛查结果的孕妇生出的宝宝是正常的。

AFP是什么意思？

我今年30岁了，末次月经是5月20日，在16周时做了AFP及其他检查，医生只告诉AFP结果没有什么问题。AFP是检查什么的？是什么意思？

AFP是甲胎蛋白alpha-fetoprotein的缩写，是最常用的胎儿畸形监测方法。AFP主要产生于卵黄囊和胎儿的肝脏，经胎儿尿液进入羊水，再经胎盘渗入或经胎血直接进入母体血中。孕妇血液中AFP随孕龄增加而增加。羊水中的AFP在妊娠中期最高。妊娠36周后孕妇血液中的AFP含量和羊水中的含量接近。胎儿神经管畸形时羊水和孕妇血中的AFP均升高。所以，常把检测孕妇血中的AFP值作为监测胎儿是否有神经管畸形的方法之一，AFP降低可见于唐氏综合征，所以，AFP也作为唐氏综合征的检测手段。医生告诉您AFP的结果没有问题，您就尽管放心好了。

250.孕期糖尿病筛查

孕期进行糖尿病筛查已经成了孕检的一项常规项目。由于生活方式的改变，体重指数大、营养过剩的孕妇越来越多，妊娠期糖尿病的发生率也逐渐增加，对母婴影响是很大的。进行孕期糖尿病筛查具有非常重要的临床意义。当有下列情况时需要做糖尿病筛查：

- 年龄大于35岁；　超重或肥胖；患有高血压；
- 家族中有糖尿病病史，尤其是父母和兄弟姐妹；
- 曾分娩过巨大儿；
- 孕前或孕早期曾有过血糖偏高或尿糖阳性；
- 有过胎停育史。

筛查方法：孕24周，口服50克葡萄糖，2小时后采血测定血糖，如果大于7.8mmol/L为异常。不限制孕妇最后进餐时间，可在任何时间进行糖筛试验。

如果筛查结果是阳性，你也不要着急，在阳性结果中，有85%通过糖尿病诊断学检查被证实没有合并妊娠期糖尿病。但是，你也不能因此而心存侥幸，毕竟有25%患病的可能。如果你被证实为妊娠期糖尿病，早期干预治疗对你和胎儿都是非常重要的。

251.胎儿宫内感染

宫内感染又称为先天性感染或母婴传播疾病，是指孕妇在妊娠期间受到感染而引起胎儿在子宫内受染。

引起宫内感染的常见病原菌有六类：

(1)细菌，常见的是淋球菌；

(2)病毒，常见的是巨细胞病毒、风疹病毒、单纯疱疹病毒、乙肝病毒、流感病毒、人乳头瘤病毒、柯萨奇病毒、细小病毒、艾滋病病毒等；

(3)螺旋体，主要是梅毒螺旋体；

(4)原虫，主要是弓形虫；

(5)衣原体，主要是沙眼衣原体；

(6)支原体，主要是解脲支原体。

《主动脉夹层动脉瘤误诊3例》收录在《中华误诊学博览》一书，1998年11月中医药出版社出版
我是中华误诊学会特约编辑，敢于面对误诊说真话，善于总结经验教训，才能不断进步。

宫内感染的主要传播途径是：

● 胎盘的垂直传播；

● 下生殖道感染的上行性扩散；

● 围生期感染，包括分娩、哺乳、与新生儿直接接触传染。

孕妇担心的常常是胎盘的垂直传播，忽视了其他途径的传播。

宫内感染对胎儿危害有多大？

宫内感染对胎儿的危害程度与宫内感染发生的时间、病原体的种类、母亲的身体状况有关。孕早期感染多造成流产、先天性畸形。孕晚期感染多导致早产、胎膜早破等。孕妇抵抗力低下时一些潜在感染被激活，成为活动性感染。可以说整个孕期发生宫内感染对胎儿都是不利的。

孕期感染性疾病的处理原则

在怀孕前做风疹病毒、巨细胞病毒、单纯疱疹病毒、乙肝病毒、弓形虫感染的筛查。特异性抗体阳性的应进行治疗，待抗体转阴后再妊娠。

妊娠早期，对孕妇应做特异性感染的检测，对多次特异性抗体阳性或用PCR技术做病原体检测阳性的孕妇，须综合分析判断：

如果是对胚胎和胎儿危害严重的病原体感染，应建议终止妊娠；若在妊娠中期发现应做引产；若感染轻微，应积极治疗，但在用药上，要规避药物对胎儿的影响；若在妊娠晚期发现，除做治疗外，还要进行产科处理，根据孕妇具体情况、感染情况及是否能通过产道感染新生儿选择分娩方式，并对新生儿做全面检查，该停止母乳喂养的就改为人工喂养，需要继续治疗的，产后要继续治疗。

终止妊娠的指征

严重的肺结核或伴有其他部位的结核；孕早期病毒性肝炎严重者；孕早期生殖器尖锐湿疣病情严重，病变发展快者；宫颈支原体感染严重者；孕早期感染流行性出血热病毒者；孕妇妊娠后发现艾滋病病毒感染，又正处于孕中期者。

252.风疹病毒感染检查

孕妇感染风疹病毒后，潜伏期无抗体产生，以后渐渐产生抗体，并持续1~2个月。若在妊娠前4个月内检出特异性抗体，说明孕妇为近期活动性感染，应终止妊娠。而在妊娠晚期，则不必终止妊娠。感染风疹病毒后往往没有任何症状，因此预防非常重要。主张育龄女性检查特异性抗体阴性者，应在妊娠前接种风疹疫苗，接种后宜避孕3个月。若在孕前未进行特异抗体检查，妊娠后检查却为阴性，可用风疹免疫球蛋白进行被动免疫。

先天性风疹综合证（CRS）发生率

妊娠第一个月感染风疹病毒，胎儿先天性风疹综合征发生率50%；妊娠第二个月感染，CRS发生率30%；妊娠第三个月感染，CRS发生率20%；妊娠第四个月感染，CRS发生率5%；妊娠四个月以后再感染，虽然危险性很小，但仍不能完全排除致畸的可能性。

孕期感染了风疹病毒，宝宝不能幸免吗？

我和妻子是大学老师，身体很好，我本人热爱运动，没有不良嗜好，她是博士，我是硕士。可我的一切美好的想法都被昨天的一纸化验单破坏了，妻子检查病毒4项，其中风疹一项呈阳性，医生说是近期感染了风疹病毒，我们一下子都呆了，度日如年……请您帮帮我们，我们太爱这个孩子了，我们不想失去他，看着妻子以泪洗面，我心如刀绞！我们还能要这个宝宝吗？大人感染了，宝宝就不能幸免吗？宝宝感染了，就一定会造成严重的后果吗？有药物保证孩子的安全吗？一个焦急的准爸爸！

非常理解你和你妻子的心情。请问你妻子怀孕几周了？什么时候化验的病毒四项，如何确定是近期感染的？是活动性感染吗？能猜测出是在孕几周感染的吗？做胎儿宫内感染检查了吗？我问的这些问题，与是否保留宝宝、宝宝是否遭受了感染、感染的机会有多大、需采取怎样的治疗措施和保护措施有很大的关系。希望你坚强起来，理智面对现实，静下心来和医生探讨下一步处理方法。

冻干风疹活疫苗

人工免疫虽然仅是自然感染者抗体水平的1/4~1/8，但免疫持久性良好。据报道免疫成功者在16年后有94%仍可测到抗体，接种疫苗2周后可以从被接种者的咽部分离到风疹病毒，但时间短暂，尚未发现对周围健康者造成威胁。但是，直接给孕妇注射活疫苗有可能感染胎儿，因此，对孕妇或接种疫苗后2个月内可能怀孕的孕妇应禁忌接种。育龄妇女注射冻干风疹活疫苗后至少应避孕3个月。注射过丙种球蛋白者，接种冻干风疹活疫苗应间隔1个月以上。在使用其他疫苗前后各一个月，不得使用冻干风疹活疫苗，但可与麻疹疫苗和腮腺炎疫苗同时使用。

253.巨细胞病毒感染检查

胎儿感染了巨细胞病毒（CMV），可引起胎儿发育异常，如宫内发育迟缓、出生缺陷。巨细胞病毒在人群中的感染率很高，但非活

美国CRS诊断标准

确诊CRS：有畸形体征同时有下列三项中1项。 1.风疹病毒分离阳性；2.风疹IgM阳性；3.风疹HI抗体持续存在并高于被动抗体应有水平。
符合CRS：实验室资料不充分，但有A中的2项或A中的1项加B中的1项。 A：先天性白内障或青光眼；先天性心脏病；听力丧失；视网膜色素变性病。 B：紫癜；脾大；黄疸；小头；智力迟钝；脑膜脑炎；骨质疏松。
可疑CRS：有上述A、B中所列体征但达不到符合CRS标准。
风疹先天感染：缺乏CRS体征，但实验室证明有先天性风疹感染的证据。
排除CRS：凡有下列一条者不能诊断CRS。 ≤2岁婴儿风疹抗体阴性；母亲风疹HI抗体阴性；婴儿风疹HI抗体水平符合被动抗体下降规律。

动性感染并不引起胎儿感染。决定胎儿宫内巨细胞病毒感染的重要因素是孕妇有巨细胞病毒活动感染。也就是说，孕妇巨细胞病毒的活动性感染是引起胎儿先天性CMV感染的主要原因。血清中CMV-IgM水平是确定CMV活动性感染的指标。

巨细胞、风疹病毒抗体增高为哪般？

我太太今年29岁，怀孕3个月，检测出风疹的IgM为可疑阳性、IgG为173U/ml（报告单显示正常为100），她11岁时得过风疹，应该有终身免疫力，请问为何出现IgG偏高、IgM可疑的结果？

患过风疹，IgG会呈阳性。新近感染风疹病毒，IgM会呈阳性。感染过风疹病毒，会获得免疫力。但是，当再次感染风疹病毒时，如果体内抗风疹病毒抗体量不足以中和风疹病毒，也会出现风疹病毒IgM弱阳性的结果。因为风疹没有特异性临床症状和体征。

感染巨细胞病毒有什么症状？

我在12周进行第一次产前检查时，做了血液检查，检查结果是CMVIgG为阳性，IgM为阴性。请问对胎儿是否有不利的影响？感染CMV有什么症状？

CMVIgG阳性可说明曾经感染过CMV，感染的时间不好确定。因为CMV感染可以完全没有任何临床症状。

新生儿先天性CMV感染，主要发生在孕妇有CMV的活动性感染。CMVIgM抗体水平是确定CMV活动感染的指标，你的CMV IgM抗体阴性，说明没有CMV的活动感染，造成胎儿先天性CMV感染的几率不大。但CMV感染是潜在性感染，且能持续排毒，这就使得CMV的感染途径十分复杂，感染过CMV的人，也可出现内源性潜伏病毒再活动或再次感染外源性不同的病毒株或更大量的同种病毒株的可能。因此仍要注意监测。

254.生殖器单纯疱疹病毒感染

生殖器疱疹是由单纯疱疹病毒（HSV）感染泌尿、生殖器官及肛门周围皮肤黏膜引起的疾病。孕妇感染了HSV，无论是初发还是复发，都有通过胎盘感染胎儿（宫内HSV感染）的可能，并可引起新生儿HSV感染（大多数是分娩中暴露于产道的HSV所致）。孕妇初发的生殖器疱疹对胎儿和新生儿的传播率为20%~50%，复发的为0~8%。

在妊娠早期感染HSV的孕妇所分娩的婴儿常有先天性畸形，如小头畸形、视网膜发育异常；在妊娠晚期感染HSV的孕妇所生的婴儿有50%会发生新生儿HSV感染。新生儿HSV感染多见于早产儿，出生时多无症状，常于出生后3天，甚至满月后才出现症状。

预防新生儿HSV感染(HSV-1)IgM

孕妇进行生殖器疱疹的产前检查和血清学监测。如果HSV血清抗体阴性，但丈夫HSV血清抗体阳性或有生殖器疱疹病史，孕妇也应做产前HSV的监测。妊娠晚期预防HSV感染对预防新生儿HSV感染有重要意义。对于有生殖器疱疹病史或已有生殖器疱疹感染的孕妇，应在产前仔细检查有无生殖器疱疹的活动性皮肤黏膜损害。如有可疑皮损或有其他HSV感染证据，应在破膜前4小时行剖腹产，但不能完全防止新生儿HSV感染。出生后仍应对新生儿进行监护。

如何预防口唇疱疹？

由于我经常会生单纯性疱疹，在嘴唇上，俗称"上火"，我也知道这对胎儿会有影响，所以我很担心，需做哪些预防？

建议做病毒筛查，确定是否有单纯疱疹病毒感染，如果有口腔或生殖器单纯疱疹病毒感染，应治疗后再怀孕。

孕期患有带状疱疹是否影响胎儿？

我太太现怀孕12周，发现患带状疱疹。是否影响胎儿？应该如何处置？

引起带状疱疹的病毒对胎儿有影响，尤其是妊娠早期（3个月内）影响比较大。您太太正好是在妊娠12周，是妊娠早期与妊娠中

《新生儿ABO溶血病筛查》收录于《全国临床内儿科学术会议》论文集，1994年11月，成都科技大学出版社

这是我毕业后做的第一个科技课题，曾获得了市科技进步二等奖。

期相交替的时候。建议做产前诊断，确定胎儿是否有宫内水痘带状疱疹病毒感染。

孕期接触带状疱疹患者是否能被传染？

我已经怀孕2个月，现在身边有人得了带状疱疹，孕妇是否容易感染带状疱疹？应该注意什么？

水痘和带状疱疹是同一病毒（V-Z病毒）所引起。水痘多见于儿童。带状疱疹多见于成人。带状疱疹是V-Z病毒潜在感染的再活动。也就是说，在初次V-Z病毒感染时，部分病毒潜伏在后根感觉神经节的神经细胞内，平时并不致病，在免疫力降低时或某些诱因的激发下，病毒重新活跃起来，沿所侵犯的后根神经节所支配的感染神经传播到皮肤。一般是幼时患过水痘，当抵抗力减低时，病毒被激活，罹患带状疱疹。易感儿童接触带状疱疹患者可发生水痘。成人之间很少相互传播。

水痘患儿是V-Z病毒的主要传染源，而带状疱疹患者不是V-Z病毒的主要传染源。接触水痘患儿的孕妇可发生V-Z病毒感染，对胎儿不利。接触带状疱疹患者的孕妇发生V-Z病毒感染的几率很小。注意不要与患者密切接触。尤其不要接触被溃破疱疹液污染过的物品，可避免感染。

孕期单纯疱疹病毒Ⅰ型阳性对胎儿有无影响？

我于怀孕11周时检查血液中单纯疱疹病毒1型阳性，后来回忆起在末次月经之前2个月时口角长过疱疹，不知对胎儿是否有影响？

你做的是单纯疱疹病毒Ⅰ型（HSV-1）IgG，还是(HSV-1)IgM？这是确定是否有活动性单纯疱疹病毒感染的指标。HSV-1感染主要临床表现是口唇疱疹，HSV-2感染的主要临床表现是生殖器疱疹。HSV-1对胎儿的危害小于HSV-2。从你所叙述的情况看，你感染的是HSV-1，对胎儿的危害性不大。如果（HSV-1）IgG阳性，(HSV-1)IgM阴性，就更放心了。

是否表明胎儿HSV感染？

我太太已怀孕4个月，83天时在计生指导站检查出单纯疱疹病毒IgM呈弱阳性，102天时去医院复查，HSV-IgM呈阴性，IgG呈阳性。请问单纯疱疹病毒的感染途径及症状有哪些？复查时的结果是否表明胎儿已感染？有何方法可检查胎儿是否感染了疱疹病毒？

单纯疱疹病毒可通过呼吸道吸入尘埃、

接触含有病毒的分泌物、生殖道等多种途径感染。大多数是无症状的隐性感染，或皮肤疱疹。单纯疱疹病毒Ⅰ型主要引起生殖器以外的皮肤、黏膜或器官感染，Ⅱ型主要感染生殖器，病变常发生于宫颈、外阴及阴道。引起胎儿宫内感染的主要是Ⅱ型，可通过胎盘直接感染胎儿，新生儿大多是通过产道感染。成人感染单纯疱疹病毒后可以没有任何症状，成为隐性感染，Ⅰ型表现为口腔黏膜或口唇疱疹，Ⅱ型主要是生殖器疱疹。抗体IgM阳性多提示有活动感染，IgG抗体阳性多提示既往感染过，或感染后期。很明显，您在孕12周时IgM抗体阳性，3周后转阴，出现了抗体IgG。可提示孕妇本人有新近单纯疱疹病毒感染。但不知是(HSV-1)IgM，还是(HSV-2)IgM弱阳性。确定是否感染了胎儿，需要做羊水穿刺或其他检查。

255.支原体感染检查

已从人体中分离出16种支原体，其中肺炎支原体（MP）、人型支原体（Mh）、解脲支原体（Uu）、生殖支原体（Mg）可使人类致病。

从人泌尿生殖道分离出的8种支原体中，解脲支原体和人型支原体是最常分离和引起母婴感染发病的2种支原体。在无症状女性宫颈或阴道分泌物中有40%~80%可检出解脲支原体，21%~35%可检出人型支原体。

解脲支原体和人型支原体可在子宫内或分娩时由孕母垂直传播给胎儿或新生儿，在新生儿中的传播率为45%~66%，在早产儿中的传播率为58%。解脲支原体的母婴垂直传播不受分娩方式的影响。

胎儿感染支原体可引起孕妇自然流产、低出生体重儿、死胎和新生儿早期死亡等不良妊娠结局。

孕期进行支原体感染筛查，可及时治疗和防止胎儿宫内支原体感染和新生儿支原体感染。

支原体阳性对哺乳有无影响？

我现已怀孕7个月了，怀第2个月时我感觉阴部不适，到医院检查结果是感染了霉菌性阴道炎，支原体呈阳性。第3个月后去医院，医生开了阴道外用药片和灌洗药，用后虽有好转，但没完全治愈。请问：①我生宝宝后可以马上治疗吗？②在哺乳期能吃与我的病情相关的药吗？对宝宝有无影响？③需要给宝宝做哪方面的检查呢？

孕妇生殖道感染支原体（Uu）后，可造成胎儿宫内感染或围生期感染。临床资料表明，低体重儿与胎儿宫内Uu感染有关。新生儿期疾病与孕妇Uu感染有关的有新生儿肺炎，还可引起新生儿中枢神经系统感染。因此，新生儿出生后可做脐血Uu抗体检查和胎盘培养。你可以接受治疗。哺乳期治疗可选择对婴儿影响小的药物，有些药物是哺乳期禁忌使用或慎重使用的药物，有些药物在哺乳期是可以使用的。

孕期解脲支原体感染该怎么办？

我到医院检查过了，查出是解脲支原体感染，从而引发宫颈炎，白带多，色黄。医生建议我买红霉素口服，但是现在市面上没有红霉素卖，只有罗红霉素、红霉素肠溶片、严迪等，医生说这些药都不能吃，对胎儿有不良影响。但是不治疗又不行，解脲支原体会引起早产和宫内感染。医生现在也不知道该怎么办了，我现在该怎么办呢？

解脲支原体对胎儿的影响并不像你想象的那样严重。口服红霉素对生殖道解脲支原体感染的治疗效果也没有那么可靠。如果你很想接受治疗的话，建议采取局部治疗方法，用药物清洗生殖道，局部药物清洗要比口服药物效果好，而且对胎儿的影响也小得多。

孕期宫颈糜烂及解脲支原体感染对胎儿有影响吗？

我怀孕已经26周了，从怀孕就发现白带量多、色黄，到医院检查，医生说有严重的宫颈糜烂和解脲支原体感染。当时开了5盒阿莫西林，吃完以后没有效果。我担心会有宫内感染，目前做了一次彩超，除了"胎儿二尖瓣瓣膜上有一强光斑点"以外，其他都还正常。我看到有资料上说解脲支原体感染会导致胎儿低体重，宫颈糜烂会产生什么后果？我现在该怎么办？检查的解脲支原体会不会有误？因为爱人也去检查了一次却没有感染解脲支原体。

宫颈糜烂本身对胎儿没有什么影响，但引起宫颈糜烂的病原菌如果造成宫内感染，会影响胎儿的健康。你爱人解脲支原体（Uu）阴性，并不说明你的Uu一定是阴性，如果你怀疑检查有误，只能再复查一次了。Uu对大环内酯类抗生素敏感，而对青霉素族抗生素敏感程度极差。如果Uu造成胎儿宫内感染，其妊娠结局是胎儿宫内发育迟缓。但孕妇查出Uu感染，并不预示着胎儿也感染了Uu，更不预示着胎儿已经发生了发育迟缓等异常情况。所以，应该确定胎儿是否有宫内发育迟缓。

解脲支原体感染是导致流产的原因吗？

我曾经发生两次流产，后去做了身体全面检查，结果只有解脲支原体为阳性，请问这是导致流产的主要原因吗？后吃药已经好转，现在我准备两个月后再怀孕，于是我买了4盒阿奇霉素，想巩固一下疗效，然后再怀孕，请问这行吗？

解脲支原体感染可造成流产，但流产的原因很多，也比较复杂，应从多方面考虑，以便采取必要的预防措施，如染色体异常、母儿血型不合等。另外，研究结果显示，父亲有菌精症也可造成流产，您患有脲解支原体感染，应排除您丈夫是否也有此菌感染，所以，您丈夫也应该检查，如果有的话也要给予及时治疗。如果您的脲解支原体感染已经彻底治愈的话，再吃阿奇霉素就没有太大必要了。

256.弓形虫感染检查

孕妇感染弓形虫后，弓形虫可通过胎盘进入胎儿体内，直接影响胎儿发育，使胎儿发生多种畸形，甚至死亡。

几乎所有的哺乳动物和一些鸟类均可有弓形虫的寄生，并相互传播，形成自然界的循环，其中猫和猫科动物在传播中最为主要。猫是弓形虫的终宿主。弓形虫的卵囊随猫的粪便排出体外污染外界环境而感染人类。

传播途径

（1）垂直传播：这是人类主要的传播方式，妊娠期母体的弓形虫感染，可经胎盘或产道感染胎儿，引起先天性弓形虫病。

（2）经口、胃肠道传播：如食用含弓形虫卵的水或肉、蛋以及未洗净的瓜果、蔬菜等。

（3）接触性传播：人或动物的唾液中可检出弓形虫，在精液和孕妇的阴道分泌物及产后恶露中也可找到弓形虫。

（4）医源性传播：输血及器官移植。

先天性弓形虫感染

孕妇初次感染弓形虫后，通过胎盘感染胎儿，引起胎儿或新生儿全身性疾病。主要受累器官为中枢神经系统和眼。

孕妇感染弓形虫后的妊娠结局

孕妇获得急性弓形虫感染时，约30%~46%能传给胎儿。妊娠早期感染，可引起胎儿死亡或流产，或发育缺陷儿，多不能存活，存活者多有智力发育障碍。孕妇在妊娠中期感染，胎儿可发生广泛性病变，引起死胎、早产、出生缺陷儿。在妊娠晚期感染，新生儿可出现急性的弓形虫病表现，如弓形虫肺炎、肝脾肿大、黄疸、心肌炎、出血综合征。有的成为潜在的感染，在生后数年甚至数十年后出现智力发育不全、听力障碍、白内障及视网膜脉络膜炎等。孕早期胎儿受染率约17%，孕中期约25%，孕晚期约65%。

弓形虫感染实验室检测

孕妇：血清弓形虫IgM抗体阳性时，表示

近期感染；血清弓形虫IgG抗体阳性时，表示曾经感染过弓形虫。

婴儿：产后5个月内检出IgG抗体，不能说明有先天弓形虫感染；弓形虫IgM抗体阳性时可证明有先天弓形虫感染。

弓形虫感染的预防

● 环境卫生，搞好水源、粪便及家禽的管理，养成良好的个人卫生习惯；

● 不进食生肉或未熟的肉蛋制品；

● 孕妇家中不要饲养猫、鸟；

● 新近感染弓形虫应给予治疗，避免在感染期间怀孕；

● 妊娠早期开始进行弓形虫抗体监测，有新近感染的孕妇应终止妊娠；

● 对弓形虫抗体阳性孕妇所生的新生儿，及时进行脐血监测；

● 对确定先天性弓形虫感染的新生儿，及时采取措施可减轻后遗症；

● 即使没有任何感染症状，血清学也不能确定是否感染，弓形虫抗体阳性孕妇所生的新生儿，仍要严密观察随访。

弓形虫的杀灭

弓形虫的各期对温度比较敏感。滋养体在54℃生存10分钟，在3%-5%的石炭酸液、1%来苏水液、1%盐酸溶液中1分钟死亡，卵囊对酸碱的耐受力较强，对温度则很敏感，在70℃存活2分钟，80℃存活1分钟，在4℃以下，37℃以上即失去活性。包囊的抵抗力较强，在4℃可存活68天，56℃10分钟即可死亡。

孕期查出弓形虫感染能要这个胎儿吗？

我的妻子已怀孕近4个月了，前天检查优生四项，发现有弓形虫感染。我的胎儿能不能要？

妊娠期感染弓形虫，发生母婴垂直传播的可能性较大，孕妇初次感染弓形虫后通过胎盘传染给胎儿，引起先天性弓形虫病。以神经系统和眼部受累最为显著，母体感染弓形虫的时间与胎儿和新生儿发病情况密切相关，如果在妊娠早期感染，可引起胎儿死亡或流产，或出生发育缺陷儿。胎儿受感染率约17%。妊娠中期感染，胎儿可发生广泛病变，引起死胎、早产，或出生具有严重损害的胎儿。胎儿受感染率约25%。在妊娠晚期感染时，新生儿可出现急性弓形虫病表现。胎儿受感染率约65%。

你妻子现在是孕中期，不知你妻子是近

《妊高征产后血压变化及相关因素讨论》发表于《中国妇幼保健》杂志2000年第一期

这是我到内科后做的第一个科研课题。妊娠高血压综合征产后遗留高血压问题，国内外存在着广泛的争议。这些特殊人群的高血压介于产科和内科之间，被严重忽视。这个课题得到了河北高血压防止中心马淑平主任的重视。在我院陈院长的大力支持下，这个课题获得了省科技成果，市科技进步一等奖。

期感染，还是既往曾经感染。如果孕妇有新近弓形虫感染，应给予药物治疗，减少胎儿宫内感染的发生。弓形虫抗体阳性的孕妇所生的新生儿，应及时采取措施减轻弓形虫病的后遗症。不知你妻子的具体情况。建议向为你妻子检查的医生问清楚，采取相应的措施。

养猫、狗是否会感染弓形虫？

我以前养过猫和狗，现已送至娘家，每月回去几次，会否感染弓形虫？是否不应回娘家？

孕期应该避免直接接触宠物，偶尔到娘家，注意与宠物保持距离，不要抱宠物，也不要为宠物洗澡、打扫宠物窝。孕前做弓形虫检查。

不让宠物走动，是否就安全些？

结婚一年多，准备生个小孩，但家中一直养了4只狗和1只猫，不知对胎儿有何影响？如果把它们关在家中一个地方不让走动，可以吗？

宠物可以携带病毒病菌和其他微生物，如果孕期饲养宠物，有被感染的可能。尤其是饲养猫，有感染弓形虫的危险。孕期感染弓形虫，对胎儿的危害很大，所以，孕期最好不饲养宠物，把宠物放在家中固定的地方安全些。如果孕妇接触被弓形虫感染的宠物物品，为宠物换窝或直接触摸宠物都有被感染的可能。

257.淋球菌、衣原体、梅毒、链球菌感染

淋球菌感染检查

妊娠期感染淋病后，对孕妇及胎儿都有很大危害。由淋病引起的胎儿宫内发育迟缓、绒毛膜炎、胎膜早破、早产、产后子宫内膜炎等是无感染孕妇的3-4倍。未经治疗的淋病孕妇所生的新生儿，约30%会感染上淋菌性眼结膜炎。淋球菌可感染新生儿结膜、咽部、呼吸道及肛管，甚至可发生淋菌性菌血症。

衣原体

沙眼衣原体感染对母胎危害很大，筛查

和治疗都很重要。美国疾病控制中心推荐新的筛查和治疗妊娠期沙眼衣原体感染方案：孕妇必须检查沙眼衣原体、淋球菌、梅毒。我国要求第一次做产前检查和孕晚期检查时对高危者需要做沙眼衣原体检查：年龄小于25岁；有性病史；近3个月内有新性伴侣或多个性伴侣者。

梅毒感染检查

患有梅毒的孕妇，在妊娠4个月可通过胎盘使胎儿受染，可导致孕妇发生流产、早产和死产，流产多发生于妊娠4-6个月，早产多发生在妊娠6-8个月，死产多发生于足月妊娠，临产或产时胎死宫内。感染梅毒的胎儿存活下来为先天梅毒儿，死亡率及残疾率均较高。新生儿还可通过母亲的产道、哺乳、输血、接触带菌品等途径感染梅毒。

孕期发生或发现的活动性梅毒或潜伏梅毒称妊娠期梅毒。在妊娠期4个月后，梅毒螺旋体可通过胎盘及脐静脉进入胎儿体内，引起胎儿宫内感染。一旦梅毒螺旋体侵入胎盘后，便发生胎盘内膜炎，导致胎盘组织坏死，胎儿不能获得营养，造成流产、早产、死胎或分娩出先天梅毒儿，只有1/6的机会分娩健康儿。如果一位感染梅毒超过5年以上的女性妊娠，发生胎儿宫内感染可能性就不大了。

孕前应做检查，发现有梅毒感染须及时彻底治疗，在医生允许情况下方可怀孕。对所有孕妇妊娠期和产前都应做梅毒血清学检查。在妊娠20周后如分娩出死胎的孕妇，均再进行梅毒血清学和HIV检查，以利于防止胎传梅毒和艾滋病的发生。

B组链球菌感染

我国大部分产科在产前检查时筛查产妇是否有B组链球菌感染，对于链球菌携带者给予相应的治疗。B组链球菌感染是足月及早产儿的主要致病原，新生儿的感染是病原菌通过母亲垂直传播而来，这种细菌对青

霉素非常敏感。为此，人们提出几种策略，在分娩过程中(产时)治疗母亲的感染。美国妇产科学会推荐的方案是：对于有产时感染危险因素者(发热、延迟破膜或即将发生的早产)，或妊娠35~37周筛查时发现的链球菌携带者，在产时静脉给予青霉素(首次用量500万单位，随后每次250万单位，每4小时一次)或氨苄西林(首次2克，随后每次1克，每4小时一次)直至分娩。调查表明，对证实有危险的情况，产时用抗生素治疗使新生儿早期B组链球菌感染降低了65%。用此方案，美国每年可预防200例新生儿死亡。

258.乙肝与母婴传播

全世界大约有3亿多HBsAg携带者，其中中国占1亿多。我国人口中HBsAg携带率平均为10%左右，HBV（乙肝病毒）总感染率约为60%。生育年龄段（20~34岁）人群中HBsAg携带者为24%~33%左右。1~4岁儿童中HBsAg流行率与人群平均水平无明显差异，说明我国HBsAg携带者主要来自母婴传播。

阻断母婴HBsAg传播是产科重要任务之一。人群中约有40%~50%的慢性乙肝病毒携带者是由母婴传播造成的。性传播在乙肝发生中也非常重要。在我国新婚夫妇中，一方带HBV，另一方未感染，婚后两年未受感染的一方有53%发生HBV感染，其中14%变成HBsAg携带者。所以，婚前检查HBV感染情况是非常必要的。一旦检查出一方被感染，另一方一定要及时做好免疫保护，以便更好地保护自己和下一代的健康。

因为乙肝病毒感染人数巨大，临床和咨询中问题也最多，健康准妈妈和准爸爸被感染的几率极大，所以我用了比较大的篇幅，把这个问题写得比较透彻，让未感染病毒的健康者(易感者)和已经感染病毒的携带者都能通过一定措施，保护自己，保护配偶，保护胎儿。

值得注意的两个乙肝问题

● 有学者发现：HBV-DNA可整合到患者的精子中，提出了经此途径造成先天性乙肝病毒感染的可能性。

● 有学者观察到：患有乙型肝炎产妇的初乳可检出HBV-DNA和HBV颗粒，提出了乙肝产妇

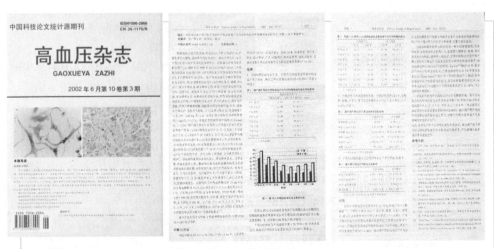

《围产期干预对妊娠高血压综合征转归原期随访观察》发表于《高血压》杂志2002年6月

这是又一个关于产后高血压综合征的科研课题，获得省科技成果证书，市科技进步一等奖。《大众健康》杂志以此为选题做了专题报道，并作为特稿刊登在2003年12月上。

不宜母乳喂养的依据。

乙型肝炎病毒感染的血清学指标：

（1）乙肝表面抗原（HBsAg）

（2）乙肝病毒表面抗体（抗-HBs）

（3）乙肝病毒核心抗原（HBcAg）

（4）乙肝病毒核心抗体（抗-HBc）

（5）乙肝病毒e抗原（HBeAg）

（6）乙肝病毒e抗体（抗-HBe）

（7）乙肝病毒脱氧核糖核酸（HBV-DNA）

（8）乙肝病毒脱氧核糖核酸聚合酶（HBV DNA-P）

在外周血中没有游离的HBcAg，所以第3项测不出来。第7项和第8项为HBV的复制指标，不作为常规乙肝检查项目。临床上常规的检查项目是第(1)、(2)、(4)、(5)、(6)五项，也称乙肝五项或两对半血清学检查。

乙肝各项指标临床意义详细解读

(1)乙肝表面抗原（HBsAg）阳性的临床意义

● 急性乙肝的潜伏期、急性期；

● 慢性乙肝；

● 无症状HBsAg携带者；

● 与HBV感染有关的肝硬化和原发性肝癌。

(2)乙肝病毒表面抗体（抗-HBs）阳性的临床意义

● 感染HBV后的恢复期，在HBsAg被清除后，抗-HBs出现；

● 隐性感染的健康人，小量多次接触HBV后自身产生了免疫力；

● 注射乙肝疫苗或乙肝高效价免疫球蛋白（HBIG）后，产生的主动或被动免疫。

(3)乙肝病毒核心抗体（抗-HBc）阳性的

临床意义

● 是HBV急性（或近期）感染的重要指标；

● 慢性活动性乙肝的活动期；

● 乙肝恢复期；

● 既往感染乙肝的标志；

● 抗-HBc IgM(IgM型核心抗体)可作为乙肝患者的预后指标。

(4)乙肝病毒e抗原（HBeAg）阳性的临床意义

● HBeAg阳性者传染性强；

● HBeAg阳性母亲的新生儿出生后约90%以上被感染；

● 可作为急性乙肝辅助诊断和预后的指标；

● 可用以评价传染性的强弱；

● HBeAg阳性表示HBV在体内复制。

(5)乙肝病毒e抗体（抗-HBe）的临床意义

● 急性乙肝恢复期；

● 当抗-HBe阳性，而HBeAg转阴时，其传染力明显降低。

(6)乙肝病毒脱氧核糖核酸（HBV-DNA）

● 是HBV复制的指标。

(7)乙肝病毒脱氧核糖核酸聚合酶（HBV DNA-P）

● 表示有完整的HBV存在；

● 活性高表示病毒复制旺盛。

HBV感染指标：

HBsAg、抗-HBc、抗-HBe是HBV感染的三项指标，三项指标均为阴性则表示未受过HBV感染，称为乙肝病毒的易感者。

HBV复制指标：

HBeAg、HBV-DNA、HBV DNA-P是乙肝病毒的复制指标，其中任何一项阳性即可

不同剂量乙肝疫苗的新生儿保护率

疫苗剂量(微克/次)	5-5-5	15-5-5	10-10-10	15-15-15
平均保护率(%)	53.5	69.7	79.3	85
保护率(%)范围	22.5-64	60-70	70-80	83.7-87.6

注：观察对象为乙肝表面抗原(HBsAg)及乙肝表面e抗原(HBeAg)双阳性妈妈所生的新生儿；重组酵母乙肝疫苗5微克/支

表示HBV在体内复制，传染性强。

携带乙肝病毒的妈妈是如何传播给自己孩子的

乙肝病毒可存在于乙肝患者或HBsAg携带者血液、精液、阴道分泌物、唾液、羊水、乳汁、月经、泪液、尿液、鼻咽分泌物、汗液、胆汁中。含有病毒的体液直接注入或通过破损的皮肤、黏膜进入接触者体内即可导致感染。

宫内感染

主要是通过胎盘将HBV传播给胎儿。宫内感染的发生率约占母婴传播感染总数5%。

人们一直认为胎盘具有屏障作用，可阻断和阻止各种有害物质对胎儿的侵袭，当这种屏障功能被破坏时，胎儿就失去了胎盘屏障的保护。有学者在乙肝病毒携带者孕妇的胎盘中检测到了HBV-DNA，间接说明经胎盘直接感染胎儿的可能性。有新的研究理论认为：胎盘只是提供胎儿营养和氧气，分泌阻止妈妈月经来潮的激素，保持妈妈持续妊娠状态，分泌发动分娩的激素，并没有屏障作用。但这仅是一种推测。

围产期感染

如胎盘剥离时微量血液通过脐带进入胎儿体内而受到感染；分娩时，新生儿轻微的皮肤黏膜破损，致使HBV侵入体内；在分娩过程中，胎儿被暴露在妈妈的血液和阴道分泌物中，胎儿经过产道时吸入混有妈妈血液和分泌物的羊水而感染。围产期感染的发生率占母婴传播感染总数的80%。

产后感染

有学者发现产妇的初乳中有HBV-DNA和HBV颗粒。母乳喂养除了乳汁本身可能存在有HBV外，母乳喂养的妈妈更密切地接触婴儿。哺乳的妈妈如果有乳头皲裂，婴儿会因吸入皲裂处渗出的血而感染HBV。

决定婴儿是否被携带肝炎病毒的妈妈感染的因素

● 孕妇乙肝表面抗原阳性时，婴儿带毒率在40%以上；乙肝表面抗原滴度高时更易造成母婴传播。

● 孕妇乙肝e抗原阳性、HBV-DNA阳性时，母婴HBV传播的可能性接近100%，且将近85%以上的婴儿将成为病毒携带者；乙肝e抗原阴性，乙肝e抗体阳性，尤其是HBV-DNA阴性时，婴儿带毒率则明显下降。

● 孕早、中期患急性乙肝的妈妈，婴儿HBV感染率为17%；孕晚期或分娩前患了急性乙肝，其婴儿HBV感染率为69%左右。

● 男性HBsAg携带率高于女性，是由于男性的性染色体的遗传基因不能识别和清除HBV。所以，男婴更易被HBsAg携带的母亲感染。

● 当乙肝病毒携带者的孕妇感染了弓形虫、风疹病毒、巨细胞病毒、单纯疱疹病毒等感染时，导致胎盘裂隙形成，胎盘的屏障功能被破坏，可增加乙肝病毒感染胎儿的机会。

典型病例

一位女士读大学期间被确诊乙肝，HBsAg滴度高达1:640，在她的唾液、泪液中均检测出HBsAg。毕业后7年她怀孕了，整个怀孕过程基本顺利，孕8月末(35周多)早产一男婴，体重2 600克。出生后的免疫方案是：出生后立即注射一针进口的HBIG，并于出生后3天、7天分别注射HBIG一针。生后6小时接种30微克疫苗，并于出生后、满1月、满6月分别接种乙肝疫苗10微克。早产儿于生后4天出现周身黄疸，肝功能异常，乙肝表面抗原阳性，肝大肋下6厘米，质地中等。考虑为乙肝宫内感染，开始静脉输注抗乙肝病毒中药强力宁和清开灵，间断输注抗病毒药，输液时间长达3月之久，婴儿黄疸最终消退，肿大的肝脏回缩，肝功能恢复正常。现在这个孩子已经15岁了，入托、入学体检、定期检查乙肝两对半，均未出现过HBsAg、HBeAg、抗-HBc、抗-HBe阳性结果，抗-HBs阳性，且滴度达10U/ml以上。尽管早产，但经过后天喂养，营养状况良好，是个淘气又聪明的壮小子，除了感冒、腹泻，没得过其他病，身体健康。

上面这个真实的例子告诉我们，患有乙肝或乙肝病毒携带者的妈妈，通过实施严密的免疫方案，宝宝能够极大地得到保护。

一般认为，HBV通过血液传播。是否通

第十四章

检查

过消化道传播尚有争议，有学者通过灵长类动物未能造成消化道感染模型。但实际中确有约30%的HBV感染者原因不明。比较明确的途径有输血、母婴、性，这三种途径均可以用通过血液传播来解释。

母婴传播的危险性

● 肝细胞癌：80%的肝癌病例与HBV感染有关；在围产期受HBV感染的婴儿可能在婴儿期或以后发展成肝细胞癌；围产期HBV母婴传播可能增加患肝细胞癌的危险性。"慢性肝炎-肝硬化-肝癌"三步曲发展已形成共识。

● HBsAg持续携带者：受HBsAg感染年龄越小，变成HBsAg持续携带者的几率越高；围产期感染HBV的新生儿，有90%将变成HBsAg持续携带者；幼儿期感染HBV，约有30%变成HBsAg持续携带者；成年人感染HBV，约有5%成为持续携带者。婴幼儿期感染HBV，绝大部分是由妈妈传播给孩子的。

● HBsAg家庭聚集性的成因：妈妈是HBsAg家庭聚集性的主体；妈妈HBsAg阳性，尤其是伴有HBeAg阳性，兄弟姐妹之间有显著的HBsAg聚集；妈妈对孩子HBsAg感染作用是强烈而稳定的；预防乙肝的母婴传播对控制乙肝有决定性意义。

典型病例

我曾接诊过这样的病例，夫妇开一家烧鸡加工店，妈妈和她的3个孩子（一个女儿，两个儿子）都是乙肝大三阳，爸爸是HBsAg携带者，这是典型的家庭聚集性HBV感染。夫妇来自东北农村，生3个孩子都没做过乙肝血清学检查，更没做过婚前检查，是第一个孩子上寄宿学校时被检查出来的。因此，才开始检查另两个孩子，最后父母才做检查。

从血清学检查看，妈妈是这家乙肝聚集的主体，妻子通过性传播和密切接触传播方式感染丈夫，妈妈又以母婴传播和接触传播的方式使孩子感染。她的小儿子刚刚4岁，不但是大三阳，肝功能也异常，因为孕前和产前不知道妈妈是乙肝，宝宝出生后也没有接种乙肝疫苗，没有任何保护，这仅仅是几年前的事。如果妈妈在孕前或产前做过检查，给予婴儿适当的保护，就不会发生这样的悲

剧。现在3个孩子求学、就业、婚配、生育，都受到影响，两个男孩将来还面临肝硬化或肝癌的潜在威胁。

孕妇感染乙肝与妊娠结局

妊娠早期患了乙肝，会使妊娠反应加重，增加流产机会；妊娠晚期患了乙肝，会引起早产、产后出血和感染。

与乙肝有关的基本概念

肝炎病毒：迄今为止被命名、且被人们所熟悉的肝炎病毒包括：甲型肝炎病毒（HAV）、乙型肝炎病毒（HBV）、丙型肝炎病毒（HCV）、丁型肝炎病毒（HDV）肝病、戊型肝炎病毒（HEV）和庚型肝炎病毒(HFV)等。

肠道传播的病毒性肝炎：甲型肝炎、戊型肝炎，主要经粪-口途径传播，有季节性，可引起爆发流行，不转成慢性。

血液传播的病毒性肝炎：乙型肝炎、丙型肝炎、丁型肝炎，无季节性，部分乙型肝炎和丙型肝炎可发展成慢性，少数可演变成肝硬化和原发性肝癌。

母婴传播和性传播的病毒性肝炎：主要是乙型肝炎。

乙肝小三阳是否适合注射乙肝免疫球蛋白？

我今年27岁，已怀孕6个多月，乙肝小三阳。专为孕妇产前注射的高效价乙肝免疫球蛋白（从第7个月时开始到产前2周共注射3针）对胎儿预防作用有多大？我是否适合注射？我想母乳喂养，适宜吗？

高效价乙肝免疫球蛋白（HBIG）是由含抗-HBs的人血清提取纯化而制成的专门用于预防乙肝的免疫球蛋白，其成分就是抗-HBs。注射HBIG后，只能在体液中，不能进入肝细胞。因此，只能中和体液中的乙肝病毒，不能中和肝细胞内的病毒。乙肝病毒侵入人体后主要是在肝细胞内繁殖。所以，用于阻断母婴垂直传播时，必须在新生儿出生后12小时注射，才能把分娩时由母体进入

婴儿体内的病毒在进入肝细胞前被中和掉。如果在出生后48小时注射，其预防作用明显减小。当乙肝病毒侵入肝细胞，即使大量注射HBIG也无济于事。

HBIG主要用于对乙肝病毒的紧急预防，如阻断母婴传播、阻断意外损伤后的医原性传播、紧急预防性传播和接触传播。

在哺乳和喂养过程中，母亲与婴儿的密切接触，通过唾液、月经血污染等将HBV传给其婴儿。经乳汁传播的意见尚不一致，但通过乳房皲裂渗出的血液可能经哺乳而使婴儿受到感染。所以，大三阳或双阳的母亲最好不要母乳喂养，以减少母婴传播的机会。

HBsAg阳性母亲所生婴儿最佳免疫方案

对HBsAg及HBeAg双阳性产妇的新生儿，出生后6小时内先注射一针HBIG，然后按0、1、6月龄程序接种15微克（5微克/支重组酵母乙肝疫苗）乙肝疫苗三针，第一针在生后24小时内注射于另一侧上臂三角肌，其保护率为93%。而在生后6小时以内和满1个月时各注射一针HBIG，在2、3、6月龄时各注射一针10微克的乙肝疫苗，则保护率可高达97%，除了宫内感染的婴儿，几乎全部得到了保护。因此，将后一种方案（HBIG×2+10微克×3）称为阻断母婴传播的最佳免疫方案。但由于人们对血液制品安全性持怀疑态度，HBIG与乙肝疫苗联合的最佳免疫方案难以实现。所以，目前对于HBsAg及HBeAg双阳性产妇的新生儿采用的免疫方案是三针15微克，0、1、6月程序免疫。

新生儿接种乙肝疫苗后，免疫力能持续多久

HBsAg阴性妈妈的婴儿：

免疫后4-6年，抗-HBs阳性率仍可保持在75%以上；

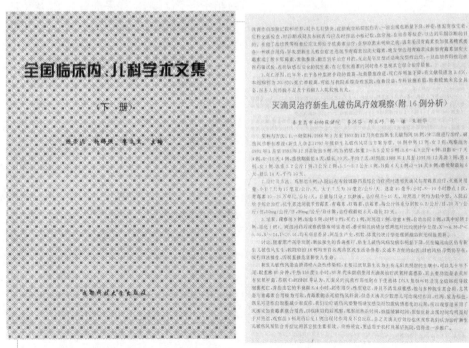

《灭滴灵治疗新生儿破伤风疗效观察》收录在《全国临床内儿科学术会议》论文集，1994年11月出版，成都科技大学出版社
现在，新生儿破伤风很少见了。当时在农村旧法接生还没有彻底消灭，发病率并不低。

乙肝两对半血清学检测的临床意义简表

乙肝表面抗原 (HBsAg)	乙肝表面e抗原 (HBeAg)	抗核抗体 (抗-HBc)	乙肝e抗体 (抗-HBe)	乙肝抗体 (抗-HBs)	临床意义
阳性	阳性/阴性	阴性	阴性	阴性	急性乙肝初期(双阳)或携带者（单阳）
阳性	阴性	阳性	阳性/阴性	阴性	急性乙肝后期或HBsAg携带者
阳性	阳性	阳性	阴性	阴性	HBV感染后的慢性肝病或HBsAg"大三阳"
阴性	阴性	阳性	阳性/阴性	阳性	急性HBV感染恢复期或既往HBV感染
阴性	阴性	阳性	阳性/阴性	阳性	急性乙肝恢复后期或既往感染过HBV
阴性	阴性	阴性	阴性	阳性	注射乙肝疫苗产生主动免疫或注射HBIG
阳性	阴性	阳性	阳性	阴性	慢性HBV感染，被称为"乙肝小三阳"
阴性	阴性	阴性	阴性	阴性	未感染过HBV，属易感人群

注：1.有的检验单上标注的是阳性，有的标注是"+"，意义相同

2.有的检验单上标注的是阴性，有的标注是"-"，意义相同

免疫后5-10年，有效抗体降至50%左右，但保护效果仍在80%以上。

HBsAg阳性妈妈的婴儿：

免疫后如果未产生足够保护性抗体（抗-HBs滴度大于10 U/ml），则再感染或产生HBsAg血症的相对危险性比HBsAg阴性妈妈婴儿大10倍。

应在1周岁和6周岁时做乙肝两对半检查，如果抗-HBs阴性或滴度小于10U/ml，应及时进行加强免疫。采用免疫调节剂（分支杆菌多糖，MPS-A和MPS-B）与乙肝疫苗（15微克-15微克-15微克三针，0、1、2月程序）联合加强免疫，抗-HBs可100%转阳，1年后仍可保持在90%以上。

男方是乙肝病毒携带可以要孩子吗？

我是乙肝病毒携带者。HBsAg阳性、HBsAb阴性、HBeAg阳性、HBeAb阴性、HbcAb阳性。肝功能正常。妻子身体健康。

不影响要孩子。但目前暂时不宜要孩子，需要做的有：

（1）到传染病院肝科做进一步检查，确定是否有病毒复制。

（2）你妻子应检查乙肝病毒标志物，确定是否已经被感染。如果没有异常，则进行全程乙肝免疫接种，半年后再受孕。如果女方曾经接种过乙肝疫苗并产生了抗体，现在就可以要宝宝。

（3）孕期注意预防隔离。夫妇双方最好实行分餐制，同房时使用安全套。新生儿出生后及时进行乙肝疫苗接种。

（4）如果丈夫服用药物，需要了解是什么类型的药，应向医生了解其副作用，是否对精子有不良影响。如果准备受孕，应该向医生说明，让医生决定是否继续用药或更换药物。

乙肝病毒携带者是否影响胎儿？

我已经结婚多年，非常想生个健康的宝宝。我是乙肝大三阳，从来没有发过病，而且每年定期做检查，我丈夫没有这种病，而且已打了疫苗。我想知道如果我现在怀孕是否能影响我的孩子？

（1）检查HBV-DNA或HBV DNA-P，了解是否有乙肝病毒复制。

（2）要根据检验的结果分析，来判断对胎儿的影响，并采取必要的保护措施。

（3）采取各种防护措施阻断母婴垂直传播。在这方面，我国已经有比较完善的一系列措施。你不必担心，到所在地医院，产科医生会为你做必要的检查，并给予防护措施。孩子出生后，也要根据母亲的情况做相应的防护，如注射高效价乙肝免疫球蛋白、乙肝疫苗等。要在区县级以上，最好在市级以上医院做产前保健和分娩。

（4）接种了乙肝疫苗并不意味着已经产生抗体。如果你丈夫乙肝抗体仍为阴性，还需要接种全程乙肝疫苗。乙肝疫苗对精子没有不良影响。

（5）如果你没有乙肝病毒复制，你们夫妇双方也做了孕前检查，没有怀孕禁忌症，就可准备怀孕。

夫妇均是乙肝病毒携带者怎么办？

我准备要一个宝宝，但是我和先生都是乙肝病毒携带者，肝功能都正常。我们在怀孕前，要做哪些准备，要不要注射乙肝疫苗？

孕前双方做乙肝标志物五项、HBV-DNA、HBA DNA-P，了解乙肝病毒感染程度，是否有病毒复制。如果双方或一方有病毒复制，需要治疗后再孕。如果双方都没有，可以受孕。

初步预测母婴垂直传播的几率，提前进行孕前、产前和产后干预，制定阻断母婴垂直传播的最佳方案。你们夫妇已是乙肝病毒携带者，不需要再注射乙肝疫苗。

怀孕了，还能继续接种乙肝疫苗吗？

上个月公司组织打乙肝疫苗，但本月我却发现怀孕了，过两天还要再打一次(共打3次)，我想要这个孩子，不知道上次打的乙肝疫苗是否对胎儿有影响，我还能接着打疫苗吗？另外我先生也是同我一起打的。我该怎么办？

现在的乙肝疫苗都是基因工程疫苗，不是减毒活疫苗，也不是血源疫苗，您无意中打了乙肝疫苗不会对胎儿造成什么不良后果的。乙肝疫苗对胎儿也没有致畸的报道。但是孕期还是不提倡注射免疫疫苗的，不建议您再接种剩下的两针乙肝疫苗。但是您先生可继续完成全程免疫接种。

如何阻止乙肝病毒的母婴传播？

我怀孕已经2个月了，在孕前检查为"小三阳"，肝功能正常，我在网上看到可以在怀孕7个月时注射免疫球蛋白，但听说有副作用，我自己深受疾病困扰，因此极不希望宝宝被传染，您能够详细地说明注射后有哪些副作用吗？是否利大于弊？怎样才能最大

限度地避免宝宝被传染？

孕妇是"小三阳"者，阻断母婴传播的方法国内外主要是采用HBIG与乙肝疫苗的联合免疫，婴儿出生后立即注射HBIG，生后一个月再注射一针HBIG，在生后2、3、6月龄分别注射10微克乙肝疫苗，则保护率可达97.13%。这是阻断母婴传播的最佳免疫方案。除了个别过敏反应外，没有什么严重的不良反应和副作用。

甲型肝炎病毒与母婴传播

甲型肝炎病毒一般不通过胎盘传给胎儿，垂直传播的可能性很小。母体产生的抗体对胎儿有保护作用。但是分娩时胎儿可在产道中因吸入羊水及出生后与妈妈的密切接触而感染。

丙型肝炎病毒与母婴传播

丙型肝炎也存在着母婴传播，其传播可发生于宫内，也可能发生于分娩和产后母乳喂养时。艾滋病病毒感染会增加丙肝病毒的感染机会。经血和血制品传播是丙肝的主要传播途径，唾液、精液和阴道分泌物也是传播的重要途径，也存在着母婴、性、家庭内接触和医源性传播，但总体来说传播率要低于乙肝。

第2节　产前诊断

医生和准爸爸妈妈担心胎儿有问题时

当医生或妈妈担心胎宝宝有问题时，医生会做一些诊断性的检查，还有一些产前筛查，帮助妈妈预测胎宝宝可能出现的问题，以期早期干预和治疗，把胎儿和妈妈的风险

第十四章

检查

降到最低。

准妈妈感冒、泌尿系感染、烫发染发、X线检查、吃药，准爸爸抽烟喝酒等等，都会让准父母烦恼万分，不知胎儿发育是否正常，总希望有可靠的检查，来预知胎儿的健康。但准爸爸妈妈们一般并不了解不同的检查手段，解决的是什么问题。

<u>诊断学检查和筛查的区别</u>

诊断学检查是比较准确的结果，医生通过诊断学检查结果做出判断。有一些医疗方案要在诊断学检查基础上确定。筛查会告诉你可能发生的问题，或发生问题的风险性，但并不是肯定或否定的。最终的确定需要诊断学检查。

那是否可以省略筛查，直接做诊断学检查，岂不更简单？不是这样的，筛查方法多比较简单，诊断学检查多比较繁琐，且有些诊断学检查是损伤性的。所以，先做筛查，出现阳性结果再做诊断学检查是最好的。筛查也有不好的一面，有时会给孕妇带来压力和烦恼。所以，我要告诉孕妇，当筛查结果阳性时，不要过分担心。阳性结果并不意味着你的胎宝宝一定会有问题，只是出现问题的几率大些。

随着生育年龄，尤其是初孕年龄的不断增大，防止染色体和先天遗传性疾病胎儿的出生，越来越受到重视。医疗水平高的医院开展的优生筛查项目多些，结果的可靠性大些，医疗水平不是很高的医院，开展的项目少，有时结果不够准确，有的医生对结果的分析不够全面，也会给孕妇带来烦恼。

目前用于孕妇常见的筛查项目有：唐氏筛查，可发现胎儿先天愚型、神经管畸形，尤其是高龄孕妇更应做此项筛查；糖筛，可及时发现妊娠期糖尿病；甲胎蛋白筛查是常用的胎儿畸形监测方法，如无脑畸形、开放性脊柱裂等。

有待开发更好的检查方法：

甲胎蛋白（AFP）和绒毛膜促性腺激素（HCG）是Down's（唐氏）综合征和神经管畸形的筛查项目。三倍体检查是AFP的扩展，比AFP更准确，有的高水平医院已经进行了四倍体的检查。美国科学家找到了更好的途径，以期更安全、更可靠、更早地诊断出胎儿染色体异常。他们使用孕妇的一滴血，就可以诠释10周胎龄儿的染色体结构。这种既简便又安全的方法解决了传统的羊膜穿刺的危险性和AFP(甲胎蛋白)和HCG的不可靠性。

<u>优生筛查实例解答</u>

优生筛查，在给准父母带来帮助的同时，也带来了一些烦恼。有的是因为准父母不知道，有的是医生解释不全面，有的是尚待解决，有待探讨的。下面是一个真实的案例。

孕期测定AFP指标太低该怎么办？

我爱人31岁，现已怀孕14周，在12周时做了优生筛查，结果是AFP指标为9.32微克/升，b-HCG指标为58单位/升，医生说AFP指标太低，这个问题到底严不严重？我们该怎么办？

HCG和AFP是Down's(唐氏综合征)的产前诊断方法，当胎儿有Down's可能时，HCG值可成倍增加。AFP在神经管畸形时增高，在Down's时比正常降低。您的检查结果是AFP值低，但HCG值没有显著增高（因为检验的方法不同，正常值也不同，那所医院的正常值是多少？与孕周相符吗？）。不好认为有Down's的可能。Down's的发病率毕竟比较低，不能轻易确定胎儿有Down's综合征而中止妊娠。况且化验的结果是否可靠也值得斟酌。建议：

①应该针对Down's做进一步检查；

②到上级医院做一次Down's筛查。

羊水穿刺能100%确定胎儿是否有唐氏综合征吗？

我太太现已孕11周，昨天去医院例检时发现婴

《准爸爸的腹腔疾患影响优生》发表于《大众健康》杂志，2003年5期
主题词：最新研究成果、疾病种类、检查、预防、妻子的作用

儿的颈椎骨厚度达3毫米，医生说现阶段标准应是2.2毫米，有75%可能会导致出生婴儿先天性疾病（唐氏综合征），但我和太太的家族史上都没有过这种病例，医生建议抽取羊水做进一步检查。抽羊水检查能否100%确定婴儿是否正常？什么原因会导致这种病？如果不幸碰上了，有何处理办法？

羊水染色体检查不一定百分之百能确定胎儿是否正常。唐氏综合征病是染色体异常所致，许多因素都可引起。不一定有家族史。一旦确诊胎儿为唐氏综合征，应终止妊娠。

孕16周Down's-HCG(+)AFP(-)说明什么？

我于孕16周-2天时去做唐氏筛查，结果为Down's-HCG(+)AFP(-)，医生说有51%的可能愚型，建议做羊水检查，我担心极了，从孕前我就一直坚持吃叶酸，并做过双方染色体等一系列检查，在结果都是正常情况下我才怀孕的，怎么会有胎儿愚型的危险呢？另外我查了一些资料，说是AFP值呈阳性才说明有问题，需做进一步检查，而我的AFP呈阴性，HCG

呈阳性又说明什么问题呢？

HCG和AFP是Down's综合征的产前诊断方法，当胎儿有Down's综合征可能时，HCG值可成倍增加，AFP在神经管畸形时增高，在Down's时比正常降低25%。您的检查结果不能排除Down's的可能，医生的判断是正确的，您应该做进一步检查。

唐氏筛查低危正常吗？

在孕14周时做唐氏检查，结果为"低危"，我有过先兆流产，这个结果正常？我已孕16周，现在我可以做孕妇体操吗？我每天下午腹部发胀，特别是工作累了以后，有时胀得发疼，这是正常现象吗？

"低危"说明胎儿患有唐氏综合征的可能性很小。孕16周后可以做适合孕妇做的体操。腹胀不是正常现象，应注意不要劳累，不要受凉。腹胀严重时看医生。

妊娠期糖尿病筛查

如果你有以下因素之一时，你无论如何也要做糖尿病筛查。

- 年龄大于35岁；
- 超重或肥胖；
- 患有高血压；
- 家族中有糖尿病史，尤其是父母和兄弟姐妹；
- 曾分娩过巨大儿；
- 孕前或孕早期曾有过血糖偏高或尿糖阳性；
- 有过胎停育史。

筛查方法：孕20-24周，口服50%葡萄糖100毫升，2小时后采血测定血糖，如果大于7.8mmol/L，筛查结果为阳性，需进一步查糖耐量试验。试验结果阳性就可确诊合并了妊娠期糖尿病。在筛查结果阳性的孕妇中，有25%左右被证实合并了妊娠期糖尿病。如果你被诊断妊娠期糖尿病，请不要犹豫，立即接受饮食疗法和必要的药物治疗。

261.哪些孕妇需要做产前诊断

产前诊断对某些孕妇非常重要，可及早

《孕吐：饮食不当的错》发表于《圣龙天使》杂志，2003年11期
主题词：胃肠道疾病、脱水、精神紧张、妊娠剧吐

发现胚胎的异常，及时终止妊娠，避免畸形儿的出生。有下列情况的孕妇应做产前检查。

（1）高龄孕妇。孕妇年龄＞35岁，胎儿染色体异常风险率为1%～2%。孕妇若＞40岁，其胎儿染色体异常风险率上升为8%。故对大于35岁的高龄孕妇需做产前诊断监护。

（2）高龄准爸爸。父亲年龄≥55岁，出生21-三体综合征患儿的风险率将增加2倍。故父亲高龄也为产前诊断的指征。

（3）已分娩过1例染色体异常婴儿（如21-三体综合征）的孕妇。再次妊娠时，需做产前诊断，因同胞再现的风险率为1%。

（4）双亲一方为异常染色体携带者，子代患染色体异常风险率显著增加。夫妇一方或双方检查出是异常染色体携带者，应做胎儿产前诊断。

（5）曾经流产过染色体异常婴儿，或有过两次孕早期自发流产的孕妇，应做胎儿产前诊断。

（6）孕妇为严重X染色体连锁隐性遗传性疾病基因携带者。若产前不能做出疾病诊断者，应测胎儿性别。因为，X染色体连锁隐性遗传病主要是母传子，所以，最好生女孩。

（7）曾生育过遗传性代谢缺陷病儿的妈妈，再次妊娠时，应进行孕前染色体检查和孕后胎儿产前诊断。

262.关于B超检查的诸多问题

B超是需要专业解读的影像，是最常用的对孕妇和胎儿进行检查的方法。B超能够直观地显示胎儿在宫内发育的全过程。自停经第5周直到分娩，均可做出有效诊断。几乎每个孕妇都曾经历过B超检查。

有的孕妇会把胎宝宝超声时拍下的照片保存下来，放在宝宝成长手册的第一页。这真是现代医学带来的好处，在妈妈的子宫中就可以看到宝宝的大体模样。当然它不像真正的照片那样可以清晰地看到宝宝的五官。在不久的将来准妈妈的这一愿望可能实现。

胎儿超声照片：把一个超声探头，放在准妈妈的腹壁上，对着胎儿给一个波峰（超声声波），声波被胎儿反弹回去，就形成了照片。

学术界对B超安全性的研究

B超对胎儿到底有无伤害，在医学领域中尚没有权威性定论，可谓众说纷纭。大多数学者认为B超检查对胎儿没有肯定的伤害。从B超原理上分析，B超是超声传导，不存在电离辐射和电磁辐射，是一种声波传导，这种声波对人体组织没有什么伤害。至今尚没有B超检查引起胎儿畸形的报道。据临床观察发现，经过B超检查和未经B超检查出生的新生儿，两者在孕龄、头围、出生体重、身长、先天畸形、新生儿感染、生长发育等各方面均无差别。目前，各医院在产科领域中使用的B超检查对胎儿是安全的。

如果声波密集在某一固定地方，又聚集很长时间的话，就会有热效应，这种热效应达到一定程度时，可能会对人体组织产生不良的影响，影响细胞内的物质，包括染色体。理论上高强度的超声波可通过它的高温及对组织的腔化作用，对组织产生伤害。但事实上，医学使用的B超是低强度的，低于94毫瓦/立方厘米，对胎儿是没有危害的。

但是，这并不意味着在整个妊娠期可以随意地做B超检查，而没有时间和次数的限制。

曾经有学者做过这样的实验，对11-12周的胎儿眼睛的晶状体和角膜进行B超照射，发现没有照射过的，没有任何影响；照射5分钟的，角膜或晶状体有轻度水肿；照射10分钟的，水肿程度较重，停止照射后可恢复正常。如果照射时间超过了20分钟，改变就不可逆了。所以，有学者建议，一次B超的时间不要超过5分钟。

还有科学家研究发现，超声检查至少对妊娠3个月内的胎儿是有害的。1994年，加拿大医学家对大量语言发育障碍的儿童进行研究后发现，儿童的语音发育迟钝与产前B超有关。1997年德国医学家研究认为，怀孕3个月的胎儿的骨骼对高温更敏感，此时应用超声进行产前检查会造成胎儿骨骼受损。如果孕妇高热时进行超声检查，危害更大。

瑞典科学家称，有证据表明，孕期内进行B超检查，可能影响胎儿的大脑发育。他们的结论是基于：接受过超声波照射的男婴，出左撇子的比例偏高。他们认为，男婴的中枢神经系统很可能在超声波透视过程中受到影响。然而，斯德哥尔摩的卡洛林斯卡研究院的一位教授希望孕妇不要因为研究报告而拒绝接受超声波检查。他说，至今没有证据证明B超使婴儿大脑受到损害。

《身高、体重、头围、前囟发育硬指标》发表于《亲子》杂志，2004年2期

主题词：生长发育曲线、个体差异、健康检查

世界卫生组织提出，在必要时才运用超声，如无充分的理由，胎儿不应该受到照射。美国超声机构提出：不把B超作为早孕诊断手段。

B超检查的功效

监测胎儿生长发育：人们比较熟悉的是测量胎儿的各部位发育指标。如测定胎头至胎臀的长度，常用于推算胎儿的孕周；测定胎头的双顶径、头围、腹围及股骨的长度，来判断胎儿的生长发育是否正常。

观察胎儿的生理活动：获得胎心、胎动的资料早于其他检查。不仅是确诊妊娠的依据，还能鉴别胚胎是否存活。产科医生从腹壁外通过触诊的方法，来感觉胎儿的大小及胎位；凭借听诊器来听到胎儿的心跳；利用胎心监护仪记录胎心率的变化。以上观察胎儿的生理现象是不直观的。B超能够直观地看到胎儿在母体内的活动状况，如呼吸情况、身体运动、肢体运动、吞咽动作、张力是否良好等。当胎儿在宫内缺氧受到损害时，这些活动就会明显地减少或消失。

测量羊水量：B超可以测量羊水量。羊水过多或过少，都可能预示有胎儿畸形，在每一张超声报告单中，医生都会记录羊水量的数值。

了解胎盘情况：胎盘的结构、成熟情况、与子宫壁之间有无出血、位置、有无血管瘤的存在，可以明确地诊断出前置胎盘，胎盘早期剥离等危险情况。彩色多普勒超声可通过检测胎儿脐动脉、肾动脉、脑动脉等大血管的血流参数评估胎盘的功能及胎儿是否有宫内缺氧、窒息等。

发现胎儿畸形：孕18-20周胎儿的各个器官已发育成形，此时可看出胎儿是否有畸形，如胎儿肢体畸形、内脏畸形、神经管畸形、无脑儿、脊柱裂、小头畸形等。使用分辨清晰的B超仪，更可诊断出胎儿的肢体畸

《冬季准妈妈预防4疾病》发表于《圣龙天使》杂志，2004年11期
主题词：感冒、便秘、腹泻、泌尿系感染、对策

形、唇腭裂畸形等。在此期间发现胎儿畸形，容易终止妊娠。

做损伤性检查时的辅助手段：介入超声的发展，使孕早期绒毛的吸取、脐带和羊水的穿刺定位更为安全可靠。

什么情况下应该做B超

● 孕初期有阴道出血。排除是否有宫外孕，是否有先兆流产，是否有葡萄胎。

● 妊娠周数与腹部大小不符。了解胎儿发育情况，是否有胎停育。

● 了解是否有胎儿畸形，应该在妊娠18-20周做。

● 了解胎儿生长发育，是否有胎儿宫内发育迟缓，多在妊娠中晚期。

● 临产前估算胎儿大小，确定是否能够经阴道分娩。

● 当检查怀疑胎位不正，又不能确定时，通过B超检查帮助诊断。

● 妊娠超过预产期，要通过B超了解胎儿、羊水、胎盘情况。

孕期做多少次B超合适

孕期做多少次B超合适？目前多数国家主张正常的孕期B超检查做1~2次为宜。

第一次B超：最好在妊娠18~20周做。在这一时期胎儿的各个脏器已发育完全，仔细的B超检查，可看到每一个重要的脏器有无异常。

第二次B超：妊娠最后几周做。估计胎儿的大小，了解胎盘的位置及羊水量的多少，为产科医生制订分娩计划提供充分的参考依据。

有异常情况的孕妇，做B超次数要依据具体情况而定。如果没有必要，不要频繁做B超。

疑有胎儿生长迟缓，需通过数次B超检查才可以测定治疗的效果；妊娠晚期如果羊水减少，也需要多次B超检查。因为羊水量越少，胎儿发生缺氧，出生时发生窒息的可能性就越大。

不要用B超来鉴别胎儿性别，因为，鉴别胎儿性别需要比较长的时间照射胎儿一个部位，可能会由于B超的热效应，给胎儿带来伤害。从法律上讲，如果没有医学指征，通过B超来做胎儿性别的鉴定并且人为地选择胎儿的性别是违法的。

263.其他检查方法

羊膜穿刺

羊膜穿刺是羊膜腔穿刺术的简称，用来检查胎儿排到羊水中的细胞，大约在孕16周进行这一检查。用一根细长的针，穿过孕妇腹部，抽出羊水，然后在实验室中培养细胞，大约需一个月的时间才能出结果。该试验结果对判断染色体是否畸形具有较高的准确度。

做羊膜穿刺时，孕妇没有什么身体反应，也没有什么不适的感觉。仅用于检查胎儿有无遗传性疾病，或评估孕后期胎儿的肺是否发育成熟。

什么情况下需要羊膜穿刺检查？准爸爸妈妈的一方家族中有先天性或遗传性疾病的病史，或曾经有过流产、死胎、死产史，可以预知胎儿是否有神经管缺陷、某些遗传性代谢疾病。

一般来讲，羊膜穿刺术是安全的。但也能够引发痉挛、羊水渗漏及阴道出血，还会使流产发生率升高。

绒毛膜细胞检查

绒毛膜取样试验在孕10~12周进行，用于检查的遗传性疾病与羊膜穿刺术相同。将导管或针插入子宫，抽出一些绒毛膜（一种细胞，存在于胎盘组织中）。该绒毛膜所含的染色体与胎儿的染色体相同。

绒毛膜细胞检查是近些年发展起来的

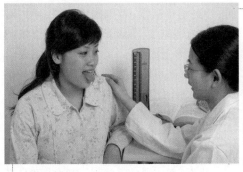
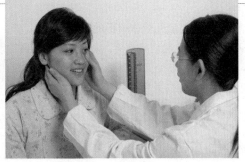

模特/任艺(左)

查一查眼睑睑膜是否红润，初步判断孕妇是否有贫血，但最终需要做末梢血液检查。伸舌观察舌苔和舌体颜色，为孕妇做常规健康检查。

孕妇年龄与染色体失调频率关系表

孕妇年龄（岁）	先天愚型频率	其他染色体失调频率	孕妇年龄（岁）	先天愚型频率	其他染色体失调频率
30	1/885	1/385	40	1/109	1/66
31	1/826	无数据	41	1/85	1/53
32	1/725	无数据	42	1/67	1/42
33	1/592	无数据	43	1/53	1/33
34	1/465	无数据	44	1/41	1/26
35	1/365	1/192	45	1/32	1/21
36	1/287	无数据	46	1/25	无数据
37	1/225	无数据	47	1/20	无数据
38	1/176	无数据	48	1/16	无数据
39	1/139	无数据	49	1/12	无数据

一项新的产前诊断技术。目前它主要用于了解胎儿的性别和染色体有无异常，其准确性很高，绒毛膜细胞检查比羊膜穿刺的最佳时间（第16－20周）要早得多（怀孕40－70天），能够早期对异常胎儿做出诊断。有性染色体和常染色体异常的胎儿，准妈妈在怀孕期间，可能会有妊娠早期阴道出血，也可能没有任何不适。如果家族中有遗传病史，或高度怀疑胎儿存在染色体异常时，有必要做绒毛膜细胞检查。

绒毛膜细胞检查不是常规的检查项目。尽管其操作是相对安全的，但造成流产的可能性比羊膜穿刺术大得多。有人担心这种操作很可能与胎儿肢体畸形有关，但许多遗传学家认为，于孕10－12周期间进行绒毛膜取样试验，不会使胎儿肢体畸形的发病率增高。从近几年的应用情况来看，对孕妇无不良影响，对出生的新生儿及其日后的随访观察，也未发现有任何异常。

胎儿镜检查

胎儿镜可以直接观察到胎儿的外形、性别，判断有无畸形；进行皮肤活检；从胎盘表面的静脉抽取胎儿血标本，对胎儿的某些遗传性代谢疾病、血液病进行产前诊断；给胎儿注射药物，进行胎儿期疾病治疗；还能对胎儿进行外科手术。

您的胎宝宝是否需要做胎儿镜检查，要由医生做出严格的判断。因为，胎儿镜检查是一项技术性较强的产前诊断项目。需要一定的医疗诊断水平的医院和医生来完成。胎儿镜检查造成的胎儿流产率达5%，由操作引起的胎儿死亡率达4.7%。因此，准父母要慎重选择此项检查。

脐静脉穿刺

脐静脉穿刺，就是通过孕妇腹壁从脐带抽取胎儿血样品进行检验。通过脐静脉穿刺检查，可以诊断出胎儿是否患有贫血症，是否感染了一些病毒或其他病原菌，如风疹、弓形虫、单纯疱疹病毒、巨细胞病毒等。通过对胎儿血液酸碱度、氧含量、二氧化碳含量和碳酸氢盐含量的测定，了解胎儿是否有宫内发育迟缓。还可以通过对白细胞的分析提供染色体数目。此项检查也不是常规的，孕3个月后方可做此检查。

没有损伤性的高科技诊断方法——胎儿DNA诊断

最近，美国科学家找到了对胎儿和母亲都没有伤害的办法，就是用母亲的一滴血，来诠释一个10周胎龄儿染色体结构，以此预测胎儿的健康状况，这就是胎儿DNA诊断。源于胎儿白细胞的淋巴细胞，可在母体血液中活跃数十年，所以可以通过母体的血液来研究胎儿的DNA。这是最新的，对胎儿和妈妈都没有伤害的高科技产前诊断方法。但科学家们正在研究和实验阶段，已经取得了可喜的进展，会在不久的将来普遍应用于临床中。

264.孕期常规检查项目

产前常规检查包括体重、血压、尿检、血液化验等，在每次定期产前检查时几乎都需要做，所以有关问题都分别写在每个月孕妇问题中了。这里仅就孕妇应该了解的常规检查的一般问题做一些概括。

孕期体重变化

孕期监测体重的增长情况是很重要的，是医生的重点观察项目。在整个孕期，每个孕妇体重增长的情况都不相同，没有哪个医生能够准确地说出某一孕妇，每周、每月、整个孕期增加体重的标准。但普遍情况下，孕初期增加1500～2000克；孕中期平均每周增加400～500克；孕后期前几个月增长情况和孕中期差不多，但在孕最后1月，体重增加速度放缓，只增加500～1000克。这样算来，在整个孕期孕妇体重要增加12～15千克。孕妇可不要紧张，胎儿可不会这么大，你的宝宝出生时的体重通常情况下是3000～3500克，其余的重量来自胎盘、子宫、羊水、乳房、血液、体液和组织。如果孕妇在某一阶段出现突然的体重增加，或在某一阶段体重增加不理想，医生都会比较重视，会为你做一些相关的检查。如果孕妇怀的是双胞胎或多胞胎，会增加更多的体重。

孕期血压变化

孕妇每次产前体检都要测量血压，这看起来像是例行公事而已，往往被孕妇忽视，

事实上血压检查对于孕妇来说是很重要的。如果你的血压突然升高，医生会比较紧张，因为这可能是妊高征的前奏。因此每次你都要认真对待，要按医生或护士的要求，把上衣脱掉，充分暴露你的上肢，使血压测量更加准确，不要应付。如果某一天你感觉到头晕、头痛，尽管没有到规定的检查时间，也必须及时监测血压。

孕期尿液及血液检查

这也是既简单又重要的孕期检查项目。需要注意的是：最好留取早晨起床后第一泡尿，放在干净的小瓶中。早晨起床后留取的第一泡尿液浓度高，有问题时，阳性检出率高。另外，早晨空腹留取的尿液不受饮食的影响。如果留取尿液的容器不干净会影响检验结果。

不是每次产前检查都要做血液检查，但血液检查可以向医生提供很多信息。血型、血色素、红细胞、白细胞、病毒抗体、性病

准妈妈/李美绮

母婴传播疾病与分娩方式选择

感染病原体	是否阴道分娩	其他条件
艾滋病病毒	不宜	不宜母乳喂养
单纯疱疹病毒	不宜	病毒分离阴性可经阴道分娩
风疹病毒	适宜	经治疗后的孕妇
巨细胞病毒	适宜	产后对新生儿进行听力及眼底等检查
人乳头瘤病毒	适宜	一定要作好消毒隔离
弓形虫	适宜	新近感染、急生感染、慢性活动感染，应及时治疗
解脲支原体	适宜	产后子宫内膜炎10%是由支原体引起
沙眼衣原体	适宜	垂直传播率60%，须彻底治疗的孕妇
柯萨奇B病毒	适宜	做好消毒隔离
乙肝病毒	适宜	对新生儿进行保护性免疫接种
淋球菌	适宜	剖腹产也不能避免胎内感染所致新生儿淋菌性结膜炎
梅毒	适宜	治疗越早越充分，可使胎儿得到保护
霉菌	适宜	产后继续治疗
滴虫	适宜	产后继续治疗

等。这些检查与你的胎宝宝健康关系重大，不要拒绝这些必要的检查。

面对新的检查项目怎么办？

孕期检查领域不断扩大，方法越来越多，一些传统的检查方法逐渐被新的、先进的检查手段所代替。面对新的检查项目，不但准父母知之甚少，有些医生也并非都全面掌握，对一些检查结果的判断，也确实没有更多的临床经验，缺乏经验积累和病例总结。当准父母读到这本书时，可能又有一些新的检查方法问世，面对一些非常规检查项目，尤其是具有损伤性的产前检查项目，准父母还是要审慎对待。最好向有权威的专家和机构咨询，详细了解检查的目的、临床运用情况、操作人员资格、适用性等等。有一点是肯定的，不要盲目做检查，孕期检查并不是多多益善，每个孕妇具体情况不同，对有些孕妇来说是必需的检查，对其它孕妇来说也许没有必要。

是否接受检查的医生忠告

准爸爸妈妈们，当怀疑您的胎儿可能有某种异常时，采取一些检查方法对胎儿进行产前诊断，判断胎儿是否健康，是优生的一项重要措施。检查本身可能发生的问题与生出一个异常儿的风险相比，就显得微不足道了。准父母应正确认识这些检查技术。听从医生的劝告，接受必要的检查，不要失去产前诊断的最佳时机，避免遗恨终生的事情发生。

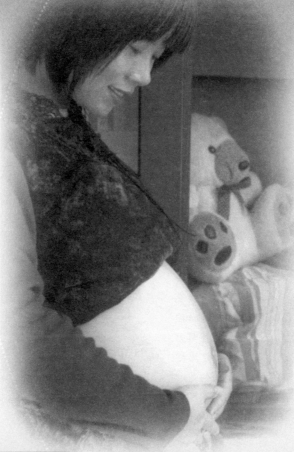

准妈妈／潘晓敏

第十五章

疾　病

孕期高发病、妊娠并发症、
胎儿疾病、预防与家庭护理

　　我把一些准妈妈向我咨询的问
题实例作为主线，对疾病进行讲解，
这样做的好处是为了让准妈妈能够
通过真实的问题，来对照自己的问
题，有的放矢，排解准妈妈的困惑。

本章要点

● 孕期常见和高发疾病
● 妊娠并发症,常见病合并妊娠
● 胎儿疾病

写在前面的话

当你看到疾病这一章时,不要紧张,切莫稍有一点不适就担心自己患了病。不要对着书本给自己诊病,有不适看医生,如果医生告诉你没有病,一定不要背包袱。如果你患了某种病,看一看书上说的,你就会明白,从而积极配合医生的治疗和进行科学的家庭护理。看书的目的就是为了了解更多的知识,医生可能没有时间很全面地给你详细讲解,不能解除你所有的疑虑。在书中你可能会找到在医生那里得不到的解释。我之所以要写这些病,是要提请孕妇注意,对于没有病的孕妇,其目的是增加孕妇的防病知识和孕期护理,而不是增加孕妇的心理负担。书是帮助你解决问题的,是帮助你防患于未然的,不是给你添烦恼的。如果你有疑虑和烦扰,可以任何方式与我联系,我会耐心向你解释,你也可以找一位你信赖的医生咨询。总之,无论如何,你都不要因为某种不适或疑虑影响你孕期的情绪。

在这一节中,我把一些准妈妈向我咨询的问题实例作为主线,对疾病进行讲解,这样做的好处是为了让准妈妈能够通过真实的问题,来对照自己的问题,有的放矢,能够更直观地了解某些疾病对胎儿和孕妇的影响,排解准妈妈的困惑。

第**1**节 孕期多发疾病

265.妊娠并发泌尿系统感染

孕期患了泌尿系统感染怎么办

本人已怀孕3个半月,半月前因眼部周围水肿,去医院检查,量血压正常。但尿检查脓球有"+"号,医

《同是奶癣见用药不一样》发表于《亲子》杂志,2004年9期

生说是泌尿系统感染。不能使用药物治疗,只能多喝开水。近期,我喝了不少水,但未见好转,尿频繁,且尿有悬浮物,左侧腰有点疼痛。听说水喝多了对肾脏也造成负担,我该怎么办?

女性泌尿系感染发病率比较高,妊娠期更容易合并泌尿系感染。尿中有脓细胞,腰痛,不能排除尿路感染,如有发热要排除急性肾盂肾炎。孕期合并尿路感染应积极治疗,以防发展成肾盂肾炎。孕期并不是所有的药物都不能使用,要权衡利弊,当疾病所造成的损害大于药物副作用时就应选择药物治疗。你可使用青霉素或先锋5号。同时要注意休息,多饮水。多饮水对肾脏没有负担。发展成肾盂肾炎,胎儿就要受疾病和药物的双重影响。所以,预防泌尿系感染很有必要的。

孕妇如何预防泌尿系感染

● 保持肛门、外阴、尿道口清洁。这一点对于大多数孕妇来说,似乎并不重要,孕妇们已经非常注意卫生了。常遇到孕妇有这样的疑问:我已经非常讲究卫生了,怎么还会患泌尿系感染呢? 是的,医学上所讲的卫生并非完全像你所理解的那样,天天洗并不一定达到了医学清洁卫生的要求。

● 每天清洗外阴。但有的孕妇洗的方法不对，一般来说，清洗的先后顺序是：尿道口、阴道口、小阴唇与大阴唇的缝隙、大阴唇、两腹股沟、会阴、肛门口、肛门周围。而且洗过的地方不要再重复洗。不能想洗哪就洗哪，那样的话，会导致互相污染。

● 每天更换清洗暴晒内裤。孕妇每天都更换内裤，可却把内裤放在卫生间或阴湿处，忽视了阳光是最好的杀毒剂，在阳光下暴晒是最天然的消毒措施。

● 不要乱用女性外阴洗液。有的孕妇从始至终都使用某种洗液，而大多数是从商店自行购买的，并不清楚其成分和作用。其实，用清水清洗是最好的，它不会改变外阴局部的酸碱度，而外阴局部的酸碱度是自我保护不受病原菌侵袭的适宜环境。因此，没有医学指征和医学指导，不要轻易使用有药物成分和有医疗功效的洗液。酸碱度标注中性，但含有药物成分或具有医疗功效的洗液，也要在专业人士指导下使用。

● 坚持便前洗手和便后清洗。都知道饭前便后要洗手，但便后清洗肛门也是非常重要的，尿道、阴道、肛门挨得非常近，尿道、阴道内是无菌的，而肠道内有众多的菌，尽管在肠道内属非致病菌，但到了阴道、尿道就可能成了致病菌。所以，肛门局部的清洁是非常重要的，便后及时清洗就显得很重要了。

● 多饮水。饮水是预防泌尿系统感染的好方法。多饮水就能多排尿，清澈的尿液不但不会刺激尿道口，还对尿道有清洁作用，就如同管道一样，经常冲刷清洗才能保持洁净。

● 减少对输尿管的压迫。无论是白天还是黑夜，无论是坐着还是躺着，都要注意减少子宫对输尿管的压迫。当仰卧位或靠在倾斜度很大的椅子或沙发上时，增大的子宫会对输尿管产生压迫，使尿液循环不畅，导致肾盂积水，增加尿路感染机会。

● 减少尿酸，加快排泄。因为孕妇要增加营养，比平时多进食蛋白质和脂类食品，尤其海产品和瘦肉。所以，会增加尿酸的浓度，过多尿酸经肾脏排泄时会刺激尿道，增加感染的机会。多饮水可起到稀释尿液的作用。

● 尿糖对感染的影响。糖是细菌、尤其是霉菌最好的培养基，有些孕妇到了孕中晚期血糖会增高，尿糖浓度也相应增高，增加患泌尿系感染的机会。因此，孕期监测糖代谢不但可及时发现孕期糖尿病，还对预防尿路感染有益。

● 情绪对孕妇的身体健康起着非常重要的作用。保持良好的心情，是预防各种疾病的良药。低落、紧张、恐惧等情绪都是疾病的诱发因素。

孕期合并泌尿系统感染时孕妇需要了解和注意什么

● 孕妇一旦被确诊患了泌尿系统感染，应积极配合医生采取应对措施；

● 医生会为你选择对细菌敏感，且对胎儿相对安全，副作用小的抗菌素，不要拒绝治疗；

● 注意休息，多饮水；

● 如被确诊为肾盂肾炎，需静脉途径给药，并卧床休息；

● 如有发热需物理降温和药物降温相结合；

● 不能顾此失彼，更不能避重就轻，当患有泌尿系统感染，尤其是肾盂肾炎时，疾病本身对孕妇和胎儿的影响要远远大于药物的影响了。

育龄女性何以易发肾盂肾炎

肾盂肾炎好发于育龄期女性，妊娠期也容易合并肾盂肾炎。这是因为：妊娠期雌激素和孕激素分泌增加，使尿路平滑肌松弛，

《哺乳中的6个实际问题》发表于《亲子》杂志，2002年2期

主题词：乳头破裂、乳头错觉、呛奶、哺乳姿势、喷奶器

输尿管的蠕动减弱；妊娠期间增大的子宫压迫盆腔内输尿管，形成机械性尿路梗阻，加之子宫右旋，使右侧输尿管受压更明显，致使肾盂扩张、扭曲；随着子宫增大，盆腔淤血；不断增大的胎头将妈妈的膀胱向上推移变位，造成排尿不畅和尿潴留。孕期尿液中的葡萄糖和氨基酸以及一些水溶性维生素增多，细菌易于繁殖。

患肾盂肾炎典型症状

急性肾盂肾炎最典型的症状就是尿频、尿急、尿痛和发热，还可有周身乏力、腰痛、发冷、恶心、腹胀、腹泻等。尿液外观发浑，镜检可见红细胞、白细胞和脓球。

肾盂肾炎对胎儿和准妈妈的危害

如果准妈妈有高热，可引起胎儿流产、早产或胎停育。如果在孕早期出现高热，可导致胎儿神经管发育障碍。妊娠期女性患此病较之未妊娠女性更易出现肾功能障碍。

妊娠对肾盂肾炎转归的影响

由于妊娠期引起泌尿系统生理和解剖上的变化，使肾盂肾炎的发病率增高。妊娠前如果有无症状菌尿，妊娠后则多发生尿路感染，分娩后尿路感染发生率也增加，如果不及时治疗，可发展为慢性肾盂肾炎。

妊娠期肾盂肾炎的治疗

卧床休息应采取侧卧位，以缓解子宫对输尿管的压迫，使尿液引流通畅。

多饮水是减轻症状最好的方法，如果每天尿量保持在2 000毫升以上可使症状明显减轻。有的患者因排尿时疼痛不敢喝水，这是非常错误的做法，越是不喝水，排出的尿液越浓，有炎症的尿液更刺激膀胱和尿道。多饮水可缓解排尿痛，还能使病情减轻，加快疾病痊愈。如果实在喝不进去，或喝了就恶心呕吐，也可静脉输液，但最好自己喝。

肾盂肾炎时抗菌素的使用

本病的抗菌素治疗是非常关键的。许多治疗失败的原因都是因为抗菌素的使用不当。

一定要选对药物。引起尿路感染的细菌多是革兰阴性杆菌，所以没有做尿培养条件的，应首选抗革兰阴性菌的抗菌素，如氨苄青霉素、头孢菌素。

一定要用够疗程。这一点最容易被忽视，大多数患者，一旦症状消失，尿常规正常就停药。实际上，尿中还有一定数量的细菌（无症状菌尿），一旦停药，细菌就可能繁殖再次引起尿路感染。所以，至少要用4周的抗菌素。停药前应做24小时或12小时尿沉渣检查，有条件的最好做尿细菌培养。

慎重选用的抗菌素：氨基糖苷类（如庆大霉素）、呋喃坦啶及磺胺类抗生素。对胎儿有不同程度的伤害，病情特别需要时慎重选用。

禁忌选用的抗菌素：四环素、氯霉素。对胎儿的伤害很大，禁止选用。

266. 孕期并发生殖系统疾病

霉菌性阴道炎

霉菌性阴道炎是常见的阴道感染性疾病，也是妊娠妇女的常见并发症。霉菌是机会菌，当机体抵抗力降低、服用广谱抗生素时间较长、患有糖尿病时都可引起此病。

霉菌性阴道炎传播途径

传播途径有直接传播（如性传播）和间接传播（如公共浴池、游泳池、卫生间、器械传播，本人或丈夫有脚癣或手癣，内裤未经太阳晒、放置在潮湿地方或时间过长，使用不合格的卫生巾和卫生护垫等）。

霉菌性阴道炎的治疗

为了避免感染新生儿，孕期合并霉菌性阴道炎应给予治疗，不能等到分娩后再治疗。主要是局部治疗，可用苏打水冲洗外阴，阴道上抗霉菌栓剂。一般1个疗程（2周左右）即可使霉菌检查转阴，但易复发，应监测至妊娠8个月。

药物与疾病利弊比

用的药物与疾病本身相比，是利大于弊，应该使用，口服抗霉菌药妊娠期间是禁用的，局部用药副作用相对较小。孕期患霉菌性阴道炎的不少，没有因为使用抗霉菌的外用药而影响胎儿健康的报道。

霉菌性阴道炎的预防

霉菌性阴道炎是由于霉菌感染阴道所致，霉菌是机会菌，可通过多种渠道感染，要注意内裤卫生，内裤要在阳光下暴晒，用开水烫，爱人也如此，以避免交叉感染，放置时间长的内裤不要穿，卫生巾和卫生护垫有可能是感染霉菌的途径，要购买合格的卫生产品。洗浴也是感染霉菌的途径。总之，你所有使用的与外阴有关的用具都要注意预防霉菌感染。

霉菌性阴道炎对妊娠的影响

除急性期外，一般不影响妊娠，较轻的霉菌性阴道炎可无任何临床症状。主要症状是阴道瘙痒，分泌物成白色豆腐渣样。

在妊娠期，雌激素水平升高，阴道内糖原的合成增加，这种高雌激素、高糖环境，加之妊娠本身的免疫抑制作用，有利于霉菌的致病。

其他生殖系统疾病

孕期合并细菌性阴道炎怎么办？

我刚刚怀孕一个多月，今天检查出患有细菌性阴道炎，白带常规化验单是这样的：脓细胞＋＋＋，革兰氏阴性杆菌＋，清洁度Ⅱ，其他项目正常。这个孩子还能不能要？

孕期合并细菌性阴道炎并不需要终止妊娠，根据感染的病原菌积极治疗，可选有效的、对胎儿没有不良影响的药物治疗。但要在医生指导下，医生会权衡利弊为你选择药物的。

白带增多与宫颈糜烂

我已怀孕2个月，近日发现白带异常增多、呈深褐色。B超检查胎儿正常。有过药流史，检查有过宫颈糜烂，未完全治愈。请问这是何原因，对胎儿有否影响，该如何处理？

这种情况必须看妇科医生，检查白带性质，明确诊断，及时治疗。阴道炎，宫颈炎都要明确感染的病原菌，才能有针对性地选择药物。如霉菌性阴道炎要使用抗霉菌药物，滴虫性阴道炎要使用抗滴虫的药物，细菌性阴道炎应该选抗细菌的药物。不能盲目使用药物。

卵巢囊肿会随着胎儿生长而增大吗？

我在怀孕2个月时做了一次彩超，左侧卵巢可见一3.6厘米×2.8厘米囊性回声。2个月之前没有发现囊肿。我现在没有什么异常反应，胎儿是否在正常生长？囊肿会随着胎儿同时生长吗？如果中途做手术，会不会影响妊娠？

卵巢囊肿生长的具体时间难以断定，2个月前检查时没有发现，并不能证明没有囊肿，或许那时囊肿比较小没被发现。怀孕合并卵巢囊肿的处理原则要视具体情况而定，要考虑孕周大小、胎儿情况、囊肿的大小、性质、生长部位，对子宫有无压迫，以及孕妇身体状况等诸多因素。胎儿是否在正常生长，

《日常饮食与宝宝视力》发表于《亲子》杂志，2002年6期
主题词：孕妇饮食、乳母饮食、宝宝饮食、油脂鱼类、甜食

要根据定期的孕期检查动态观察，不能仅凭一次检查或你自己的感觉来确定。囊肿可能会逐渐增大，但不一定与胎儿同步生长。如果囊肿有蒂，出现蒂扭转时，是紧急手术的指征。如果没有紧急手术指征，就属于择期手术了。一般情况下是等到预产期行剖腹产的同时摘除卵巢囊肿，但同时做两种手术对产妇的伤害比较大，如果能经阴道正常分娩，还是尽量经阴道分娩，产后再根据情况选择手术时机。如果考虑囊肿有恶变可能，则应尽早手术摘除。

是否需要手术，要经过妇产科医生做全面的检查分析，如果需要手术，医生会考虑到胎儿的安危，你的担心不能对你有任何帮助，反而会增加你的烦恼。妊娠合并卵巢囊肿也并不罕见，医生是完全能够妥善处理的。

孕期宫颈息肉需要治疗吗？

我现怀孕50天，上星期发现阴道口有物掉出，为红色息肉样组织，抵达宫颈内，在靠近宫颈处结扎、切除（未完全切除）。病理检查结果为：息肉伴鳞状上皮化生（化生是对病理改变的一种描述）。B超检查胎儿正常，今天忽然有少量出血，先是鲜红色，后发黑，并腰痛。是否须做治疗？

首先应排除是否有先兆流产的可能，如果是，要保胎治疗。如果是息肉残端出血，则进行有效止血治疗。

子宫肌瘤手术对怀孕有影响吗？

我今年30岁，2年半前做过子宫浆膜下肌瘤手术，按医生要求每半年复查一次，均未发现异常。今年11月中旬在例行B超检查时大夫说可能怀孕了，并且说大小有0.9厘米，但无胚芽，让我妇科大夫检查，可是直到11月2日我仍有月经，且尿检为阴性。妇科大夫让我尽一步观察。到12月2日，我又来了月经，并且量不算少，身体方面无其他不适症状。由于这家医院搬迁，不能正常应诊。现在我非常不安，不知是否我又得了什么病。而且我计划明年上半年怀孕，不知会有什么影响。

①月经刚刚过去十几天；②妊娠试验阴性；③到了下一个月经周期如期来月经了；④B超并未发现有胚芽或胎心管搏动。根据以上四点，基本可以排除怀孕的可能。

但为什么B超结果提示有怀孕的可能呢？考虑与以下因素有关：①患子宫肌瘤，致使子宫体增大，子宫内膜不平，误认为是孕囊；②假设是孕囊，正好是在下次月经来潮的时间，发生完全流产了。

建议：再次做B超检查，确定是否有新的子宫肌瘤发生，如果没有新的子宫肌瘤发生，你计划明年上半年怀孕不会有什么影响的。

第2节　妊娠并发症

267.妊娠高血压综合征（妊高征）

妊娠高血压综合征的典型临床表现有高血压（>90/140毫米汞柱）、蛋白尿（>3克/升）和水肿，约1/4病者可找到原因如肾脏疾病，但大部分病例原因不明。妊娠并发妊娠高血压综合征时，胎盘和子宫血流减少，可导致胎儿流产、生长迟缓、宫内缺氧、羊水胎粪污染或发生智力不全、脑性瘫痪等。

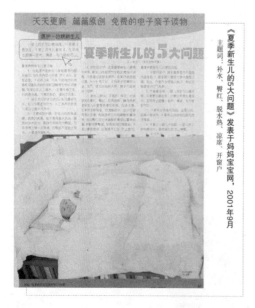

《夏季新生儿的5大问题》发表于妈妈宝宝网，2001年9月

所以，在每次的体检中，医生都会为你测量血压，观察水肿情况，定期化验尿蛋白。有的医院开展了妊高征预测，给予早期干预，早期治疗。如果有下列症状之一，应向医生反映，及时发现妊高征的早期征兆。

妊娠高血压综合征的征兆

● 你常常感觉有些头晕目眩，感觉一阵阵头发大，睡眠也不好，觉得身体不舒服，有些倦怠；

● 当你起床时，或从坐位变为站立时，或转身转头时，感觉眼冒金星，看东西也不那么清晰了；

● 尽管你喝水不少，但尿却不多，手足好像有些发胀、发硬，可能体内积存了较多的液体；

● 体重增加比较快，但你并没有猛吃猛喝，也找不到其他导致你体重快速增长的原因；

● 妊娠反应早就消失了，可近来又时常感觉恶心，胃不舒服。

妊娠高血压综合征预防措施

● 到了孕中晚期尽量采取左侧卧位；

● 尽量多进食蔬菜和水果，少吃刺激性和油腻食物；

● 少盐，高蛋白饮食；

● 保证充足的睡眠时间，能卧位尽量卧位，不要仰靠在沙发或椅子上；

● 多吃富含维生素C和胡萝卜素的食物；

● 注意补充维生素C和钙剂；

● 定期进行孕期保健，听取医生的建议。

268.围产期心肌病

围产期心肌病是由妊娠引起的心脏疾病，在妊娠前没有任何心脏疾病，于妊娠最后3个月至产后6个月内发生左心衰竭的一组综合征候群。妊娠期发病的只占10%，产后发病占90%。为什么会发生围产期心肌病？目前对其发病原因和机理并不十分清楚。高龄经产妇、高血压、双胎妊娠、肥胖、营养不良、内分泌失调、先兆子痫、病毒感染等是发生围产期心肌病的高危因素。本病不易早期发现，多在出现心功能不全，甚至严重心衰时被诊断出来。

典型病例

有一位26岁的初产妇，顺产，于产后2天出院，产后4天自觉心慌、气短、疲劳，家里人认为是感冒，给服用了感冒药，但症状并没有好转，反而有所加重，产妇感到没有精力护理孩子，但仍坚持母乳喂养。于产后7天因自觉呼吸困难，到医院看急诊，急诊医生没有想到是围产期心肌病，但也没敢让产妇回家，留院观察，到午夜2点多，产妇呼吸困难加重，急请内科医生会诊，经过检查，确诊为围产期心肌病，产妇已发生左心衰竭。经过4天的抢救才脱离危险。

围产期心肌病可疑症状

围产期心肌病缺乏特异表现，给诊断带来一定的困难。有下列情况时，应引起孕产妇警惕。

● 妊娠最后3个月或产后6个月内出现心脏症状和体征，如心悸、气短、心率过速等；

● 出现心脏不适症状，而且既往没有心脏病史，也没有心血管疾病，如妊高征合并心力衰竭、高血压性心脏病、风湿性心脏病、肺原性心脏病、病毒性心肌炎、贫血性心脏病、冠心病等。

应该注意的几点

● 一旦医生怀疑你有本病，必须留院观察；

● 如果你还没有分娩，就要按照医生的嘱咐，安心静养，接受必要的治疗和检查；

● 如果医生认为你的心脏不能承受阴道分娩的劳累，建议你行剖腹产或其他方式分娩，这对你和胎儿的健康都很重要，如果你坚持经阴道有痛分娩，可能会因为你已经发病的心脏承受不住，最终发生心力衰竭，这不但对你有危险，对胎儿也有危险。所以，你最好听取医生的建议。

● 如果你已经分娩，要暂时把孩子交给丈夫或婆母，尽量卧床休息，暂时停止母乳喂养，这样的决定你可能难以接受。如果你不顾及自己的身体，一旦病情加重，就会给治疗带来很大困难，你可能会失去健康，严重的会因此失去生命，所以要正视现实，有病不怕，积极配合医生治疗；

● 发生过围产期心肌病的女性不宜再次妊娠，如果医生确诊你合并了围产期心肌病，再次妊娠健康就会受到很大威胁,胎儿宝宝也不会平安无事。

围产期心肌病的治疗

围产期心肌病缺乏特异性治疗措施，主要是保护心功能，控制心衰，增加心肌营养等综合措施，必须住院接受治疗。所幸围产期心肌病发生率不高，约占同期产妇的0.33%。

269.妊娠期糖尿病

妊娠期糖尿病发病原因是多方面的，肥胖、膳食结构不合理是主要的原因，因此，孕期要注意饮食搭配合理，适当控制体重生长，按时进行妊娠期糖尿病筛查，及早干预治疗。

对母婴的危害

（1）增加孕期合并症，糖尿病孕妇合并妊高征者占25%-32%。感染增多，如肾盂肾炎、无症状菌尿、皮肤疖肿、产褥感染、乳腺炎等。

（2）羊水过多，比非糖尿病孕妇高10倍，可造成胎膜早破和早产。

（3）产程延长，可出现产程停滞和产后出血等。

（4）剖腹产率增加。

（5）巨大儿发生率增加，使难产、产伤和胎儿死亡率增加。

（6）胎儿畸形率增加，畸形类型涉及全身所有器官系统，多见于骨骼、心血管及中枢神经系统。

（7）胎儿宫内发育迟缓。引起胎儿宫内窘迫，使窒息率增加，严重时发生缺血缺氧性脑病，遗留神经系统后遗症。

（8）增加胎儿死亡率，糖尿病孕妇胎儿死亡率在10%-15%。主要是由于缺血缺氧导致胎儿死亡。

（9）发生新生儿低血糖。可达50%-70%，低血糖可造成新生儿脑细胞不可逆的损害。

（10）可造成低钙血症、呼吸窘迫综合征、高胆红素血症、红细胞增多症、静脉血栓形成、心肌病，还可造成远期影响，可使智力低下发生率增高。

困扰孕妇的常见问题

尿糖阳性

尿液是产前检查的常规项目，如果尿糖阳性了，孕妇当然要着急，可有时阳性尿糖并非是异常。

● 有的孕妇尿中有果糖、乳糖、戊糖，可使尿糖出现阳性反应；有的孕妇服用了过多的维生素C，或诸如水杨酸类药物（一些解热镇痛药，预防妊高征的阿司匹林等）、青霉素等药物，都可使尿糖出现假阳性。

鉴别方法：葡萄糖氧化酶法试剂特异性高。

● 有的孕妇肾小管回吸收葡萄糖功能出了点问题，不能正常地把葡萄糖回吸收入血，结果尿糖阳性，而孕妇血糖是正常的。

鉴别方法：血糖和葡萄糖耐量试验正常。

● 有的孕妇可能有甲状腺功能过强或亢进，如果是在食后1小时以内，可能会出现尿糖阳性。

鉴别方法：换一个时间复查尿糖、血糖，做葡萄糖耐量试验。

血糖高

孕妇到医院做常规产前检查，刚好需要抽静脉血化验，其中包括血糖，恰恰因为一些因素使血糖略高，如果尿糖再阳性，就更让孕妇放心不下，尽管排除了糖尿病，也困扰着孕妇：没病为什么化验不正常？

● 有的孕妇受到强烈的刺激，如在到医院做产前检查途中险遇车祸，或摔了一跤，可能会使血糖一过性增高；

● 前面说的甲状腺问题，不但尿糖会出现阳性，血糖可能也高，但并不是糖尿病。

鉴别方法：复查尿糖、血糖，必要时做葡萄糖耐量试验和胰岛素C-肽测定。

以上所说的几种情况会给孕妇带来烦恼，当然有经验的医生会给你正确的答案。

妊娠期糖尿病的治疗

非孕期糖尿病的饮食、运动等非药物疗法极其重要，而对于孕妇来说，尽管也需要饮食和运动等非药物疗法，但不能作为主要的治疗手段，如果严格实施饮食疗法，会影响胎儿的正常生长发育。在药物治疗方面孕期糖尿病主要是选用胰岛素,且首选单组分人胰岛素。孕妇低血糖时对胎儿的危害甚至大于高血糖时,所以不能把血糖降得过低。一般情况下,空腹血糖在5.5-5.9毫摩尔/升,餐后2小时血糖在6.6-得7.8毫摩尔/升。

几种情况说明

妊娠前即有糖尿病:应把血糖持续控制在正常水平达3个月以上,且糖化血红蛋白在正常范围内,这时母体内的缺氧状态才被解除,卵细胞才能正常发育。

不宜妊娠:妊娠前已患有糖尿病,且已达糖尿病F级(合并了糖尿病肾病)或R级(增生性视网膜病变),或同时患有冠心病、高血压等影响妊娠结局的疾病。如果怀孕了,应终止妊娠。

患有妊娠期糖尿病的孕妇,应在高危门诊做产前检查和保健,因为妊娠期糖尿病对你和孩子存在很大的威胁。如果你认真地做孕期检查,并听取医生的意见和嘱咐,胎儿受到的威胁会降到最低,你也会得到最大的保护。医生还会为你做很多事情。我在这里不能都详细地写出来,因为每个孕妇都有其特殊性,都需要个体化检查和治疗。

妊娠期糖尿病的饮食原则

热量:30-35千卡/公斤体重,孕期每增加1周,在原有热量的基础上再增加3%-8%。

种类:碳水化合物30%-45%,蛋白质20%-25%,脂肪30%-40%。

进餐方式:每日四餐法,早、午、晚、睡前,比例分配为10%、30%、30%、10%。在四餐之间,各加餐一次,比例分配为5%、10%、5%。可通过营养药或保健品补充维生素和矿物质。多吃优质蛋白。

孕26周血糖增高

我妻子28岁,怀孕26周,在最近的检查中发现血糖为9.1毫摩尔/升。她以前从未发现过,且她妈妈也

《新妈妈哺乳六困扰》发表于《中国食品报》,2002年月26日
主题词:龋齿、乳头牵引、吞咽、乳头保护、乳核

没有糖尿病。请问是孕期正常反应吗?对胎儿和孕妇有何危害?

连续两次空腹血糖均大于7.8毫摩尔/升;或一次空腹血糖大于7.8毫摩尔/升,同时,餐后2小时血糖大于11.8毫摩尔/升,就可诊断糖尿病。你妻子需要再次查空腹血糖,如果仍然大于7.8毫摩尔/升,就可诊断糖尿病。如果低于此值,则应继续做糖耐量试验,决定是糖尿病还是糖耐量减低。

孕前没有糖尿病,妊娠后方患的称为妊娠期糖尿病,如果孕前就患有糖尿病,则称为糖尿病合并妊娠。

一旦确诊,就应制定治疗方案,包括糖尿病饮食治疗和药物治疗。孕期糖尿病一定要进行干预治疗。如不干预和治疗,对孕妇健康和胎儿发育都有不良影响。

270.妊娠期胆汁淤积症

妊娠期胆汁淤积症(ICP)也称妊娠期特发黄疸。属妊娠期合并症,表现为皮肤瘙痒及黄疸。少数还有食欲减低或轻度恶心、呕吐、腹泻、轻度肝脏肿大等。皮肤瘙痒多发生

于妊娠22周以后，但也可早至12周。瘙痒主要发生在腹部和四肢皮肤，夜间和清晨起床后比较严重。单纯瘙痒的约占80%，瘙痒伴黄疸者占20%左右。

化验血清胆酸增高，可为正常值的10-100倍。病情越重，胆酸值越高，轻度时胆酸小于5微摩尔/升，中度为5-10微摩尔/升，重度大于10微摩尔/升，产后5-8周恢复正常。

血清总胆红素升高，平均34微摩尔/升，一般不超过85.5微摩尔/升，肝功能中的谷丙转氨酶（ALT）和谷草转氨酶（AST）正常或轻度升高。血清碱性磷酸酶（AKP）增高，产后1-3周恢复正常。

ICP导致产后出血的可能占19%-22%，早产、流产的发生率为22%-36%，胎膜早破的发生率为22%。还可导致胎儿宫内窘迫、羊水粪染、低出生体重儿等。因此，合并有ICP的孕妇，坚持到孕37周时即终止妊娠。

一旦被确诊合并了ICP，即应在产科高危门诊随访，做好胎儿监护，如果医生要求你住院治疗，应积极配合。

胆汁酸11、皮肤轻度瘙痒

孕20周，现胆汁酸为11微摩尔/升，有轻度瘙痒，医生说要住院治疗，对胎儿是否有影响？

轻度胆酸增高为<5微摩尔/升，中度增高为5-10微摩尔/升，重度增高为>10微摩尔/升。你妻子胆酸为11微摩尔/升，属重度增高。

你妻子是否被诊断为妊娠期肝内胆汁淤积症？胆汁淤积症对胎儿及孕妇都有影响，可发生胎儿宫内窘迫，羊水粪染等，应积极给予治疗，监护胎儿情况。到37周提前分娩，不要超过孕40周。孕35周前应每周预测是否有胎儿窘迫，35周后每天预测是否有胎儿宫内窘迫，直至分娩。分娩前补充维生素K，口服消胆药。住院治疗是很必要的。

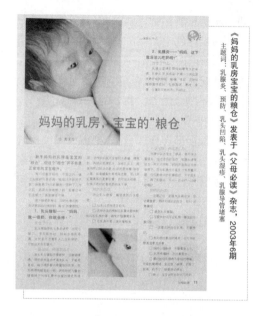

《妈妈的乳房宝宝的粮仓》发表于《父母必读》杂志，2003年6月期

主题词：乳腺炎、预防、乳头凹陷、乳头湿疹、乳腺导管堵塞

妈妈的乳房，宝宝的"粮仓"

第3节　常见疾病合并妊娠

271.高血压合并妊娠

高血压发生率呈上升趋势

高血压病已经成了世界范围内的流行病症，发病年龄越来越年轻化。在育龄女性中，由于工作强度大、睡眠少、熬夜、压力大、精神紧张、工作与家庭双重压力、不健康的生活方式、不合理的饮食结构、过多摄入食盐等因素都会引起高血压。高血压发病率并不像人们认为的那样低，怀孕前即有高血压的准妈妈大约占妊娠的2%。统计资料表明：患有高血压病的女性，初次妊娠的平均年龄为28岁，第二次以上妊娠的平均年龄为35岁。

高血压的发生因素

高血压分为原发性高血压（也称高血压病）和继发性高血压（也称症状性高血压）。原发性高血压占高血压总发病率的95%左右，其发病的真正原因至今未得到揭示。由于高血压病因不甚清楚，给预防和治疗带来困难，根据流行病学调查，提示高血压病与以下因素有关。

- 遗传因素：父母均为血压正常者，子女患高血压病的几率是3%；父母均为高血压病者，子女患高血压几率是45%。
- 膳食因素：食盐摄入量与高血压的发生密切相关。还有高脂饮食、酒精等也与高血压的发生有关。
- 肥胖：超重和肥胖与血压成正相关。
- 职业与环境：注意力高度集中、精神过度紧张、脑力劳动过度、对视听觉过度刺激的工作环境等。

高血压病合并妊娠与妊娠高血压综合征是一回事吗

高血压病合并妊娠与妊娠高血压综合征不是一回事，高血压合并妊娠是在妊娠前即有高血压病，就是说一位患有高血压病的女性怀孕了。妊娠高血压综合征是由于妊娠引发的以高血压为主要症状的一组症候群，就是说一位没有高血压病的女性怀孕后并发了高血压。

高血压病合并妊娠的诊断标准

孕前已知有高血压或孕20周前血压正常，孕20周后血压超过140/90毫米汞柱以上，并排除各种原因引起的症状高血压。

几种情况的说明

- 高血压女性妊娠初期血压不但不高，可能还会偏低，在妊娠中期，血压甚至达到正常范围，但到孕晚期血压多再度升高。如果在妊娠前不知道自己有高血压，这种情况很容易被误诊为妊娠高血压综合征。
- 有的孕妇在妊娠的某个时期会出现不同程度的血压升高，短期后血压恢复正常，这种情况属于短暂性良性高血压，经过动态观察与高血压病合并妊娠和妊高征不难区别。
- 整个孕期血压均正常，在产程中或产后短时间内出现血压升高，不需治疗短时间血压恢复正常。这种情况多见于在产程中使用过催产素，但没有使用催产素的产妇也可出现这种情况，我们把这种情况也称为短暂性良性高血压。

妊娠与高血压之间的相互影响

患有高血压的孕妇，在妊娠期间子宫胎盘循环的有效血流量减少，可影响胎儿的生长发育。如果在孕期能很好地控制血压，没有其他并发症，胎儿则能正常发育。患有高血压病的孕妇发生妊高征的机会约为无高血压病孕妇的5倍。因此，患有高血压的女性，在怀孕前，一定要接受正规的抗高血压治疗，并选择对胎儿无害的抗高血压药物。

高血压病合并妊娠与妊高征的相互影响

高血压病合并妊娠的女性发生妊高征的机会约为血压正常孕妇的5倍，且发生妊高征的时间早，程度比较重，胎儿受到危害大，可能有更差的妊娠结局。所以，有高血压病的孕妇更应做好孕期保健，及早发现妊高征。

高血压合并妊娠的胎母结局

主要决定于高血压的程度、合并症、靶器官损害。

当血压低于160/100毫米汞柱时，胎母预后较好；高于此值时，胎母预后较差；当收缩压大于200毫米汞柱或舒张压大于120毫米汞柱时，围产儿死亡率可高达50%。可见控制高血压程度是很重要的。

高血压病合并妊娠的孕妇，如果再并发妊高征的话，胎母的预后较差。所以，一定要密切注意血压的变化，如果血压比基础血压上升了30/15毫米汞柱，应高度警惕是否合并了妊高征；如果水肿明显也要想到合并妊高征的可能；一旦出现蛋白尿，就要按照妊高征给予积极处理，必要时可终止妊娠。

有眼底、脑血管、肾脏、心脏等靶器官损害时，要听取医生的劝告，如果需要终止妊娠，不要犹豫，一旦出现眼底出血、脑出血、心肾功能衰竭，不但胎儿存活的机会很小，对孕妇的危害也很大。

高血压孕妇非药物治疗和孕期护理

保证充足的睡眠，每天至少要睡8个小时；适当增加卧床时间，中午要有1个小时以上的休息；晚上不要睡得太晚，最晚不要超过10点上床睡觉；早晨起床不要过急，先起身靠在床头半卧一会，再把两腿放在床下，坐在床旁静一会，然后再起来缓慢走动；在太阳没有出来时，不要到户外活动；以取左侧卧位为佳，但也不能一直取这样的姿势，会使你感到疲劳，也可更换体位，以自己感觉舒服的体位为好；一般情况下，到了孕中晚期取仰卧位会使你感觉呼吸不畅，所以，最好不取仰卧位；改变体位时，如从坐位改为站立，从卧位改为坐位或站立时，动作要缓慢，一定不能突然改变体位。

情绪平稳很重要，如果动辄就生气发火，会使你的血压升高；保持乐观态度，悲伤忧愁不利于血压的控制；不要过度担心胎儿，如果医生告诉你，胎儿发育很好，就你目前情况不会影响胎儿的生长发育，你就把心放下来。

怀孕了，你和丈夫一定很注意烟酒的问题，但如果你工作的房间中有人吸烟，你就是被动吸烟者，这对你本来就有问题的血管是雪上加霜。除了吸烟问题外，家中烹饪时的油烟也不能小视，对你的血管也同样不利，所以，你不要在厨房中陪伴你的家人做饭，如果你必须做饭，最好不要煎炒烹炸，以水煮、蒸为好，能使用电时，就不要使用燃气，最好不用电磁炉或电微波烤箱，因为这些东西对胎儿是否有不良影响还没有权威定论，还是不用为好。

减少食盐的摄入量，如果你平时就爱吃清淡的，不需要再额外限制食盐的摄入了。如果你平时口比较重，减少食盐会使你食欲降低，你可以通过改变饭菜的色泽，让饭菜看上去并不是淡而无味的样子，就不会因为减少食盐的摄入量而降低你的食欲。比如试

试有色低盐酱油。

如果医生告诫你要严格限制食盐的摄入量，不要忘记碘的补充。因为我们现在主要是靠含碘盐来补充食物和水中碘不足的问题，孕妇本来就需要更多的碘，所以，你要多吃含碘食品。但许多含碘多的食品，如海带、虾皮等海产品中含盐量也不低。如果你不能摄入足够的低盐含碘食品，应该在医生指导下适当补充药物碘。

多吃新鲜蔬菜和水果是不错的选择，因为新鲜蔬菜和水果中含有丰富的维生素，对你的血管有好处。

如果你的体重增长过快，要在医生指导下适当控制体重，最好由医生给你制定一个饮食计划，既不影响胎儿的生长发育也不会影响你的健康，又不过度增加体重，因为超重可使你的血压升高。

有妊娠并发症时，应适当限制运动，但有的书上却告诉高血压合并妊娠的孕妇要增加活动，这可能会引起你的疑虑。因为根据我们日常的生活习惯，普遍缺乏运动，尤其是体重超重的人，本身就不爱运动，怀孕的女性也是如此，有了合并症就更不运动了，针对这种情况，医生会提倡适当增加运动。具体到每个人，要根据本人情况和血压程度，由医生帮助制定合理的运动项目和运动强度。孕期保健更加重要，每次的产前检查都要把医生的医嘱，身体的反应，把该问的都仔细地向医生询问。为了没有遗漏和忘记，最好都写在本子上。

高血压孕妇药物选择的特殊性

医生给孕妇选择药物时，要想到药物对胎儿的影响，所以，会从最小剂量开始。这样可能不会使你的血压很快下降，但你不要因为着急，而要求医生加大药物剂量，甚至自行增加药量。这样做的结果，会增加药物对胎儿的损害。

每种降压药对胎儿都有不同程度的副作用。所以，治疗上就不能按照常规选择降压药物，也不能按照常规增加药量。如果服用某种降压药不能使血压降到理想数值，医生会更换另一种药物，而不是增加原来药物的剂量；医生也可能会小剂量联合使用两种药物，以便规避因药量过大对胎儿造成不良影响。

对孕妇来说，短效降压药不如长效降压药。长效降压药没有一天三次吃药的麻烦，还能保持24小时平稳降压，这对胎儿来说非常重要，如果妈妈的血压忽高忽低，会影响胎盘的血液供应，胎盘的血液供应是维系胎儿生长发育所必需的。一般情况下，长效降压药要比短效的贵，为了胎儿健康，你应该承担。

一般认为血压大于170/110毫米汞柱时，应开始药物治疗，如果你在孕前一直服用某种降压药物，且这种降压药对胎儿没有损害，可继续服用。

对胎儿有危害的抗高血压药物：ACE抑制剂和血管紧张素Ⅱ受体拮抗剂类降压药可引起胎儿生长迟缓、羊水过少、新生儿肾功能不全和胎儿异常形态，不能在孕期使用。利尿剂可减少已显不足的血浆容量，从而影响胎盘血液供应，也不提倡使用，尤其是在孕中晚期。β–阻滞剂中的阿替洛尔长期用于整个孕期，可伴有胎儿生长迟缓，尤其是孕早期不宜使用。

广泛用于妊娠期高血压的药物是肼苯哒嗪、哌唑嗪、甲基多巴、硝苯地平、依拉地平、拉贝洛尔。

高血压孕妇住院与分娩的问题

有高血压的孕妇原则上应提前住院，提前分娩。如果血压过高，对胎儿和孕妇已构成危险，应随时住院治疗。如果血压控制比较理想，也不能等到预产期再住院分娩，至少应提前2-4周住院，当妊娠持续到36周时，如果血压没有降至正常，医生可能会采取措施，让你提前分娩，如果医生这样决定了，你可不要为了保证胎儿足月而拒绝医生的建议。医生让你提前分娩，一定有医学指征。

如果合并了妊高征，或出现高血压危象，医生会随时劝你放弃继续妊娠，如果这时你怀孕的月份还不足以让离开母体的胎儿存活下来，你、丈夫及亲人往往不能接受这样的事实，不相信你会有什么危险。这时你很难下决心，医生会把最坏的结局告诉你，你可不要认为医生在吓唬你。听取医生的建议是非常必要的。

有高血压的孕妇最好在高危门诊进行产前保健。产检的次数要比正常孕妇频繁，一般情况下，孕24周后应每两周检查一次，孕30周后，应每一周检查一次。在孕12周前应做一次24小时尿蛋白定量和血肌酐测定。孕34周后，开始定期做胎儿监护，以便及时发现胎儿异常。如果孕妇血压持续高于150/110毫米汞柱，或胎儿有异常，或合并了妊高征，在允许的情况下，可于孕满35周终止妊娠，胎儿有存活的希望。坚持到孕满38周终止妊娠，胎儿存活的希望明显提高。

有高血压的孕妇，千万不要紧张，就现在的医疗水平，医生有能力保护你和你的孩子健康。

第十五章

疾病

典型病例

一位45岁孕妇，孕前患有高血压病史8年左右。孕前间断服用降压药，血压控制不理想，波动在140-160毫米汞柱/100-120毫米汞柱，有时可高达180/130毫米汞柱，但并没有头晕、头痛等高血压症状。她的第一个孩子已经18岁，孕第一胎时，当时没有水肿，孩子是足月出生，但直到孩子上学后方被确定孩子是智障儿，无法接受正规的教育。直到18岁，智力仍然不及小学一年级的小学生，所以她才下定决心再生一胎，希望这个孩子智力正常。

第二胎孕4个月时，产检发现血压高达220/140毫米汞柱，遂来我当时所在的医院就诊。我当时测量她的血压是210/150毫米汞柱，除了血压高，没有发现任何异常体征，足踝部没有水肿，尿蛋白阴性，尿蛋白定量正常，肾功能检查正常，心电图和心脏超声心动未报告异常。胎儿符合孕龄，B超未发现异常。选择了硝苯地平和拉贝洛尔（当时肼苯哒嗪、哌唑嗪和甲基多巴均没有货源）。血压控制在160/110毫米汞柱左右，最高到过170/120毫米汞柱，最低到过130/105毫米汞柱。监测尿蛋白和血肌酐、尿素氮及眼底变化，均未发现异常，直到分娩，孕妇也没有明显的水肿和不适症状。

孕妇尽管是高龄孕妇，没有思想负担，每次检查都是乐呵呵的，从未见过她叹气或皱眉头，真不敢相信，她家里还有一个智障的孩子，怀孕后又有如此严重的高血压，她的乐观情绪，让我都少了几分担忧。我把可能发生的不良妊娠结局告诉了她。通常情况下，遇到这样的孕妇，我们都是开导和劝慰，不敢把可能的结局直截了当地告诉孕妇本人，怕加重孕妇的心理负担。这位45岁高龄的孕妇非常淳朴地相信医生会给予她最好的治疗和照顾，她和孩子会平安。孕38周，产科医生为她做了剖腹产，3050克的男婴，没有发现发育异常，产妇也没有产后出血、围产期心肌病等产后并发症，直到剖腹产也没有合并妊高征，真可谓是个奇迹。有高血压的孕妇，保持开朗乐观的情绪并配合医生的治疗，完全能顺利度过孕期并分娩一个健康的宝宝。

272.心律失常合并妊娠

心律失常可以发生在正常人身上，还可见于甲亢、贫血、感染、休克、胃肠道疾病、胆道疾病、电解质紊乱、药物中毒等病人。

24小时动态心电图观察显示，有60%的健康人可以出现各种过早搏动，称为生理性早搏。当情绪激动、紧张、吸烟、饮酒、过度饮茶、睡眠剥夺、过度劳累以及神经功能紊乱时均可引起心律紊乱。

妊娠期间的女性比平时更易出现过早搏动，往往引起孕妇本人和家人的紧张。其实大多数的早搏都是生理性的，不需要治疗。一般情况下，早搏的次数每分钟少于6次，或早搏的次数每分钟大于6次，但在安静状态下早搏频繁，而活动后早搏减少，多是生理性的。到底是生理性的，还是病理性的，需要医生来判断。医生找不到引起早搏的器质性疾病，多不给予治疗，因为治疗心律失常的药物大多对胎儿有不良影响。如果医生不能确定你的早搏是生理性，还是病理性的，可能会建议你用药试一试，最好不要接受这样的

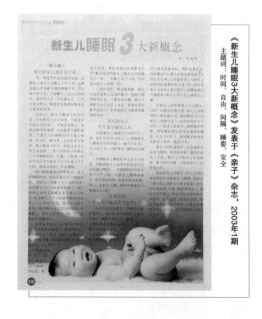

《新生儿睡眠3大新概念》发表于《亲子》杂志" 2003年1期 主题词：时间、自由、间隔、睡姿、安全

治疗,应该到其他医院或再换一位医生帮助你诊断。

妊娠期窦性心动过速

窦性心动过速是妊娠期比较常见的现象,一般不需要治疗。如果有原发疾病,则应积极治疗原发病,如贫血、甲亢、心脏病、发热等。虽然没有原发病,但心率过快,影响孕妇的生活,也需要治疗。

典型病例

我已经怀孕5周了,还没有早孕反应,但是最近两天晚上自觉有早搏现象发生。我4年前有过一段时间窦性心动过速,但是经过治疗,这4年内都没有再发生。这次主要是一天晚上梦中惊醒后发生的,之前也没有感觉过。这是正常的反应吗?我是否需要到医院去检查?对于宝宝会有影响吗?

应该做心电图检查,确定是否有心律失常。偶尔一两次室性早搏没有临床意义,可见于正常人,对胎儿没有影响。你说在4年前有过窦性心动过速,经过治疗再未发生,不知当时医生给你诊断的是什么病,是心肌炎吗?如果是心肌炎可遗留有心律失常,建议到医院看内科医生。

273.心脏病手术与妊娠

如果你有需要手术的心脏病,如先天性心脏病、心脏瓣膜病、冠状动脉疾病等,应该在妊娠前做手术。因为谁也不能确定,怀孕后,你原本有病的心脏是否能够最终承受妊娠负担,即使你在妊娠前一切都正常,没有任何不适症状,心功能也完全正常,也不能保证你妊娠后不会引发改变。所以,如果能够通过手术使你的心脏恢复正常,一定在妊娠前做手术。

典型病例

曾经有一位27岁女士,在她14岁时被确诊为先天性心脏病——房间隔缺损,缺损程度并不重,只有0.8厘米,在发现有先心病之前,她还参加过学校运动会400米竞赛,获得第一名,被确诊先心病以后她也没有任何不适感觉。医生曾建议她手术治疗,但当

《孕晚期营养冲刺》发表于《妈妈宝宝》杂志,2006年12期
主题词:营养需求原则、逐月需求、食谱举例

她的父母得知不做手术也可以时,就决定不做手术。她25岁结婚,26岁顺利分娩一女婴,一切都很正常。当孩子7个月时,她时常感觉疲劳、乏力,逐渐发展到心慌、气短,感觉带孩子,做家务很吃力,她认为是带孩子太累。当孩子11个月时,症状加重,到医院就诊,被确诊慢性心衰,心功能Ⅲ级,心动超声显示房缺2.8厘米,右心室、双房扩大。立即住院纠正心衰,然后转入心外科行瓣膜修补术。

妊娠加重了心脏负担,使她的病情加重。如果她在妊娠前,或更早一些手术,就不会发生心衰,手术也比较简单。这还不是最坏的情形,心衰发生在妊娠期甚至分娩时就会遇到更大的危险。所以,需要手术治疗的心脏病,能早做的尽量早做,给妊娠扫清障碍。

心脏手术后与妊娠

心脏手术后能否妊娠,关键是手术后的心功能。如果手术后心脏功能为1-2级(6级分法),可以放心地妊娠和分娩,如果手术后心脏功能为3-4级(6级分法),也可以妊娠,但有一定的风险,可能会有5%-6%的死亡率。这个数字可不算低,有心脏病的女性应该争取在心功能没有受到影响时,要不失时机做手术,术后保护心功能。

第十五章 **疾病**

心脏手术后妊娠条件

瓣膜置换术		房、室缺修补、动脉导管结扎术	
观察项目	妊娠指标	观察项目	妊娠指标
术后和孕前心功能	Ⅰ－Ⅱ级	术后妊娠时机	术后2～3年妊娠
术后心胸比例	小于0.65	修补术后	无缺失
置换瓣膜	功能良好	结扎术后	无再通
置换左房室瓣	口径大于25号	术后心功能	Ⅰ－Ⅱ级
生物瓣膜	换瓣3～4年内妊娠	术后心功能	Ⅲ－Ⅳ级不宜妊娠
机械瓣膜	换瓣2～3年内妊娠	左房室瓣分离术	术后1年内妊娠

心脏手术后的孕期监护

● 定期到心脏专科或内科就诊,听取心脏科或内科医生的指导;

● 定期在高危产科门诊做产前检查和保健;

● 在预产期前2周住院;

● 监护胎儿宫内发育情况;

● 预防流产发生;

● 判断胎儿成熟度,选择最佳时机计划分娩;

● 做好产前胎儿诊断,及时发现胎儿异常;

● 进行术后抗凝治疗时,要监护凝血时间;

● 听从医生建议,做必要的检查,监护胎儿缺氧和胎盘功能情况。

心脏手术后分娩和哺育方式

● 心功能Ⅰ级,无合并症,可经阴道分娩;

● 心功能Ⅱ级,或Ⅱ级以上,或有合并症时,以选择剖腹产为宜;

● 最好不母乳喂养,对产妇康复,预防产后心衰有帮助。

二尖瓣关闭不全

我有轻微的先天性心脏病,就是二尖瓣关闭不全,伴轻度血液反流,发现病情已6年,自己没有任何异常感觉,医生说不用做手术。由于自己没什么不好的感觉,所以也没有吃过药,我的家人中没有人有过这种病,请问会不会遗传?若是风湿性的心脏病,会不会遗传?

先天性心脏病有遗传倾向,风湿性心脏病与遗传无关。妊娠本身会增加心脏负担,你是否能够耐受怀孕和分娩,要通过检查,了解心功能情况方能做出判断。怀孕前,你一定要看心血管科医生,为你进行全面检查,对心脏健康状况评估后,再根据医生的建议计划怀孕和选择分娩方式。

L－G－L综合征

我今天去医院做第一次产前检查(16周2天)。心电图显示L－G－L综合征,非特异性T改变。请问这两项结果是什么意思?这里的医生说心脏有问题。但又说不出个所以然。严重吗?

L－G－L综合征就是预激综合征,如果不伴有阵发性室上性心动过速,可没有任何症状,现在可通过消融术治疗这种疾病。但你已经怀孕,不适宜做消融术,如果在整个孕期都没有发作阵发性室性心动过速,可顺利度过孕期并安全分娩。如果发作阵发性室性心动过速,要及时处理。发生阵发性室性心动过速的主要表现是突发心悸、心慌、气短、眩晕等症。你自己是能够感觉到的,出现异常症状及时去医院。

8岁做过先心病手术

我得过先天性心脏病,8岁做的手术,现在基本上没发现异常,是否对孩子有影响?

有心脏病女性,是否能够怀孕生育,一定要经过医生全面的检查评估。在未得到可靠结论前,不要轻易怀孕。患有某些类型心脏病的女性是不能承受怀孕和分娩的。

先心病是胚胎期心脏血管发育异常造成的先天性心脏畸形。其发生率为出生儿的7%-8%,引起先心病的原因主要是周围环境因素与遗传因素,或二者相互作用所致。母早孕期病毒感染,如柯萨奇病毒、风疹病毒等,染色体畸变和基因突变等都可导致胎儿心脏发育异常。尽管有些因素不易发现和难以避免,但注意孕期保健,对预防先心病发生还是有积极作用的。

如果运动过量,可能会造成先兆流产。

所以，从现在开始不要做剧烈运动。如果先天性心脏病手术治愈，心功能正常的话对胎儿没有影响，但孕期要注意定期检查。

274.糖尿病合并妊娠

糖尿病患病率在迅速上升。为了引起公众的广泛重视，WHO将每年11月14日定为世界糖尿病日。女性在妊娠前患有糖尿病的，称为糖尿病合并妊娠。妊娠本身也可引发糖尿病，被称为妊娠期糖尿病，发生率为0.2%-0.8%，威胁着围产儿和孕妇的健康。

孕妇患糖尿病对胎儿和新生儿的影响：

①胎儿常常是巨大儿，易造成难产和产伤；

②新生儿易发生低血糖；

③肺不成熟，肺透明膜病的发生率高6倍；

④妊娠早期糖尿病未得到控制，新生儿先天性畸形发生率高；

⑤妊娠晚期胎儿易发生宫内死亡。

妊娠期糖尿病和糖尿病合并妊娠是一回事吗？

妊娠期糖尿病是仅限于妊娠期发生的糖尿病，多发生在孕3月后，分娩后大部分恢复正常，只有小部分于产后数年发展成真性糖尿病。糖尿病合并妊娠是指妊娠前已经患有糖尿病，或原有糖尿病未被发现，妊娠后进展为糖尿病。

糖尿病会遗传给孩子吗？

我今年26岁，已患糖尿病4年，尿糖持续＋＋＋＋，这种病能治好吗？将来如果想要孩子，会不会把病遗传给孩子呢？

糖尿病可以说是终身疾病，需要终身控制或治疗。治疗糖尿病的关键是树立信心，既不能悲观失望，也不能不在乎。糖尿病与遗传有关。2型糖尿病为多基因遗传，一级亲属受累率10%-15%，1型糖尿病属多基因遗传，幼年型遗传度为70%-80%，成年型为40%，一级亲属受累率为5%-10%。

患糖尿病，孩子会有病吗？

我已怀孕，在医院查血糖7.3毫摩尔/升。说我得了糖尿病。医生要给我用降糖药，还建议我使用胰岛素。我不知该怎么办？另外，我父亲是2型糖尿病，和我有关吗？孩子生下来会有病吗？

妊娠期诊断糖尿病有两种：①糖尿病合并妊娠，即孕前患有糖尿病。②妊娠糖尿病，即由于妊娠而诱发的糖尿病。依你现在的检验结果，尚不能诊断糖尿病，还需要做糖耐量试验。一旦确诊，即应积极规范化治疗。口服降糖药对胎儿也有毒副作用。胰岛素是人体内正常存在的物质，对胎儿和孕妇没有毒副作用。因此，是治疗孕妇糖尿病的首选药。另外，2型糖尿病有家族和遗传倾向，你父亲是2型糖尿病，你患病的几率较高，综合分析，你使用胰岛素控制血糖是利大于弊。需要说明的是：使用胰岛素并不会产生对胰岛素的依赖性，病情控制后，可改用其他降糖药；使用胰岛素并不会引发糖尿病。孕妇在孕期使用胰岛素，新生儿出生后有发生低血糖的可能。

275.癫痫病合并妊娠

患癫痫的孕妇其胎儿先天性畸形的发生率比正常孕妇约高2.5倍，可能和治癫痫药物苯妥英钠有关，尤以唇裂腭裂、先天性心脏病发病较高。苯妥英钠可对抗叶酸和维生素K依赖凝血因子，因此巨细胞贫血和新生儿出血症发生率也增高。此外，苯巴比妥还可使新生儿出生后不久出现兴奋过度、惊厥和吸吮能力减退等症。癫痫虽不是母乳喂养的禁忌证，但要注意喂奶时母亲癫痫发作时会伤害到婴儿。

妊娠期癫痫可分两类：孕前已有癫痫；妊娠期才出现癫痫，又称妊娠癫痫。

心脏手术后与妊娠结局

术后心功能	妊娠	孕产妇死亡率
Ⅰ－Ⅱ级	可以	0%
Ⅲ－Ⅳ级	慎重	5%-6%

癫痫患者妊娠并发症和分娩并发症较无癫痫者增加2倍，常见的并发症有阴道出血、流产、妊高征、早产、羊膜炎、疱疹病毒感染等。

癫痫对胎儿的影响

低出生体重儿增加，新生儿窒息发生率高，先天畸形儿、新生儿出血症发生率均增高。

癫痫的遗传性

父母一方为原发性癫痫的患者，其子女癫痫发生率为2%-5%，比普通人患病率高10倍左右。若有一个子女发生癫痫，则再生子女癫痫的发生率增至20%。如父母均有癫痫，则子女癫痫的发病率增至20%。服用抗癫痫药物对新生儿和婴儿也有不良影响。

脑囊虫病合并癫痫

我查出脑囊虫。杀虫期间至今一直服用抗癫痫药，先是卡马西平1年，因为副作用大，改为苯巴比妥至今。我知道癫痫对后代有遗传作用。今年我31岁了，因不想隐瞒真实情况，就告诉了他。我男友在家中是独子，他父母是搞医的，知道我的情况后强烈反对。听说我服用的这两种药在体内可存留5年，我也担心有不优质的后代，你认为是怎样的？如果真是这样的话，我会放弃婚姻和孩子。

脑囊虫病以癫痫发作最为常见。癫痫型占脑囊虫病的84%-100%。癫痫是一组临床综合征。按病因，可将癫痫分为两大类，第一类：原发性癫痫，也称隐原性或特发性癫痫。发病年龄多在儿童或青年，原发性癫痫与遗传有关。即具有遗传素质。在原发性癫痫中，患者子女的发病率为4%。认为原发性癫痫的遗传性质属于不规则的常染色体显性类型，可能牵涉多个基因。第二类是继发性癫痫，也称症状性癫痫，主要是由于脑部疾病和引起脑组织代谢障碍的一些全身性疾病引起，

占癫痫病例的大多数。没有证据表明，继发性癫痫与遗传有关。

你的原发病为脑囊虫，癫痫是由脑囊虫病而引发的临床症状。这种类型的癫痫不会使子女的发病率高于一般人群。所以，不要担心遗传问题。

抗癫痫药物服用时间问题：在完全控制癫痫后开始减量、停服。癫痫大发作和局限性发作，要在完全控制达2年以上开始逐渐减量，减量时间不少于1年，如果减量1年以上没有发作，可考虑彻底停药；癫痫小发作，要在完全控制达1年以上开始减量，减量时间不少于半年，如果减量半年以上没有发作，可考虑彻底停药；精神运动性发作多需要长期用药。

你是脑囊虫病继发的癫痫，治疗原发病是控制癫痫的重要环节。服用杀虫剂和抗癫痫药期间都不适宜怀孕。至少要在彻底停药半年后才可考虑。

276.甲状腺功能亢进症与妊娠

甲状腺功能亢进症（简称甲亢）好发于育龄女性，所以妊娠合并甲亢并不少见。

妊娠与甲亢之间的相互影响

妊娠后垂体生理性肥大，体内对甲状腺激素需要增加，可出现单纯性甲状腺肥大。孕期可出现高代谢症候群，如心悸、怕热、多汗、食欲亢进等表现，与甲亢很相似。

孕前有甲亢症状的患者，怀孕后由于雌激素的增加，甲亢症状反而会得到自然减轻。已经治愈的甲亢患者，怀孕后一般不易复发。

孕前即因甲亢而使心肺功能降低，怀孕后由于心脏负荷加重，易出现心衰。合并妊高征发生率增高，可达15%-77%，尤其需要服

用抗甲亢药物时更易发生。患甲亢时者易发生钙代谢障碍，分娩时血钙降低，易发生宫缩无力及产后出血。如果甲亢未得到控制，产后可激发甲状腺危象。

甲亢对胎儿的影响

流产、早产、死产、胎儿宫内窘迫、宫内发育迟缓发生率高，与甲亢的程度有关。可引起新生儿甲亢，于出生后3~4周，随着长效甲状腺刺激素逐渐自血中消失，新生儿甲亢可自行消退。如果孕妇服用大量抗甲亢药物，可抑制胎儿甲状腺功能，而发生先天性甲状腺减退、呆小症、隐睾、甲状腺肿、头颅骨缺损等。

甲亢与怀孕

孕前确诊患有甲亢，正在服用抗甲亢的药物时，不宜怀孕，应待病情稳定后1年方可考虑怀孕。

怀孕后甲亢复发或在孕期患了甲亢，应该进行抗甲亢治疗。

用药原则：小剂量，宁可孕妇有轻度甲亢；不要过度治疗，以免胎儿出生后患有呆小症；用药期间要定期查甲状腺功能，及时发现甲减。

甲亢及治疗药物对胎儿的影响

经临床观察，合理使用抗甲状腺药物，对胎儿生长发育、智力无不良影响。妊娠合并甲亢分娩后有学者主张不宜母乳喂养，因为药物通过乳汁可影响婴儿。

孕期合并甲亢的孕妇应在产科高危门诊进行产前检查。孕36周就应住院接受内科医生和产科医生治疗。分娩时间、方式需要根据孕妇具体情况决定。分娩后应立即检测新生儿脐血T3、T4、TSH，对新生儿甲状腺功能进行评估，至少让新生儿留院观察10天，出现问题及时由新生儿医生处理。

脱发是否与甲亢有关？

最近我落发很厉害。手撸一下头发，就能掉好几根头发。我以为是头发太长，再加上曾染过发，所以把头发剪短了，但还是出现同样的问题。请问，是否与我曾吃治甲亢药有关？

甲亢病人由于基础代谢率增加，出汗多，会出现不同程度的脱发现象。服用抗甲亢药也会造成轻度脱发。但不是永久的，掉下的头发还会不断长出来的。不必担心。

甲亢会遗传给下一代吗？

本人准备今年3月底怀孕，去年7月曾得过甲亢，现在已经得到控制，不知这种病是否会遗传给下一代，我该怎么办？

甲亢不是遗传病，不会遗传给下一代。但甲亢治疗周期比较长，从患病到治愈大多需要3年的时间。你刚刚病后8个月，虽然病情得到了控制，但可能尚未稳定，怀孕后可能会使病情复发。建议你看内分泌科医生和产科医生，双方都认为你可以妊娠，再计划怀孕也不迟。除此之外，还需做其他孕前检查。

患有甲亢会生下不健康的宝宝吗？

我5月刚结婚，打算明年2月怀孕。我3年前因工作情绪低落，当时还吃了奎科减肥酥，引发了甲亢，右眼稍突。在吃了约1年他巴唑片后，验血报告显示T3和T4比正常指标低了。于是，在吃他巴唑片的同时，还吃甲状腺素片。药量为每天各1片。两年后，在多次验血无异常情况下，医生建议我做抗体检查，结果是：抗甲状腺球蛋白为阴性，微粒体抗体为阳性。因为医生建议我再吃半年药，然后坚持每隔三个月验血一次。我还需吃药？还是我现在乘指标还比较正常时，先怀孕？我的丈夫还不知道我曾有这个病史。我也不知道该不该说。我很担心会生下一个不健康的宝宝。所以，我一直都没敢怀孕。

你已经连续抗甲亢治疗达3年之久，多次检验甲状腺功能正常，对治疗反应比较好。这3年中没有复发，再巩固治疗几个月，停药后半年病情稳定，甲状腺功能正常，就可考虑怀孕。怀孕期密切关注病情变化，胎儿不会受到影响。

怀孕后甲亢复发的可能性大吗？

我7月份得过甲亢，14个月 以后停服他巴唑，当时复查甲状腺功能正常。停药后10个月检查T3有点偏高，服用了一个月的中药。甲状腺明显缩小，停药后3个月复查甲状腺功能正常。我准备半年以后怀孕，在怀孕前准备复查一次，如果正常是否可以怀孕？怀孕后复发的可能性大吗？我一直都没有吃一些海产品，如紫菜、海带等，如果可以怀孕的话，在孕期能否吃，孩子出生后会不会缺碘，会不会造成智力障碍，因为这个病我的第一个孩子就没能要（当时服用他巴唑了）。

甲亢缓解期（停用抗甲亢药半年以上、甲功正常、没有甲亢临床症状）可考虑怀孕。怀孕后有可能甲亢复发，但几率不高。因此，孕期要监测甲功，及时发现病情复发。孕期可以适当吃海产品。现在都是加碘盐，饮食又很丰富，没有疾病状态，不会缺碘。如果你在整个孕期甲状腺功能都正常，也没有发生甲状腺功能减低的话，不会对胎儿造成什么影响的。

277.甲状腺功能减退症

甲状腺功能减退症简称甲减。妊娠合并甲减主要见于以下3种情况：（1）甲减原发于幼年或青春期，经治疗后妊娠。（2）甲减原发于成年期，经治疗后妊娠。（3）甲亢、甲状腺腺瘤经放射治疗或手术后继发了甲减，经治疗妊娠。患有甲减的女性怀孕的几率不是很高，约1%的甲减女性经治疗后可怀孕。

怀孕期间能否用治疗桥本氏甲状腺炎的药物？

我患有桥本氏甲状腺炎(30岁)，1998年5月至今一直用药，想请教专家怀孕期间能否用药，用国产药和进口药有何区别？现用上海产的"甲状腺片"。

甲状腺制剂基本不能透过胎盘，不影响胎儿的甲状腺功能，也不会引起胎儿畸形，因此，怀孕后的甲减妇女仍可继续服用甲状腺制剂，相反，如果自行停用补充治疗，妊娠后容易发生流产，而且可影响胚胎发育，但要定期检查，调整用量，避免甲减或甲亢对胎儿的影响。

做过碘131治疗后多长时间可以怀孕？

我今年30岁，患甲亢已有3年，近期刚刚做过碘131治疗。类似我这种症状，需多长时间才可以妊娠？妊娠对孩子有什么影响？

原则上应在治疗后病情稳定1~3年后妊娠为妥。治疗后，可能会有3种可能：甲状腺功能维持在正常范围，这是最理想的；甲状腺功能仍处于增高状态，这种情况不多见；甲状腺功能处于低下状态，需要终身服用甲状腺素。所以，需要追踪较长一段时间，监测甲状腺功能，使甲状腺功能维持在稳定状态。如果甲状腺功能不能维持在正常水平，对妊娠会有影响，尤其是甲低，对胎儿影响更大。为了下一代的健康，需要再等1~3年。

既往甲状腺瘤对胎儿有影响吗？

我小学时查出甲状腺异常，当时并没有诊断什么病。直到工作之后看医生，认为可能是甲状腺瘤，没有甲亢、缺碘等症状，未做过什么治疗。现在我怀孕4个月，会不会对胎儿有影响，能否等到孩子出生之后再行手术。

单纯甲状腺肿，如果没有甲状腺功能异常，可不用治疗，考虑到美观（颈部增粗的话），可在医生指导下服用药物。但孕期不能服用，要等到分娩和停止哺乳后服用。如果是甲状腺瘤，不伴有甲状腺功能异常，腺瘤长得不快，也没有恶变趋势，也不需要手术，单纯甲状腺瘤对胎儿没有影响，如果需要手术，也应该等到分娩以后。

278.结核、类风湿、胆结石与妊娠

肺结核吸收停药1个月是否可以怀孕？

我患有肺结核，已经停药1个多月了，病灶基本吸收了。我是否可以怀孕？是否可以使用转移因子？

肺结核治愈后彻底停药6个月，经X胸片复查正常，可怀孕(孕前3个月内不能接受X照射)。转移因子是免疫增强剂，可按疗程间断服用，若免疫功能正常，不要长期服用。孕期不宜服用。

类风湿会遗传给孩子吗？

我于去年3月不幸得了类风湿，经1年多治疗已基本控制，现在长期服用"柳氮磺氨吡啶"，今年我已25岁，不知得了此病将来能否怀孕，会遗传吗？如能怀孕需停药多久，要在病情怎样的情况下才行？还有哪些需注意的事项？

在类风湿的非活动期，也就是在疾病的稳定期可考虑妊娠。类风湿不是遗传性疾病，不会遗传给胎儿。

停药必须是在病情允许的情况下，由医生决定，停药后应先观察病情是否有复发的可能，一般情况下应观察3个月，当病情处于完全稳定期并且没有其他脏器损害，体温正常，关节无疼痛、红肿，血沉正常，类风湿因子阴性，C反应蛋白、C3补体、免疫全项正常的情况下方可考虑怀孕。怀孕结局与疾病转归、是否复发、机体状况、自身免疫状态等诸多因素有关，妊娠可能会使疾病向好的方向转化，也可能使疾病恶化。总之，在妊娠前，你要作好孕前准备，要听从医生的意见。

女性患类风湿应警惕是系统性红斑狼疮的前兆，应注意排除。监护全身重要脏器的功能，及时发现各器官功能损害。

胆结石后多长时间可以怀孕？

单位组织体检时发现有胆结石，医生推测有4-5年的病史了，建议我做手术。我的胆结石病症不明显，只是偶尔感到背疼。由于工作的原因，最近没有时间做手术。如果我打算明年初怀孕，不做胆结石的手术会有影响吗？如果做胆结石的手术，是否需要间隔一定时间才能怀孕？

胆结石如果不继发感染，结石也没有活动，可以没有症状，如果继发感染或结石移动，或堵塞胆管，可能会发生胆绞痛、发热，甚至黄疸等症状。如果妊娠期间出现这种情况，可能会给治疗带来麻烦，有一些药物由于对胎儿有影响而不敢使用。所以，如果有条件的话，当然是治愈疾病后怀孕为佳。如果经腹腔镜做胆囊切除术，恢复较快，术后3

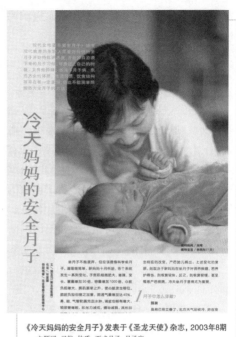

《冷天妈妈的安全月子》发表于《圣龙天使》杂志，2003年8期
主题词：习俗、体质、西式月子、月子病

个月可以计划怀孕。如果做开腹手术恢复相对慢些，可等到术后半年怀孕。

第4节　胎儿疾病

279.ABO血型不合溶血病

临床所见ABO血型不合，系因母体血液内含有免疫性抗A或B抗体作用于胎儿红细胞而引起溶血。其中以母为O型，子为A型者多见，母为O型，子为B型者次之。母为A型或B型，子为B型或A型或AB型者少见。但是，并非有母子血型不合者都发生溶血病，据统计，ABO血型不合者，仅约2.5%患溶血病。临床表现轻重不一，有的很轻，就如同生理性黄疸一样，未经过任何治疗，黄疸几天就自行消退了。有的比较重，出生后即有明显贫血，并迅速出现黄疸，需经过一系列治疗措施。但总体来说，ABO血型不合溶血病均比Rh血型不合溶血病轻。

ABO血型不合就会出现溶血儿？

我的血型是O型，先生是B型，听说容易出现溶血儿，是真的吗？该如何补救呢？

你的血型是O型，丈夫的血型是B型，胎儿的血型则可能是B型或O型。如果胎儿血型是O型，就不存在母子血型不合问题。只有胎儿血型是B型时，才有可能发生ABO血型不合溶血病。但O-B血型不合造成溶血症的程度往往比较轻，很少在胎儿期发生溶血，大多在新生儿期出现，所以，孕期服用预防性药物的意义不是很大。如果出生后发生溶血，则新生儿科医生会及时发现和治疗的。因此，你不必过于担心。

有办法防止ABO血型不合溶血吗？

我曾做过两次人流，现又怀孕，已经40天了。我的血型是O型，我丈夫的血型是AB型，据说我们的血型不合，有可能会造成胎儿溶血，这种现象的概率大吗？有办法防止吗？什么时候需要去做相应的检查？

母亲是O型血，父亲是AB型血，孩子有可能会出现ABO血型不合性溶血病，但发生的几率很小，约2.5%。即使发生了溶血，症状也多比较轻。多是在出生后治疗，在宫内需要治疗的极少。你不必担心，出生后医生会监测新生儿的血胆红素和红细胞变化，发生溶血时会及时治疗。

280.Rh血型不合溶血病

母亲与胎儿发生Rh血型不合，可引起胎儿血液中的红细胞破坏，出现胎儿溶血病。

亚洲黄种人最常见的是ABO溶血病，大家都比较熟悉，对Rh血型不合造成的胎儿溶血病较为陌生。虽然Rh溶血病发生率低，但是，一旦发生，后果严重，可遗留永久的后遗症，甚至危及胎儿的生命。

Rh血型分为Rh阴性和Rh阳性，我国人群大多数是Rh阳性，Rh阴性只占1%，汉族人群中则低于0.5%。白种人群可占15%左右。

Rh血型不合发生在母亲是Rh阴性，而胎儿是Rh阳性的母子之间。

Rh血型不合溶血反应多发生在第二胎以后，约占99%。而初孕时溶血反应较轻。当再次妊娠时，如果胎儿仍是Rh阳性，则母体内已有的抗体和新产生的抗体，使胎儿红细胞接二连三地被破坏，胎儿可因重症贫血而死于宫内。存活者可出现重症黄疸，造成核黄疸，影响脑及其他重要器官的发育，而引起智力障碍。

Rh溶血病的预防措施

在什么情况下需要给Rh阴性的女性注射Rh(D)IgG。

（1）第一次分娩Rh阳性婴儿后，于产后72小时内应用Rh(D)IgG。

（2）若未产生抗体，则应再次注射Rh(D)IgG。

（3）自然流产和人工流产后均应注射

《补钙与VD的8个误区》发表于《妈妈宝宝》杂志，2006年10期
主题词：晒太阳、补鱼肝油、骨骼生长、特异性表现

《新生儿拉肚子生理分析》发表于《女性月刊·妈妈宝宝》杂志，2000年3期

主题词：脐带尿、大便性状、细菌性肠炎、正常菌群

Rh(D)IgG。

（4）做羊膜腔穿刺后应注射Rh(D)IgG。

（5）发生宫外孕后应注射Rh(D)IgG。

（6）产前预防性注射Rh(D)IgG。

（7）输入Rh阳性血后应注射Rh(D)IgG。

Rh溶血病的产前诊断

Rh阴性的孕妇,检查丈夫是否为Rh阳性。

测抗体：从妊娠16周至妊娠38周,共7次。当抗体达1:32时,则进一步检查羊水,测定磷脂酰胆碱与鞘磷脂比值,比值为2时可考虑提前分娩。若比值＜2,可反复给予血浆置换。若胎儿血色素＜80克/升,可输新鲜血液(ABO血型与胎儿相同),严重者考虑换血治疗。

Rh血型阴性对母子会有何影响？

我太太怀孕已8个月,检查血型为O型Rh阴性,我们有以下问题请教:Rh阴性对母子会有何影响?有何处理和预防措施?（注：前年曾有一次流产史）

应检查父亲的血型,父亲若不是O型,则胎儿血型有可能与孕母发生ABO血型不合而出现胎儿或新生儿溶血病。但ABO血型不合溶血病大多比较轻,胎儿期发生溶血的极少。

若父亲是Rh阳性,可能会发生母子Rh血型不合, Rh血型不合可引起胎儿溶血病和严重的新生儿溶血。可危及胎儿和新生儿的生命。既往有流产史,使发生血型不合的几率增大,更应提前处理。你要到当地妇产医院接受治疗。可注射Rh(D)IgG来预防胎儿Rh溶血病。

Rh血型不合是否可注射Rh免疫球蛋白？

听说如果有Rh（阴性)母子血型不合,可以注射一支进口的Rh免疫球蛋白。不知何处有售?

如果是Rh阴性,且曾有妊娠史,需要到医院做孕前预防Rh母子血型不合溶血。你不能随便自行购买和使用有关药物,一定要去医院。

281.胎儿宫内发育迟缓

如果医生告诉你, 宝宝患了胎儿宫内发育迟缓（IUGR）,你一定会非常紧张的。从字面上你就能想象到, 宝宝的发育出了问题。

为什么会这样呢? 胎儿的正常发育与父母双方遗传, 孕母的营养、健康状况,维系胎儿生长的子宫、胎盘、脐带血流量、促胎儿生长激素、胎儿自身等诸多因素有关。因此导致胎儿宫内发育迟缓的原因有很多。

胎儿之间出生体重的差异,40%来自双亲遗传因素。孕妇营养是胎儿营养的基本来源,如果孕妇摄入的蛋白质、热量等营养素不足,必定会影响胎儿的生长,可占50%-60%。孕妇有妊娠合并症,如妊高征、慢性高血压史、慢性肾炎、糖尿病、贫血等都会影响胎盘功能,而使胎儿发生缺氧和营养不良。孕妇吸烟饮酒也是引起IUGR原因之一。胎儿自身发育缺陷,如胎儿宫内感染、遗传性疾病、先天畸形、接受了放射线照射等都可引起IUGR。一旦发生了IUGR,孕妇千万不要紧张,应该积极配合医生治疗。

孕7月，可以每天定时吸氧吗？

我怀孕7个月，我们同事和我差不多，也怀孕7个月了，她每天都到医院吸氧1小时，说是为了使胎儿不缺氧，我也准备每天定时吸点氧，以免我的孩子也缺氧，你看可以吗？吸氧有何利弊？

孕妇吸氧是有指征的，并不是所有的孕妇都需要吸氧，只有孕妇有缺氧或胎儿有问题，如胎儿宫内发育迟缓，胎儿宫内窘迫等情况才需要给孕妇定期吸氧，否则，没有必要每天定时吸氧。长期吸高浓度的氧也会出现氧中毒。如果医生没有让你定时吸氧，就说明你不需要吸氧。

FL小于正常意味什么？

（1）于孕52天、孕19周时做B超检查测得胎儿孕龄比实际孕周小4天，是否是宫内发育迟缓？当时医生说胎儿发育正常，这几天在网上看到小一周是宫内发育迟缓，我很紧张，因当时未做任何补救措施。

（2）孕31周测得胎儿BPD为8.1，FL为5.4，医生预测胎儿孕龄为32周加3天，但股骨长小于正常平均值，意味着什么？我该怎么办？当时医生也说胎儿发育正常，胎儿不小。

（3）关于胎儿大脑发育的问题。目前不同版本的书对胎儿大脑发育时期的确定都不一样，分别是：①出生前6个月至出生后6个月。②出生前3个月至出生后6个月。③孕早期3个月、7～8月、出生后6个月。到底是哪一种？

孕周的确定是根据末次月经估算的，如果月经周期不准，就要靠B超来估算月龄了。你所说的"实际孕周"也是估算出来的。所以，B超与孕龄之间存在差异是难免的。

B超评估孕龄与按照末次月经计算出的孕龄相差4天，不能就此认为有胎儿宫内发育迟缓。应动态追踪胎儿生长发育情况。确定是否有胎儿宫内发育迟缓，要有连续动态观察，如果连续观察胎儿发育正常，就是正常的。一次测定的结果，往往不能说明问题。从两次B超结果看，目前没有胎儿宫内发育迟缓迹象。

关于胎儿大脑发育，可以说是个比较复

《新生儿幼儿保暖》发表于妈妈宝宝网，2002年9月
主题词：散热能力、脂肪代谢、棕色脂肪

杂的问题，有神经结构方面的问题，有神经功能的问题。脑的科学是人类为之进行不懈努力研究的尖端科学。脑的奥秘至今尚有许多需要探索。

胎儿从神经管形成开始，一直到出生后2岁，大脑功能趋于完善。3岁后大脑的复杂性和丰富性基本确定，大脑结构牢固形成。尽管这并不意味着大脑的发育过程已经停止，但如同计算机一样，硬盘已基本格式化完毕，等待编程。大脑功能的开发和发展始终不曾停止。因此，绝对地说脑的发育是从出生前什么时候到出生后什么时候，都不是很确切的。

282.胎儿宫内感染疾病

孕妇感染病原体，就一定造成胎儿宫内感染吗？

并不是说所有感染的孕妇都会造成胎儿宫内感染，但毕竟造成胎儿宫内感染的机会很大。医生建议：①孕妇要进行早期宫内感染筛查，如果血清IgM抗体检测结果阳性，就要进行重复测定。②对已经确定有感染的孕妇，无论有无宫内感染证据，都要积极治疗。③经治疗未见明显效果者,要做胎儿宫内产前感染诊断。④确定有宫内感染者,或采取宫内给药治疗,或终止妊娠。

不同病原体感染胎儿的不良后果是什么

●巨细胞病毒感染对胎儿的危害:可造成多脏器损害。

●单纯疱疹病毒感染对胎儿的危害:可造成多脏器损害。

●风疹病毒感染对胎儿的危害:可导致先天性风疹综合征,主要表现为耳聋、白内障和先天性心脏病。

●弓形虫感染对胎儿的危害:多侵害神经系统。

●解脲支原体感染对胎儿的危害:低出生体重儿。

●沙眼衣原体感染对胎儿的危害:新生儿眼炎及其他脏器损害。

总之,宫内感染对胎儿的危害最常见的是胎儿宫内发育迟缓和智力发育障碍,尤其可造成先天性畸形,因此,把检查孕妇是否有以上病原体感染叫作优生筛查比较合适。

胎儿宫内窘迫

胎儿宫内窘迫分慢性和急性两种类型,慢性胎儿宫内窘迫多是由于孕妇合并有妊高征、慢性高血压、糖尿病、贫血等疾病,胎儿宫内感染、畸形、过期妊娠等原因引起。急性胎儿宫内窘迫多是由于在分娩过程中出现脐带、胎盘并发症,以及难产和胎儿自身疾病,如脐带脱垂、打结、缠绕、过短,胎盘早剥、前置胎盘等原因所致。一旦得知你的宝宝患了胎儿宫内窘迫,要遵照医生的嘱咐去做。

283.先天性风疹综合征

风疹病毒可以通过胎盘感染胎儿,导致胎儿患先天性风疹综合征(CRS)。根据宫内感染的程度和时间,表现出不同程度的组织缺损。胎儿受到感染后可出现多组织损害,但不一定在出生后就表现出来,有的要在出生后几周、几月,甚至几年才逐渐表现出来。

《孕中期营养指南》发表于《妈妈宝贝》杂志,2006年11期
主题词:补充依据、分娩准备、食品清单

风疹疫苗免疫方案

西方国家大多采用麻疹–腮腺炎–风疹三联疫苗进行基础免疫,对所有孩子于出生后1岁到1岁半接种,于12岁再接种一次。我国的风疹免疫虽未列入计划免疫,但已有很多城市开始接种单一或联合的风疹疫苗。

284.先天性巨细胞包涵体病毒(CMV)感染

胎儿出生后1–2周内分离到CMV时,即可确定此新生儿为先天性CMV感染。胎儿感染CMV主要是通过胎盘传播的。另外,从精液中也分离出CMV,因此,通过父亲的传播也是可能的。胎儿经产道或出生后不久通过母乳感染CMV,则称围产期感染。

先天性CMV感染可侵袭胎儿神经系统、心血管系统、肺、脾等器官,造成死胎或流产。成活的新生儿则有肝脾肿大、黄疸、肝炎、血小板减少性紫癜、溶血性贫血及各种先天畸形。在新生儿脐带血中测到特异性CMV-IgM抗体可确诊为先天性感染。

CMV感染的产前诊断

通过产前诊断，在孕期发现CMV宫内感染是预防先天性CMV感染的有效途径。羊水细胞和胎儿脐带血是进行先天性CMV产前诊断的理想材料。

婴儿CMV感染的分类

先天性感染：指由CMV感染的母亲所生育的子女于出生后14天内证实有CMV感染，是宫内感染所致。

围产期感染：是指由CMV感染的母亲所生育的子女于出生后14天内没有MCV感染，而于生后第3～12周内证实CMV感染，是出生过程中或吃母乳感染所致。

生后感染（获得性感染）：指婴儿出生12周后发现CMV感染。

血清特异抗体检测临床意义

血清抗CMV-IgG：阳性结果表明CMV感染，6个月以内婴儿需除外胎传抗体；从阴性转为阳性表明原发感染；双份血清抗体滴度呈≥4倍增高表明CMV活动。

血清抗CMV-IgM：阳性表明CMV活动，如同时检测抗CMV-IgG阴性，表明原发感染；新生儿和婴儿产生IgM能力差，因此即使感染了CMV，仍可出现假阴性。

285.支原体感染与新生儿肺炎

孕妇支原体特异性抗体升高与新生儿肺炎有关。首都儿科研究所和北京妇产医院检测160例妊娠晚期孕妇血清支原体特异性抗体IgM，并对其中阳性孕妇于产后做胎盘支原体分离培养，同时给新生儿做脐带血支原体抗体检查。结果：160例孕妇中，81例血清支原体特异性抗体阳性，81例阳性孕妇中，有65例做了胎盘支原体培养和新生儿脐带血检测，胎盘支原体阳性者6例，脐带血IgM抗体阳性者7例；新生儿肺炎及新生儿发热的发生率均比妊娠期血清IgM阴性的孕妇高。提示了支原体是新生儿感染性疾病的主要病原体。孕期支原体感染还可引起新生儿脑膜炎等中枢神经系统感染，尤其多见于早产儿。

准妈妈/李美绮

准妈妈／魏菊

用 药

安全等级、孕前及哺乳期、
准爸爸用药、疫苗、营养保健品

有病不要自行吃药，必须使用药
物时，要选择副作用最小、治疗效果
最显著的；一种药物能够解决问题
时就不要选用两种。

本章要点

- 孕期用药的安全等级
- 关于疫苗的使用
- 补品、营养保健品

第1节 药物

286.药物,利也? 弊也? 治病? 致病?

怀孕后免疫力会有所下降,尤其在怀孕的初期,孕妇可能比平时爱生病,到了孕后期,可能会出现一些不适的感觉,为此孕妇常常吃一些药物。

在怀孕期间大多数孕妇不敢自行用药,多是向医生咨询,或到医院看医生后开些药物,尽管医生告诉你开给你的药是安全的,药品说明书上也没有标明孕妇禁忌,但只要是药物,都多多少少有副作用,如果能不吃,最好不吃。比如说感冒,属于自限性疾病,没有可靠的特异治疗药,不是很重的感冒,通过休息、多饮水,几天就会自然好转的,真的没有必要吃很多的药。

国外曾经有过报道,孕妇在孕期服用过药物的占70%-80%;在新生儿出生缺陷中,可能有2%-3%是由于药物引起的;还有一半以上原因不明的出生缺陷儿中,可能与药物和疾病的相互作用有关。

但也不能矫枉过正,真的有病了,该吃药时也不能一味地认为药物对胎儿有影响而不治疗疾病。

曾经有位孕妇,就诊时已经是很严重的肾盂肾炎,在家挺了1周,体温达39℃,已经发生了肾周脓肿,仍不治疗就不对了。药物对胎儿的影响是要考虑,但疾病本身对胎儿的影响更应考虑,而且还关系到孕母的身体健康和生命安全。这个问题应客观对待,权衡利弊。

孕期用药的原则:使用药物时要权衡利弊,有病不要自行吃药,要及时看医生,得到

妥善解决。必须使用药物时,要选择副作用最小,治疗效果最显著的;一种药物能够解决问题时就不要选用两种。

准妈妈应该怎么做

绝大多数准妈妈是知道药物对胎儿有不良影响的,尤其是标明对胎儿有害的药物,准妈妈宁愿自己硬挺着,也不情愿吃药。只要是不利于胎宝宝的事情,准妈妈会想尽一切办法回避的,这一点没有人怀疑。然而,当问题发生时,受到谴责的总是准妈妈,医生会责备,亲人会抱怨,朋友会送些"后悔药",最要紧的是准妈妈自己发自内心的懊恼,这对准妈妈实在是有失公平。

如果我们科普做得好,孕前准备充分,孕期保健跟得紧,有很多问题是可以避免的,就像照射X线这样的问题本不该发生,可在大量的咨询中,类似的事件时常发生。服用药物的问题也很普遍,而在服用药物的孕妇中,绝大多数的准妈妈是在不知道怀孕的情况下服用的。还有些孕妇是因为错把孕初期不适或轻微的妊娠反应当作感冒或胃病,无意中服用很多药物。

发生这种情况还有另一层原因,就是我们民众对药物的毒副作用认识不足,没有充分认识到,药物在治疗疾病的同时,也会发生不良反应。这也是传统的消费观念造成的,对有形服务比较认可,比如说医生开了药方,患者花钱拿到了药物,就是有形的东西,可以看到钱花到哪里了,而对于医生口头上的健康处方却常常不以为然。其实,医生的口头健康处方对患者的康复是至关重要的。现在有越来越多的人开始重视医生的健康处方了。孕妇更应该重视健康处方,少用药物,顺势疗法和食疗法是很适合孕妇的,可最大限度地避免药物带来的不良影响。

医生应该担负的责任

当孕妇在不知怀孕的情况下,服用了某

种药物，就会忧心忡忡，寄希望于医生，向医生寻求帮助，但有时并不能得到满意的答复。因为一些药物对胎儿的影响并不十分清楚，医生很难给出肯定的答复。即使是对胎儿有伤害的药物，其伤害程度，发生几率也很难判定。理论上没有伤害的药物并非对所有的胎儿都是安全的，最终的决定还得自己拿。遇到这种情况时，就会真正影响孕妇的情绪。所以，结婚的夫妇，无论是否有生育的计划，如果没有采取有效的避孕措施，一定要想到随时有怀孕的可能，在接受对生殖细胞和胎儿有影响的药物时，首先要想是否已经怀孕。

药物对胎儿的影响到底有多大？一旦服用了某种药物，是否就一定意味着胎儿有问题？就必须终止妊娠？几乎没有哪位医生会给出百分之百的答复，这是可以理解的。但如果医生能够原则上确定孕妇所服用的药物对胎儿不会有什么影响，能够全心全意站在孕妇的立场上考虑，也甘愿背负责任，就应该给孕妇拿主意。因为，此时医生的话如同"圣旨"，一个不经意的词，都会让孕妇大喜或大忧，给孕妇更多的鼓励是非常重要的。

曾经有位孕妇，在不知怀孕的情况下服用了药物，所用之药的说明书上明确写着孕妇慎用，这位女士一连去了几家医院，看了几个医生，结果差不多，都建议她终止妊娠，并抱怨说为什么不注意呢。这位孕妇非常难过，又急又恨。她向我咨询，我和这位准妈妈共同坐下来，仔细计算了她可能的受孕时间和服用药物的时间，又把她所服用的药做了详细的分析，对她的疑虑和担忧一一做了详细的解答，最终得出结论：可以继续妊娠，宝宝会健康成长。第一次咨询就这样快乐地结束了。可没过两天，这位孕妇又来找我，咨询的仍然是第一次的问题.我非常理解这位准妈妈，是啊，一对夫妇就生这么一个孩子，哪个妈妈不希望自己的孩子聪明健康，何况她曾经见过的那几位大夫建议她终止妊娠，她怎能轻易接受我的建议？尽管这一建议符合她的心愿，她的内心也会七上八下的，担心腹中的宝宝是否能够健康成长起来。

《用心关爱都市女性健康》发表于《北京晨报》，2004年5月25日
主题词：亚健康、生活方式、健康管理、重视

几乎没有哪个准妈妈能够承受：在宝宝还没有出生前，就被医学判定有出生缺陷的可能，这对准妈妈来说是再难受不过的了。没有妈妈愿意接受这样残酷的现实。

我不厌其烦地和这位准妈妈讲，和她共同探讨胎儿的健康到底受到多大来自药物的威胁，先假设她所服用的药物对胎儿有害，再分析有什么危害，我们是否能够接受这样的事实，再以医学理论和实践一步步证明她所服用的药物对胎儿没有不良影响，至少不会因为所服用的药物导致宝宝出生缺陷——这是底线。最终我们又达成了一致意见，继续妊娠，后来我们又在电话中谈了几次，这位准妈妈终于平静下来，那时她已经是妊娠2个多月的孕妇了。

后来，宝宝终于顺利降生了，很健康，现在已经会咯咯地笑出声来，是个聪明又健壮的机灵宝贝。

287.药物对孕妇的安全等级

美国食品和药物管理局（FDA）根据药物对动物和人类所具有不同程度的致畸危险，将药物分为A、B、C、D、X 5个等级，称为Pregnancy Categories(药物的妊娠分类)。下面是具体的等级分类：

A级：已在人体上进行过病例对照研究，证明对胎儿无危害。

《春节里的准妈妈》发表于《健康博览》杂志，2003年1期
主题词：睡眠不足、室内空气、缺氧、暴饮暴食、感冒、噪音、交通工具

B级：动物实验有不良作用，但在人类尚缺乏很好的对照研究。

C级：尚无很好的动物实验及对人类的研究，或已发现对动物有不良作用，但对人类尚无资料。

D级：对胎儿有危险，但孕期因利大于弊而需使用的药物。

X级：已证明对胎儿的危险弊大于利，可致畸形或产生严重的不良作用。药品说明书中都明确标识。

被划分到A级里的药物是被证明对胎儿无危害的，因此，是妊娠期患者的首选药物，但由于被划分到A级里的药物并不能治疗所有的疾病，为了治疗某种疾病，不得不选用B级药物，另一方面，即使是A级药物，由于不同的剂量，不同的给药途径和时间，孕妇处于不同的妊娠时期，其安全性也并非是一成不变的，孕妇也不能放心大胆地自行使用。

药物对胎儿的影响并不仅仅决定于药物本身，还与很多外界因素有关，因此，即使是非处方药，孕妇也不能自己到药店购买药物进行"自疗"。

288.药物对胎儿影响的外围因素

药物对胎儿的影响，除与药物的种类有关外，还与怀孕时间、药物剂量、药物在胎盘的通透性等因素密切相关。

怀孕时间

药物对胎儿的影响，与胎龄有关，胚胎期(孕2~8周)对药物最敏感，也就是说在孕早期，服用药物应倍加小心，最好不使用任何药物，除非有以下3种情况：

（1）孕妇有显著的病症；

（2）孕妇所患疾病对胎儿的影响大于药物的影响；

（3）疾病已严重影响了孕妇的健康。

此时选择药物的种类就显得异常重要了，选择既治病副作用又小的药物，需要医生精心筹划，而不是拿起笔来就开药方。

药物剂量

使用药物的剂量越大，对胎儿的影响就越大，这一点很好理解，但并不是所有药物的副作用都是如此。有些药物即使在比较小的剂量，对胎儿也会造成大的影响，如抗肿瘤药。所以，为孕妇选择药物时一定要经过慎重考虑，需要医生有高度的责任心和过硬的技术。

现在并不是所有的医生都懂得药理性质，有些新药，只是看看说明书就给患者使用，是很不负责任的，如果孕妇需要服用药物，应该向产科医生，或这方面专家咨询，全面辨证地考虑孕妇、胎儿、疾病、药物四方面的关系，才能有效地避免不正确使用药物的现象。

胎盘对药物的通透性

胎盘对药物的通透性越大，这种药物对胎儿的危险性也就越大。另外，对孕妇没有副作用的药物，并不意味着对胎儿也没有影响，药物对胎儿几乎全部都是不安全的，即使是A级药物，在妊娠8周以内最好也不要服用，除非必须服用时，而且一定要在医生指导下使用。

关于非处方药

现在药店和商场有许多非处方药出售，

任何人都可以自行购买和服用。绝大多数人认为非处方药都是安全的，这种认识对孕妇不适合。有些非处方药是不适合孕妇服用的，虽然对孕妇本人无害，却不能保证对胎儿是安全的。所以，即使是非处方药，也要在医生指导下使用。

关于外用药

外用药和内服药一样，也会被吸收到血液中，而且有些药物更易透过皮肤或黏膜吸收。所以，孕妇在使用外用药时，也要考虑对胎儿的安全性，必须征得医生同意后再使用。

289.常用药物在孕期的使用

（1）青霉素类：较安全，包括广谱青霉素哌拉西林。口服、肌肉注射、静脉滴注均可用于孕妇。

警示：按推荐剂量使用，不可超量！

（2）红霉素类：同类药还有利菌沙、罗红霉素、阿奇霉素等，分子量大，不易透过胎盘到达胎儿，青霉素过敏者可使用。衣原体、支原体感染首选药。

警示：对胃肠道有刺激作用，长时间或大量使用可使肝功能受损！

（3）先锋霉素：目前资料无致畸作用记载。

警示：不是所有先锋类的抗菌素都可应用于孕妇，比较适合的是先锋霉素Ⅴ！

（4）甲硝唑：杀虫剂，治疗滴虫感染，主张早孕期不用。

警示：除非有绝对的适应症，否则，不要选用！

（5）螺旋霉素：治疗弓形体感染，对胎儿无不良作用。

警示：不能长期和超量使用！

（6）驱虫药：对动物有致畸作用，应慎用。

警示：除非临床有绝对的适应症，非用不可，否则不宜使用！

（7）地高辛：强心药，易透过胎盘，对胎儿无明显不良作用，心衰孕妇可使用。

警示：强心药是一匹难以驾驭的烈马，有效剂量和中毒剂量非常接近！

（8）β-受体阻断剂：有引起胎儿生长发育迟缓的报道。

警示：医生可能会为患有妊娠高血压的孕妇使用，需要密切观察胎儿的生长发育情况！

（9）降压药：有明确致畸作用，孕妇禁用的是血管紧张素转换酶抑制剂，如卡托普利；血管紧张素Ⅱ受体拮抗剂，如氯沙坦；其他种类降压药，如钙离子拮抗剂，代表药心痛定，可引起子宫血流减少。

警示：合并妊娠高血压的孕妇需服用降压药，一定不能选用有明显致畸作用的药物！

（10）利尿药：接近足月的孕妇服用利尿药，可引起新生儿血小板减少。乙酰唑胺动物实验有致肢体畸形作用，孕妇忌用。

警示：妊娠期高度水肿，重度妊娠高血压，需要使用利尿药，急救需要以孕妇为重！

（11）治疗哮喘的药物：茶碱、肾上腺素、色苷酸钠、强的松等均无致畸作用。

《对孕期疾患的健康心态》发表于《女性月刊·妈妈宝宝》杂志，2000年2期

主题词：孕期用药、致畸作用、丈夫心态、客观指标

警示：激素类药物不能常规使用！

（12）抗抽搐药物：孕期服用抗抽搐药者胎儿先天畸形发生率为未服用者的2-3倍。常用的有苯妥英钠、卡马西平、三甲双酮、丙戊酸等。

警示：患有癫痫病的女性生育是大问题，要权衡再三！

（13）抗精神病药均有致畸作用。

警示：孕前就获知有精神系统疾病，最好的选择是不孕！

（14）镇静药物：如安定、舒乐安定，个别有致畸作用！

警示：孕期出现睡眠障碍，最好不要依赖镇静药！

（15）解热镇痛药：扑热息痛可产生肝脏毒性；阿司匹林可伴有羊水少，胎儿动脉导管过早关闭；布洛芬、奈普生、吲哚美辛可引起胎儿动脉导管收缩，导致肺动脉高压及羊水过少；妊娠34周后使用消炎痛，可引起胎儿脑室内出血、肺支气管发育不良及坏死性小肠结肠炎等不良作用。

在我国，尤其是女性，应用解热镇痛药（也称非类固醇类消炎药，英文缩写为NSAID）是比较普遍的，所以，即使由于解热镇痛药造成胎儿出生缺陷的发生率并不是很高，也会对人类健康带来严重的影响。

警示：习惯服用这类药物的女性，在孕前要想方设法改变。很多感冒药中含有解热止痛类消炎药，故应慎重服用感冒药！

（16）止吐药物：未见致畸报道。

警示：治疗妊娠呕吐的药物对胎儿并不都是安全的！

（17）抗肿瘤药物：有明确致畸作用。

警示：患了肿瘤，很少会继续妊娠！

（18）免疫抑制剂：硫唑嘌呤、环孢霉素对母儿有明显毒性。

警示：几乎不会用于孕妇！

（19）维生素A：大量使用维生素A可致出生缺陷，最小的人类致畸量为25000-50000IU。

警示：维生素被视为营养药，可见营养药也不是越多越好！

（20）维生素A异构体：治疗皮肤病，在胚胎发生期使用异维甲酸可使胎儿产生各种畸形。

警示：不只是异维甲酸，治疗皮肤病，尤其是治疗牛皮癣的药，对孕妇的安全性很差！

（21）依曲替酯（芳香维甲酸）：用于治疗牛皮癣，半衰期极长，停药＞2年血浆中仍有药物测出，故至少停药2年以上才可受孕。

警示：还有一些药物需要停药一定时间后才能受孕！

（22）性激素类：达那唑、乙烯雌酚，均不宜孕妇使用，一些口服避孕药有致畸作用。

警示：服用避孕药避孕失败，大多是没有按照要求去做，如果您计划怀孕，就要提前停用避孕药，服用避孕药需遵守规则！

危险抗生素报告单

（1）四环素：可致牙齿黄棕色色素沉着，或贮存于胎儿骨骼，还可致孕妇急性脂肪肝及肾功能不全。

（2）庆大霉素、卡那霉素、小诺霉素等可引起胎儿听神经及肾脏受损。

（3）氯霉素：引起灰婴综合征。

（4）复方新诺明、增效联磺片，可引起新生儿黄疸，还可拮抗叶酸。

（5）呋喃坦丁：妇女患泌尿系感染时常选用，因可引起溶血，应慎用。

（6）万古霉素：虽然对胎儿危险尚无报道，但对孕妇有肾毒、耳毒作用。

（7）环丙沙星、氟哌酸、奥复星：在狗实验中有不可逆关节炎发生。

（8）抗结核药：使用时考虑利弊大小。

（9）抗霉菌药：克霉唑、制霉菌素、灰黄霉素，孕妇最好不用。

（10）抗病毒药：病毒唑、利巴韦林、阿昔洛韦等，孕妇最好不用。

290.准妈妈疾病和药物使用咨询实例解答

孕前疾病和药物使用

已经怀孕，但在孕前服用了某种药物，由此带给孕妇很多的担忧和困惑，下面节选部分来自孕妇的咨询，这些问题和我简短的回复或许会对准妈妈有所帮助吧。

用了抗病毒药和免疫调节剂

我吃了两瓶阿昔洛韦片（每瓶100毫克×30片），肌注10瓶"重组人干扰素"，请问什么时间以后才能怀孕？

阿昔洛韦是抗病毒药物，重组人干扰素是广谱抗病毒药和免疫调节剂，对胎儿有不同程度的危害，孕妇禁用或慎用。但没有报道此类药物对生殖细胞（卵子）有毒害作用，因此，停药两周后即可考虑怀孕。另外，没有告知您因为什么使用这两种药物，药物对胎儿有影响，疾病对胎儿同样也有影响，有时

比药物的影响还要大，所以，也要考虑疾病本身对胎儿的影响。

扁桃体切除术后

我最近做了扁桃体切除手术（不超过1周时间），住院期间连续输液6天（药品是阿莫仙及甲硝唑），出院后医生又开了4天的口服药（阿莫西林克拉维酸钾片），我想问一下，我多长时间之后可以要小孩？这些药物对要小孩有没有损害？

扁桃体手术虽然不是什么大手术，但毕竟是手术，需要康复一段时间，因此，您最好在术后一个月考虑怀孕问题；您所用的药物不会对以后怀孕有什么影响。

达克宁软膏

外阴擦达克宁软膏对怀孕有无不良影响？停药多长时间才能怀孕？

您是因为有霉菌性阴道炎使用的达克宁软膏吗？如果您患有霉菌性阴道炎，需彻底治愈后再怀孕。怀孕早期，生殖道局部发生改变，对病原菌的抵御能力有所降低，生殖道的自洁作用可能会有所下降，容易患生殖道感染，尤其是霉菌感染，故孕前治疗生殖道感染是必要的。达克宁软膏不是孕期禁忌使用药物。

服用调经中成药期间可否怀孕？

我因长期月经不调，一直吃妇科十味片和逍遥丸，同时还吃六味地黄丸。请问吃这些药的同时可否怀孕，如果在吃药期间怀孕了，会不会对胎儿造成影响？我非常着急，不吃这些药没法调经，又不知可否吃药期间怀孕？

最好不要在服药期间怀孕。中药对胎儿的影响研究比较少。有很多都难以定论，还是以不吃为安全，至少在计划怀孕的当月停止服用调经药。月经不调的原因查了吗？如果已经查清了月经不调的原因，就应该针对病因治疗，而无须长期服用调经药。另外，不服用调经药会导致您不能受孕吗？如果不是这样的话，您没有必要服用调经药。

羊水过多与利尿剂

在常规B超检查时，医生告诉我羊水过多，给我

开了利尿药，我可以服用双氢克脲塞吗？它对胎儿有副作用吗？

不知道您现在怀孕多长时间了？B超羊水平段是多少，就是说比正常应有的羊水量多了多少？如果确有羊水过多，首先应该寻找引起羊水过多的原因，而不是使用利尿剂。在前面说过，接近足月的孕妇服用利尿药，可引起新生儿血小板减少。

孕期过敏性鼻炎的治疗

我妹妹在怀孕的同时，多年未发的慢性鼻炎也同时出现了，鼻塞很严重，因此只能滴"盐酸萘甲唑啉"滴鼻液，但至今3个月了，鼻塞越发严重，每天须滴5-6次，夜间也经常因鼻塞被憋而醒，非常痛苦。是否有解决办法？长期用此药对宝宝有害吗？

长期使用盐酸萘甲唑啉滴鼻液对胎儿是否有影响尚无定论。鼻炎和鼻窦炎保守治疗效果不好，通过局部治疗如：手术、激光、电烧等方法可能会收到较好的效果，但你妹妹在孕期不宜接受这些治疗，只能保守治疗，除了药物，建议适当使用物理疗法，如冷敷或理疗等措施。向鼻科医生询问是否有更加有效的治疗办法。

孕期疾病和药物使用

抗晕车药

我已怀孕1个多月了，今天无意之中吃了茶苯海明片1片，我在网上看见这种药属于妊娠1-4个月禁止使用的，不知道对宝宝有没有影响？我服用叶酸已2个月了，还要继续服用吗？

只吃一片茶苯海明片对胎儿不会有什么影响的。今后要多加小心。服用任何药物都要向医生咨询。叶酸可一直服至妊娠满3个月。

孕期治疗支气管哮喘的药物

我妻怀孕已45天，因患支气管哮喘，现用普米克（一种肾上腺皮质类固醇）气雾剂，每日200-300微克，问对胎儿发育是否安全？若不安全，应采取何措施？

在动物实验中发现，肾上腺皮质类固醇对某些种类的动物有致畸作用，但对人类未见有致畸作用，如果与舒喘灵气雾剂交替使用，可以减少普米克气雾剂的用量，以防单一

用药造成药物的累积。舒喘灵可用于先兆流产，对胎儿没有明确的毒副作用，比普米克更安全，如果舒喘灵气雾剂对缓解您妻子的哮喘有显著的作用，可适当增加舒喘灵的使用次数，适当减少普米克的用量。另外，您的妻子还要注意预防感冒，多休息，少接触有刺激性的东西，避免诱发支气管哮喘持续状态。

孕期因发热服用了阿司匹林

我27岁，11月3日结婚，我是12月9日来的最后一次月经，1月16日B超证实怀孕。但12月25日开始发热（38.2℃-39℃），至12月29日下午止，持续烧了5天，中间服用了4次阿司匹林，每次0.5克，还吃了2片康必得，同时手、脚在发热头2天呈乌青色，咽喉疼，而且咳嗽、流涕（大约从12月27日开始，持续了8天左右）。听说阿司匹林对胎儿有致畸作用，而且持续发热也会影响导致胎儿畸形，不知对不对？现在我也不知该怎么办？

阿司匹林是水杨酸类药物，属于非类固醇消炎药，丹麦学者曾在一篇学术论文中指出：孕妇服阿司匹林会导致新生儿先天畸形和低出生体重。但另一些研究人员的研究结果并不能证实上述结论的正确性。通过人群普查及数理统计分析，得出这样一个结论，孕期服用解热镇痛类消炎药与流产有密切的关系，与胎儿出生缺陷没有密切的关系。

感冒、高热、药物对胎儿都有不同程度的不良影响，但影响到底有多大，到底有多大几率是难以预料的。

胎儿也有自我防护能力，胎盘是保护胎儿的屏障，也可抵御来自外界的一些危害，如果胎儿受到严重的危害时，会引起流产，死胎等，遵循优胜劣汰的原则，接受产科医生必要的检查，听听产科医生的建议，不要轻易放弃。

都是"不知怀孕"惹的祸

我是毫无经验的初孕妇，平时月经周期较长，大概33-35天。末次月经第一天为2月18日。在不知道已经怀孕的情况下，3月5日起因感冒且喉咙发炎咳嗽，服用了抗生素（螺旋霉素、头孢拉定胶囊、

阿莫西林）至3月23日。且由于我胃一直不好，还连续服用治疗胃病的中成药胃复春、正气片3周，直至3月23日停药。3月20日起还服用过3天（20粒）胃复安（说明书上有孕妇禁用）。后检查出怀孕，我很着急。我现在已经28岁，这又是第一次怀孕，我很想要这个孩子。上星期去医院做过B超，胎儿发育正常。孕早期服用这些药物对胎儿有影响吗？我可以要这个孩子吗？

你服用的3种抗生素，都是孕妇用药中相对安全的，属FDA妊娠分类的B类或C类，对胎儿没有致畸作用。所以，不必过分担忧。中药因一些成分不太清楚，难以定论。胃复安属B类药（FDA分类）对胎儿也无致畸作用。

综合分析，目前没有终止妊娠的指征，建议注意孕期保健，不要太焦虑。胎儿的正常发育不仅受药物和疾病的影响，还受诸如精神、营养、环境等因素影响。请按期接受产科医生的检查，及时发现问题。另外，不要因为怕胎儿有问题，就反复要求做B超检查，尤其是孕早期不要多次给胎儿做B超检查，整个孕期B超检查最好不要超过3次。

这位孕妇是在不知怀孕情况下服用的抗生素。事实上，即使没有怀孕，连续服用了18天的抗生素，而且同时使用了3种抗生素，只因为感冒！也不能说这不是在滥用抗生素。可见抗生素的规范使用和抗生素使用法的出台多么必要。

药物淹没了怀孕的喜悦

我今年28岁，怀孕1个半月了，末次月经是2月10日，3月22日的时候因为皮肤病曾服用过交沙霉素和赛特赞（印度产的，成分是二盐酸西替利嗪，每日1片，共服6片），不知道是否会对胎儿有较大的影响？是否可以保留这个孩子？

再有，我自己是做软件设计的，每天的工作都和电脑在一起，是否应该辞去工作，或者说换了其他工作之后才方便要孩子？

您不需要调换工作，但要注意减少每天在电脑前的净工作时间，每周累计净工作时间不要超过20小时；还要注意工作环境空气

《防止胎儿缺氧的自我保健方法》发表于《女性月刊·妈妈宝宝》杂志，1999年6月

主题词：宫内发育迟缓、胎心监护、吸氧、睡眠姿势

新鲜、流通；工作一段时间后到外面呼吸一下新鲜空气；要劳逸结合，不能长时间坐在电脑前。当然了，如果您有条件暂时离开电脑工作，不会因此影响您的事业和心情，离开一段时间，尤其是孕早期是很好的。

您服用的两种药物，对胎儿的安全性尚缺乏可靠的临床研究资料，交沙霉素对动物胎仔无致畸作用。

是否保留孩子是关系到你们夫妇双方及双方亲人的问题，这种决定不是轻易做出的，药物的影响并不是肯定的，我不建议您终止妊娠。我想大多数医生也不会建议您终止妊娠的。

孕期使用阿奇霉素

我妻子怀孕2个月，因感冒剧烈咳嗽，时间很长了，医生给开了阿奇霉素和葡萄糖注射液，但我发现该药孕妇慎用，又去医院咨询，主治大夫说可以用，但我还是放心不下，想向您咨询，不知是否可以使用？对胎儿有没有副作用？

阿奇霉素属大环内酯类抗生素，从理论上讲对胎儿没有致畸作用，是毒性比较小的抗生素。本品对于孕妇来说属于B类药，因分子量比较大，不易通过胎盘，动物实验未发现有致畸作用，但在人类妊娠期应用对胎

儿的安全性研究尚不充分，如不是特殊需要不宜使用。您妻子只是感冒咳嗽，没有必要选用此类药物。

药物，疾病，摔跤，如此多的烦恼

我妻子在受孕3~6天因急性外耳道炎肌注了8针(80万×8)青霉素。又在第14天因感冒发热一天，体温最高达38.6℃，服用一片0.3克的扑热息痛后降温。因扁桃体炎继续于第15天至20天服用先锋6号共12片(0.25克×12)，同期服用双黄连口服液共20支(10毫升×20)和板蓝根冲剂20小包(5克×20)，六曲茶6包(15克×6)。在第49天时坐地摔了一跤，除偶尔肚疼外无其他反应。以上时间为停经14天后起算。现在我们担心三点：一是药物和发热对胎儿的影响。二是药物是否会交叉影响？三是摔跤是否会影响胎儿发育？现在已经63天左右，是否有必要人工流产？另外流产与后期引产对以后怀孕的影响有什么不同？

看看这位丈夫，非但不能与妻子共同体验孕育宝宝的乐趣，还添了很多烦恼，把怀孕的喜悦之情淹没得无影无踪了。这就是我为什么一再强调孕前准备的重要性，并在孕前一章中用了很大篇幅写孕前的问题原因所在。在大量的咨询中，类似的问题并不少，其实，有很多问题都是可以避免的。医学知识

《母乳宝宝人生第一餐》发表于《健康博览》杂志，2005年1期

和科学的普及是非常重要的，出了问题再反过头来解决，要比把问题消灭在萌芽状态，甚至是在未出现前，要费事得多。如同对疾病的预防，预防可能只需花费很少的时间，很少的金钱，把预防落实在日常生活中，养成良好的生活习惯，就能在很大程度上避免疾病的发生。一旦罹患了疾病，所有的治疗都是亡羊补牢，丢失的健康很难找回来。

我不是在埋怨这位孕妇，也不是给这位孕妇吃后悔药，只是希望正在准备怀孕的夫妇，把对疾病的预防放在首位，服用药物前要充分考虑其毒副作用，等到发生了，做过了，用过了，再回头去想，意义非但不大，还会带来很多的烦恼，不是吗？好了，我还是从正面回答这位准爸爸的问题吧。

（1）药物对胎儿的影响比疾病对胎儿的影响要小得多。如果确实因疾病不得不选用这些药物，就不能过多考虑药物的影响了。

（2）您妻子所服用的几种药物均为孕妇用药中的A类用药。对胎儿无致畸及毒性作用。

（3）因不能确定您妻子感染的病原菌种类，对胎儿的影响有多大无法作出准确判定。

（4）摔跤可能会导致流产，您妻子摔跤后无流产先兆，不会有其他影响。

（5）人流与引产对将来怀孕可能会有影响，也可能没有什么影响，两者之间没有大的区别。

十月怀胎难免会遇到这样那样的问题，妊娠结局的好坏与很多因素有关，单一的某种因素是很难确定妊娠结局的，决定妊娠结局的因素往往是复杂的。作为丈夫的你要帮助妻子树立信心，如果决定继续妊娠，就要帮助妻子克服疑虑心理，以免由于情绪和心理问题而影响胎儿的发育。

克感敏

经检查怀孕已1个月，在这期间我曾因为感冒口

服青霉素、克感敏，我吃的感冒药对胎儿是否有不好的影响？

青霉素在孕期使用是相对比较安全的，克感敏孕期应该谨慎使用，但也没有致胎儿畸形的报道。其实，单纯的普通感冒无须服用药物，更没必要服用抗菌素。多饮水，注意休息，保证睡眠，感冒是完全可以自愈的。何必因无须用药的病而用药，再反过来担忧药物对胎儿的影响呢？

诺氟沙星

不知怀孕已1个月时，服用了4粒诺氟沙星，又因咳嗽服用了先锋霉素。会对胎儿造成影响吗？

又是"不知怀孕惹的祸"。还是那句话，只要您结婚了，受孕的事是难以避免的，在此期间，不要动辄就服用药物，和吃饭似的，很随意地信手拿起药就吃，不要忘记，所有的药物都或多或少地存在不良反应。随意服用药物的习惯该改一改了。

孕期不宜服用喹诺酮类抗生素，头孢唑林钠和头孢氨苄可以服用，有些不宜服用，你只服用4粒，数量小，时间短，不会对胎儿造成什么影响的。但以后要注意，使用任何药物都应该在医生指导下。

291. 不同类别的中草药对孕妇的安全性不同

中草药，中成药，安全系数有多高？

当孕妇需要吃药时，有些孕妇会认为中草药比西药安全，因为中草药是天然或种植的，而非化学合成。这是真的吗？

事实并非如此，有些中草药是孕妇禁忌服用的，还有些中草药，其中所含的成分并不都清楚，没有经过加工的草药可能还含有一些污染物；即使是经过加工的中草药，有些因缺乏安全实验，不能证明对胎儿是安全的。所以，孕妇在服用中药，食用具有药物功效的食物以及天然补品时，也需要向医生咨询。

清热解毒，泻火祛湿类中草药

具有清热解毒、泻火、祛湿等功效的中草药和中成药，在孕早期服用可能引发胎儿畸形；孕后期服用易致儿童智力低下等后果，如六神丸。含有牛黄等成分的中成药，因其攻下、泻下之力较强易致孕妇流产，如牛黄解毒丸。

祛风湿痹症类中草药

以祛风、散寒、除湿止痛为主要功效的中草药和中成药，如虎骨木瓜丸，其中的牛膝有损胎儿。大活络丸、天麻丸、华佗再造丸、风湿止痛膏等也属孕妇忌用药。抗栓再造丸有攻下、破血之功，孕妇禁用。

消导类中草药

有消食、导滞、化积作用的中草药，如槟榔四消丸、清胃中和丸、九制大黄丸、香砂养胃丸、大山楂丸等，都具有活血行气、攻下之效，孕妇应慎用。

泻下类中草药

有通导大便、排除肠胃积滞，或攻逐水饮、润肠通便等作用的成药，如十枣丸、舟车丸、麻仁丸、润肠丸等，因其攻下之力甚强，有损胎气，孕妇应不宜服用。

理气类中草药

具有疏畅气机、降气行气之功效的中草药，如木香顺气丸、十香止痛丸、气滞胃痛冲剂等，因其多下气破气、行气解郁力强而被列为孕妇的禁忌药。

理血类中草药

即有活血祛瘀、理气通络、止血功能的成药，如七厘散、小金丹、虎杖片、脑血栓片、云南白药、三七片等，祛瘀活血过强，易致流产。

开窍类中草药

具有开窍醒脑功效，如冠心苏合丸、苏冰滴丸、安宫牛黄丸等，因为内含麝香，辛香走窜，易损伤胎儿之气，孕妇用之可致堕胎。

驱虫类中草药

具有驱虫、消炎、止痛功能,能够驱除肠道寄生虫的中成药,为攻伐有毒之品,易致流产、畸形等,如囊虫丸、驱虫片、化虫丸等。

祛湿类中草药

凡治疗水肿、泄泻、痰饮、黄疸、淋浊、湿滞等中成药,如利胆排石片、胆石通、结石通等,皆具有化湿利水、通淋泄浊之功效,故孕妇不宜服用。

疮疡剂中草药

以解毒消肿、排脓、生肌为主要功能的中草药,如祛腐生肌散、疮疡膏、败毒膏等,所含大黄、红花、当归为活血通经之品,而百灵膏、消膏、百降丹因含有毒成分,对孕妇不利,均为孕妇禁忌服用的药物。

西瓜霜含片,泰诺

我用基础体温测量排卵日,是1月16日,我于1月11日由于感冒服用了3片泰诺,又于1月20日上午四五小时内由于喉咙痒咳嗽服用了12片西瓜霜含片,在1月13日同房怀孕,我服用的药物对胎儿有何影响?

从时间上和所用药物的副作用上分析,

对胎儿没有任何影响。不必担心,用轻松愉快的心情迎接新生命的到来吧!

痰咳净

在怀孕初(头一个月)含服痰咳净(内含桔梗、北杏、冰片、甘草等)对胎儿有何影响?这种药说明书上说孕妇慎服。

痰咳净中的桔梗是孕妇慎服药,但也没有明确的导致胎儿畸形的报道。短期服用对胎儿的影响不会有多大,不必过于忧虑,从现在起服用药物要通过医生指导。

辅仁消炎灵,牛黄解毒片

我现在怀孕1个月了,在还没有确定怀孕前我曾服用过消炎药,不过都是中成药(辅仁消炎灵,牛黄解毒片),你说这样对小孩子会不会有影响?

一些药物对胎儿的影响并不是很清楚,尤其是中成药中的一些成分对胎儿的影响也不是很清楚,你服用的药物辅仁消炎灵说明书中若没有表明孕妇慎用或禁用,对胎儿就没有影响。你服药时间短,对胎儿不会有什么影响的。

292.准爸爸疾病与用药咨询实例解答

我曾读过一篇文章《丈夫用药对胎儿的影响》。文章的大意是:胎儿虽然要在母亲体内生长发育,但丈夫服用某些药物,同样会给胎儿的发育带来一定影响。原因是丈夫服用某些药物后,药物可通过血液进入睾丸,并随精液排出;精液中的药物又可通过阴道黏膜吸收,进入母亲的血液循环,使受精卵和胎儿的发育受到影响。孕期性生活为丈夫体内的药物进入母体,影响胎儿的正常发育提供了机会。那么,什么药物可影响胎儿发育呢?吗啡、环磷酰胺等可通过上述途径,使胎儿发育迟缓或出现畸形,而且会增加孩子在出生后的死亡率。所以,在怀孕期,不仅妻子要注意选择用药,丈夫也同样应该这样做。

文章的推测不知是否有明确依据,但经

《保健品与提高免疫力》发表于《母子健康》杂志,2004年3期

主题词:营养成分、名贵动植物、海洋生物、动物初乳、第七营养素

保健品
与提高免疫力

过这样一番周折，药物的剂量已所剩无几，浓度也降得很低，药物的治疗作用恐怕已经没有了，其副作用也就可忽略不计了。所以，父亲用药对胎儿的影响远远没有母亲的影响大。但受孕前准爸爸慎用药物是医学界确认无疑的。

前列腺炎，饮酒

我爱人经过检查确认已经怀孕，但我刚刚被检查出得了前列腺炎，不知对胎儿有无影响？我在妻子受孕前半周曾喝醉过，不知对胎儿有无影响？

你患的前列腺炎对胎儿没什么影响。应该在计划怀孕前3个月忌酒，但你只是喝了一次酒，对精子不会有太大的影响，不必过于担心，不要增加你妻子的精神负担。

抗肺结核药物

12月我停服利福平等治疗肺结核的西药后，停药后3个月得知我爱人已经怀孕1个月。我想知道该药对孩子发育和日后健康有无影响？

你爱人怀孕前2个月，你就停止服用抗结核的药物了，精子受到药物影响的可能性很小，所以，胎儿不会受到影响。

肾病综合征

我现在有肾病综合征，尿蛋白＋＋，最近妻子怀孕，请问对胎儿何有影响？

胎儿与父亲有关的疾病是：传染性疾病、遗传性疾病和家族性疾病。肾病综合征属后天所得，对胎儿无影响。

利巴韦林

我丈夫患了腮腺炎，服用了双黄连及利巴韦林片（该药能进入红细胞内且蓄积量大，可透过胎盘进入乳汁），在服药期间，我们曾有过一次性生活，不知道对胎儿有多大影响？我初诊时，医生在我的高危因素上注明扁平骨盆，骶耻外径为17.5厘米，正常值18.5~20厘米，不知道这对整个孕期及分娩会造成什么影响？应注意哪些问题？

您丈夫服用的利巴韦林片，是孕妇忌用药物，但一次性生活精液中所含的药物再进入孕妇体内是极其微量的，对胎儿不会造成影响。您没有必要为此担心。扁平骨盆骶耻外径小，可能会给经阴道分娩带来困难，但这也并不可怕，可以选择剖宫产。

龟鳖丸

我这个月打算受孕，但我老公近段时间服用过龟鳖丸，不知道对我怀孕有没有影响？因为龟鳖丸服用说明书上写着孕妇忌用，所以我有些担心，这个月是不是不能怀孕了？

孕妇忌用的药是对胎儿有影响的药，但不一定对精子有影响。你现在还没有怀孕，无须担心对胎儿的影响。

不知你丈夫为何吃龟鳖丸，如果没有非吃不可的理由，就把药停掉，停药后再怀孕是比较安全的。

氯雷他定

我想在今年9月份怀孕，可我现在患上了过敏性鼻炎，一直在吃氯雷他定，不知对胎儿有没有影响？

氯雷他定对生殖细胞没有毒性作用，对胎儿也没有致畸的报道。

滋心阴补心气口服液、肌苷片、普罗帕酮片

我结婚5、6年了，最近想要个宝宝。可我为了治心脏病，从3月份开始吃了滋心阴补心气口服液、肌苷片、盐酸普罗帕酮片等药，开药的医生说不影响要

第十六章

用药

《数字化健康》发表于《健康之家》杂志，2005年11期

主题词：宫颈癌、乳腺癌、生殖道感染、解读数字

孩子，而给我妻子检查的妇产科大夫说最好不要怀孕。如果我妻子怀孕了，能要这个孩子吗？

至今未发现肌苷对胎儿有不良影响，盐酸普罗帕酮片也没有发现对胎儿的毒性作用，但用于动物有胎毒性。中药毒性取决于其成分，你服用的那几种药，对精子是否有不良影响缺乏可供参考的资料，建议向中药师询问。

灭滴灵

我和妻子近期准备要小孩，前两天智齿发炎，输了灭滴灵，请问灭滴灵对精子有无影响？

尚未见灭滴灵对生殖细胞有伤害的报道。

手术和药物

我因脸部长了一个良性肿瘤刚动手术。手术过程中用了局部麻醉，还做了青霉素皮试。服用凯力达（成分为阿莫西林和双氯西林钠）和鲁南贝特（成分为氯唑沙宗和乙酰氨基酚）。影响胎儿吗？

药物使用说明书上很少标明对生殖细胞是否有伤害作用。是否对精子有伤害，也无临床资料和实验室报道。最好的情形是，患病期间暂时不宜怀孕，因为患病后必然需要治疗和服药，药物或多或少都有毒性和副作用，而许多药物（包括西药和中药）对男性生殖健康的影响，目前可供参考的资料比较缺

乏，这方面的研究进展也不大。所以既然还没有怀孕，我并不认为心存侥幸急于怀孕是好的选择。等到恢复健康，停止服用药物，就可以要孩子了。通常手术后需要一段恢复期，建议术后3个月再怀孕最好。

扁桃体炎与药物

我爱人的身体不好（我们这段时间也有避孕），感冒引起扁桃腺发炎，发热，用了乙酰螺旋霉素、盐酸环丙沙星（2片）、小柴胡冲剂（5小包）、板蓝根冲剂（8小包）、双黄连（12支）、注射了青霉素（4次）、金霉素（1次）、丁胺卡钠（2次）点滴，精子可能是用药期间产生的，我担心像金霉素、丁胺卡钠等其他药物有影响，请问是否有影响？

金霉素、丁胺卡那对人类的耳毒和肾毒作用明确，对精子是否有影响，没有这方面的资料。但是，身体患病本身就不利于优生。所以，建议还是推迟2个月怀孕为好。

第2节 疫苗

293.预防疫苗

乙肝疫苗

对乙肝疫苗的研制始于1970年，研制主要来自美国和法国，起初是采用含有乙肝病毒的人血浆，经过灭活制成疫苗，这类疫苗统称为血源灭活乙肝疫苗，简称血源疫苗。1982年正式应用于乙肝免疫。我国乙肝疫苗的研制开始于1973年，我国研制的血源疫苗是从HBsAg携带者血浆中提取HBsAg，经胃酶消化、尿毒处理和甲醛处理3个减毒步骤制成的，1985年在我国投产使用。但是，由于血源灭活乙肝疫苗用HBsAg携带者血浆作原料，原料来源不足，生产受到限制，不能满足需求。为此，开展了基因工程乙肝疫苗的研制，我国生产的重组酵母乙肝疫苗，于1995年投入使用。现在我们使用的均是这种乙肝疫苗。

关于乙肝的母婴传播问题在疾病一章中有比较详细的讲解,这里主要谈一谈准备怀孕的女性接种乙肝疫苗的问题。

在婚前检查和孕前检查中,都常规检查乙肝病毒标志物五项,对于五项全阴的女性,我们建议接种乙肝疫苗。但由于乙肝疫苗全程接种时间是6个月,而在妊娠期间不提倡接种各类疫苗,这就给在孕前检查的女性造成了麻烦,因为,大多数孕前检查都是在准备怀孕前的3个月左右进行的,如果乙肝标志物五项均阴性,希望接种乙肝疫苗时,就需要把怀孕计划向后推迟,至少要在半年后才能完成全程接种。所以,育龄女性应该在例行的健康检查中,常规查乙肝标志物五项,而不是仅仅查乙肝表面抗原一项。如果五项均阴性,就开始接种乙肝疫苗,以免计划怀孕时给你带来麻烦。

风疹疫苗

风疹是可以预防的传染病,1969年风疹活疫苗在美国问世,我国在20世纪80年代初,北京生物制品研究所获得免疫原性良好的减毒株,反应轻微,无传播性,达到了疫苗减毒标准。

风疹活疫苗的免疫方案曾经有3种:一种是以美国为代表的,给1-2岁男女儿童普遍接种,其目的是想通过对大量易感儿的接种,提高人群整体免疫力,以控制风疹病毒的传播。第二种是以英国为代表的,只给11-14岁女童接种,目的是想在育龄前期给儿年后可能怀孕的女性免疫,以期有效地保护胎儿免受风疹病毒感染。第三种方法是以发展中国家为代表,在婚前测定风疹病毒抗体,阴性者接种风疹疫苗。现在大多数西方国家采用从基础免疫开始,用麻、腮、风三联疫苗(MMR)对所有孩子于12-18个月龄给予基础免疫,然后于12岁左右再接种一针。简称MMR基免二针法。这种方法将对阻止母婴风疹病毒的传播起到积极的作用。我国尚无统一的方案,MMR三联疫苗已经在一些地方开始自选免疫,对孕前女性常规做风疹病毒抗体测定,积极干预风疹病毒感染,但对风疹病毒阴性的女性,还没有普遍接种风疹疫苗。

接种风疹病毒减毒活疫苗2-3周后,可以从被接种者的咽部分离到风疹病毒,但时间短暂,尚未发现对周围健康者造成威胁。但是,如果直接给孕妇注射活疫苗有可能感染胎儿,因此,对孕妇或接种疫苗后2个月内可能怀孕的女性应禁止接种风疹病毒减毒活疫苗。

流感疫苗

流感疫苗是预防流感最有效的措施,但流感病毒具有很强的易变性,每年引起流感的流感菌株可能都会有变异。世界卫生组织为了更好地预防流感,建立了全球性监测网,密切注视流感病毒的变异动态。根据全球监测情况,提出下一年度的推荐疫苗组分,以保证疫苗的有效性。

我国当前上市的流感疫苗均为三价纯化

自然流产的原因及预防

《自然流产的原因及预防》发表于妈妈宝宝网,2002年5期
主题词:回顾性诊断、遗传因素、外界刺激、母体疾病、父方因素

第十六章

用药

375

疫苗,包含了经常流行的A1、A3及B三种成分。生产过程中经过多种步骤,去掉了可能引起反应的成分,提高了流感疫苗的安全性。

但是,接种了流感疫苗是否就一劳永逸,不会再得流感了呢?当然不是的,流感疫苗的保护率在80%左右,所以,即使已经接种过流感疫苗了,在流感流行期间,也有患流感的危险,仍应注意预防。

294.接种流感疫苗的适宜人群

● 14岁以下儿童和60岁以上的老人。

● 老人、慢性心肺疾病患者、糖尿病患者及免疫功能低下者。

不宜接种流感疫苗的人群

● 吃鸡蛋过敏者,因为疫苗的毒株是经过鸡胚培养的。

● 发热或身体不适时,暂时不要接种,待病情稳定后方可注射。

● 晚期癌症、心肺功能衰竭和严重过敏体质者。

● 6个月以下的婴儿和孕妇。

流感疫苗的接种时机

接种流感疫苗后,1周即可出现抗体,2周免疫抗体可达最高水平,一般可保护1年。因此,每年要在流感高发期(秋冬季)到来之前进行接种。

接种流感疫苗1个月后怀孕对胎儿有影响吗?

我在1个月前接种了流感疫苗,如果我现在怀孕对胎儿是否有影响?

一般要求在怀孕前6个月接种免疫疫苗较为安全。流感疫苗最好是在怀孕前2个月注射为好,流感疫苗属减毒活性疫苗,对胎儿可能会有一定影响,所以,孕妇不宜接种流感疫苗。

接种了麻疹疫苗多久后可以怀孕?

我和丈夫准备近期要孩子,我打了麻疹疫苗,请问打了麻疹疫苗后多久能怀孕?

麻疹疫苗接种后,一般在接种后半个月左右就可产生免疫力,但孕前如果接种麻疹疫苗可造成胎儿异常,因此,要在接种后3个月怀孕比较安全。

第3节 补品、营养保健品

295.天然的就是安全的吗?

人们普遍认为补品和营养保健品对任何人都是安全的,对胎儿也没有任何危害,这是片面的认识,即使是维生素及矿物质,也不能无限制地想吃多少就吃多少。摄取过多的维生素和矿物质,对胎儿会产生一定的毒害作用。

孕妇可能会收到来自亲属或朋友馈赠的各种营养保健品,最好不要随便服用,应该拿给医生看一看,您所服用的营养品中含有的营养素的种类和剂量,是否和医生开给你的有相同之处,如果是的话,就要计算一下,是否超量服用了某种营养素。超量服用某些营养素对胎儿可能会产生不良影响。

服用营养素最基本原则是:能通过食物补充的,尽量从食物中获取,不足部分通过营养药补充。孕期并非需要额外补充所有的营养素。

人们普遍认为天然药物是安全的,尤其是能作为食物的天然药更受青睐。有些孕妇把某些天然药品当做食物来吃;有些孕妇把有药用价值的食物当作药物来吃。不管怎么吃,怎么补,都不应盲目,最好在营养师或保健医的指导下服用。

296.叶酸补充实例解答

每天补充10毫克叶酸对胎儿有影响吗?

5毫克一片的叶酸,我每天服用2片,现已经服用了半个月。通过咨询知道叶酸补多了,这个月要孩子对胎儿是否会有什么影响?

孕前3个月开始补充叶酸,以预防胎儿神经管畸形,应该服用专供孕妇吃的小剂量叶酸,0.4毫克/片,你服用的是大剂量叶酸片。从现在开始暂时停止服用叶酸,可以在这个月计划怀孕,对胎儿不会有不良影响,怀孕后开始补充小剂量的叶酸,直到妊娠3个月后停止服用。

据美国报告,在57名唐氏综合征患儿中,有28%的孕妇在孕前每天补充叶酸0.4毫克,因此,他们怀疑每天0.4毫克的剂量可能不足。

补叶酸可有好的品牌?

什么品牌的叶酸并不重要,主要是不要补充普通片剂(5毫克/片),而要补充小剂量的(0.4毫克/片)。

单纯叶酸片与多种维生素,哪个更好?

斯利安是孕妇专用叶酸片,而苏州立达产的善存不仅含叶酸,还有多种维生素,我吃哪一种更好?

孕前补充叶酸可降低胎儿神经系统发育畸形。英国科学家还认为,孕前、孕期补充足够的叶酸和铁剂,有降低儿童白血病的可能。因此,孕前补充叶酸是有必要的。有神经系统畸形家族史、曾有过不明原因的自然流产史、生过有神经系统畸形儿的,在孕前必须补充足够的叶酸。

选择哪一种品牌的叶酸片都可以,原则是有信誉的,经过产品质量认证的大药厂生产的,每片含叶酸0.4-0.8毫克。最好是服用单一制剂,以保证叶酸的补充,也可以同时服用善存片。孕期补充维生素最好的途径是通过蔬菜、水果、食品。补充维生素营养品应在保健医或营养师指导下,按要求剂量补充,不要超量服用。

服用3个月叶酸,仍未怀孕是否继续服?

孕前3个月开始服用叶酸,直至孕后3个

《为什么高龄产妇胎儿不易健康》发表于《女性月刊妈妈宝宝》杂志,2000年3期
主题词:卵子退化、环境污染、精神健康、社会角色

月停服,你现未怀孕,应继续服用。

可否通过食补补充叶酸?

我在妇幼保健站买了一瓶斯利安叶酸片,上面要求每天服用,可我有时会忘记,可是网上说补服没有用,有没有别的方法?通过食补好吗?哪些水果里含有叶酸呢?

对于有自然流产、死胎史、神经系统疾病遗传史,或生过神经系统畸形儿的女性,计划怀孕前3个月一定要补充叶酸,直到妊娠满3个月停止。但如果没有上述所说的情况,就没有硬性规定,差几次没有服也不要紧的,孕后再服用也可以。

即使服用叶酸片,也不应因此而放弃从食物中获取叶酸,食物是获取各种营养物质的最佳途径。叶酸含量较高的食物有动物肝、多叶绿色蔬菜、豆类、谷物、花生。水果中的含量一般。

补金施尔康、钙尔奇D,还需要另补叶酸吗?

我打算在最近要小孩,现在我每天吃1片金施尔康(多种维生素,其中含叶酸0.4毫克),一片钙尔奇D(600毫克钙,维生素D125U),一片天然维生素E(100毫克),请问是否有必要?我还需要另补叶酸吗?如果我怀孕了,上述药物是否要加量服用?

服用金施尔康就不需要额外再补充叶酸了。但孕前3月到妊娠后3月再额外补充叶酸也可以,叶酸的建议补充量是0.4-0.8毫克。孕早期是胎儿神经管发育的关键期，适当足量补充叶酸有利于胎儿神经系统的发育。可以在怀孕第20周后开始每日服用钙尔奇D。现在不用每日服用维生素E 100毫克，孕38周后可服用维生素E，1粒/日，促进乳汁分泌。

叶酸一直服到产后吗？

准备年初怀孕，我从现在起开始服用苏州立达生产的善存多种维生素制剂（内含0.4毫克叶酸和多种维生素微量元素）以代替单纯的叶酸片可以吗？能一直服至产后吗？同时每天饮用500毫升孕妇配方牛奶会不会多余？还需另外补钙吗？

可以服用含有叶酸的多种维生素制剂。每天喝500毫升奶不算过量，可分早晚两次饮用。妊娠中期可适当服用1~3个月的钙剂。

超量服用叶酸对胎儿是否会造成严重伤害？

我在孕40多天时开始服用叶酸。每片剂量为5毫克/片，我在头3、4天，每天服用量为4片，即20毫克，然后在后10几天，每天服用量为2片，剂量为10毫克。这样总共服了20天左右。但不久前，我在网上查看到叶酸的服用量每天最多为0.4-0.8毫克，天哪，我已经严重超量服用了，这对我的宝宝有伤害吗？我都快急死了。我非常想要这个宝宝。

过量服用叶酸可影响孕妇微量元素锌

《孕期营养与肥胖症》发表于《女性月刊·妈妈宝宝》杂志，2000年2期
主题词：储存营养、体重指标、计算公式

的吸收。但孕妇过量服用叶酸是否对胎儿有不良影响，尚未见过报道。

叶酸参与核酸的合成，为红细胞正常生成所必需。治疗贫血时，叶酸用量为每次5毫克，每日3次。为预防胎儿神经管畸形，建议计划怀孕的妇女，在受孕前3个月开始，每日补充叶酸0.4-0.8毫克，可补充到怀孕后3个月。从理论上讲，你服用的叶酸量并未超过允许服用的剂量，只不过是按照贫血治疗的剂量补充的，不会对胎儿造成什么危害。在整个孕期，包括平常，服用任何药物，都必须严格遵照医嘱或说明书上的用量，尤其注意区分同一种药在治疗不同疾病时的不同用量。

297.孕期缺乏叶酸与其他疾病研究

英国医学杂志《刺血针》刊登文章指出：孕期多吃富含叶酸和铁的食品，可降低儿童患白血病的危险。

澳大利亚珀斯市的西澳大利亚癌症基金会科学家朱迪斯·汤姆森在文章中指出：在一项确定诱发癌症因素的实验中发现，孕期补充叶酸和铁的孕妇，其子在幼儿期患急性淋巴细胞白血病的几率要比平均概率低60%，即便是仅仅补充铁元素的妇女其新生儿患病的概率也要低于平均水平25%。叶酸能够降低试管婴儿神经系统先天缺陷的危险性，并且能够帮助人体合成红细胞以及细胞中的基因物质。

叶酸缺乏与唐氏综合证

叶酸最初从菠菜中分离提取，外观为淡黄色结晶，食物烹调后损失率可达50%-90%。在肠道的生物利用率为结晶状态下的50%。唐氏综合征的发生与孕妇孕期叶酸缺乏有一定关系，过去一直用孕期筛查及羊水检测对其进行干预。如果明确了其与叶酸缺乏有关，就能在孕前补充叶酸及必要的微营养素，进行一级干预。

7个月胎儿就有卵子，到青春期卵子开始成熟，再到受孕，要经过两次染色体减数分裂，这时遗传物质处于不全凝固的松散状态，在女性成长的几十年中易受外界因素影响，如叶酸缺乏，则卵子DNA甲基化低下，染色体易分裂，其后代更易患唐氏综合征。

西方国家除在面食品中添加叶酸外，还建议孕前补充叶酸，英国建议每天补充0.8毫克，美国建议每天补充0.4毫克。我国建议每天补充0.4毫克。

298.孕期补钙问题

关于补钙的两个咨询问题

孕妇应从第几周开始补钙？补到什么时候为止？孕早、中、晚期每天的补钙量各应是多少？有人认为，为了防止胎儿头部过度骨化，不利于自然分娩，妊娠36周以后就不宜再补钙了。也有人认为孕晚期应加大补钙量，每日应补钙1800毫克，究竟哪种说法正确？

我现在怀孕22周，从20周起医生给我开了两种药，让我从现在一直服用到生产。一种是补钙的"迪巧"，每片钙含量300毫克，维生素D100单位，用法是每日早晚各1片。一种是营养药"玛特纳"片，每片

《孕早期营养指南》发表于《妈妈宝宝》杂志，2008年11月
主题词：胚胎神经管、低体重、成人病、孕早期食谱

《孕期B超难题全解析》发表于《妈妈宝宝》杂志，2002年4月
主题词：诊断手段、医学指征、质疑、学术争论、研究资讯

钙含量250毫克，维生素D250国际单位，用法是每日中午服用。除此之外，我每天喝两杯孕妇奶粉，每杯含钙200毫克。算下来，我一天除了饮食外，又额外补钙1250毫克，补维生素D650国际单位，请问，这样补是否合适？

孕妇究竟应该从什么时候开始补钙没有硬性规定，根据孕妇的具体情况而定。孕妇偏食、妊娠反应持续时间较长或程度较重、户外活动少等都是决定补钙时间和补钙量的因素。

一般情况下，从孕中期开始补钙。孕妇每日需要多摄入500毫克钙，即每日总钙量应摄入约1800~2000毫克。但并不是所需的钙都需要通过药物钙额外补充。如果从食物中能够获得足够的钙，就不需要服用药物钙了。如果从食物中不能获得足够的钙，就通过药物钙补充不足的部分。无论是营养的补充，还是疾病的治疗，无论是体重的增长，还是补钙的时间都要个体化，脱离每个孕妇的具体情况，泛泛地讲都是片面的。否则的话，谁都会照着书本治病，谁都会照着前人的方法去做。这是不科学的，要有个体化概念。具体到您，要根据您的具体情况给出个体化措施。医院的营养科可为你提供合理营养搭配和补充方案。

通常情况下，饮食量正常，结构合理，每日从食物中可获取约1500毫克的钙，足够人

体代谢所需了。孕妇需要钙量较大，每日所需钙比非孕期高500毫克。所以，建议孕妇每天摄入的钙量为1800~2000毫克。从你补充的情况看，钙和维生素D都多了。奶中的钙应计算在食物钙中，而不应计算在药物补充中，实际上，你每日额外补充的钙量是800毫克。

夫妻需要一起补钙吗？

准备怀孕的时候，是不是应该补钙？夫妻需要一起吃吗？哪种补钙品最好吸收？作为孕妇是不是需要一直补到孩子断奶？

孕前夫妻可以同时补钙。怀孕后孕妇自己补钙就可以了。只要能从饮食中获取足够的钙，如每天喝鲜奶，进食海产品、肉蛋等食品，孕前补钙并非必须。孕期可考虑适当补充维生素AD和钙，但不要过量补充。摄取足够富含钙的食品要比单纯补充钙剂好得多，钙剂不如食物中的钙容易被人体吸收，有时还会因为服用钙剂导致便秘。

一直有缺钙表现。应检查哪些项目？

我怀孕已有7周，坚持服用叶酸，但我以前一直有缺钙的表现，是否现在可以服用一些钙片，金施尔康可以服用吗？服用这些药物对胎儿是否会有不良影响？我现在是否该去医院做全面检查，具体应检查哪些项目？

为什么一直有缺钙的表现？是饮食有问题吗？还是有其他问题？建议你检查一下，确定是否缺钙及原因，再决定是否补充和补充多少。金施尔康对胎儿没有不良影响，但作用并不针对钙缺乏。孕期可以适当补充钙剂，食补最好，如喝鲜奶。如果没有什么异常情况，可在孕3月后做孕期全面检查，最晚不要超过妊娠3个半月。每个医院都有自己一整套孕期检查项目，最好到妇产专科医院检查。

胎儿骨骼形成需要补钙吗？

我太太已经怀孕3个月，检查一切正常。听说怀孕3个月后胎儿骨骼逐渐形成，这个时期是否应加强补钙？补哪种钙产品比较好？

通过药物补充钙剂，其吸收率和利用度是很低的，每天喝500毫升鲜奶就可供应常人每天所需钙剂，孕妇需要相对多一点，可喝孕妇配方奶，含钙量更充足。如果孕妇妊娠反应明显，进食少，可适当补充钙剂和维生素D，有很多钙可供选择，只要是正规厂家生产，经销途径可靠，可任选一种。不能忽视食物的作用，饮食结构要合理，多食富含钙的食物。

主题词：B超、羊膜腔穿刺、绒毛细胞检查、胎儿镜　《当你担心胎儿有问题》发表于《圣龙天使》杂志，2004年3期

299.其他营养素补充实际问题实例解答

妊娠反应营养素如何补充

我现在已怀孕10周半，因为呕吐，所以吃饭一直很少，很单一，不能食用油脂类食物，水果蔬菜吃得也很少。胎儿在大脑发育高峰期，就买了挪威野生鳕鱼肝油（每5毫升含DHA 0.5克、EPA 0.4克；维生素A 1毫克、维生素D 10微克、维生素E 10毫克）补充胎儿的养分，不知道这有没有副作用？如果有好处，可以一直服用到小孩出生吗？或间断服用朋友送来"乐力"氨基酸螯合钙胶囊。成分为钙523毫克、镁167毫克、锌40毫克、铜1.7毫克、锰8.2毫克、钒0.1毫克、硅3.3毫克、硼0.9毫克、抗坏血酸钙145毫克、磷酸氢钙110毫克、维生素D3 200单位。请问可以服用吗？从何时服用最好？多种维生素如善存、安尔康、施尔康等可以与上面的药同时服用吗？

妊娠反应不是疾病，正常情况下在妊娠12周以后消失，没有医学指征不需要医疗干预。

你所选用的这几种营养药都没有副作用，但不能同时服用这么多种，因为这几种在成分上有很多相同的，如鳕鱼肝油中含有维生素D、A、E。乐力中也含有维生素D、善存、安尔康、施尔康中也同样含有相同的营养成分。几种含有相同成分的药物同时服用，就会导致某种营养素的过量甚至中毒。所以，最好选用一种补充微量元素为主的和一种补充维生素为主的营养药。营养素补充剂尽管价格不菲，但并不能代替天然食物，切不要把希望寄托在补药上。如果你饮食搭配合理，选择一种营养素比较全面、均衡、配比合理的就可以了，建议选择专为孕妇生产的营养素补充剂。

可否服用多种维生素片？

本人怀孕约8周，已坚持每天喝孕妇奶粉，能否再服用多种维生素片，以增加各营养成分，有无作用或其他影响？

孕期可以服用多种维生素片，剂量不要过多，如果感觉到胃部不适，要减量。孕妇奶粉中也添加了不少营养素，最好请医生或营养师根据你的情况给出具体建议。维生素并非补充得越多越好，要按照所需剂量来补充。不要忘记从天然的蔬菜、水果、粮食中获得丰富的维生素，从食物中获取的营养素是最安全、有效、利用度最高的，任何营养品都不能代替天然食品。

孕期服用脑白金

我在孕期和哺乳期，因睡眠不好，曾经服用过脑白金4-5片，请问专家：这会给孩子的成长带来哪些方面的影响？

服用5片脑白金给孩子的生长不会带来任何影响，但哺乳期最好不要再服用了。

可以服用东阿阿胶浆吗？

孕妇不能自己确定是否贫血，要通过实验室检查确定，没有贫血或气血亏虚，没有必要服用东阿阿胶浆。

维生素E的补充

我曾经做过两次人流，现在又怀孕了，医生建议我补充维生素E，给开的是100毫克一粒的，但有人说100毫克对孕妇来说剂量太大了，应该服用5毫克的，您说呢？而且应该服用多久呢？

维生素E有100毫克和50毫克的，没见过有5毫克的，您可以服用50毫克的，如果您有自然流产史，可服用到曾经发生流产的孕周，即如果是怀孕8周发生了流产，服药时间就要超过8周，如果您没有发生过自然流产，服用维生素E并非必须。

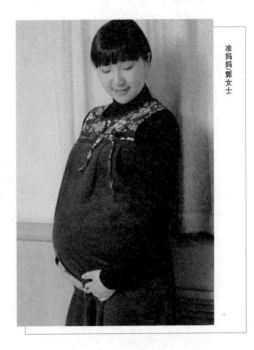

准妈妈郭女士

常规药物对妊娠的危害等级检索表

药物通用名	妊娠期分级
A	
α干扰素　Interferon alpha	C
阿莫西林　Amoxicillin	B
阿奇霉素　Azithromycin	B
阿斯匹林　Aspirin	C；D—如在妊娠晚期大量使用
阿糖胞苷　Cytarabine	D
阿替洛尔　Atenolol	D
阿昔洛韦　Aciclovir	B
氨苯蝶啶　Triamterene	C；D—如用于妊娠高血压患者
氨苄西林　Ampicillin	B
氨茶碱　Aminophylline	C
氨力农　Amrinone	C
奥美拉唑　Omeprazole	C
B	
白蛋白　Albumin	C
苯丁酸氮芥　Chlorambucil	D
吡嗪酰胺　Pyrazinamide	C
别嘌醇　Allopurinol	C
丙吡胺　Disopyramide	C
丙硫氧嘧啶　Propylthiouracil	D
布洛芬　Ibuprofen	B；D—如在妊娠晚期或临近分晚时用药
C	
茶苯海明　Dimenhydrinate	B
茶碱　Theophylline	C

药物通用名	妊娠期分级
雌二醇　Estradiol	X
D	
达那唑　Danazol	X
单硝酸异山梨醇酯 Isosorbide mononitrate	C
地塞米松 Dexamethasone	C;D-如在妊娠早期用药
碘　Iodine	D
对乙酰氨基酚 Paracetamol	B
多巴酚丁胺　Dobutamine	B
F	
泛酸　Pantothenic acid	A;C-如剂量超过 　　　每日推荐摄入量
泛昔洛韦　Famciclovir	B
法莫替丁　Famotidine	B
非洛地平　Felodipine	C
芬太尼　Fentanyl	C;D-如在临近分娩时长期、 　　　大量使用
氟伐他汀　Fluvastatin	X
氟康唑　Fluconazole	C
氟尿嘧啶　Fluorouracil	X
G	
钙　Calcium	B
格列吡嗪　Glipizide	C
格列美脲　Glimepiride	C
枸橼酸钙　Calcium citrate	C
骨化三醇　Calcitriol	C;D-如剂量超过 　　　每日推荐摄入量

药物通用名	妊娠期分级
H	
核黄素　Riboflavin	A；C－如剂量超过每日推荐摄入量
红霉素　Erythromycin	B
红细胞生成素 Erythropoietin	C
环丙沙星　Ciprofloxacin	C
环磷酰胺 Cyclophosphamide	D
黄体酮　Progesterone	D
磺胺嘧啶　Sulfadiazine	C；D－如在临近分娩时使用
J	
甲氨蝶呤　Methotrexate	X
甲硝唑　Metronidazole	B
降钙素　Calcitonin	C
K	
咖啡因　Caffeine	B
卡马西平　Carbamazepine	D
卡托普利　Captopril	C；D－如在妊娠中、晚期用药
抗坏血酸　Ascorbic acid	A；C－如剂量超过每日推摄入量
克拉霉素　Clarithromycin	C
L	
拉贝洛尔　Labetalol	C；D－如在妊娠中、晚期用药
赖诺普利　Lisinopril	C；D－如在妊娠中、晚期用药
兰索拉唑　Lansoprazole	B
雷尼替丁　Ranitidine	B
利巴韦林　Ribavirin	X
利多卡因　Lidocaine	B；作为局麻药或抗心律失常药使用时

药物通用名	妊娠期分级
利福平　Rifampicin	C
利血平　Reserpine	C
链激酶　Streptokinase	C
氯化胺　Ammonium chloride	B
氯化钾　Potassium chloride	A
氯雷他定　Loratadine	B
氯霉素　Chloramphenicol	C
螺旋霉素　Spiramycin	X
洛伐他汀　Lovastatin	X
M	
毛果芸香碱　Pilocarpine	C
美托洛尔　Metoprolol	C;D－如在妊娠中、晚期用药
米索前列醇　Misoprostol	X
免疫球蛋白　Immunoglobulin	C
N	
萘普生　Naproxen	B;D－如在妊娠晚期或临近分娩时用药
尼古丁　Nicotine	D;外用制剂
尼卡地平　Nicardipine	C
尼莫地平　Nimodipine	C
尿激酶　Urokinase	B
诺氟沙星　Norfloxacin	C
P	
葡萄糖酸钙 Calcium gluconate	C
Q	
前列腺素E₁　Alprostadil	X
氢氯噻嗪 Hydrochlorothiazide	B;D－如用于妊娠高血压患者
氢化可的松　Hydrocortisone	C;D－如在妊娠早期用药

药物通用名	妊娠期分级
氢氧化铝 Aluminium hydroxide	C
氢氧化镁 Magnesium hydroxide	B
庆大霉素 Gentamicin	C
曲马多 Tramadol	C
炔诺孕酮 Norgestrel	X
R	
乳果糖 Lactulose	B
乳酸钙 Calcium lactate	C
S	
三硝酸甘油酯 Glyceryl trinitrate	C
色甘酸钠 Sodium cromoglycate	B
顺铂 Cisplatin	D
T	
他莫昔芬 Tamoxifen	D
碳酸钙 Calcium carbonate	C
碳酸镁 Magnesium carbonate	B
碳酸氢钠 Sodium bicarbonate	C
特非那定 Terfenadine	C
铁 Iron	C
酮康唑 Ketoconazole	C
头孢氨苄 Cefalexin	B
头孢吡肟 Cefepime	B

药物通用名	妊娠期分级
头孢布烯　Ceftibuten	B
头孢呋辛　Cefuroxime	B
头孢克洛　Cefaclor	B
头孢克肟　Cefixime	B
头孢拉定　Cefradine	B
头孢罗齐　Cefprozil	B
头孢哌酮　Cefoperazone	B
头孢羟氨苄　Cefadroxil	B
头孢曲松　Ceftriaxone	B
头孢噻肟　Cefotaxime	B
头孢他啶　Ceftazidime	B
头孢唑啉　Cefazolin	B
妥布霉素　Tobramycin	D
W	
维生素D　Vitamin D	A；D-如剂量超过每日推荐摄入量
维生素E　Vitamin E	A；C-如剂量超过每日推荐摄入量
维生素K₁　Vitamin K1	C
伪麻黄碱　Pseudoephedrine	C
X	
西米替丁　Cimetidine	B
西沙必利　Cisapride	C
腺苷　Adenosine	C
硝苯地平　Nifedipine	C
硝酸异山梨醇酯 lsosorbide　dinitrate	C
缬沙坦　Valsartan	C；D-如在妊娠晚期或临近分娩时用药

药物通用名	妊娠期分级
辛伐他汀 Simvastatin	X
新霉素 Neomycin	C
Y	
盐酸洛美沙星 Lomefloxacin hydrochloride	C;禁用于妊娠早期
氧氟沙星 Ofloxacin	C
叶酸 Folic acid	A;C-如剂量超过0.8mg/日
伊曲康唑 Itraconazole	C
依那普利 Enalapril	C;D-如在妊娠中或临近分娩时用药
依诺沙星 Enoxacin	C
胰岛素 Insulin	B
异烟肼 Isoniazid	C
右旋糖酐铁 Iron dextran	C
孕二烯酮 Gestodene	X
愈创木酚甘油醚 Guaifenesin	C
Z	
制霉菌素 Nystatin	C
左甲状腺素钠 Levothyroxine sodium	A
左炔诺孕酮 Levonorgestrel	X
左旋多巴 Levodopa	C
左旋氧氟沙星 Levofloxacin	C;禁用于妊娠早期

准妈妈／何霖绯

第十七章

环　境

电脑、家电、射线、化学品、污染、装修、有毒作业

洗涤剂、漂白剂、消毒剂、除臭剂、空气清新剂、洁厕灵、除虫剂、油漆、黏合剂、涂料、强力清洁剂等化学日用产品中，有些对孕妇及胎儿健康没有什么不良影响，有些是其个别成分对孕妇有一定影响。

- 电脑与家用电器
- 绝对避免接受X射线照射
- 日常生活中接触的化学用品
- 生殖毒性和劳动保护

第1节 电脑与家用电器

300.现代女性针对她们的生殖健康在咨询什么？

无论是准备怀孕的夫妇，还是已经怀了孕的准爸爸妈妈，都应该非常注意环境因素对胎儿健康的影响。

电脑已经成为我们工作、生活中不可或缺的工具。准备怀孕的职业女性，第一个要问的问题几乎都是"电脑辐射会不会影响胎儿健康"；第二个要问的是"当计划怀孕时，在孕前孕后是否要调离微机岗位"。举几个咨询的例子，你是否也有类似的问题呢？

- 我是企业的会计，工作中经常要使用微机。我还能继续使用微机吗？
- 我长期从事电脑工作。不能放弃这来之不易的工作，也渴望怀上一个健康的宝宝。我该怎么办？同事们说，市场上卖的电磁波防护服根本就没有作用，而且很贵。请郑大夫给我一些帮助吧。
- 我在电信局，说起工作环境，周围基本上是电脑和机器。结婚半年了，我和老公计划怀孕。关于电脑方面，现在起我们应该注意些什么？
- 我和丈夫从事的工作，一天8小时基本上都是在电脑前度过的。我们准备年底前要小孩，领导已经准备给我买液晶显示器。液晶的是否可减少辐射？
- 我是一名计算机教师，长期工作在计算机房。准备明年受孕，是不是应该提前离开这个环境？提前多长时间为好？

准备要孩子的夫妇们的担心是可以理解的，因为微机有射线，而射线可产生遗传

准妈妈/戴雯莉

效应，对早期胚胎有比较敏感的生物效应。然而电脑所产生的辐射与射线有天壤之别。实际上，人类是能够抵御微量射线的，在我们生活的周围，射线无处不在，上至宇宙，下至地表，都存在着天然的射线。电脑所产生的射线到底有多少？是否对人类构成危害？

在电脑及电视机中的显像管，电子轰击荧光屏产生X射线。但由于制作技术的提高，整机的X射线已经没有明显的泄漏。射线泄露量仅为自然射线的1/5，对人类不会构成辐射危害，也不会对妇女的生育及下一代产生影响。

当然，从射线的卫生防护原则来说，在条件许可的情况下，应尽可能减少除天然以外的额外人为照射。如果您的职业离不开视屏作业，建议您从以下几方面注意防护：

（1）可在微机的荧光屏上加安全防护网或防护屏；

（2）工作间有良好的通风；

（3）加强户外活动，锻炼身体；

（4）消除不必要的忧虑和担心，保持乐观的情绪；

（5）穿防辐射服。

301.关注VDT女性

VDT女性是指在电脑的显示终端作业的女性，医学研究者通常把长期使用电脑的女性，称为视屏作业女性。这个定义在国际上也是通行的，英语是"video display terminal"，缩写为VDT。

所谓电脑辐射，就是X射线、紫外线、可见光、红外线、特高频、高频、极低频、静电场等光、电、场的辐射。我们坐在电脑前工作，就接受着这些辐射，虽然辐射的强度都极微弱，远在我国和国际卫生组织要求的标准线以下。但对某一时期胎儿健康的影响，显然不是绝对平安无事。

担心视屏辐射影响生殖健康，目前也是大众健康媒体报道的一个热点问题，只是提供出来的流行病学调查研究成果和资料还比较少，解答不可避免的显得有些空泛。医学界在投入更大的力量，关注VDT女性健康

图片提供/丽家宝贝
建议妈妈在长期使用电脑时穿防辐射服。

受孕问题，有些研究已经比较深入，取得了一定成果。但视屏辐射对胎儿的健康是否有影响，尚未有最终可靠的权威性定论。

国外研究：VDT时间与危害成正比

国外对VDT女性健康受孕的最新研究，其成果几乎可以说是令人鼓舞的。Goldhabern深入细致地对1583名产妇进行孕期病历对照研究，结果令人震惊。VDT孕妇的自然流产率与非VDT孕妇的自然流产率相比，并没有什么差异。Roman对150名临床诊断为自然流产的初次妊娠女性和79名对照组进行了受孕健康研究，结果得出了和Goldhabern差不多一样的结论：VDT孕妇与非VDT孕妇相比，自然流产率没有增高的趋势。这一研究成果让许多VDT女性放下心来，并准备怀孕。

Goldhabern集中分析了VDT每周超过20个小时的孕妇健康资料，发现她们的自然流产率要高于非VDT孕妇。这就说明，孕妇接受视屏辐射达到一定量后，辐射开始对胎儿健康发生影响；辐射量越大，自然流产可能性就越高。

还有一项研究，证明VDT孕妇与胎儿先天性缺陷有关。研究显示，当VDT作业时间每周大于10小时，胎儿先天性缺陷的风险增加了；每周VDT时间大于20小时，胎儿发生先天性缺陷的风险进一步增加。但VDT孕妇是否直接造成胎儿先天性缺陷，研究没有得出权威结论。但有一点基本达成了共识：VDT时间与其所带来的危害成正比。

世界卫生组织的专家认为，影响VDT孕妇妊娠结局的因素很多，工作疲劳和过度紧张是主要因素，来自电脑的辐射仅仅是次要的因素。

国内研究：VDT危害与否难下结论

20世纪90年代后期，我国医学界开始发表对这一课题的研究成果。一项权威的研究

表明，VDT孕妇自然流产率确实高于非VDT女性。科学家研究了1529名VDT女性生理、受孕情况，发现她们月经周期普遍延长，经血普遍增多，自然流产率普遍增高，3项指标均明显超过对照组。

国内另一项流行病学调查研究了361名VDT女性和484名非VDT女性的生殖功能和子代健康问题，结果表明，VDT女性自然流产、妊娠合并贫血的发生率均高于非VDT女性。

但北京大学生育健康研究所的研究，几乎推翻了上述的研究成果。他们从1991年开始，到2000年结束，在全国范围内对2000万个从怀胎到生后7岁的儿童进行了全面跟踪，没有发现视屏辐射对胎儿发育有不良影响的统计学例证。研究小组的专家指出，电脑的辐射量非常小，对精子、卵子、受精卵、胚胎、胎儿是安全的。电脑操作人员发生流产或生出畸形儿是偶然现象。

孕妇尽量少受辐射仍是最佳选择

虽然科学研究对VDT作业是否影响胎儿健康还未得出公认结论，但许多国家已经开始采取保护性措施。比如日本，在其劳动保护法律条文中，明确规定孕妇不应参加VDT作业。

我一贯主张，在准孕期和孕早期，VDT女性应该尽量减少在电脑前的净工作时间。所谓"净工作时间"，指的就是在电脑屏幕前作业时间的总和。净工作时间每周限制在15-20小时以内比较合适。

应该注意的是，虽然液晶显示屏辐射强度远低于大自然中的自然辐射，但来自电脑主机和显示屏背部的辐射仍然是存在的，比液晶屏幕的辐射要强大得多。因此，VDT孕妇要尽量避免在同事电脑视屏的背后工作。而许多职场的电脑摆放，恰恰是"背靠背"，职员工作则是"面对面"。建议准备怀孕的白领，大大方方向负责人提出座位调换的请求，相信不会有什么问题。

辐射防护服的屏蔽功能

中国消费者协会曾对市场上销售的13种辐射防护服进行抽样检测，中国电子技术标准化研究所负责完成了测试工作。测试结果，13种防护服都能在一定程度上屏蔽辐射。将不锈钢纤维织入布中的防护服，对较高频率的电磁波有良好的屏蔽性，效能稳定，耐洗性较好；将纺织好的一般布料进行特殊工艺处理，这样的防护服在较宽的频率范围内，都有平稳的屏蔽效能值，但耐洗性较差。

有些防护服只在覆盖腹部的位置上加保护层，这样的防护服忽略了辐射充满整个空间的事实。从背后辐射，常常是VDT孕妇忽略的一个危险，因此购买防护服时，最好是买前后都有防护功能的。

防护服是不是也把胎宝宝需要的阳光屏蔽了呀？大可不必担心，穿防护服只是职场工作时间的健康保护，离开职场，就不穿

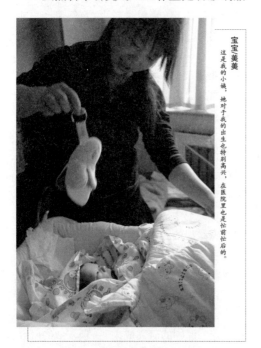

宝宝美美
这是我的小妞，她对于我的出生也特别高兴，在医院里也是忙前忙后的。

防护服了，大自然的阳光温暖地照耀着你，也照耀着你腹中的胎儿。相信每一个孕妇都会安排出足够的时间，在孕期享受足够的阳光。

302.一组VDT女性咨询实例解答

是否怀孕就一定会停经？我每次经期都是在37-40天左右，我7月10日刚来过月经，7月16日就出现头晕、恶心、无食欲等反应，是否有可能怀孕？因工作需要近5年来我每天接触电脑的时间都在10个钟头左右，有朋友说我受辐射太多，不易怀孕，是否有这一说法？

怀孕就会停经。如果您是7月10日为末次月经，受孕时间大约在8月2日（37天）或8月5日（40天），所以您7月16日出现的头晕等症不是妊娠反应。"受电脑辐射太多不易怀孕"的说法目前尚没有依据。

公司每人一台电脑，我本人用的是手提电脑，是否手提电脑的辐射要小一些？别人用电脑会影响到我吗？

手提电脑是液晶显示屏，辐射程度很小，可忽略不计。同事们使用的电脑如果距离你较近，对你也会有影响的。

我由于工作的原因不得不长时间在电脑前，我已怀孕40天左右，在此之前我未注意到电脑对孩子的危害，现在也是略知一二，不知会有什么不良后果，还有机会补救吗？

我妻子已怀孕40余天，她在软件公司工作，关于电脑对人体和胎儿的影响众说纷纭，她是否需要辞职？

看了前面的讨论，我想您都能帮助解答上一位准妈妈和下一位准爸爸的疑惑了吧。电脑对胎儿没有那么可怕的危害。所以，也就没有什么补救措施告诉这位准妈妈了；那位准妈妈也无需辞职了。

我曾流产过3次，第一次不想要，第二次发现受精卵发育不良，这次怀孕2个半月，发现只有胚囊，没有胚芽，只好又做掉了。是什么原因导致这两次流产？我从事电脑工作的，是否与电脑有关？

第一次人流是因为没有计划怀孕，在没

有任何流产征兆（如阴道出血、腹痛等）的情况下做的人工流产，不属于异常情况下的流产。后两次人流听起来是因为胚胎发育不良而流产，但仍属于具有医学指征的人工流产，不属于自然流产。

自然流产是指没有任何人为干预，胎儿或停止发育，或已经从子宫壁脱落下来，肯定不能继续存活了。自然流产多预示着胚胎发育有问题，或外力所致。不能肯定地认为与从事电脑工作有关。

303.怎样看待家用电器的非电离辐射

有新闻报道或健康类杂志媒体的探讨，称电视机、微波炉、录音机、防盗警报器、手机、电热毯、电动玩具、加湿器、无绳电话等等家用电器，都会发射非电离辐射，对胎儿健康有不良影响。

但医学研究目前并没有对这个问题给出科学结论，证明非电离辐射对胎儿有害。担忧是普遍存在的，尽量规避家居中的非电离辐射，无疑是孕妇正确的健康选择。看电视要有一个健康方案：离电视2米以上，适度的时间，荧屏色彩调淡，亮度调低等。

微波炉在工作时，孕妇最好离开2米以上，或到其他房间。检查微波炉是否有微波泄漏，简单有效的方法是：在微波炉门上夹一张面巾纸，关紧门后试着抽出面巾纸，如果面巾纸抽出来了，说明微波炉密封有问题，需要更换或维修。

不要握着手机或无绳电话长时间通话。孕妇不必担心录音机、防盗报警器、电动玩具、加湿器等的非电离辐射，它们基本上是安全的。电热毯不是辐射问题，而是热度问题，睡电热毯特别容易感冒，建议不用。

曾用电热毯

我已经怀孕4个月了，因怀孕前1-2月我用过电热毯，当时不知道不能使用，是否会对腹中宝宝不利？

确实有科学家认为孕妇睡电热毯对胎儿不利，其主要原因是电热毯会产生小的电流和感应电压，虽然微弱，但在妊娠早期，胎儿各器官尚未发育成熟，可能会对胎儿产生潜在的危害。如果你并没有长期睡电热毯，就不会有大碍。况且，其危害的发生率也不是百分之百。你也不必过于担心。

第2节 X射线可不是儿戏

没有人怀疑X射线对胎儿有严重影响。问题在于时间，也就是说X射线影响健康受孕的持续时间到底有多长。X射线要"捣乱"几天，才让孕育生命的环境恢复正常呢？

咨询这方面问题的准妈妈有很多，仅摘录以下几个供借鉴。

● 老公单位集体体检，他做了胸透。10天后就是我的排卵期了，这次我想要孩子。如果真怀上了，老公的胸透会影响受孕的健康吗？

● 计划下月初怀孕，老公今天却做了体检，胸透和腹部B超。下月初我们还能怀孕吗？那时他的精子能否恢复健康？

● 我们俩一同做了孕前检查。因为丈夫得过肺炎，此次体检时做了胸透。此后不久确证我怀孕了，我们俩都很担心，这孩子能健康吗？

准妈妈/邵颖娅

丰富的负离子对孕妇和胎儿都是有好处的。据医学专家统计，室内污染导致的疾病比例越来越高，室内环境污染不可小视。

● 10月20日来月经，11月9日拍了一张胸部X射线片，12月8号左右我想怀孕，行不行？

● 这个月想要孩子，但这个月补牙却照了几次牙齿X射线。这个月还能要孩子吗？是不是应该过一段时间呀？

● 我每星期都要坐飞机出差，平均一周两次，请问安检口的辐射对精子有影响吗？

3个月后怀孕为妥

X射线对生殖细胞有伤害，伤害的程度与接受X射线辐射的剂量、部位、时间等因素有关。从理论上讲，短时间胸透所接受的辐射量很小，对生殖细胞的伤害极微。为保万全，怀孕前3个月夫妻双方都应避免接受X射线辐射。明确地讲，如果接受了X射线的照射，3个月以后再考虑怀孕最为妥当。

机场出港的步行通道，检查仪器是金属探测器。金属探测器的光辐射对生殖细胞是否有危害，目前还没有定论。但车站、机场等场所的行李安检通道设的是X射线检查仪，其辐射对精子的健康是有害的。但一般情况下，过往旅客没有人长时间停留在行李安检通道附近，所以也就不必有这方面的担心了。

拉德与健康

国际放射防护委员会对孕妇在整个妊娠期间接受X射线辐射的剂量，有明确的健康限定。第一个限定是，整个妊娠期接受X射线的辐射，总剂量不得超过1拉德。第二个限定是，超过10拉德的辐射，孕妇必须中止妊娠。

做X射线健康检查，项目不同，辐射剂量也不同。头部摄像的辐射剂量约0.04拉德，胸透是0.00007拉德，腹透是0.245拉德，经静脉肾盂摄影是1.398拉德。

用CT的方式做健康检查，X射线辐射的剂量分别是：头部0.05拉德，胸部0.1拉德，腹部2.6拉德，腰椎3.5拉德，骨盆0.25拉德。

X射线对胎儿健康的影响，虽然有一定剂量阈值和敏感期，但不能认为低于阈值或不在敏感期就绝对安全了。原则上来说，孕妇不宜接受X射线检查。确因临床诊断需要，孕妇一定要向医生表明自己正处妊娠期，以便放射科医生采取必要的保护措施。孕妇在接受X射线检查后，有必要请大夫对胎儿进行持续的医学观察，保证产下健康的婴儿。

敏感期与影响程度

同样剂量的X射线对胎儿健康的影响程度，根据孕期的不同而不同。

宝宝/美美
朋友们都来庆祝美美的满月。在家里祝贺比上饭店有利于妈妈宝宝的健康。

- 着床前期：即受精不满14天，受精卵异常敏感，任何剂量的X射线辐射，都有可能引发流产。如果剂量达5拉德，就有可能致受精卵死亡。

- 器官形成期：即受精后14~42天，胎儿的所有器官都在形成中，对X射线辐射非常敏感，任何X射线辐射，都有可能引发胎儿畸形或发育迟缓。在受精后23~27天这段时间，X射线辐射对胎儿神经系统的发育，有直接的、灾难性的影响。

- 胎儿发育期：即受精42天以后，一般X射线辐射引发胎儿畸形或死亡的可能性很小，但诱发胎儿白血病的可能性增加，同时还可能造成胎儿身体、神经系统发育迟缓。

胎儿期受过X射线辐射的孩子患白血病的几率比其他孩子大吗？

我姐姐怀孕3个月时做了一次胸透（婚检内容），当时没有任何人提醒她，她也缺乏这方面的常识。直到怀孕6个月时，才听别人说X射线对胎儿影响很大，可当时胎儿已经很大了，实在舍不得，担惊受怕3个月后，终于产下一看似健康的男婴。但姐姐现在情绪起伏很大，她总担心小孩将来容易得白血病。我们全家都很担心她。像这种怀孕期受过一次X射线辐射的小孩是否将来患白血病等癌症的几率要远远大于其他小孩？有没有一个概率？

孕期接受X射线对胎儿确实有害，但依据照射的剂量、部位、孕龄不同，影响的程度也不同，一般孕3月以内盆腔部位接受X射线，子代出现畸形率很高，造成流产、死胎率也高。孕4个月以内，子代发育障碍的几率增高，孕5个月以后受照射，生后患恶性肿瘤的几率增大，但与接受的量和部位有关。

日本广岛原子弹爆炸后，位于爆炸中心200米以内地区的16176人中，10年后患白血病者92人，患唾液腺肿瘤的比未受到照射者高数倍。

婚检时胸部X射线透视时间很短，射线量也小，部位离盆腔有一定距离，而且是在

第十七章

环境

395

孕早期，造成流产、死胎、畸形的比例大，而不是生后患恶性肿瘤的比例增加。建议您再咨询一下放射专家，帮助您姐姐排解忧虑。

陪伴病人照X射线片

我妻子是一名护士，3月中旬陪一个病人到医院的X光室照肾结石的片子。在X光室呆了有5分钟左右。但当时离开病人有3米距离。现在发现怀孕了，对胎儿有没有影响？我真的很担心！

在X光室陪伴病人拍X射线片，是会接受一定量的X射线的。但对胎儿有多大的影响，是很难预料的。与所接受的X射线量、接受的部位、时间、角度等有一定的关系，也与孕期有关，您妻子当时是孕多长时间接受的X射线？您不妨请您的妻子仔细回忆一下当时的情况，请放射医生帮助分析一下，可能接受到的射线量，再请搞放射治疗的医生帮助分析所接受的量是否是安全的。

孕期能使用发射紫外线的仪器吗？

我是一名化学分析工作者，经常使用紫外分光光度计，本仪器工作时会发射出紫外线，怀孕期间我是否还能使用该仪器？

孕期不能过多接触紫外线，自然光线中

准妈妈胡晏

也有紫外线，您是否可以使用紫外分光光度计，要视发射出紫外线的量而定，一般精密仪器在生产中都会考虑对人体的安全性，所发射出的紫外线应该在人体所能接受的范围内。但具体到您所使用的仪器，不清楚单位时间内紫外线发射的剂量有多大。是否能够使用您现在使用的仪器，没有结合实际情况我还不能给您肯定的答复，为了胎儿的健康，在条件允许的情况下，还是不使用为好。

我在怀孕第4周时照了X射线片，现在很担心，请问我应该怎么办？

你接受的是哪个部位的X射线照像？X射线对生殖细胞和胎儿是有害的，其危害大小与接受X射线的剂量、部位及时间长短等因素有关，建议你向放射医生询问具体事宜，如接受了多少伦琴（或拉德）的X射线照射？是否实施了保护性措施等，再根据具体情况分析安全性。

怀孕前或后接触了X射线

我现在已经怀孕43天了，末次月经是4月15日，近来月经周期一直不准，从28—35天不等。问题是：在怀孕前的排卵期前后即5月4日，我体检时拍了两张X射线胸片。我很着急，害怕对孩子有什么不好的影响，咨询过当地的妇科，医生告诉我应该没事，说是这段时间受精卵正在着床，应该影响不大，不知这种说法是否正确？

X射线不但对胎儿有伤害，对生殖细胞、受精卵也同样有害。因此，建议在孕前3个月和整个孕期避免接受X射线照射。即使到了妊娠晚期也应避免照射。因为，妊娠晚期接受过X射线照射的胎儿，其罹患白血病风险增大。

但是，X射线对胎儿的影响也与照射X射线的剂量、部位、时间、孕龄等诸多因素有关。照射剂量越小，部位越远离腹部，接受射线时间越短，孕龄越大则对胎儿的影响越小。孕早期接受X射线照射多引起流产或胎停育。你没有发生流产，也未发现胎儿异常，

图片提供/丽家宝贝

在干燥的季节使用加湿器会保证孕妇和新生儿少患呼吸道疾病。

可能这次意外接受的X射线照射对胎儿未造成伤害。建议你咨询一下放射治疗的医生。

孕1月照X射线牙片

我最后一次来月经是6月6日，7月7日去医院检查确知怀孕。我有几个问题想请教一下：①我在6月16日去牙科做X射线照相，对胎儿有无影响？②我在7月3日去医院看牙，可能由于紧张，阴道出现少量流血（渗血），第二天没有出现。7月10日去医院看牙，也出现7月3日情况。今天我发现内裤有一点浅红，是否正常？我以前做过药流，有无影响？③由于我的职业，要每天面对电脑，不知对胎儿有些什么影响？

孕期是禁忌接受X射线检查的。如果胎儿早期被X射线照射，可导致胎儿生长发育障碍，如流产、胎停育、畸形、宫内发育迟缓。胎儿晚期被X射线照射，出生后，白血病的发病几率增加。

但是，对胎儿是否会造成伤害，也与X射线照射的部位、接受的射线剂量、照射的时间、胎儿自身发育情况、是否对胎儿采取了保护性措施等诸多因素有关。并非是只要接受了X射线，就一定会对胎儿产生可怕的伤害。

你照的是牙片，接受的射线量相对少，

时间也短，照射的部位也远离胎儿，因此，可能不会造成可怕的不良影响，不要过于担心，以免影响你的心情。

阴道两次少量流血，不能排除先兆流产的可能，应到医院就诊。

电脑对胎儿的影响至今还缺乏权威性结论。在前面的咨询中有过较详细的阐述，你不妨翻到前面看一下。你现在要尽量缩短在电脑前的净工作时间和连续工作时间。

月经来潮后28天拍X射线胸片了

我末次月经是7月5日，8月2日因咳嗽拍了X射线胸片，现在很担心会影响胎儿，我应该怎么办？

孕期是禁忌接受X射线照射的，尤其是孕早期。X射线照射对胎儿的影响与所接受的X射线量、部位、时间等有关，根据你所接受的X射线量，时间、部位，与放射科和产科医生探讨一下对胎儿是否会造成不良影响，再行决定。你接受X射线照射时，胚胎可能刚刚形成1、2周，如果遭到射线损害，最可能的结局是发生了自然流产或胎停育。目前没有发生这样的结局，胎儿可能没有受到伤害，继续观察胚胎发育情况。

末次月经第四天拍足部X射线片了

我现在怀孕了，末次月经是5月12日，可我在5月16日，也就是在末次月经的第4天接受了一次足部的正侧位X射线照像，不知对胎儿有没有影响？

你在接受X射线照射时，尚没有怀孕，如果有影响也是对卵子的影响，如果卵子异常，可能不会受孕，或者受精卵异常而死亡了，不能顺利怀孕或发生早期流产。现在胎儿发育正常，况且你是足部照射，距离腹部比较远，影响不会很大。

停经32天拍X射线胸片了

我去年11月底结婚，一直没怀孕，10月份感冒了，咳嗽了一段时间，11月2日X射线拍照，医生说我得了支气管炎，11月5日又做PTT结核减速试验，医生说有轻微结核感染。我最后的月经是9月30日，一般是30天的周期，也曾40天，这个月的月经没来，我早孕

准妈妈/田甜

检测试纸测试显阳性，医生说我可能怀孕了。我很害怕，不知道我做X射线拍照和PTT测验，会不会对胎儿有影响？我该怎么办？要不要孩子？

从时间看，你接触X射线检查时可能已经受孕，孕早期接受X射线照射可能会影响胎儿的生长发育，X射线对胎儿的影响虽然不是百分之百，但几率要比没有接触大得多。是否保留这个胎儿并不是小问题，也不仅仅是你个人的问题，需要家庭、夫妇双方、医生共同商量，权衡利弊。在没有百分之百把握的时候，医生只是建议，最终还要你们夫妇两人作出选择。在咨询中你写到"医生说有轻微结核感染"是因为PTT阳性考虑有结核菌感染，但并无临床结核病，还是胸片提示有结核感染病灶？这是很关键的。如果胸片提示有结核感染病灶，也就是说有活动肺结核，那就应该果断做人流术，进行正规的抗结核治疗。

停经后35天体检胸透了

我今年28岁，末次月经是5月23日，现在怀孕已经2个月了，在6月28日因单位做集体体检，我做了胸透，听说孕妇不能照X射线，我非常后怕，胎儿早期接受X射线照射会有什么问题吗？

为什么不该发生的事情总是发生？这就是没有作好孕前准备的弊端，还是那句话，只要你结婚，没有采取有效的避孕措施，或你已经计划怀孕了，或你想顺其自然，都应该注意对自身的防护，X射线是有害的，这是人

人皆知的。尽管胸部透视接受的X射线量并不大，但总是不接触为好。

第3节 家居清洁等化学用品的影响

306.用品选购最应注意的要素

准备怀孕或已经怀孕的夫妻，在选购家庭清洁日用品时，最应该注意的事项不是物美价廉，而是"孕妇慎用"的提示。洗涤剂、漂白剂、消毒剂、除臭剂、空气清新剂、洁厕灵、除虫剂、油漆、黏合剂、涂料、强力清洁剂等化学日用产品中，有些对孕妇及胎儿健康没有什么不良影响，有些是其个别成分对孕妇有一定影响。

生活提示

孕妇担心化学日用品对胎儿会有危害，这种担心其实并不难化解——尽量不使用或少使用，使用时带上优质的防水手套。用蚊帐代替驱蚊剂，是不错的选择。卫生间必须经常打开排风机。居室通风换气，是孕期健康生活需要的最重要的环境。孕期切忌亲自施花肥，或给宠物洗澡，更不要自己去打扫宠物的小窝。孕前及整个孕期，不接触宠物是最安全的。

我是3月中旬怀孕的，一直注意孕期健康，但因夏季到来，蚊子渐多，睡觉时均使用灭蚊片驱蚊，后听人说灭蚊片对胎儿不好，不知有哪方面的危害？危害有多大？

怀孕期间，是否可使用雷达牌液体蚊香？

现在正值夏季，蚊子很多，既怕被毒蚊子叮咬，对胎儿不利，又怕使用灭蚊剂和蚊香对胎儿有毒害。在整个孕期都不能用灭蚊剂、蚊香吗？用什么防蚊更好？

灭蚊剂可释放出化学物质，虽然目前未见有对胎儿致畸作用，但也应尽量避免使用，即使对胎儿没有害，对孕妇的呼吸道也

有一定的刺激作用。使用蚊帐是最安全的防蚊措施。

307.装修与胎儿健康

首先明确一点，准备怀孕的夫妻和已经怀孕的准妈妈，都应该工作生活在环保装修的环境之中。不是环保的装修，对任何人都有伤害，对生殖细胞、孕妇和胎儿的伤害就更大。那么，什么是环保装修呢？有什么判别的标准呢？

● 地板材料：釉面砖、大理石、复合木地板、实木地板等。地板是装修的一大项，地板是否环保极其重要。

● 墙面涂料：壁纸、涂料、颜料等。墙面（包括天花板）的面积，一般是房屋室内面积的5倍。墙面装修不环保，那对人来说简直就是灾难。一位大学教授分到了一套新房子，请人装修，装好后高高兴兴搬进去。入住以后就开始流泪，开窗开门通风换气，人还是流泪，而且到了视力衰减的程度。另一位研究环境保护的教授闻听，赶紧到他家用仪器检测空气质量，结果吓得跌破眼镜：他家室内空气污染的浓度，超过国家限定标准的175倍！这是装修吗？这简直就是杀人。

● 板材：包括家用木器的材料。板材不环保，永远释放有害物质。

● 油漆：所有的家具都要上油漆，油漆环保与否，直接影响室内气味。

● 洁具：洁具还会不环保？是的，做洁具的材料不环保，洁具就不是环保的。

308.必要的自我保护

如果是家庭装修，实现环保可能并不困难——多花些钱而已。但单位、公共场所等非自家的室内，如果不是环保装修，我们是无能为力的。这时，孕妇自我保护措施就显得非常重要。

我们的房子是去年8月份刚装修完的。我们最近想要一个孩子，不知屋子装修材料的化学成分能不能影响我们？我的妻子在一家五金电料商店上班，我去过她们的商店，闻着有一种从电线上发出的味道，

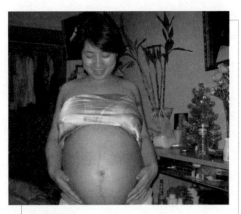

准妈妈/邝丽娜

不知会不会对怀孕有影响？所以我想跟妻子上医院去检查一下，看看我们身体正不正常够不够怀孕的条件。但我不知采用什么方法检查？请告诉一种简单方便的方法，因为我们是一个县城，我担心医院没有设备。

如果装修使用的是环保型无毒无害的建筑材料，不会影响胎儿健康。入住前一定要通风2个月以上。

五金电料商店会释放出什么有毒的化学成分，不是很清楚。这与商品的品种，还有包装方式有关。但可以肯定的是油漆对胎儿不利。如果明确您妻子接受了何种有毒有害物质，就可针对这一有害物质进行检测，如受到铅污染，可查血清铅浓度。另外，可以了解您妻子单位同事所生孩子中是否有异常的，了解您妻子所在的商店是否有有毒有害商品。如果没有明确受到某种污染物侵害，就不必做特殊专项检查。你们夫妇双方做常规的孕前检查就可以了。

我计划明年1月怀孕。我们单位11月底要搬到新的办公大楼，大楼刚刚装修好（地面铺釉面砖、墙面涂乳胶漆），里面气味很刺鼻，请问这种情况我还能在1月份怀孕吗？

建筑装饰材料是否对人体有害，主要取决于材料的质量，如果采用的是环保型的，对人体就不会造成损害，对胎儿健康也就没

第十七章 环境

有损害。一般环保型建筑装饰材料没有特刺鼻的味道。

装饰材料对人体的损害，除了放射性外，还有材料释放的有害气体和物质，都会对人体造成伤害，因此，防辐射服对由装修造成的损害是没有意义的。您应该了解您单位所使用的所有材料是否是安全的，如果是安全的就不必担心了。现在最好不要怀孕，尽量少进入新大楼，加强通风，要等到刺鼻的味道消失后再怀孕。

我妻子怀孕时，家里刚装修完新房，以后我们一直在里面居住，屋里有装修后遗留的气味。近来我听说新房散发出来的气味对胎儿不利，并可致畸，还可引发婴儿血液方面的疾病，有90%的概率。可我妻子怀孕已经快3个月了，她非常想要这个小孩，真的会引发胎儿畸形和血液病吗?我们该怎么办?

含甲醛的建筑材料中，如涂料和油漆中的有毒化学物质确实对胎儿有危害，甲醛是一种原生毒物，对黏膜有强烈的刺激作用，室内低浓度的甲醛可出现失眠、疲劳、月经不调等，高浓度的甲醛可出现痛经、继发性不育，低体重胎儿等，您的妻子是否出现过头晕、疲劳、失眠等症状？如果没有低浓度污染所出现的中毒症状，也不会出现高浓度的生殖毒性。您的妻子已经怀孕3个月了，可以通过检查初步确定是否有异常了，如果一切正常，就不要担心，注意孕期监测就行了。

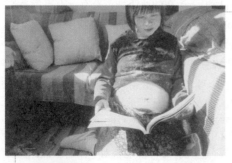

准妈妈/潘晓敏
　　有的孕妇会露出肚皮给胎宝宝晒太阳，认为这样胎宝宝就不会缺钙，其实还是妈妈接受了充足的阳光，胎宝宝的钙是从妈妈那里获得的。

您可找环境监测部门测一下室内是否还有有毒物质污染，并及时消除。

309.厨房油烟控制

厨房烹饪油烟对胎儿健康发育有一定消极影响。如果孕妇下厨房，巧用排烟机是关键。先启动排烟机，再打开灶火；先关闭燃气灶，让排烟机继续工作一段时间，再关机。

保证厨房通风换气，尽量不烹制油煎、油炸食物。炒菜炝锅时，不必把油烧得过热，减少油烟产生。现在食用油质量很好，不像过去提纯不够，靠高温除杂质。燃气设备安全可靠，绝无燃气泄漏，这一点必须保证。

吸烟控制

孕妇吸烟是不能被原谅的。老公吸烟，最好以胎儿健康的名义，要求他戒掉。戒不掉，至少要做到不在家里吸烟。遇上职场同事吸烟的场合，尽量回避开；或者直接请求吸烟的同事照顾一下胎宝宝的健康，不要在室内吸烟。学会礼貌地提出这样的要求，没有人认为这是过分。

面对大气污染现实的做法

大气污染是全球问题，我们的胎儿和准妈妈只能面对现实，并尽量想办法削减大气污染对胎儿健康的影响。

大气污染指数很高的天气，悬浮颗粒物超标或大雾天气，就不要到室外活动了，静静在居室内休息。

早晨太阳还没有出来时，外面的空气并不新鲜，所以最好等太阳出来后再开窗换气，保证更多新鲜空气进入室内。

空气污染严重的天气，不要到外面散步、健身、锻炼。闹市区、油煎烧烤摊点、污水河、垃圾站、煤气站、加油站，也不是散步、骑车、慢跑、做操的合适地方。做有氧运动，一定要在空气新鲜的地方。

准妈妈/田甜

驾乘私家车上下班，要检查汽车排气系统是否正常。遇交通拥挤，关严汽车玻璃和进风口。汽车停放在带门的车库中，一定要先把车库门完全打开，再发动汽车。

一个油漆工的生育灾难

我接诊过一个患肺炎的儿科病例，向孩子父母了解病情时，竟引出了一个令人震惊的故事。

这对夫妻连续怀过3个病残儿。怀上第一胎，夫妻俩沉浸在幸福之中。B超检查，诊断几乎把他们打倒：无脑儿。这是胎儿神经管发育异常，只能终止妊娠，引产。一年后，他们战战兢兢怀上了第二胎。孕期还算顺利，可分娩时，新生儿发生窒息，3天后呼吸衰竭而亡。病因是先天肺发育缺陷。夫妻俩开始做各项检查，结果却是夫妻双方均无疾病，也无家族遗传病史，染色体检查也没发现异常。虽然困惑，但毕竟又鼓起了再次生育的勇气。第三胎的结果，孩子虽然生出来了，但患有先天性心脏病、心律失常，面临着艰难的手术治疗。

可怜的孩子住进医院，转到了我的手上。询问病情，抓住我心的，不仅仅是眼前的病儿，还有这对可怜的夫妻，为什么连续3次都不能健康受孕的事实。一句随口说出的话，引起我高度注意："孩子爸在油漆厂工作15年了。"

天啊，在油漆厂工作了15年！马上化验，这位油漆工的血铅水平，竟超过正常值10倍！血红素低，提示中度贫血，典型的铅中毒。这样的爸爸能孕育健康的胎儿吗？

310.保护好自己就是保护胎儿，我的几点建议

- 如果你的工作需要长时间站立，要找时间坐一会，能调换工作更好。
- 从事有震动的工作，如乘务员，最好减少工作时间或暂时离开。
- 如果你从事的是不能休息的流水作业，申请暂时离开。
- 如果你的工作高度紧张，想办法放松下来。
- 如果你工作的环境噪音很大，令人不安，最好暂时离开。
- 如果工作环境存在有毒有害物质污染的可能，孕前3个月就应该离开。
- 如果你周围没有任何人，当你有问题时不能很快被人发现，这样的工作环境不好。
- 从事接触动物的工作，要注意防止病原菌感染。
- 接触患病的人或从事微生物研究等工作时，要注意保护自己。

311.准妈妈的美容美发问题

孕期间狐臭用药对孩子有影响吗？有何对策？

妊娠期间能否使用治疗狐臭的药物，没有见过这方面的报道，但从理论上讲，妊娠期间使用对胎儿不会造成什么影响，如果您有顾虑，每天用香皂擦洗腋下，出汗后及时洗掉汗液，也可有效地祛除狐臭味。

8月22日时我做了一次烫发，并用紫外线烤了8分钟，请问对9月份怀孕有影响吗？

我不明白，烫发时为什么用紫外线烤8分钟？有这样的美发厅吗？紫外线对你的皮肤会有伤害的。你说的确实是紫外线吗？是不是红外线加热，或其他？超量接受紫外线对生殖健康不利。

我每周都要到美容院去做一次脸部的皮肤护理，我肚里有了小宝宝后，不知坚持做这样的皮肤护理对胎儿有无影响。我应注意些什么？

做脸部护理时用的护肤品对胎儿是无害的，但要保证护肤品的质量，不要选择含有铅、苯等有害成分的护肤品和化妆品。

本月我刚查出来怀孕了。不过算一算在受精卵着床时，我染了一次发。用的染发剂是比较高级的，味道很小。我先生希望留下这个孩子，但我有点担心。染发对孩子有影响吗？

染发剂对孕妇和胎儿都有不良影响，孕期不宜经常使用，但你在受精卵着床前后仅使用一次，对胚胎不会造成什么影响。如果你对染发剂没有出现过敏反应的话，影响的程度会更轻，因此你不必太担心。孕期多次接触有害物质对胎儿影响是很大的，以后要注意避免接触有毒有害物质，计划怀孕的夫妇都应提前注意。

我爱人在怀孕第二周（当时不知道怀孕）曾烫过头发，用一种外国进口的药水可以把头发弄得蓬松一些。药水是否对胎儿有害？现在已经7周了，做B超能观察发育情况吗？是否致畸能看出来吗？

烫发不会导致胎儿畸形，但孕期最好不频繁烫发。你爱人在不知情的情况下烫发了，对胎儿不会造成危害，不要给你爱人增加精

神负担，也不必为此多做B超检查。

准妈妈蒋新燕

402

出镜／郑成武　田甜夫妇

第十八章

生 活

胎教、节日、运动、旅行、
性生活、美丽

孕妇不要做仰卧起坐、跳跃、跳
远、突然转向等剧烈运动和有可能
伤及腹部的运动；不要尝试滑雪、潜
水、骑马等运动。

本章要点
- 胎教的医学基础
- 节日、运动和旅行
- 做个美丽的准妈妈

第1节　胎教

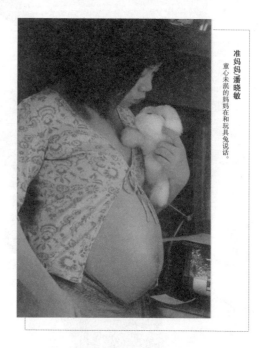

准妈妈·潘晓敏
童心未泯的妈妈在和玩具兔说话。

312.胎教的医学基础

生活在妈妈子宫内的胎儿，从一个圆形的细胞——受精卵开始发育，到成熟的足月儿，在266天的生长发育中，几乎经历了人类进化的全过程。没有人能真正知道在子宫内生活的胎儿是怎样的。过去认为，生活在子宫内的胎儿是在漆黑一片的无声世界里，他们既不需要吃，也不需要喝，没有呼吸和思想，没有节律的睡眠和觉醒。真的是这样吗?

● 胎儿的运动能力

能够观察胎儿在子宫内的活动，以及对外界的反应该有多好啊! B超帮助医生实现了这个愿望。

在B超下观察5周的胎儿，发现胎儿不时有自发的运动，而妈妈直到孕4、5月时才能感觉到胎动。

在B超下观察7、8周的胎儿，发现胎儿已经出现了胳膊、腿、腕、肘、膝关节的简单活动。

在B超下观察12周的胎儿，发现胎儿已经能活动上下肢体所有的关节了。

用B超观察14周的胎儿时，发现胎儿在水中踏步、倒立，就像个体操运动员。

● 胎儿听觉能力

把录音装置安放在子宫内，可录制到：正在播放的音乐、妈妈的心跳、血流、呼吸、肠蠕动、说话、咳嗽、喷嚏的声音。

在录音的同时，观察5个月以上的胎儿对各种不同声音的反应，发现不同的声音可引起胎儿不同的反应;胎儿对刺耳的噪音、建筑工地的机械声、吵架的声音表现出异常反应。

● 胎儿视觉能力

用灯光照孕妇的腹部，交替关闭开启，胎儿出现眨眼。胎儿也随着妈妈的作息时间入睡和觉醒，只是睡的时间要远远大于醒着的时间，但胎儿遵循着白昼、黑夜的变化规律。

● 胎儿的触觉能力

当胎儿的小手触到嘴唇时，会出现吸吮动作;当手脚碰到子宫壁时，会把手脚缩回来，并屈曲手指和脚趾。胎儿2个月就有了触觉能力。

● 胎儿的味觉能力

给28周早产儿喂甜奶时，会有力地吸吮。喂酸奶时，会出怪相，表现不爱喝。可见这时的胎儿已经有了味觉能力。

胎儿在子宫内所具有的运动、感觉、听觉、触觉、视觉等能力是胎教的医学基础。

313.对胎教的质疑

胎儿对学习可能没有任何兴趣

对胎教提出质疑的学者认为，胎儿发育

呈阶段式的，所有胎儿都要经过同样的发育阶段。就像胎儿刚出生时，每个正常的宝宝，其身高、头围都相差无几，能力也几乎相似，出生后第一反应是哭，都有吸吮、吞咽等原始反射，而身体、大脑和智力方面的发展差异是出生后才出现的。他们认为，胎儿对学习没有任何兴趣，美国和许多国家都有胎教大学，但经验证明，胎教并不能使孩子早开口说话和不同凡响地聪明。

266天完成人类进化过程，够累了

有的学者认为，胎儿在子宫内主要是健康地生长发育。从一个原细胞分化出数以百亿计个形态、功能各异的细胞，还要完成各个器官组织系统的构建。在短短的266天里完成几乎人类的整个进化过程，这已经是个奇迹。如果我们还嫌胎儿做得不够，还要让胎儿在完成自己生命构建的繁杂工作之时，接受外界的刺激（这种刺激尽管在我们看来是和颜悦色的胎教，对胎儿可能是一种干扰），胎儿可能会招架不住。

准妈妈蒋新燕

睡眠可能是胎儿第一重要的

胎儿大多处于睡眠休息状态，对于胎儿来说，睡眠可能是第一重要的。因为胎儿要保持体力，构建生命，就像婴儿要在睡眠中长高身体一样。爸爸妈妈不要为胎教而过多地打扰胎儿。过度的胎教对胎儿有百害而无一利。如果妈妈为了生个"神童"而"折腾"胎儿，就会影响胎儿正常的生长发育。如果为了胎教，在胎儿熟睡（胎儿绝大部分时间都在睡眠休息）时，用音乐、体操、抚摸、语言交流等方式进行胎教，就会打扰胎儿的美梦。试想，一个熟睡的婴儿，甚至一名熟睡的成人，如果被人叫醒，让他听音乐、练身体，给他按摩，和他讲话，他又会怎样的呢？婴儿会大声地哭，成人会不高兴，甚至生气。而婴儿各器官已经发育，只是继续完善，成人只是休息。胎儿可不仅仅是这些，胎儿要从一个细胞生长出几百亿个细胞。胎儿在子宫舒适的环境中按照自己生长轨迹一步步成长起来，当呱呱坠地时已经具有了适应外界生活的能力。

重要的是给胎儿提供良好的生长空间

真正的胎教应该是给胎儿创造优良的生长环境，消除不利于胎儿生长的有害因素，最大程度地保护胎儿不受外界不良因素的刺激和干扰，让胎儿得到充分的营养和静养生息的环境。

娴静的心情、规律的生活、合理的饮食、适宜的运动、良好的生活品位、融洽的人际关系、温馨的家庭、相亲相爱的夫妻关系是妈妈献给胎儿最好的礼物。胎儿在这样的环境下一天天成长发育起来，焉有不健康之理，这是最好的胎教。我认为，妈妈仍应以养胎为主，而不是忙着胎教。

314.胎教的分类

直接胎教

直接作用于胎儿，使胎儿受到良好的影

响,如给胎儿听音乐,抚摸胎儿等为直接胎
教。前面已经说过,胎儿在不同的生长阶段,
先后具备了感觉、触觉、听觉、视觉等能力,
这些能力是胎教的基础。给胎儿直接的感官
刺激,通过刺激准妈妈的腹部触摸胎儿,给
胎儿听音乐,用光刺激胎儿的视觉,这些都
是直接胎教方法。

间接胎教

间接胎教是通过对孕妇的作用来影响
胎儿。准妈妈的情绪可以通过神经-体液的
变化影响胎儿的血液供应。从脑神经学的角
度看,当一个人感到快乐时,体内释放出的神
经传递素,包括一种称为"脑内啡"的物质。
脑内啡除了给我们轻松、舒适的美好感觉
外,同时还使我们渴望重复这种感觉。人总
是在不断地追求乐趣,准妈妈在追求快乐的
同时,也给胎儿传递一种正向的情绪。准爸
爸及家庭其他成员,给孕妇创造良好的环境
也是非常重要的。一分钟的恶劣情绪,一天
的胎教就轻而易举被抵消了。

运动胎教

胎儿一般在怀孕后的第7周开始活动。
胎儿活动是丰富的,有吞吐羊水、眨眼、吸吮
手指、握拳头、伸胳膊、踢腿、转身、翻身。大
多数孕妇孕4月以后开始感觉出胎动。

经常抚摸胎儿,不但是进行胎儿运动
训练,也是和胎儿的一种交流方式,可以激
发胎儿运动的积极性,通过抚摸胎儿和他沟
通信息、交流感情。可以在早晚进行,每次不
要超过10分钟。爸爸也可以用手轻轻抚摸胎
儿,使爸爸与宝宝加深感情。

习惯胎教

瑞典的舒蒂尔曼医生对新生儿的睡眠类
型进行了实验,结果显示:新生儿的睡眠类型
与妈妈孕期的睡眠有关。舒蒂尔曼医生把孕
妇分为早起型和晚睡型,发现早起型的孕
妇所生孩子有同妈妈一样的早起习惯;晚睡型

准妈妈/魏菊

孕妇所生孩子也同其妈妈一样喜欢晚睡。可
见,孕妇的习惯直接影响到胎儿,所以,孕妇
养成良好的生活习惯是胎教内容之一。

记忆胎教

西班牙一所胎儿教育研究中心对"腹中
胎儿的大脑功能会被强化吗"这一课题进行
了研究。结果表明,胎儿对外界的感知体验
可记忆到出生后。

胎儿能分辨母亲的心跳声。有学者研究
发现,当一个刚出生的婴儿大哭时,如果立
即播放预先录制好的母亲的心跳声,婴儿便
会立即停止哭闹,变得异常安静。如果妈妈
把宝宝抱在怀里,并将宝宝的头转向左侧胸
部,宝宝的耳朵贴近妈妈的心脏,很快,宝宝
就停止哭闹。胎儿在母体内已经熟悉并记住
了妈妈心脏跳动的声音,当宝宝听不到他所
熟悉的声音时,就会产生不安和恐惧。

胎儿在子宫内通过胎盘接受母体供给
的营养和母体神经反射传递的信息,使胎儿
脑细胞在分化、成熟过程中不断接受母体神
经信息的调节与训练。

加拿大哈密尔顿乐团的著名交响乐指挥
家鲍里期·布罗特对记者说:"我初次登台就
可以不看乐谱指挥,大提琴的旋律不断地浮
现在脑海里。而且不翻乐谱就能知道下面的
旋律,对此我疑惑不解。有一天,当母亲正在

演奏大提琴的时候，我向她说了此事，当母亲问我脑海里浮现什么曲子时，谜底被解开了。原来我初次指挥的那支曲子，就是我还在母亲腹内时她经常拉奏的那支曲子。"

听力胎教

胎儿从第8周开始神经系统初步形成，听神经开始发育。5-7个月时听力完全形成，还能分辨出各种声音，并在母体内做出相应的反应。

一个有趣的小故事

有一位叫布莱德·格尔曼的准爸爸，从医生那里得知，5个月胎儿具有了听力。为此，他发明了"胎儿电话机"。他将录下的声音通过母亲的腹壁传递给胎儿，并随时记录胎儿对子宫内外各种声音刺激的反应，把这些微弱的子宫内声音再放大，就可以了解胎儿对声音的反应。因此，他每天不间断地将"胎儿电话机"放在妻子腹部子宫的位置。有时通过话筒直接与胎儿讲话唱歌。他发现，当胎儿喜欢听某种声音时，就会表现得安静，头会逐渐移向妈妈腹壁，听到不喜欢的声音时，头会马上离开，并且用脚踢妈妈的腹壁。

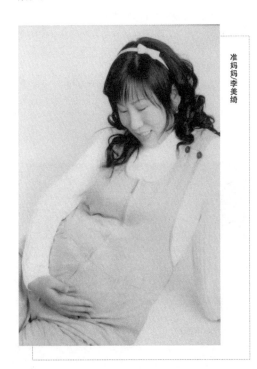

准妈妈 李美绮

经过一段时间的观察与训练，布莱德·格尔曼已经知道了他的宝宝喜欢听什么声音，不喜欢听什么声音。他很兴奋地对朋友说："我的孩子生下来不久，一听到我的声音就会掉转头来对着我，我简直无法形容她这样做使我多么高兴。"

有趣的试验研究

（1）让新生儿吸吮与录音机相连的奶嘴，婴儿以某种方式（长吸或短吸）吸吮就可听到妈妈的声音，如长吸可听到妈妈声音，婴儿就多以长吸方式吸吮。他们通过辨别声响，表示出对自己母亲的声音特别敏感。

（2）还有人选择在怀孕最后的5-6周时让孕妇给胎儿朗读"戴帽子的猫"，历时5个多小时，当胎儿出生后进行吸吮试验。先准备两篇韵律完全不同的儿童读物，一篇是婴儿在母亲体内听到过的"戴帽子的猫"，另一篇是婴儿从未听到过的"国王、小耗子与奶酪"。婴儿通过不同的吸吮方法才能听到这两篇不同的儿童读物。结果发生了让人非常惊喜的事情，这些婴儿完全选择了他们出生前学过的"戴帽子的猫"的吸吮方法。

意识胎教

近年来，国外胎儿心理学的研究发展很快，研究者们认为，胎儿具有思维、感觉和记忆的能力，尤其是胎儿7个月以后更是如此。

劳逊博士用摄像仪观察腹中胎儿，发现胎动发生前的6-10秒钟，胎儿的心跳频率明显增加。这种现象在胎龄6个月起便能观察到，说明此时胎儿大脑已发育到能够进行思考的程度。

来自法国的故事

在巴黎的一家医院，语言心理学教授托马蒂斯，接待了一位4岁的孤独症患儿。教授用法语和她交谈，患儿毫无反应。教授发现了一个奇怪的现象：每当有人同这位患儿讲英语时，她的兴趣就来了，每当这时，她的病似乎就好了。教授问她的父母，在家里是否经常讲英语，回答是否定的。教授又问他们曾经什么时候讲过英语。患儿的母亲突然回忆起，在怀孕期间她曾在一家外国公司工作，只允许讲英语。所以，她在整个孕期，工作时一直讲英语。教授恍然大悟地说："胎儿意识的萌芽时期出现在7~8个月，这时胎儿的脑神经已十分发达！"

发生在我身边的真实故事

一位孕早期的妈妈，发生了妊娠呕吐，心情非常差，脾气也很坏，从心底不想要这个孩子了，滴水不进，几乎把胃都吐出来了。她无法上班，靠电视在家里消磨难熬的时光，一直持续了两个月时。直到孩子1岁了，这位妈妈每当听到当时电视剧中的主题曲仍然恶心，干呕。孩子出生后情绪非常不稳定，几个月的孩子，没有人在身边陪伴就不能安稳入睡，一旦有不顺心的事情时，就胃痛、恶心、甚至呕吐、腹泻。

近年来，国外胎儿心理学的研究发展很快，心理学认为胎儿具有思维、感觉和记忆的能力，尤其是胎儿7个月以后更是如此。在我们日常生活中，有少数孕妇为了一点暂时的身体不适而出现对胎儿怨恨心理，这时胎儿在母体内就会意识到母亲的这种不良情感，而引起精神上的异常反应。专家认为这样的胎儿出生后大多数出现感情障碍、神经质、感觉迟钝、情绪不稳、易患胃肠疾病、疲乏无力、体质差等。因此，孕妇在妊娠期间应排除这些不良的意识，母亲应将善良、温柔的母爱充分体现出来，通过各方面的爱护关心胎儿的成长。

情绪胎教

情绪胎教，是通过对孕妇的情绪进行调节，使之忘掉烦恼和忧虑，创造清新的氛围及和谐的心境，通过妈妈的神经递质作用，促使胎儿的大脑得以良好的发育。情绪与全身各器官功能的变化直接相关。不良的情绪会扰乱神经系统，导致孕妇内分泌紊乱，进而影响胚胎及胎儿的正常发育，甚至造成胎儿畸形。

315.塑造胎儿好的性格

国外曾报道过，一位妈妈在孕期始终不想要腹中的孩子，当这个孩子出生后，在妈妈的怀抱里总是哭闹，并且不吃妈妈的奶，宁愿吃其他产妇的奶。这是因为妈妈孕期恶劣的情绪影响了胎儿，妈妈拒绝接受孩子，孩子也不喜欢妈妈。妈妈在孕期的好心情，对胎儿的无限母爱，对胎儿的成长有着举足轻重的作用。塑造孩子的性格要从胎儿期开始。在十月怀胎的漫漫道路中，孕妇忧虑、伤心、生气、愤怒、惊恐等情绪对胎儿都会产生不良影响。只要孕妇从心底充满对腹中胎儿的爱，就是对胎儿最好的胎教。

一个真实的故事

一位怀孕6个月的孕妇遭到丈夫的抛弃，所遭受的打击可想而知。祸不单行，又在卵巢上发现了囊肿，医生认定有"癌变"的危险，不但需要手术切除卵巢，还需要引产，因为继续妊娠对胎儿和妈妈都是危险的。这一切都是这位孕妇无法改变的事实！她不能阻止丈夫抛弃她和尚未见面的孩子，她也无法阻止腹中肿瘤的生长。对于一个35岁的女子来说，悲哀的理由再充分不过了。

这位妈妈没有接受这样的命运，她调整了自己的心态，欣然接受了命运的挑战——拒绝了引产和手术。她并坚信腹中的胎儿能够健康地成长。从她做出决定那一刻起，她再也没有悲哀和怨恨，再也没有担忧和害怕，有的只是希望和对未来宝宝的祝福。她相信她们母子会平安。

到了瓜熟蒂落的时候，胎儿顺利降生了，是个健康的宝宝。妈妈以她伟大的爱给予了宝宝最好的胎教。

准妈妈/潘晓敏

准妈妈·田甜

一位心理学家曾经做过一个非常有趣的实验，题目叫做"色彩与人"。他的实验目的是为了了解人在不同颜色的房间里的工作及心理状况。研究结果发现，长期处在黑色调房间里的人，即使不做任何体力及脑力活动，也会感到心烦意乱、情绪低沉、躁动不安、极度疲劳；在淡蓝色、粉红色和其他一些温柔色调的房屋里工作的人，一般比较宁静、友好、性情柔和；在红色房间里工作的人，会感到心情压抑、万分疲劳。实验还表明，改变环境的色彩能够立即改变人们的心情。烈日炎炎的夏季，人们走在拥挤不堪的大街上，进入琳琅满目、色彩缤纷的商店都会感到心中烦躁不安。相反，进入轻爽、凉气袭人的冰淇淋室，望着墙壁上一幅幅引人食欲的消暑佳品广告，会觉得温度下降了许多，一种清凉之感便油然而生。毫无疑问，这种心理上的感受是由周围环境色彩的变化造成的。可见，创造良好的环境，对于人们尤其是孕妇的情绪有着多么重要的作用。那么，在这多彩的世界里，如何选择恰如其分的色彩来促进胎儿的发育呢？

居室的色彩应该简洁、温柔、清淡，如乳白色、淡蓝色、淡紫色、淡绿色等。白色给人一种清洁、朴素、坦率、纯洁的印象，淡蓝色、淡青色给人一种深远、冷清、高洁、安静的感觉。孕妇从繁乱的环境中回到宁静优美的房间，内心的烦闷便会趋于平和、安祥，心情也会稳定。如果孕妇是在紧张、技术要求高、神经经常保持警觉状态的环境工作，家中不妨用粉红色、橘黄色、黄褐色布置。这些颜色都会给人一种健康、活泼、发展、鲜艳、悦目、希望的感觉。孕妇从单调的环境、紧张的工作状态中回到生机盎然、轻松活泼的环境中，神经可以得到松弛，体力也可以得到恢复。

316. 胎儿具有感知和学习的能力吗？

多少年来，人们一直认为，胎儿处在黑暗中和沉睡状态，对奇异的大千世界一无所知。一些实验和观察证实，胎儿也具有一些能力，胎儿除了有听觉能力之外，还具有感知和学习能力；在怀孕10周左右就具触觉、情感、领悟和记忆的能力。

一个真实的故事

一位妈妈在妊娠4个月后，剧烈的妊娠呕吐过去了，心情也好了起来，开始上班，因为工作比较劳累，回到家里就开始放松，除了散步，就是在家里看电视，那时的电视内容很少，频道也少，除了新闻节目，就看一部剿匪的电视连续剧，大概内容是我国解放初期，土匪盘踞在一座地势险要的深山，要剿灭这帮匪徒是非常困难的。连续剧播了很长，有40集。胎宝宝伴随着40集电视剧完成了胎儿生长期。

宝宝是个胆子小、文静的孩子，可从小就喜欢看破案的小说，常常说自己长大了想当特警和间谍，她的性格里是没有这个成分，也没有这样的潜质。这不能说是她在胎儿时期记忆了电视剧中的某些情节。因为每当问起她为什么要当特警和间谍时，她总是说我也说不清为什么，好像模模糊糊有一种感觉。

第十八章

生活

准妈妈/田甜

可观赏插花艺术,令人叫绝的书法,出自名家之手的绘画,具有民族风情的工艺品,还有服装模特表演等等,都能陶冶情操,起到胎教作用。妈妈也可以朗读一些文学名篇。总之,对自身修养有好处的,对胎儿就一定有好处。

第2节 节 日

318.大部分专家认可的胎教

孕妇在保证充足营养与休息的条件下,对胎儿实施定期定时的音乐刺激,可促进婴儿的感觉神经和大脑皮层中枢的更快发展。比如一些名曲中舒缓、轻柔、欢快的部分就适合胎教,但悲壮、激烈、亢奋的乐曲会影响胎儿的正常发育。因此,给胎儿听的音乐要选择经过医学界优生学会审定的胎教音乐。

给人以安宁,优美、抒情的音乐最适合胎儿。我不赞成把麦克风放到妈妈的腹壁上,也无需把扬声器接近胎儿,妈妈听到优美动听的音乐,会把愉悦的心情传递给腹中的胎儿。感到愉快舒心的妈妈,体内内环境处于最佳状态,胎儿在妈妈最佳的内环境中,定会健康地生长起来。

唱歌

妈妈轻轻哼唱自己喜欢的歌曲。尤其是各国的摇篮曲,大多数是民间流传的民谣,历史悠久、乐曲动听、民族风格浓郁,而且结合了音乐和语言两种元素,是比较好的胎教,妈妈自己哼唱出来比播放录音机效果更好。

和宝宝"说话"

妈妈用动听的语言和胎儿说话,是很好的胎教形式。爸爸也可以和胎宝宝说话。早晨起来,爸爸轻轻击掌,叫醒熟睡中的胎宝宝,和胎宝宝亲切地交谈几句。

319.烟酒问题

香烟产生的有害成分包括尼古丁、硫氰化物、一氧化碳等,即使是装有过滤嘴的香烟,对降低有害物质并无明显效果。戒烟是保证胎儿健康最有效的方法。我国女子吸烟的人数并不是很多,尤其是育龄女性,即使曾经吸烟,绝大多数都会因为生育而戒烟。

酒中含有对胎儿有害的成分乙醇。乙醇导致胎儿畸形的机理还未得到科学阐明,但临床已证实乙醇对胎儿有致畸作用。

1968年,Lemoine首次描述了乙醇引起的胎儿异常。1973年,Jones和Smite将乙醇导致的胎儿异常称为胎儿乙醇综合征(简称FAS)。

在美国,乙醇成瘾者中女性占20%,其中有大约1%~2%的孕妇在怀孕期间滥用乙醇。乙醇成瘾者的新生婴儿约有30%出现典型的FAS,30%出现与乙醇有关的相关异常症状,仅有30%的新生儿是正常的。可见,乙醇对新生儿的危害是不可忽视的。

怀孕女性长期饮酒导致新生儿FAS高发,是西方女性精神障碍最多见的后果之一。孕妇戒酒是必须的,妊娠期长期饮酒对胎儿的危害是巨大的。那么,短期少量饮酒,或偶尔大量饮酒,甚至偶尔一次酗酒对胎儿是否有什么危害,会不会导致FAS?目前没有这方面的医学统计和观察。

乙醇能迅速通过胎盘进入胎儿体内，滥用乙醇的孕妇，在其胎儿体内可检测出高浓度的乙醛和乳酸。乙醇的这些代谢产物可能直接损害胎儿体内细胞和蛋白质合成，从而导致细胞生长迟缓，干扰胎儿代谢和内分泌功能，以及氨基酸的胎盘转运，抑制脑细胞组织分化，降低脑重量，最终引起胎儿乙醇综合征等一系列病症。在妊娠期，即使是小量、短期饮酒，或仅仅一次酗酒，胎儿也会暴露在高浓度乙醇环境中，其代谢产物会对胎儿造成不良的影响。

怀孕后就不要再抽烟喝酒了。十月怀胎不容易，胎儿要抵抗来自大自然中许许多多有害因素的影响。准妈妈有责任把明知道的危害降到最低，不喝酒，不抽烟不会影响节日欢乐，周围的亲朋好友也会理解你的。要勇敢地劝说周围人，不要破坏胎宝宝的环境，不要烟雾缭绕，你和胎宝宝都需要清新的空气。

320.预防疾病

感冒

感冒既影响孕妇健康，又影响胎儿健康。冬季是感冒流行的季节。春节前后，正是流感季节，甚至会出现流感流行高峰。感冒的成因，绝大多数是病毒，也有细菌。能引发感冒的病毒有很多种，最常见的是鼻病毒。在感冒病毒中，柯萨奇病毒、埃可病毒、腺病毒等能引发孕妇高热，当孕妇高热时，子宫内的温度会随之升高，宫腔内高温可影响胎儿神经系统发育，预防感冒发热对于孕妇来说是很重要的。节日人多，生活不规律，疲劳、睡眠不足，这些诱因，都能降低孕妇机体抵抗力，增加了病毒侵入的可能性，导致疾病发生。希望准妈妈注意以下几点：

（1）不要到人多拥挤的公共场所；

（2）他人感冒，注意远离，避免经飞沫、毛巾、手等途径感染；

（3）勤洗手是预防感冒病毒传染的有效措施。一定要用香皂或洗手液洗手，只是水龙头冲一下了事，起不到消菌杀毒的清洁作用。

避免噪音

凡是使人不喜欢或不需要的声音统称为噪音。噪音对所有的人都有不同程度的不良影响。女性在非孕期受噪音的干扰，会引起一系列生殖功能的异常，常见的有月经不调，表现为经期延长，周期紊乱，经血增加、痛经等。受到噪音干扰的孕妇，其妊娠高血压的发生率增高。

胎儿对音响刺激有反应，这是胎教的基础，但是，如果外界的声音成为一种噪音的时候，对胎儿就会产生不良的影响。通过对一家棉纺厂女工的调查发现，妊娠前和妊娠期接触95分贝以上的噪声的女工所生的新生儿，到了3-6岁，智力测验结果显著低于无噪音刺激的女性所生的孩子。

90分贝以上的噪音对胚胎及胎儿发育有不良的影响。85-90分贝为超过卫生标准的噪声干扰。

噪音对准妈妈的伤害：

● 影响孕妇中枢神经系统功能的正常活动。

● 使孕妇内分泌功能紊乱。

● 诱发子宫收缩而导致流产、早产。

噪音对胎儿的伤害：

● 使胎心率增快、胎动增加。

● 高分贝噪音可损害胎儿的听觉器官。

● 损害胎儿内耳耳蜗的生长发育。

提醒：

● 孕妇要避免噪音的干扰。

● 节日期间，有些地区不限制鞭炮的鸣放，甚至在居民区有震耳欲聋的鞭炮声。准妈妈不要到放鞭炮的地方。

● 如果恰巧遇到燃放鞭炮，要用双手托住腹部，安抚胎儿，尽量减小对胎儿的震动。

补足睡眠

亲朋好友聚在一起，说不完的话，看不够的光碟，灯火通明，深夜不眠，这对孕妇是极其不利的。孕妇最好的休息方式就是睡眠，通过睡眠解除疲劳，使体力与脑力得以恢复。如果睡眠不足，引起疲劳综合征，食欲下降，身体抵抗力下降，增加了孕妇和胎儿受到病毒或细菌感染的机会，可引发多种疾病。过节睡眠不足，那就得空多睡一会儿，哪怕是一个小时。准妈妈睡眠不足，就会给胎儿造成无形的伤害。为了您腹中的宝宝，节日里的准妈妈们，要保证充足的睡眠，每天多睡一会儿。

321.保证室外活动时间

节日里，全家人在一起品佳肴，看电视，唱卡拉OK，几乎都在户内，这对孕妇是不利的，孕妇需要更多的氧气。在北方，冬季室内温度较高，湿度较低，门窗紧闭，空气流通不好，加上室内人多，呼出的二氧化碳，室内空气不新鲜。如果室内有抽烟的人，空气更污浊了，再加上厨房烹饪的油烟，室内空气中有害物质就更多了。所以，节日里准妈妈要做到：

- 定时到室外呼吸新鲜空气。
- 短时、多次到阳台上呼吸新鲜空气。
- 晚饭后一定不要坐着不动，电视一看就是几小时，保持一种姿势，孕妇很容易疲劳，也影响胎儿呼吸。应像平时一样，晚饭后到室外、公园里、广场上，悠闲自在地散步。
- 避免疲劳，调节心情，身处节日，心静如水。

节制饮食

孕妇忌食油腻、甘甜、味厚、生冷、煎烤、辛辣的食物。节日里，大多数人不再考虑合理膳食搭配，对饮食的要求不再是力求健康，而是要充分体现节日气氛。要做妈妈的孕妇们可不能这样，腹中小宝宝会抗议的。

准妈妈应注意的要点：

- 忌食肥甘厚味：肥甘食物不易消化；
- 忌食生冷：过食生冷食物容易损伤脾胃；
- 忌食煎烤、辛辣的食物：煎烤与辛辣食物为热性食物，能助长人体的湿热，造成胎热，出生后体质虚弱；
- 忌暴饮暴食：可引起肠炎、消化不良、严重的可引起胰腺炎。
- 认为只是节日这几天，不会出现什么问题，这种想法是不对的，准妈妈时刻要为腹中的胎宝宝着想。

第3节　运动与旅行

322.旅行

孕妇出门一定要注意安全，注意脚下，不要被拌倒、滑倒。孕妇是绝对不能摔倒的，轻者引发流产、早产，重者子宫破裂，母子生命不保。出门串亲访友，最好乘汽车，不要骑自行车。节日外出人较多，孕妇身体活动不便，容易被挤着，要多加注意。

为什么不要长时间坐车？

（1）孕妇生理变化大，环境适应能力降低，长时间坐车给孕妇带来生理不便；

（2）汽油异味导致孕妇恶心、呕吐；

（3）孕妇下肢静脉血回流不畅，造成下肢水肿；

（4）孕晚期腹部膨隆，坐姿挤压胎儿，易引发流产、早产。

准妈妈咨询实例

我准备回家探望生病的父亲，需要坐3-4个小时的长途汽车，我现在已经怀孕，请问孕妇乘坐长途汽车对胎儿有什么影响吗？

孕妇不宜乘坐长途汽车，汽车比较颠簸，不能够走动，随时都有刹车、急停车或急转弯的可能，可能会造成您身体的剧烈晃动，如果有异常运动，可能会造成流产（孕早期）或早产（孕中晚期）的可能，坐火车会更安全些。

我刚刚怀孕2个月，是双胞胎，近日感觉臀部的肌肉和骨头都特别疼，是因为坐的时间太长，还是别的原因，你能告诉我吗？我还能不能坐摩托车？

你可能一直坐摩托车，摩托车速度比较快，当你坐在摩托车上时，精神会比较紧张，全身肌肉也随之紧张，摩托车还比较颠簸，这可能是导致你臀部肌肉和股骨痛的原因。

323.孕期运动

孕初期，多数孕妇会有眩晕感，随着胎儿发育，子宫逐渐增大，膈肌被增大的子宫抬高，胸腔容积变小，肺脏和心脏受到挤压，使孕妇感到呼吸困难。应视情况选择运动项目、运动时间和运动量。

跳舞、游泳、瑜珈、骑自行车或散步等都是比较好的运动项目。刚开始运动时，可以将步子稍放慢些，散步的距离可以先定为0.6公里，每周3次。以后每周增加几分钟，并适当增加些爬坡运动。最初5分钟要慢走，做一下热身运动。最后5分钟也要慢些走。

如果在运动中连话也说不出，说明孕妇运动过猛，这种情况应该避免。不要做仰卧起坐、跳跃、跳远、突然转向等剧烈运动和有可能伤及腹部的运动；不要尝试滑雪、潜水、骑马等运动。

坚持体育运动对孕妇的好处

准妈妈/田甜

- 适当运动可以缓解背痛；
- 使肌肉结实(尤其是背部、腰部、大腿部等)，使孕妇有较好的体形；
- 可使肠部蠕动加快，降低便秘的发生率；
- 运动可激活关节的滑膜液，预防关节磨耗(在怀孕期间，关节松弛)；
- 可降低体内储存的多余脂肪。

注意事项

- 不应通过运动的方式减肥；
- 如果孕前就是一位体育运动爱好者，孕期的运动量和运动项目应作适当调整；
- 如果孕前从未进行过体育运动，应该慢慢地逐渐建立起有规律的运动习惯；
- 孕初期，多数孕妇会有眩晕感，随着胎儿发育会对孕妇的肺脏造成推举挤压，使孕妇感到呼吸困难，应视情况选择运动项目，决定运动时间和运动量；
- 有下列情况应停止运动：合并了妊娠高血压综合征或孕前有高血压；曾出现宫缩、阴道出血等流产先兆、既往有自然流产史或医生告诉你不适宜运动。
- 运动中若感到疲劳、眩晕、心悸、呼吸急促、后背或骨盆痛，应立即停止。
- 体温过热对胎儿有害，天气炎热时不要过度运动，即使在凉爽的天气里，也不要让自己热得满头大汗。

324.性生活

孕前(1~3个月)，孕妇有早孕反应，比较疲乏。还有受精卵刚在子宫内着床，胎盘与子宫壁的附着还不够牢固，如果性生活过频，动作过大，可引起流产，此期应减少性生活次数，动作要轻柔。有流产史或长期不孕后受孕的夫妇，在孕后最好停止性生活。到了孕中期(4~6个月)，孕妇反应减轻或消失，精神好，胎盘已经附着牢固，不易流产，此期对胎儿影响较小，但也要注意不要过频，不要压迫孕妇腹部。孕晚期(7~10个月)尽量减少性生活。预产期的前6周应该停止性生活，以免引起早产。

第4节 孕妇穿戴、护肤

乳房会有显著增大，这时你可能会有乳房往下坠的感觉，觉得乳房越来越沉了。

有的孕妇听说孕期戴乳罩会影响乳房发育，对以后哺乳不利，怀孕后就不敢戴乳罩了，这个认识有些偏颇。选择乳罩要注意：

●不能戴过紧的乳罩；不能使用束身胸衣、腰封和紧身内裤。不能使用有药物、硅胶或液囊填充物、挤压造型的丰胸胸罩。这是因为：孕期的乳腺在催乳素、胎盘生乳素、雌激素、孕激素、生长素以及胰岛素的刺激下，乳腺管和乳腺泡不断增生，过紧的乳罩会阻碍乳腺的增大。过紧的乳罩还会压迫乳头的发育，使乳头瘪陷。过紧的乳罩也会影响乳腺的血液供应，阻碍乳房皮下静脉回流。要戴舒适合体的乳罩。

● 戴有支持和托举乳房功能的定型乳罩。有一种无钢丝和松紧带的高档棉质定型乳罩或胸衣是不错的选择。

● 选择接触皮肤的部分是棉质、透气性能

准妈妈·李美绮

好、柔软、品质高的乳罩。乳罩的面料是最重要的，防止化学纤维飞毛毛脱落堵塞乳腺管。仔细查看胸罩面料的成分标签，三无产品或可疑的产品不要购买。

● 夏季更换质地轻薄透气的薄棉乳罩。

● 勤换洗胸罩，勤洗澡，晚上睡觉脱掉胸罩使乳房得到放松和呼吸。

● 随着乳房的增大适时更换更大的乳罩。小的乳罩等到产后和哺乳期结束后还可以使用。

如何选用乳罩

随着胎儿的生长，妈妈的乳房也逐渐丰满起来。如果不佩戴合适的乳罩，就会造成乳腺组织松弛，乳房下垂，使乳腺管受到牵拉。影响乳腺的正常发育。

乳罩不能过大，过松

佩戴乳罩是为了保护乳房不下垂，乳腺管不受牵拉。如果乳罩过大，就起不到托起乳房的作用。

乳罩不能过小，过紧

孕期的乳房不断增大，乳腺组织不断发育。乳房血液供应非常丰富。如果佩戴过小、过紧的乳罩，就会使乳房组织受压，血液循环不通畅，阻碍乳房的发育。过紧的乳罩也会压迫不断增大的乳头，使乳头发育受到限制，给出生后的宝宝衔住乳头吸吮造成困难。就像妈妈有乳头凹陷那样，很是麻烦，现在妈妈还没有体会，等到宝宝出生需要吃奶的时候，妈妈就能体会到保护好乳头是多么重要了。从现在开始就着手准备吧，这会给你以后喂哺宝宝带来很多好处。

透气性能好的乳罩

孕妇新陈代谢旺盛，皮肤呼吸很重要，透气性不好的乳罩会影响乳房皮肤的呼吸，影响乳腺的发育。孕5个月以后，会有很少的初乳分泌了，乳罩的透气性就显得更加重要了。

使用专为孕妇做的乳罩是不错的选择

现在，市场上有专门为孕妇准备的乳罩，购买这样的乳罩是不错的选择。但妈妈也要注意，并非所有为孕妇准备的乳罩都是合格的，也会良莠不齐，要选择品牌信誉高的产品，在有信誉商场或专卖店出售的可能会可靠些。

326.孕妇穿平底鞋？平跟鞋？

即使平时一贯穿高跟鞋的女性，一旦怀孕，也会穿上平底鞋，大部分会选择比较软的平底布鞋。这是有些矫枉过正了。

怀孕的女性不宜穿高跟鞋的理由

（1）孕初期主要是为了平衡稳定，以免磕绊摔倒。因为在孕初期，胚胎比较容易受到外界因素干扰而发生流产。

（2）在孕中晚期，腹部增大，身体重心向前移了，而上身微向后仰，整个脊椎不能像平时那样保持平衡稳定，高跟鞋会加重这种不稳定。

（3）穿高跟鞋使腹部内收，增大的子宫可能会压迫腹主动脉和输尿管，不利于血液供应和尿液顺畅。

（4）高跟鞋本身也容易使人在行走时发生磕绊，还可引起足弓和脚趾疼痛。所以，孕期不穿高跟鞋是对的。

不要穿一点儿跟也没有的平底鞋

（1）足并不是扁平的，足心带有足弓，穿平底鞋就会使重心向后，使人有向后仰的感觉。

（2）怀孕后本来上身就向后仰。

（3）穿平底鞋，走路时产生的震动会直接传到脚跟，产生足跟痛。

建议孕妇穿有2厘米左右厚鞋跟的鞋子。关于鞋的问题还应注意：不要穿鞋底易滑的，不要穿不跟脚的拖鞋或凉鞋，不宜穿有些挤脚的鞋，一定要购买正规厂家生产的好品质鞋子，保证鞋的整体舒适感。

327.孕妇装

孕妇装是正规服装的一个分支。有休

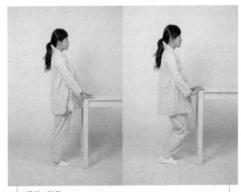

模特/任艺
下半身力量训练：两手放在桌子上，两足轻微分开站立缓缓向下屈膝，然后慢慢站立。

闲孕妇装、职业孕妇装（正装）、孕妇礼服三个种类。我们一般看见的孕妇装都是休闲孕妇装，棉质、鲜亮的浅色、有装饰感、舒适宽大、轻松，比如连衣裙、背心长裤等，如果你是全职太太，未尝不可。但大部分孕妇是职业女性，一般要在临产前才正式休假，所以，大部分孕妇要穿职业孕妇装。其实，正规的孕妇着装既是对职业的尊敬，也是对准妈妈身份的确证，是职业形象和孕妇形象的叠加，应该备受尊重。如果你是特殊职业者、高级管理者或高级公关职员，因为职业需要常常有高级别晚宴、会谈、大型公关活动、音乐会、生日舞会等活动，那么你还需要置备一套孕妇礼服。

值得一提的是，3种孕妇服只是功能不同，不提倡买很廉价的孕妇装，孕妇职业装、孕妇礼服价格比较昂贵。从姐妹、好朋友处继承这样的服装是不错的选择。同样，你生完孩子后也可以送给你的姐妹和好朋友。国外跳蚤市场和捐赠机构发达，有人能从这些渠道获得质量上乘、洗涤熨烫如新而价格非常低廉的孕妇装。

你完全不必从孕早期开始买孕妇装。中期腹部隆起还不很明显，可以尝试修改腰围尺码、短款、不收腰、A型、郁金香型服装款式，这样你在生完孩子后、哺乳期还可以继续穿。你也可以尝试丈夫的某些服装，比如衬衣和T恤，如果丈夫不比你过于高大的话，偶尔穿男装会使你有一种飒爽之气，等宝宝出生后，丈夫衣服还是一件没少。把钱花在孕晚期的服装上，开支和浪费会大大减少，你买的服装也是高品质的。孕妇得体漂亮的穿着是对他人的尊重，是职业的要求，也是对宝宝最好的胎教。只要保持孕前的基本风格，根据怀孕后出现的情况做一些相应的调整就可以了。

328.孕妇护肤

大部分孕妇怀孕后由于雌激素的作用，皮肤变得光滑细腻，脸色红润，毛孔粗大，满面油光，甚至青春痘都会消失，这是怀孕带来的礼物。只要做好清洁、保湿就可以了。皮肤重保养、轻治疗是孕期皮肤护理的一条原则。

有些孕妇产生蝴蝶斑，要做好防晒，防止蝴蝶斑加深。不必为孕期的变化而烦恼，生完宝宝后，蝴蝶斑会变浅，保养得当，会基本消失。

防晒霜的选择要点是，高品质、不含铅、不含刺激性强的成分，以物理防晒成分为主，有皮肤保养、薄而透气的粉底功能。平时阳光不是很强烈的时候，薄薄地涂滋养乳液之

后，只使用低倍数隔离霜就足够了。最好配合帽子、阳伞、墨镜、长袖衣裤防晒，使用护肤品和防晒品的层数越少越好。

皮肤保湿

随着胎儿的长大，子宫占据腹部更多的空间，使腹部皮肤不断伸张，开始出现腹部皮肤发痒的感觉，除了腹部皮肤，其他部位的皮肤也发干。

● 不要用手搔抓；

● 不要过多使用香皂，不可以使用肥皂，选用碱性小的洗面奶、洗手液、浴液比较好；

● 不要用过热的水洗澡；不要用浴巾搓澡；

● 多喝水，保持环境湿度。家里和办公室购置加湿器、小鱼缸、水生植物盆景等；

● 使用高效保湿特效护肤品和全身护肤产品，如有不良情形出现，请教美容师和医生。

329.皮肤过敏

孕期皮肤比较容易过敏，有学者认为这是胎儿作为异体物质——过敏原进入母体，使母体内产生类似过敏的反应。但是，真正的原因仍然不得而知。过敏肤质需要更多精心日常呵护，对化妆品的使用也更为严格。日常保养要点是彻底清洁，保湿防晒，充足睡眠，均衡饮食，远离污染和刺激源。化妆品选择使用要点是使用高品质、无色素、无香精、更少添加剂的敏感性皮肤护理用品。在家

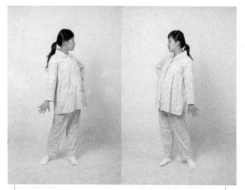

模特／任艺

柔软体操：两足与肩同宽站立，提臀，腰与肩同时向提臀侧扭转，然后换另一侧做同样的动作。

模特／任艺

胸侧肌运动：两足与肩同宽站立，右手抱头部作向下压左胸侧伸展3秒钟，此时的重心在左脚，然后相反方向做同样的动作。

尽量不使用化妆品，但要做好环境和皮肤保湿，让肌肤得到自由呼吸和修复。尽量减少用化妆品的品种和用量，选择或更换化妆品前听取医生和美容师的建议。一旦使用某种化妆品，尽量不随意更换。

尽量规避彩妆

重护理轻修饰是孕期皮肤护理的另一条原则。完全摒弃浓妆，只化淡妆。根据自己相貌特点，只修饰一个重点。修饰就是修正加突出。比如你五官不错，而肤质或肤色差，那就强调粉底，买最好的产品，最后抹一点唇彩，其他都放弃。如果你肤色肤质都不错，而眼睛或嘴唇形状不理想，就省略粉底，只修饰眼或唇。如果你都差不多，相貌一般，那最有效的是上睫毛膏，一下就有神，对皮肤的潜在伤害最少。

大部分医生比较反对孕妇使用粉底、粉饼、眼影、口红等彩妆品，主要原因是这些化妆品含有较多色素、重金属等成分，容易经皮肤吸收进入孕妇体内循环，危及胎儿发育。对于有职业要求和需要某些修饰的孕妇来说，应该切记：做好上妆前的皮肤护理和保护，尽量少用彩妆品，如果必需化妆，仅仅修饰一个重点会减少化妆品的使用，也能起到不错的化妆效果。尽量使用高品质、不含有害重金属成分的产品。尽量用含有营养、保护、修复成分的彩妆品；尽量用成分单一的产品。比如，用有皮肤滋养、修复、防晒功能的粉底霜，用唇彩代替口红，用某些唇彩代替眼影和腮红。

谨慎使用特殊用途化妆品

除了基础护肤用品和彩妆品以外，日常女性还要接触一大部分化妆品，专业上称为特殊用途化妆品。它们是祛斑霜、除皱霜、防晒霜、粉刺霜、香体露等。为了达到特殊用途，化妆品中必须使用有特殊功效的成分，一般来说，这些成分容易致敏或者增加皮肤代谢负担，所以，孕期尽量不使用这些产品。某些产品，如防晒霜、香体露可以谨慎使用，查看产品说明书，有无对孕妇不安全成分，含量如何。如果你不能判断，那就将主要功效、成分抄录给医生，请医生帮你把关。

330.孕妇美发

孕妇的头发是孕期营养状况的标志。如果出现头发稀黄、大量脱发（正常人每日脱发为60根左右）、干裂、分叉、杂乱无章、细绒，那证明孕期营养摄入出现问题，请尽快看医生。

发型选择

孕期适合梳易于打理、不过多遮盖面部，不贴在皮肤上的发型。所以，把长发编起来，把披肩发扎起来，把刘海或偏分发稍稍卷烫，干净利索，会使准妈妈形象更加漂亮。当然，最好用家用电发棒在头发半干时稍稍烫一下，不要使用化学烫发剂。

避免染发和烫发

染发和烫发是目前最时尚的美发项目，但是，准妈妈最好避免。因为，大部分染发剂和烫发剂中都含有害化学成分，尤其是某些产品中含有苯及苯化合物成分，而苯被公认为致癌物质，临床已证实苯可诱发白血病。这些有害化学成分对于孕妇和胎儿的安全性遭到学术界质疑，准妈妈最好避免（详见第十七章《环境》）。如果你非常需要美化头发，可以尝试丝带、发夹和假发，也会别具一格的。

准妈妈/郭女士

准妈妈／蒋新燕

第十九章

营　养

营养需求、健康测评、孕吐、
健康饮食计划

　　早期胚胎缺乏氨基酸合成的酶
类，不能合成自身所需要的氨基酸，
必须由母体供给。

　　孕妇摄入足够的氨基酸就显得异
常重要了。

- 孕妇的营养需求原则
- 胎儿的营养需求原则
- 孕期食谱逐月推荐

第1节 孕期营养发生彻底改变

过去吃饱是目的；后来吃好是幸福；现在追求的是吃出健康。对于准妈妈来说，吃又被赋予了另一层含义，准妈妈不但要吃出自己的健康和美丽，还要吃出宝宝的聪明和健康。

说准妈妈一个人要吃出两个人的份（为胎儿），是有些过了，胎儿并不需要妈妈给他吃出一份饭量来，而是要让妈妈科学进食，合理膳食，为他吃出他所需要的营养素，吃得合理，是质量，而不是数量。

准妈妈也有吃的困扰：不吃，胎宝宝岂能健康成长；吃，可肉只往自己身上长。这就需要营养师的调配了，既不让准妈妈过胖，又保证胎儿的营养需要。

对于孕妇来说，腹中的胎儿是妈妈关注的重点，而且比任何时候都重视营养问题，专门为孕妇写的营养方面的书摆满了书店的母婴类书架，关于孕期营养的咨询问题也络绎不绝。由此可见，不但要为准

准妈妈/何霈绯

妈妈的营养问题单写一章，还要在孕10月的各个章节中，或单独腾出一节，或穿插其中和准妈妈讨论有关营养方面的问题。所以，妈妈在营养一章找不到的内容，可以到其他章节中寻找，在其他章节中找不到想了解的内容，可以在本章中寻找。

331.孕妇营养不足带给胎儿不良后果

从胎儿离开母体那一刻开始，一直长到成人，经过十几年的时间，其体重增加了20倍。

然而，胎儿的发育过程可以说是迅猛的，胎儿从受精卵长到足月出生，在短短的266天，其体重增加了10亿倍。而胎儿生长的全部"能源"均来自母亲，可见孕妇营养对胎儿来说是何等重要。

孕妇营养不足，可直接影响胎儿的生长发育，导致低出生体重儿的出生。更为重要的是，胎儿宫内营养不良可引起脑发育不良。有调查显示，孕妇营养严重缺乏，所生婴儿中，有三分之一的胎儿到了学龄期，由于智力的原因，表现出学习障碍。

食物种类多样化

只有食物种类多样化，才能通过食物提供全面营养素。说孕期营养发生了彻底改变，之所以用这样的标题，目的是引起准妈妈的重视，其实，孕期营养的彻底改变，就是孕妇需要均衡地摄入，包括所有营养素在内的全面营养。

说白了，孕期营养的彻底改变，就是什么都要吃，每天食物种类至少要在20种以上。任何所谓高营养的食物所提供的营养素成分也是有限的，况且，妈妈和胎儿所需要的决不仅仅是高级食物所提供的营养素，而是需要多种类食物提供的全面营养素。

有人可能要问，每天要吃20种食物，这么多种类，哪能达到！很容易做到，让我们

来看一看，我们每天所进食物的种类。

蔬菜：每天5种不算多吧，西红柿、辣椒、黄瓜、大头菜、扁豆，有的家庭一日三餐所食蔬菜何止这5种，如果每盘菜中都有3种蔬菜，三盘菜就已经有9种了。

粮食：每天只吃一种粮食的，该属于不良饮食习惯了。大多数家庭每天至少要吃3种以上粮食，如面食、大米、豆类或其他杂粮。如果吃八宝粥，就是8种粮食。

水果：大多数家庭在餐桌上至少可看到2种水果，每天吃3、4种水果的家庭比比皆是。

蛋、肉、奶、豆：每天都要吃，或任选其二，或每种都少吃一点。

这四大主要版块的食物就可达到20种，再加上坚果、调料等其他可食之物，一天吃20种以上的食物是轻而易举的事。

准妈妈知道了，在孕期如果缺乏营养素，可能会有不良的妊娠结局。好办，使劲吃就是了。但准妈妈可能还不知道，维生素或无机盐及微量元素摄入过多，也会影响到胎儿生长发育，甚至发生畸形。大剂量的维生素A也可引起腭裂、无脑等先天畸形。

需要提请注意的是：各种营养素之间的比例适宜，才不致产生抵抗作用，引起不良后果。

332.胚胎所需氨基酸必须由妈妈供给

怀孕1个月的准妈妈，可能毫无自觉症状，但无论准妈妈是否感觉到胎儿的存在，胚胎时期的胎儿，已发展出许多可透过子宫，吸收母血中所含营养与氧气的绒毛组织了。也就是说，母体已经开始担负起向早期胎儿——胚胎，提供胎儿赖以生存的各种营养素了。

胚胎各器官形成发育阶段，需要包括蛋白质、脂肪、碳水化合物、矿物质、维生素、水和纤维素在内的全面营养素。

提醒孕妇注意：早期胚胎缺乏氨基酸合成的酶类，不能合成自身所需要的氨基酸，必须由母体供给。也就是说，即使胎儿从妈妈那里获取很多的营养和热量，但如果妈妈没有供给胎儿现成的氨基酸，胎儿自己是不会通过对其他物质的转换生产他生长发育所需要的氨基酸。所以，孕妇摄入足够的氨基酸就显得异常重要了。

那么什么是人体必需的氨基酸呢？就是人体不能自行合成，必须由摄入食物而获取，且这些氨基酸是人体生命必不可少的物质。

9种必需氨基酸包括：赖氨酸、色氨酸、苯丙氨酸、亮氨酸、异亮氨酸、苏氨酸、蛋氨酸、组氨酸、缬氨酸。

什么食物含有较多的氨基酸呢？当然是含有蛋白质的食物啦。当然，如果能摄入足够的含有较多优质蛋白的食物就更好了。

333.准妈妈营养的重要体现

准妈妈自己

怀孕后，尤其在怀孕后期，皮下脂肪增加，这些脂肪积在腹部、肩部及臀部，使得产妇在分娩时，有更大的耐力和力气。乳腺组织也开始增加，为哺育宝宝做准备。即使是很瘦弱的女子，怀孕后也会使整个身体变得相当丰满，怀孕期循环血量要比非怀孕时增加30%。整个怀孕期间，母体约增加6000克，这些都要靠孕妇进食来实现。

胎儿营养的实现，孕母吃的重任

整个怀孕期间，仅胎儿及其附属物，至少使母体增加6000克：足月胎儿平均体重达3000克左右，胎盘约600克左右，加上羊水和脐带、胎膜等。这些营养物质全依靠母体在怀孕期供应。

分娩，产妇体力大消耗

分娩时产妇要消耗大量的能量，无论子宫收缩，还是胎盘剥离都要产妇配合用力。产后的复原需要营养补充。产后恶露的排出及育儿均要消耗大量的体力，没有足够能量供给是不能胜任的。

哺乳需要

乳汁的多少，乳汁质量的好坏，都直接和产妇的营养有关。据初步统计，产后1周左右，产妇每日分泌的乳汁量相当于3瓶牛奶。产后2周左右，每日的分泌量相当于4-5瓶牛奶。

胎儿营养不良

低出生体重儿出生后第一周的死亡率增高，这和胎儿期的营养不良密切相关。营养不良胎儿，从出生到学龄前期，有30%出现精神或智力异常、反应迟钝、记忆力差等情况。所以胎儿期的营养对孩子今后成长至关重要。

准妈妈拒绝素食

妈妈偏食，尤其是素食者，有更大的危害性，可能会导致胎儿宫内发育迟缓、脑组织发育不良,增加妊娠并发症的发生率,如贫血、骨质疏松、妊高征等。准妈妈最好不要素食。

334.妈妈和胎儿营养需求原则

胎儿迅速发育成长起来，需要：
- 最重要的矿物质是：铁、钙、锌、镁；
- 足够的必需氨基酸供应（主要由蛋白质提供）；
- 充分摄入人体必需的脂肪酸；
- 丰富的维生素供给。

骨骼和牙齿的生长加速，需要：
- 每天摄入足够的钙；
- 维生素D是钙吸收利用不可或缺的；
- 适当运动和日光浴可促进钙的吸收。

需要储存大量的营养，以便出生后利用：
- 胎儿肝脏需要储存足够的糖原，以备出生后应急和利用；
- 妈妈需要储存足够的营养，为了有充足的乳汁哺育宝宝；
- 妈妈需要好的营养，顺利完成分娩；
- 妈妈需要全面的营养支持，拥有健康的体魄担负起养育宝宝的重任。

准妈妈们应该尽量少吃的食物

油炸烧烤食物

在烧烤食物的过程中，会发生梅拉德反应。肉类在烤炉上烧烤时散发出诱人的芳香气味，可是随着香味的散发，维生素遭到破坏，蛋白质发生变性，氨基酸也同样遭到破坏，严重影响维生素、蛋白质、氨基酸的摄入。

在梅拉德反应中，肉类中的核酸与大多数氨基酸，在加热分解过程中产生基因突变物质，这些基因突变物质可能会导致癌症的发生。另外，在烧烤的环境中，也有一些物质致癌，如3、4-苯吡可通过皮肤、呼吸道、消化道等途径进入人体内诱发癌症。煎炸类食品，油温超过200摄氏度以上也可出现上述现象。

烧烤时，会有这样的情况发生，外面已经熟了，但里面还没有熟透，如果吃到不合格的肉，有感染上寄生虫的危险，吃了感染寄生虫的肉，可引发脑囊虫病。

油条、油饼属于油炸食品，反复使用的油会产生对身体有害的物质，包括致癌物，油炸过的面食营养成分也会受到不同程度的破坏。另外，在加工油条时，需添加定量的明矾，明矾属于含铝的无机物，铝元素可影响脑细胞的代谢。

加工食品

人们可以随心所欲地买到想要的成品或半成品食品。不但省时省事，还味道鲜美，孕妇是不是能尽情享受这些呢？答案是否定的，因为：

- 加工食品并不比天然食品营养价值高；
- 考虑到食品的色泽、味道，要添加食用色素和各种香精香料；
- 考虑到储存运输问题，要添加防腐剂或需要严格的冷藏条件；
- 用于食品加工的添加剂、防腐剂，色素等都是控制使用的。

如果孕妇长期或大量食用成品或半成品食物，对胎儿的危害是不言而喻的。所以，还是少吃为好。

腌制食品

- 腌鱼体内含有大量的二甲基亚硝酸盐，人们都知道这是致癌物质；
- 腌制食品至少有大量的食盐、糖；
- 有些发酵腌制食品还可能会有黄曲霉毒素，黄曲霉毒素已被证实是致癌物质；
- 如果因质量问题或保存不妥，食物会发生霉烂变质，产生肠毒素，引起急性胃肠炎，严重者还可引起全身中毒反应，准妈妈患病会殃及胎宝宝。

致癌物质不仅仅对准妈妈有害，对胎儿当然也是有害的。孕妇食入过多食盐，可引起水钠潴留，诱发或加重妊娠高血压综合征。所以，孕妇不要吃过多的腌制食品。

咖啡因及饮料

茶、咖啡及某些饮料中都含有咖啡因。咖啡因会引起孕妇神经兴奋、心率加快、血压增高。咖啡因的这种作用，可通过胎盘作用于胎儿。动物实验显示，咖啡因对动物幼仔有致畸作用。孕妇喝了含有咖啡因的饮料，会因为其兴奋神经的作用，而使孕妇睡眠减少，甚至睡不着或早醒。孕妇需要充足的睡眠，不仅仅是为了孕妇本身的健康，也是胎儿正常生长发育的保证。

咖啡因还可通过胎盘作用到胎儿，使胎儿受到咖啡因的刺激而兴奋。胎儿在子宫内以睡眠状态为主，这是胎儿在为自己

高速发育养精蓄锐。如果胎儿过度兴奋，可直接影响胎儿的生长发育。

咖啡因中的咖啡碱可破坏维生素B1，维生素B1参与心肌细胞的代谢，当人体缺乏维生素B1时，会影响心肌细胞代谢。准妈妈心脏负担是比较大的，在孕期需要更多的B族维生素。同样，胎儿正在自己建构心脏，也不能缺乏维生素B1。爱喝含咖啡因饮料的准妈妈，为了胎宝宝的健康，暂且放弃你的饮食爱好吧。

第2节 胎儿发育与营养

335.神经系统发育障碍与营养

胎儿脑神经细胞的形成、细胞增殖的数目、髓鞘的形成，以及神经突触数量的增加，是在孕2月后至出生后半年内完成的。这个时期被认为是胎儿大脑发育的关键时刻。在此阶段如果缺乏营养，将会影响神经细胞的增殖，这种影响是无法弥补的。

有调查显示，营养不良的胎儿，到了学龄前期，可能会有30%的孩子出现精神或智力异常、反应迟钝、记忆力差等神经系统受损病症。孕妇应高度重视此期的营养摄入。

准妈妈/王媛

营养与胎儿肥胖

从怀孕那天起，妈妈就大补特补，山珍海味，生猛海鲜，高蛋白，高营养，昂贵水果，却忘记了科学的膳食结构，又缺乏必要的运动，营养过度的情形增加了。尤其值得注意的是，孕妇并不重视这种危害。营养过度导致胎儿肥胖，不仅影响胎儿神经系统的发育，还造成巨大儿的出生比例增加，使产程延长，增加了产伤和窒息缺氧的风险，甚至发生难产，危及母婴生命。统计资料表明近年巨大儿出生率有上升趋势，巨大儿给顺利分娩带来了麻烦。

胎儿畸形与营养

维生素或无机盐及微量元素摄入过多，也会影响到胎儿生长发育，甚至发生畸形。大剂量的维生素A也可引起腭裂、无脑等先天畸形。摄入过量的锌会影响铁的吸收，反之，摄入过多铁也会影响锌的吸收。因此，任何一种营养素都要有一个合适的摄入量，同时要保证各种营养素之间的比例均衡，才有利于微量元素的吸收和利用，不致产生拮抗作用。

妈妈饮食与胎儿视力

● 妈妈多吃油质鱼类，如沙丁鱼、带鱼和鲭鱼，对胎儿视觉发育有利，出生后可以比较快地达到成年人程度的视觉深度。

● 7～9个月的胎儿，如果缺乏DHA，会出现视神经炎、视力模糊等视觉发育障碍。这是由于油质鱼类富有一种构成神经膜的要素，被称为omega-3脂肪酸，在omega-3脂肪酸中含有DHA，与大脑内视神经的发育有密切的关系，能帮助胎儿视力健全发展。

● 多吃含胡萝卜素的食品防止维生素缺乏，也能促进胎儿视力发育。

● 妈妈孕期缺钙，宝宝在少年时患近视眼的比例高于对照组的3倍。所以，只吃鱼油是不够的，不要忽视其他食物的作用。

建议：

（1）不吃鱼类罐头食品，最好购买鲜鱼自己烹饪。每个星期至少吃一次鱼。

（2）怀孕期间补充足够的钙和铁是非常必要的，不要忽视食补的作用。

孕期与非孕期每日营养需要量的比较列表

营养物		非孕妇	孕妇(增加量)	哺乳期(增加量)
热量	(kJ)	8790	1256	2093
	(kcal)	2100	300	500
蛋白质	(g)	48	30	20
VitA	(IU)	4000	1000	1200
VitD	(IU)	400	0	0
VitE	(IU)	12	3	3
抗坏血酸	(mg)	45	15	35
VitB2	(mg)	1.4	0.3	0.5
VitB1	(mg)	1.1	0.3	0.3
VitB6	(mg)	2.0	0.5	0.5
VitB12	(μg)	3.0	1.0	1.0
钙	(mmol)	29.9	0	0
	(mg)	1200	0	0
磷	(mmol)	38.7	0	0
	(mg)	1200	0	0
碘	(μg)	100	25	50
铁	(mg)	18	增加	0
镁	(mmol)	12.3	6.17	6.17
	(mg)	300	150	150
锌	(mg)	15	+5	+5

成人心血管疾病起源于胎儿

Barker博士经研究揭示，倘若胎儿在妈妈的子宫内发育不良，可增加晚年心血管病的危险。

动物实验表明：限制怀胎动物的营养，可导致动物子代成年后的高血压及胰岛素抵抗。

源于胎儿的肥胖会出现"儿童期成人病"，包括糖代谢紊乱（如糖尿病）、脂代谢紊乱（如脑中风、高血脂）、肥胖病等。因为胎儿肥胖是脂肪细胞数目过多，而不是正常数目脂肪细胞体积过大，所以这种类型的肥胖减肥很困难。

新生儿体重与智力成正比

早产儿的智力较足月儿为低。最近，一项大型研究显示，出生时体重超过2500克的婴儿，其智力水平较好，且体重越增加智力越好。科学家认为，这可能是因为体重大的宝宝脑容量较大，或脑中的连结较多。但并非是无限制的，巨大儿由于增加了难产的危险，智力受到影响。

《英国医学期刊》上刊载一篇Marcus Richards博士的研究报告指出，出生时的体重对婴儿的认知功能有一定的影响，体重不足的婴儿，大脑发展有可能无法最大限度地发挥出来。

科学家对3900名1946年出生的人进行追踪调查。分别在受试者8岁、11岁、15岁和26岁时，针对其非口语理解、记忆力、速度与注意力等项目进行测量统计。出生体重与智力表现成正比的现象在8岁时最为明显，但只持续到26岁。到了43岁时，这项关联性便日益减弱。这项研究并不受排行顺序、性别、父亲社会阶级、母亲教育程度和性别等因素影响。

新生儿体重与成人后高血压

即使新生儿出生时的体重在正常范围之内，但如果营养不均衡，缺乏必要的营养素，对今后的患病情况也会产生重要影响。《美国心脏病学会：高血压》杂志上的一篇研究报告指出，婴儿的出生体重会影响儿童期和成年以后的血压。出生体重最低的婴儿，4到18岁时血压最高。而且这部分儿童的血压波动范围最大，预示着将来他们出现高血压病的危险性较高。

第3节 妈妈和胎儿所需营养成分分析

336.三大营养素

碳水化合物

在众多的营养物质中，最不受重视的就数碳水化合物了，尤其是生活水平高的孕妇，碳水化合物几乎成了副食。

怀孕初期，孕妇的基本代谢与正常人相似，所需热能也相同。世界卫生组织建议：孕早期，妈妈每天应该增加150千卡热能。但孕中、晚期，基础代谢率比正常人增加10%-12%，即每天要增加220-440千卡。普通妇女为2200千卡/天。孕4个月后，胎儿生长、母体组织增长、脂肪及蛋白质蓄积过程都突然加速，各种营养素和热能需要量急剧增加，直到分娩为止。

一般热能主要来源于碳水化合物，根据我国的饮食习惯，碳水化合物摄入占总热能的70%-80%，在副食供应较好的条件下，孕期尽可能使碳水化合物摄入量占总热量的60%-65%，这样可以保证蛋白质及其他保护性食品的摄入。

我国的饮食习惯是以粮食为主，不会导致热量不足，只要吃饱了，就能保证热量的需求。对于食欲好、食量大的孕妇来说，还需要适当控制糖的摄入，以免妊娠后肥胖和胎儿体重过大。

蛋白质

蛋白质是构造、修补机体组织与调节正常生理功能所必需的物质，因此孕妇必须摄入足够的蛋白质，以满足自身及胎儿生长发育的需要。足月胎儿体内含蛋白质400-500克，在怀孕的全过程中，额外需要蛋白质约2500克，这些蛋白质均需孕妇在孕期不断从食物中获取，因此孕期注意补充蛋白质极为重要。

孕期蛋白质摄入不足，会给胎儿带来怎样的影响呢？

● 影响胎儿的体格发育；

● 影响胎儿中枢神经系统发育；

● 胎儿大脑发育不能正常进行，成人后脑细胞数量比正常人少，智力低下。

孕期蛋白质摄入不足，对孕妇有何危害？

● 子宫、乳房和胎盘不能很好地发育；

● 难以承受分娩过程中的体力消耗，增加

准妈妈潘晓敏（右）

难产几率；

● 产后乳汁可能会不足；

● 可加重孕期贫血、营养缺乏性水肿及妊高征的发生。

世界卫生组织建议：孕1月时，每日需要储存蛋白质0.6克。孕中期以后每天增加9克优质蛋白（300毫升牛奶或2个鸡蛋或瘦肉50克）。如以植物性食物为主，每天应增加蛋白质15克（干黄豆40克或豆腐200克或豆腐干75克，或主食200克）。我国营养学会推荐：孕妇每日蛋白质供给量为80-90克。

我国饮食以植物性食品为主，孕妇应从中期开始每天增加蛋白质15克，晚期增加25克。动物性蛋白质占总蛋白质量2/3为好。体重55公斤从事极轻体力劳动的孕妇，孕中期每天应摄入蛋白质80克，轻体力劳动应摄入85克；孕晚期，极轻体力劳动应摄入蛋白质90克，轻体力劳动应摄入95克。

脂肪

现在人们可谓"谈脂色变"，但孕妇和胎儿需要脂肪。没有一定含量的脂肪，细胞膜的功能就无法实现，脂溶性维生素就不能被吸收利用，皮肤就不能光滑和富有弹性。胎儿所有器官的发育都离不开脂肪。脂肪中还含有预防早产、流产、促进乳汁分泌的维生素E等物质。在吸收脂肪时，被分解的脂肪酸含有人体自身不能合成的必需脂肪酸。其中有些必需脂肪酸，对预防妊娠高血压综合征有一定作用。

尽管脂肪有这么多的好处，也不能过多食入。在孕晚期，血液中的胆固醇增高，如果过多食用动物性脂肪，可使胆固醇进一步增高，影响孕妇健康。以食用植物性脂肪为好，过多食入脂肪还会使孕妇发胖。以植物性脂肪为主，适当食用动物性脂肪，但不要为了食用动物性脂肪而吃肥肉。瘦肉、动物内脏、奶类中都含有一定量的动物性脂肪。

337.矿物质及维生素

元素钙

胎儿期倘若妈妈摄钙不足，出生后的宝宝可患有先天性佝偻病，或低血钙引起的婴儿手足搐搦症。

我国营养学会推荐：孕妇每天钙供给量为1500毫克。孕早期每天摄入量应在800毫克以上。胎儿共需30克钙，为妈妈存钙量的2.5%。妈妈也要贮存30克钙，以供哺乳时需要。

孕4-5月时，胎儿即已开始骨骼和牙齿的钙化；孕8月时钙化加速；到足月时，全部20个乳牙坯都已形成；恒牙大部分在出生后3-4月开始陆续钙化。补充足够的钙还可预防妊娠高血压综合征。

钙磷不足的结果：胎儿从妈妈那里吸取大量的钙以满足自己生长的需要，孕妇摄入钙磷不足，胎儿可能会患先天性佝偻病、乳牙发育障碍。妈妈钙代谢为负平衡，可出现腰背酸痛、四肢无力、小腿抽筋，严重的出现骨质疏松。

我国膳食中乳类食品摄入相对少，膳食中钙的吸收利用率比较低。有的孕妇自打怀孕，就开始吃药物钙，有的还同时喝高钙奶粉或单纯的钙粉。其实，钙广泛存在于食物中，尤以奶类、虾皮、豆类食品中含量高，且膳食中的钙吸收利用率普遍高于药物钙。钙的吸收，要依靠体内充足的维生素D的参与，而维生素D是脂溶性的，其吸收又依赖于脂的参与。所以说，营养的均衡摄入是至关重要的。

元素铁

我国营养学家建议：孕妇的铁供给量为每天18毫克，孕期铁的总需要量约1000-3600毫克，其中胎儿需400-500毫克，胎盘需60-110毫克，子宫需40-50毫克，增加母体血红蛋白含量需400-500毫克，分娩失血需100-200毫克。所以，孕期需补充铁至少要1200毫克。

动物性食品是铁的主要来源，孕早期每天可补充15毫克铁，28周前，主要以食物补充为主。含铁丰富的食物有：猪肝、鸡肝、牛肝、动物血、蛋、海螺、牡蛎、鲜贝、荞麦面、莴苣、芹菜、奶粉、瘦肉、鱼、海带、紫菜、硬果及豆类等。没有医学指征，不必服用铁剂。服用铁剂时，最好同时服用维生素C和叶酸，以促进铁的吸收和利用。植物铁的吸收率低，平均为10%左右。如果偏食，不喜欢吃蛋肉等食物，更易发生贫血。

孕期血液容量增大，而红细胞数量并未相应增加，故血红蛋白含量减少。孕7月以后，血红蛋白降到最低点，会发生妊娠性贫血。孕妇每日应多摄入3-5毫克铁。

胎儿除本身造血和合成肌肉组织外，肝脏还要储存400毫克左右的铁，以供出生后6个月内的消耗。母乳中含铁极少，都依靠出生前的贮存。

当食物中铁难以满足生理需要时，可给予铁强化食品或铁制剂，以硫酸亚铁和延胡索酸亚铁最好，每天可补充30毫克铁，最好同时服用维生素C和叶酸，以促进铁的吸收和利用。一般建议在孕28周后开始补充药物铁。

元素碘

胎儿缺碘可导致新生儿先天性克汀病及脑损害，如果没能积极干预，可引起严重的脑发育异常，导致智力低下。克汀病又称为呆小病。

我国推荐：孕妇碘供给量为175微克。易受缺碘危害的顺序是胎儿、孕妇、新生儿、婴儿、儿童、育龄女性和成人，其中胎儿对妈妈孕期缺碘最为敏感。

碘在土壤、空气、海水中的含量均较低，妈妈饮食中缺碘会影响发育中的胎儿。我国1017万智力障碍儿童中，有80%以上是因缺碘造成的。孕妇每周至少食入含碘丰富的食品2次以上。烹饪菜肴时，不要提前放入食盐，以免丢失碘。

缺碘对孕妇的主要危害是甲状腺过度刺激、妊娠甲状腺肿、低甲状腺素血症、甲状腺功能减低等，还可引起自然流产（比正常妇女高2倍）。

胎儿时期，甲状腺激素缺乏的主要危害是大脑发育障碍。孕前及整个孕期缺碘均可导致胎儿脑蛋白合成障碍，使脑内蛋白质含量降低，细胞体积减小，脑重量减轻，影响智力发育。故孕妇碘缺乏可造成胎儿大脑和听觉中枢发育障碍。胎儿在与母亲竞争碘的过程中，明显处于劣势，甲状腺功能减低会严重影响胎儿的生长与发育，造成20%以上的围产儿死亡，10%–20%的胎儿先天异常。

孕妇需额外补碘吗?

（1）孕早期妊娠反应进食差，从饮食中获取碘远远不足，而孕妇对碘的需求量比平时增加30%–100%；

（2）孕妇体内的碘，除满足其自身需要外，还要向胎儿输送足够多的碘，以满足胎儿脑发育的需要。

（3）食盐加碘是国际上普遍采用的补碘方法，可以满足正常成人需求。为防止引起孕期水肿和妊高征，常常需要孕妇减少盐的摄入，无法通过食用碘盐的方法满足对碘的基本需求。

所以，孕妇需要重视含碘食物的摄入，如果孕期不能从食物中获取足够的碘，就需额外补充碘剂。如何补充? 补多少? 需要医生根据孕妇具体情况分析后制定补充计划。

元素镁

国外规定：孕妇每日供给450毫克镁，比正常成年女性多150毫克。低镁可引起早产。含镁高的食品有绿叶蔬菜、黄豆、花生、芝麻、核桃、玉米、苹果、麦芽、海带等。

在一般状况下，孕妇镁的摄入量常常不足，即使孕期饮食较为合理，其他营养都能达到供给量标准，但镁仅能满足需要量的60%。一般情况下，孕妇每天平均摄入镁为269毫克，尿中排出94毫克，粪便中排出215毫克，结果是负平衡。我国饮食中草酸、植酸盐和纤维素含量较高，会影响镁的吸收。

镁可预防早产。德国鲁尔大学妇产科医院对437名孕妇使用适量的镁盐，结果显示，服用镁盐后，38周前分娩的比例从原来的14%下降到6.5%。体重不足2500克的新生儿，从7.7%下降到2.8%，因此认为镁可以预防早产。如果孕妇不能通过食物摄入足量的镁，就应通过药物额外补充。

元素锌

准妈妈蒋新燕

428

胎儿期缺锌，可导致胎儿体重增长缓慢，严重者甚至可引起胎儿发育停滞或发生先天性畸形，特别是中枢神经系统的损害、先天性心脏病、多发性骨畸形、尿道下裂等。

孕早期，血浆中锌的浓度就有所降低。缺锌可致孕妇味觉嗅觉异常，导致或加重妊娠呕吐。缺锌被认为是胎儿神经管畸形的原因之一。胎儿14周时，对锌的需要量可增加7倍。从孕3个月开始，直到分娩，胎儿肝脏中锌的含量可增加50倍。植物性食品锌的吸收利用率很低，动物性食品是锌的可靠来源。我国以粮食为主食，应适当提高锌的供给量，孕妇每天以摄入40-45毫克锌为佳。哺乳期每天摄入54毫克为宜。

我国推荐：孕妇每日锌的供给量是20毫克。孕前半期，每天膳食中锌的需要量应为26毫克，孕后半期应为30毫克。世界卫生组织（WHO）推荐：对于孕妇来说，每日饮食中锌的供应量25-30毫克。加拿大卫生部门规定：孕妇锌供给量标准为每天13毫克。美国卫生部门规定：孕妇每天锌的供应量为25毫克。

含锌量较高的食品有海产品、坚果类、瘦肉。100克牡蛎约含100毫克锌，100克鸡、羊、猪、牛瘦肉约含3.0-6.0毫克锌。100克标准面粉或玉米面约含2.1-2.4毫克锌。100克芋头含锌量高达5.6毫克。100克萝卜、茄子含锌量达2.8-3.2毫克。

是否需要吃药物锌，要由医生来决定。摄入过多的锌，可影响铁的吸收利用。

钠元素

钠是人体不可缺少的元素，且必须从食物中获取，人们都晓得人离不开钠盐。但对于孕妇来说，非但不需要增加钠的摄入量，还要适当限制钠盐的摄入。我国的饮食习惯不同于欧洲，钠盐的摄入量高。摄钠过高易导致孕妇水肿，血压增高。从预防妊娠高血压的角度考虑，也应该限制钠的摄入。

维生素

妈妈体内的维生素可经胎盘进入胎儿体内。脂溶性维生素储存在母体肝脏中，再从肝中释放，供给胎儿生长发育需要。水溶性维生素不能储存，必须及时供给。孕妇肝脏受类固醇激素影响，对维生素利用率低，而胎儿需要量又高，因此孕妇对维生素需要量增加。

维生素A帮助胎儿正常生长、发育。缺乏维生素A，新生儿出生后可发生角膜软化。孕妇会出现皮肤干燥和乳头裂口。孕妇每天供给量为维生素A 3000国际单位或胡萝卜素6毫克。

维生素D对胎儿骨骼、牙齿的形成极为重要。孕妇每天供给量为10微克。

维生素B1能促进胎儿生长，还可维持孕妇良好的食欲及正常的肠蠕动。孕妇每天供给量为1.8毫克。

维生素B2和尼克酸与胎儿生长发育有关。孕妇每天维生素B2供给量为1.8毫克，尼克酸15毫克。

维生素B6可抑制妊娠呕吐。孕妇每天供给量为1.5毫克。

胎儿生长发育需要大量维生素C，它对胎儿骨骼、牙齿的正常发育，造血系统的健全和增强机体抵抗力有促进作用。孕妇每天供给量为100毫克。

维生素B12、叶酸能促进红细胞正常发育，如缺乏可发生巨幼红细胞贫血。叶酸可预防胎儿神经管畸形，补充叶酸推荐量是0.4-0.8毫克。

338.饮食中有害微量元素的控制

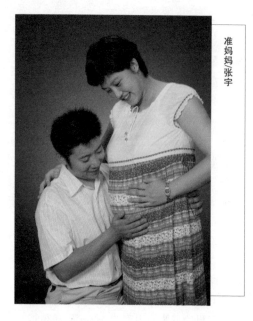

准妈妈/张宇

学家测定了怀孕30天、50天、产仔时、产仔后3、6、12天的豚鼠的脊髓、脑干、小脑和前脑中的铝，结果显示，在脊髓、脑干、小脑中铝含量最高。铝不能在胎盘中蓄积。但铝是唯一在脊髓中显示比其他任何组织有较高浓度的元素。建议孕妇不使用铝制品餐具和炊具；不吃或少吃油条等含铝食品，以避免铝对胎儿的危害。

339.孕期食物选择的两个常见误区

特殊口味

孕早期，妈妈可能因为妊娠反应，口味上发生一些变化，或非常喜欢吃酸性食物，或特别喜欢吃甜食，或喜欢吃寡淡少味的素食，或只想吃辣的。妊娠反应比较厉害的，可能什么都不喜欢吃，连喝水都觉得有异味。这些都是正常的孕早期反应，过一段时间就会好的。

曾有孕妇咨询，她非常喜欢吃酸性食品，尤其是山楂和山楂罐头，还喜欢喝醋，能证明她腹中的孩子是男胎吗？多吃酸的对胎儿有影响吗？

民间有"酸儿辣女"的说法。我认为喜酸喜辣只是个人口味爱好而已。有的孕妇从潜意识里就希望生男孩，把"喜酸"口味无限地扩大了。几乎一日三餐都离不开酸性食物。过多食入酸性食物对胎儿不利。任何食物，无论营养高低，都不能无节制地过分食用。有科学研究发现，孕妇过多食用酸性食物或酸性药物，如维生素C、阿司匹林，是导致胎儿异常的原因之一。罐头类食品中含有防腐剂等一些化学添加剂，不适合孕妇食用，尤其是孕早期，胎儿正处于器官分化生长阶段，对外来不良因素刺激比较敏感。

吃水果的误区

水果中含有大量的维生素，大多数医

铅

人们已认识到铅对人体健康的危害。也曾有孕妇向我咨询过这方面的问题。大多数医院开展了血铅的测定。现在铅的污染面很广，如蓄电池、油漆、陶器、汽车尾气、某些化妆品、药品、餐饮容器、水源污染以及一些工厂附近的空气污染。血铅超标的比例增加，有些甚至达到铅中毒的浓度。

血铅浓度超标，医生会采取一些措施，如驱铅疗法，服用抗铅的药物，如维生素E是天然的脂溶性抗氧化剂，锌是过氧化物歧化酶的重要组成部分，能通过调控脂质过氧化来保护细胞结构，保护器官，并对抗铅等有害物质对健康的危害。

生活中要尽量避免铅对人体的污染。如在使用化妆品时要注意品质，绝不能使用含铅超标的化妆品；不食用含铅高的食品（爆米花、膨化食品等）；不使用含铅的餐饮器皿；尽量避开汽车尾气。

铝

为了研究铝对神经发育的影响，科

生会建议孕妇多吃水果，尤其是发生便秘时。水果是不是吃得越多越好呢？让我们来看看水果的主要成分，一般来说，水果中含的水分达90%，剩下的10%是果糖、葡萄糖、蔗糖和维生素。水果中所含的糖很容易被吸收，如果体内不能利用这些多余的热量，孕妇可能会发胖。所以，水果不是吃得越多越好，适量才有利于妈妈和胎儿的健康。

建议孕妇每天吃水果总量控制在500克。传统认为，应该在饭后吃水果。这并不科学，当胃内有饭积存时，吃进去的水果就不能很快被消化吸收，而要在胃内存留很长时间，胃内是有氧环境，一些水果就发生氧化，如苹果。如果吃热饭后马上吃凉的水果，还会引起胃部不适，孕早期有妊娠反应，对胃的不良刺激，会引发呕吐。饭前吃水果比饭后吃水果更科学，最好在吃水果1小时以后再吃饭。水果中含有大量的维生素C，可帮助铁的吸收，所以，吃含铁高的食物前吃一些含维生素C高的水果是不错的选择。

340.合理营养食品选择

奶制品——试着在饭后喝

奶（牛奶、羊奶）含有丰富的必需氨基酸、钙、磷、多种微量元素及维生素。喝不惯奶的孕妇也要努力学习喝奶。如果实在不愿意喝奶，可从小量开始，逐渐增加，也可以先在奶中调配一些平时爱喝的饮品，逐渐过渡到纯奶。最好选择适合孕妇喝的配方奶。如果喝奶后感觉腹部胀气，可煮沸稍冷后，加入食用乳酸菌及纯果汁制成酸味奶食用。有的孕妇喝奶后引起腹泻，可试着在饭后喝。

蛋类——不要油煎，蛋羹最佳

蛋是提供优质蛋白质的最佳天然食品，也是脂溶性维生素及叶酸、维生素B2、维生素B6、维生素B12的丰富来源，蛋黄中的铁含量亦较高，最好能保证每天吃一个鸡蛋。

海产品——不要冰冻和腌制的

应经常吃些鱼、海带、紫菜、虾皮、鱼松等海产品，以补充碘。要选择新鲜的海产品，不但含有丰富的优质蛋白，还含有丰富的微量元素，是孕期的好食品。

肉、禽类——不可过量，妊高征限食

兽肉和禽肉都是蛋白质、无机盐和各种维生素的良好来源。孕妇每天饮食中应供给50-150克。动物肝脏是孕妇必需的维生素A、D、叶酸、维生素B1、维生素B2、维生素B12、尼克酸及铁的优良来源，每周吃1-2次。

豆类——不仅仅是黄豆类制品

是植物性蛋白质、B族维生素及无机盐的丰富来源。豆芽含有丰富的维生素C。喝奶少的孕妇可适当多补充些豆类食品，每天约50-100克，以保证孕妇、胎儿的营养需要。

蔬果类——颜色越丰富越好

绿叶蔬菜如芹菜、韭菜、小白菜、豌豆苗、奶白菜、空心菜、菠菜；黄红色蔬菜如甜椒、胡萝卜、紫甘蓝等都含有丰富的维生素、无机盐和纤维素。每天应摄取新鲜蔬菜250-750克，其中有色蔬菜应占一半以上。水果中带酸味者，适合孕妇口味又含有较多的维生素C，还含有果胶。每天供给新鲜水果150-200克。蔬菜中黄瓜、番茄等生吃更为有益。蔬菜、水果中含纤维素和果胶，可预防孕妇便秘。

坚果类——休闲食品补锌

芝麻、花生、核桃、葵花子等，其蛋白质和矿物质含量与豆类相似，亦可经常食用。瓜子中含有丰富的锌。

341.均衡的营养结构，丰富的食品种类

要保证营养结构均衡，孕妇每天所摄入的食品种类至少在20种以上。这听起来似乎难以做到，其实即使在你没有怀孕时，每天所吃的食品种类也是很多的，至少要有十几种。比如：

水果两种：苹果、橘子、香蕉、梨、桃、葡萄、草莓、橙子、柿子等等，选两种是很容易的。

粮食四种：小麦面、玉米面、燕麦面、荞麦面、豆面等面食一种；小米、大米、高粱米、江米、黑米等米食两种；红豆、绿豆、饭豆、青豆、云豆、黑豆等豆类一种。

蔬菜四种：芹菜、菠菜、茼蒿、油菜、芥菜、茴香、木耳菜、笋叶、香椿、白菜等绿叶菜两种；红萝卜、象牙白、胡萝卜、绿萝卜等萝卜类一种；苦瓜、丝瓜、黄瓜、冬瓜、白玉瓜、西葫芦、南瓜等瓜类一种；还有西红柿、豆角、辣椒、

准妈妈/姜研

土豆、蘑菇、茄子、莲藕、茨菰等任选其一种。

肉蛋两种：鸡蛋、鸭蛋、鹅蛋、鹌鹑蛋等蛋类一种；各种鱼肉（包括蟹类、虾类、贝壳类）、猪肉、羊肉、鸡肉、牛肉等肉类一种。

奶类一种：牛奶、羊奶一种。

豆腐一种：黄豆、绿豆、黑豆等制作的豆腐、豆浆、豆皮、豆干等食品一种。

水：矿泉水、纯净水、白开水，水是人的生命之源，除了正常饮食中的水外，还应额外补充纯粹的水。只喝矿泉水不是最好的选择。只喝纯净水是最不好的选择，纯净水中的矿物质大多被净化掉了。

油类：豆油、花生油、菜籽油、葵花籽油、玉米油、芝麻油、奶油、黄油、橄榄油等油类一种。

坚果类：花生、葵花子、西瓜子、南瓜子、栗子、核桃、榛子、腰果、开心果、杏仁、松子等坚果类一种。

调料：葱、姜、蒜、花椒、大料、盐、糖、辣椒、酱油、醋、淀粉、料酒等，每天至少需要四种调料制作菜肴。

可见，我们每个人日常食入的种类基本在20种左右。孕妇吃的种类比上面列举的越多越好。

为什么食欲没有增加反而下降？

我现在是孕19周，从怀孕到现在我共增重7公斤，这正常吗？我从孕16周起，食欲下降，但不呕吐，饭量比怀孕前没有任何增加，听别人说怀孕中期以后食欲会有很大增加，我非但没有增加，反而食欲有所下降了，食量基本上没有什么变化。我这种状况会影响胎儿发育吗？

一般情况下，整个孕期体重平均增加10-15公斤，但孕妇体重的增加存在着明显的个体差异，有的人怀孕时食欲很好，或过量进食造成体重增长过多。有的人平时吃饭

就比较挑剔，孕后由于妊娠反应，更影响食欲。体重增加并不明显，但绝大多数孕妇在整个孕期体重增加在6公斤以上。

孕6个月以后，绝大多数孕妇的食欲都有不同程度的增加。此期重要的是营养的丰富性，而不单单是量的增加。如果过多进食高热量食物，体重增加过快，会对孕妇产后恢复不利，出现糖代谢紊乱、高血压、高血脂等症，也会增加巨大儿的发生率，巨大儿会给分娩带来困难，增加难产的几率。

你的食欲没有明显增加，食量也不大，不能因此认为你有什么问题，你的体重增加还算理想。如果你没有消化系统异常反应，如恶心、呕吐、胃痛、胃肠胀气、大便干硬或腹泻等，就不必担心，怀孕并不是一个人吃两个人的饭量，饭量不会因为怀孕就会明显增加。

342. 孕期健康饮食理念

贯穿孕期始终的健康饮食理念

● 通过食物多样性来保证营养均衡性和膳食结构的合理性。没有不能吃的食物，只有少吃，还是多吃。没有食物不能提供的任何一种或多种营养素，而必须依靠营养补充剂，尽管处于怀孕的特殊时期。

● 没有一种营养素能够承担胎儿某一器官的发育，哪怕只是一根汗毛。

● 没有哪一种食物能够提供孕妇和胎儿所需的所有营养素。

● 价格不总能反映食物质量的高低。

● 专家关于营养的建议也不总是对的，不懂营养的医生也不少。

● 如果对众多说法无所适从，就索性按照自己认为正确的方法去做，错误的几率会更低。

● 你是这样做的、吃的，可有人告诉你错了，你可千万不要懊恼，他们说的可不一定是对的。

● 有人告诉你吃某种食品或某中营养制剂

好，可你已经错过吃的时机，你可不要沮丧，不吃胎儿照旧健康地生长着。

● 过来人的经验不都是好的经验，别人在孕期吃过的食物和营养品并不一定适合你。

343. 孕期营养原则的特点

多样性食物会首先保障胎儿

全面均衡的营养只有多种食物成分综合效用才能实现。人体已经形成了无比复杂的反应体系，能够从摄入的纯天然食物中获取最大的益处。我们从食物中吸收的物质参加一系列的生化反应，这些生化反应的协调是保证身体健康的基础，身体对这些生化反应有着复杂和微妙的调控。人体知道该把哪些物质留在体内，并转运到需要的地方去，发挥它们的作用；也知道该把哪些物质排泄出去，并尽最大努力不让有害物质存留在体内，并伤害自己的身体。我们的身体对我们确实是极端负责任的，鞠躬尽瘁。孕妇在孕期，这种能力更显卓越，那是母爱的体现，以此来保护自己的孩子，这也是自然和人类赋予母亲的能力。当某种营养素缺乏时，母体的选择是耗尽自己以保证胎儿的需求。

营养素补充剂不是灵丹妙药

身体对营养的利用是通过非常复杂的生化过程实现的，涉及数以千计的化学物质和生理效应。营养素补充剂绝对不会优于自然食物。

孕早期营养原则

● 保证优质蛋白质、碘、锌和钙的供给

鸡蛋肉类鱼虾是人们所喜欢的动物优质蛋白食物。不喜欢吃，可用豆和豆制品类，干果类，花生酱，芝麻酱等植物性食品代替。海产品保证碘和锌的供给，每周应至少吃一次海产品，如海鱼、虾蟹、蛤类、海带、紫菜、发菜等。动物肝脏是值得推荐的食物，它所含有的丰富铁及维生素A和B是其他食物不可比的。牛奶和奶制品不但含有丰富的蛋白质，还含有多种必需氨基酸、钙、磷多种微量元素和维生素AD。酸奶、奶酪、冰激凌和豆浆可代替奶。

● 适当增加热量

谷类、薯类食品每餐不可少于50克。不喜欢吃单调的细粮米饭、馒头，可以尝试各种平时很少吃的粗粮，如燕麦片、通心粉、紫米、黑米、薏米、高粱、玉米、荞麦饼、红薯饼、莜麦面等。

● 确保无机盐、维生素的供给

蔬菜应多选绿叶蔬菜和有色蔬菜。蔬菜水果颜色越深、越丰富越好。可以尝试一些绿色蔬果基地培育的国外和南方品种。

孕中期营养原则

● 充足的蛋白质。

● 丰富的维生素，注意铁、锌、钙等元素补充。

● 胎儿不喜欢偏食的准妈妈，均衡饮食最重要。

● 胎儿经受不住猛吃猛喝的准妈妈，要健康饮食。

● 合理饮食结构可改善伴随孕妇的便秘、痔疮。

孕晚期营养原则

● 最重要的矿物质：铁、钙、锌、镁。

● 足够的必须氨基酸供应（主要由蛋白质提供）。

● 摄入充足的人体所需的必须脂肪酸。

● 丰富的维生素供给。

● 维生素D是钙吸收利用不可或缺的。

● 适当运动和日光浴可促进钙的吸收。

● 油质鱼类对胎儿视觉能力的发育有利，omega-3脂肪酸中含有DHA。

344. 孕期健康饮食计划

健康饮食计划制定

面对众多的专家建议，你需要考虑的是

● 你喜欢吃什么食物？

● 你每天有怎样的运动量以及生活上的安排？

● 是否将自己的体重控制在目标（标准）范围内？

● 是否愿意让自己的体重维持在健康水平？

● 是否知道几乎所有的疾病都与饮食有着千丝万缕的联系？

● 你是否灵活地实现健康的饮食计划？

● 你是否深刻体会到没有健康的饮食就没有胎儿的健康？

孕期健康饮食计划并不意味着

● 要吃稀奇古怪的食物。

● 要吃贵重的食物。

● 要吃从来没有吃过的食物。

● 要逼着自己吃绝对不喜欢吃的食物。

● 妊娠反应期吃了就恶心的食物。

总之，你的孕期健康饮食计划要考虑到你的需求、口味、喜好、经济状况以及生活方式等，考虑得越多，实现的可能性越大。

孕期健康饮食上的误区

● 必须节食，挨饿也要挺着。

● 不能吃这，不能吃那个。

● 这是降糖食物，那是降脂食物。

● 吃这个长胎儿大脑，吃那个会让宝宝更聪明。

健康饮食计划实施

孕妇必须吃的食物

● 粮食。

孕妇应该多吃的食物

● 含优质蛋白的食物，如海产品、蛋清、奶制品。

● 含钙丰富的食物，如虾皮、奶制品。

● 含铁丰富的食物，如动物肝脏、蛋黄、绿叶蔬菜。

● 富含锌的食物，如海产品、坚果类。

● 含碘食物，如海带。

● 含DHA的食物，如油脂鱼类。

● 含胡萝卜素的食物，如胡萝卜。

● 含维生素丰富的食物，如水果、蔬菜。

应适当补充的食物

● 碳水化合物和植物油脂食物，如燕麦和植物油。

孕妇应少吃的食物

● 刺激性食物，如辣椒。
● 动物油脂食物，如肥肉、动物油。
● 熏制和腌制食物，如熏火腿、咸菜。
● 烤炸类食物，如烤肉、油条。
● 含咖啡因饮料，如咖啡、茶。

孕妇应限量吃的食物成分

● 盐和含钠食物，如成品食物、饭店菜肴。
● 含乙醇饮料，如啤酒、红酒。
● 含添加剂食物，如罐头和常温储藏熟食品中的防腐剂、油条中的明矾。
● 高热量食物，如西式快餐。
● 高油脂食物，如水煮鱼、水煮肉片、油炸甜品。
● 某些调味品，如味精、盐、胡椒面、芥末。

孕妇最好不吃的食物

● 有可疑农药、重金属、类激素污染的食物，如未经质检的蔬菜、水果、奶制品和肉制品。
● 含乙醇高的食物，如白酒。
● 大补食物，如鹿茸、人参、冬虫夏草。
孕妇绝对不能吃的食物
● 霉变食物，如有难吃味道的花生制品、奶制品、豆制品和谷物，生芽的土豆、霉变的红薯、花生、甘蔗。
● 放置时间较久的剩菜剩饭。
● 所有过期食品。

孕妇应克服的饮食习惯

● 偏食，如特酸、特辣、特甜。
● 饮食单一，如主食永远都是米饭。
● 喜欢吃过冷过热食物，如冰激凌、麻辣烫。
● 狼吞虎咽，不知饭菜何味，囫囵吞枣咽下肚里。
● 不吃早餐，这是最不好的饮食习惯。
● 饥一顿饱一顿，孕妇不能这样。
● 暴饮暴食，遇有丰盛的大餐，海吃一顿。
● 根据某些道听途说改变饮食习惯，原本不错的饮食结构被改变了，看到和听到的不能保证是对的。
● 只吃认为是好的食物，忘记还有很多食

物品种需要吃的。
● 边吃饭边喝水，冲淡了胃液。
● 边吃饭边喝饮料，胃部饱胀感，影响进食。
● 饭后喝茶，影响铁的吸收。
● 饭后立即活动，运动应该在进食半小时后。
● 饭后坐着看电视或看书，闭目养神是不错的选择。
● 饭前喝水和饭前运动都不好。

345. 孕期基础营养知识

什么是健康饮食金字塔？

第一层（塔底）是粮食。你要吃得最多。

第二层是蔬菜和水果。
第三层是蛋、肉、豆和奶。
第四层（塔顶）是油脂和糖。你要吃得最少。

食品标签常用名词的含义

购买食品时你可能会看到这些标示：无热量、低热量、微热量、无胆固醇、低

准妈妈张宇

胆固醇、低脂肪、无脂肪、低饱和脂肪、低钠、极低钠、无钠或无盐、轻盐、无糖、营养、天然、新鲜。

● 无热量：每份食品中的热量低于5卡（一定要注意每份食品的大小）。

● 低热量：每份食品中的热量低于40卡。

● 微热量：每份食品中的热量是同样份额食品重量中热量的1/3。

● 无胆固醇：每份食品中的胆固醇含量少于2毫克，饱和脂肪低于2克。

● 低胆固醇：每份食品中的胆固醇含量少于20毫克，饱和脂肪低于2克。

● 低脂肪：每份食物中的脂肪低于3克。

● 无脂肪：每份食物中的脂肪低于0.5克。

● 低饱和脂肪：每份食物中的脂肪低于1克，饱和脂肪中提供的热量不超过15%。

● 低钠：每份或100克食物中的钠低于140毫克。

● 极低钠：每份食物中的钠低于35毫克。

准妈妈王媛

● 无钠或无盐：每份食物中的钠低于5毫克。

● 轻盐：食物中的钠比正常少50%。

● 无糖：一份食物中糖低于0.5克。

● 天然：主要是指不含化学防腐剂、激素和类似的添加剂。

● 新鲜：用来描述未加冷冻、加热处理或用其他方式保藏的生食。

● 营养：没有标准的说法，可以是某一种食物被改变或被替代，有可能是低盐、低糖或低脂肪，总之比正常含量低。

最容易记住的食物搭配方法

● 种类搭配。水 > 蔬菜 > 粮食 > 水果 > 奶豆 > 蛋肉 > 油类。

● 蔬菜颜色齐全。绿 > 白 > 黄 > 红 > 黑 > 紫，不买看起来没有丝毫瑕疵的蔬菜。

● 肉蛋色泽主次。白 > 红 > 黄，不买看起来个超大且均匀的鸡蛋，不买看起来水灵灵的瘦肉，不买硕大的鸡腿和鸡胸脯。

● 粮食颜色配比。白 > 黄 > 绿 > 红 > 黑 > 紫，买粗不买精，买新不买陈，买散不买包装，买真空不买普通装，不买非常规颜色米、看起来白得耀眼的面粉、看起来金黄耀眼的小米和玉米面、看起来嫩绿的小豆。

● 水果不单调。应季水果第一选择，地域第二选择，品种第三选择，色泽第四选择，黄 > 绿 > 红 > 白 > 紫 > 黑，不买包装好的果篮，不买昂贵的、从来没有吃过、不认识的水果，不买切开、处理的水果。

● 水不要一次喝个够。不能渴得难耐才喝水，矿泉水、纯净水、自己烧的白开水、功能水、营养水、饮料水、茶水、咖啡水、泡的药水、泡的食物水，没有哪个绝对不能喝，可也没有哪个可以代替所有。如果拿不准，就只喝自己烧的白开水，否则，想喝什么就喝什么，但不可只喝某种。饭前半小时、饭后立即、睡觉前1小时不喝水，一天一口水都不喝是最不可取的。

附录 特定人群膳食指南（节选）

一、孕妇

1. 自妊娠第4个月起，保证充足的能量

2. 妊娠后期保持体重的正常增长

3. 增加鱼、肉、蛋、奶、海产品的摄入

妊娠是一个复杂的生理过程，孕妇在妊娠期间需要进行一系列生理调整，以适应胎儿在体内的生长发育和本身的生理变化。妊娠分为三期，每三个月为一期。怀孕头三个月为第一期，是胚胎发育的初期，此时孕妇体重增长缓慢，故所需营养与非孕时近似。至第二期即第4个月起体重增长迅速，母体开始贮存脂肪及部分蛋白质，此时胎儿、胎盘、羊水、子宫、乳房、血容量等都迅速增长。第二期增加体重约4~5千克，第三期约增加5千克，总体重增加约12千克。为此，在怀孕第4个月起必须增加能量和各种营养素，以满足合成代谢的需要。我国推荐膳食营养素供给量中规定孕中期能量每日增加200千卡，蛋白质4~6个月时增加15克，7~9个月时增加25克，钙增加至1500毫克，铁增加至28毫克，其他营养素如碘、锌、维生素A、D、E、B1、B2、C等也都相应增加。膳食中应增加鱼、肉、蛋等富含优质蛋白质的动物性食物，含钙丰富的奶类食物，含无机盐和维生素丰富的蔬菜、水果等。蔬菜、水果还富含膳食纤维，可促进肠蠕动，防止孕妇便秘。孕妇应以正常妊娠体重增长的规律合理调整膳食，并要做些有益的体力活动。孕期营养低下使孕妇机体组织器官增长缓慢，营养物质贮存不良，胎儿的生长发育

延缓，早产儿发生率增高。但孕妇体重增长过度、营养过剩对母亲和胎儿也不利，一则易出现巨大儿，增加难产的危险性；二则孕妇体内可能有大量水贮留和易发生糖尿病、慢性高血压及妊娠高血压综合症。

二、乳母

1. 保证供给充足的能量

2. 增加鱼、肉、蛋、奶、海产品的摄入

乳母每天约分泌600~800毫升的乳汁来喂养孩子，当营养供应不足时，即会破坏本身的组织来满足婴儿对乳汁的需要，所以为了保护母亲和分泌乳汁的需要，必须供给乳母充足的营养。

乳母在妊娠期所增长的体重中约有4千克为脂肪，这些孕期贮存的脂肪可在哺乳期被消耗以提供能量。以哺乳期为6个月计算，则每日由贮存的脂肪提供的能量为200千卡。我国推荐膳食营养素供给量建议乳母能量每日增加800千卡，故每日还需从膳食中补充600千卡。

800毫升乳汁约含蛋白质10千克，母体膳食蛋白质转变为乳汁蛋白质的有效率为70%，因此，我国推荐膳食营养素供给量建议乳母膳食蛋白质每日应增加25克。

人乳的钙含量比较稳定，乳母每日通过乳汁分泌的钙近300毫克。当膳食摄入钙不足时，为了维持乳汁中钙含量的恒定，

就要动员母体骨骼中的钙，所以乳母应增加钙的摄入量。我国推荐膳食营养素供给量建议乳母钙摄入量每日1500毫克，钙的最好来源为牛奶，乳母每日若能饮用牛奶500毫升，则可从中得到570毫克钙。

此外，乳母应多吃些动物性食物和大豆制品以供给优质蛋白质，同时应多吃些水产品。海鱼脂肪富含二十二碳六烯酸（DHA），牡蛎富含锌，海带、紫菜富含碘。乳母多吃些海产品对婴儿的生长发育有益。

（选自中国营养学会《中国居民膳食指南及平衡膳食宝塔》）

重要参考文献

1 《Human EmbryoLogy》
  William J.Larsen著　人民卫生出版社　2002年10月出版
2 《组织学与胚胎学》
  高英茂主编　人民卫生出版社　2001年8月出版
3 《实用妇产科学》
  王淑贞主编　人民卫生出版社　1987年12月出版
4 《中国优生科学》
  吴刚、伦玉兰主编　科学技术文献出版社　2000年11月出版
5 《妊娠与内科系统疾病》
  孙希志等主编　山东科学技术出版社　2000年5月出版
6 《中国遗传学咨询》
  余元勋等主编　安徽科学技术出版社　2003年6月出版
7 《妊娠期哺乳期用药》
  蒋式时编著　人民卫生出版社　2000年6月出版
8 《医学环境地球化学》
  林年丰著　吉林科学技术出版社　1991年6月出版
9 《现代毒理学概论》
  顾祖维主编　化学工业出版社　2005年6月出版
10《胎儿电子监护学》
  程志厚、宋树良主编　人民卫生出版社　2001年4月出版
11《孕产超声诊断学》
  冯麟增主编　北京科学技术出版社　1994年1月出版
12《实验诊断临床指南》
  徐勉忠主编　科学出版社　2001年2月出版
13《现代遗传学》
  贺竹梅编著　中山大学出版社　2002年3月出版
14《超声诊断临床指南》
  张青萍主著　科学出版社　1999年5月出版
15《体内小访客》
  大卫·班布里基著　汕头大学出版社　2003年10月出版

后　记

感谢我尊敬的前辈，妇产科专家刘玉兰老师、儿科专家张春瑞老师、儿科专家张孝萱老师、小儿神经内科专家叶露梅老师、小儿内分泌专家鲍美珍老师、小儿血液病专家王琦老师。在我20年临床和研修工作中，他们广博的专业知识、精湛的医术、出色的人品，都给予我极大的帮助和影响。我成长为一个受众人欢迎和信任的医生，还能为医学科普写作做点贡献，我把这当做对他们的回报。

感谢我的丈夫，尽管他的工作也很忙，但他总是挤出时间，从国外专业网站和国外原版专业书籍中为我查询、翻译或购买有关最新医学的资料，包括英、日、法语的。没有他的帮助，我就不能更多地掌握国际医学进展。

感谢秦皇岛市妇幼医院院长陈妍华女士的关怀与支持。她一贯支持我抓临床业务，还支持我抓科研，鼓励我用科研成果和专业知识服务于大众。

感谢田甜女士所做的文字修改，她逐字逐句修改了全部书稿数遍。没有她的修改，甚至可以说就不可能有这本书的出版。

感谢为本书提供照片的所有亲朋好友，感谢全国各地的读者和网友们，感谢孩子的爸爸妈妈们，把小宝宝可爱的形象提供给我，展现给大众。没有这些照片，就不能生动地反映出中国宝宝发育的真实情景。